숨마쿰라우데®

SUMMA CUM LAUDE 「최우등 졸업」을 의미하는 라틴어

SUMMA CUM LAUDE

숨마쿰라우데®

[수학 기본서]

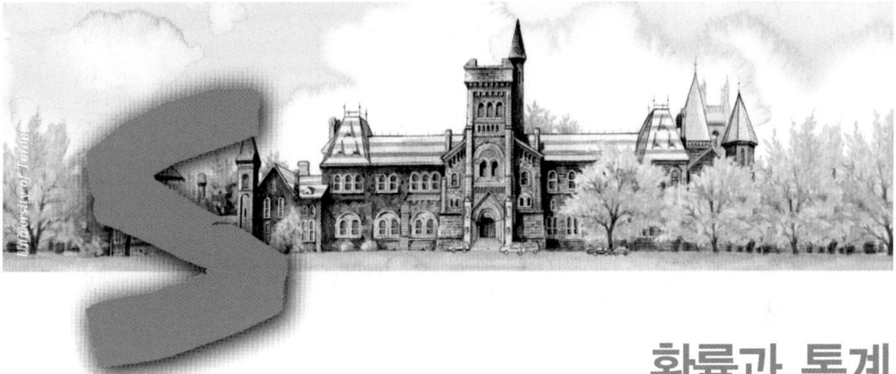

확률과 통계

이룸이앤비
Education & Books

SUMMA CUM LAUDE-MATHEMATICS

COPYRIGHT

숨마쿰라우데® [확률과 통계]

숨마쿰라우데 수학 시리즈 집필진

정양하 서울대 수리과학부
권종원 서울대 수학교육과
김우섭 서울대 대학원 수리과학부
박종민 서울대 수리과학부
이정준 서울대 통계학과
정진하 성균관대 수학교육과
하승우 서울대 수리과학부
홍성민 중앙대 통계학과
김 신 서울대 화학생물공학부
노희준 고려대 컴퓨터학과
박창희 서울대 의학과
이호민 서울대 수리과학부
조태흠 서울대 수리과학부
권오재 한양대 화공생명공학부
김영준 서울대 의학과
박경석 서울대 의학과
여지환 서울대 전기컴퓨터학과
이효빈 서울대 수학교육과
차석빈 서울대 수리과학부

1판 2쇄 발행일 : 2020년 9월 1일

펴낸이 : 이동준, 정재현
기획 및 편집 : 박영아, 김재열, 남궁경숙, 강성희, 박문서
디자인 : 굿윌디자인

펴낸곳 : (주)이룸이앤비
출판신고번호 : 제2009-000168호
주소 : 서울시 강남구 논현로16길 4-3 이룸빌딩(우 06312)
대표전화 : 02-424-2410
팩스 : 02-424-5006
홈페이지 : **www.erumenb.com**
ISBN : 978-89-5990-486-0

THINK MORE ABOUT YOUR FUTURE

INTRODUCTION

[이 책을 펴내면서]

「숨마쿰라우데 확률과 통계」를 소개합니다.
'확률과 통계' 는 실생활에서 매우 유용하게 쓰이는 수학의 중요한 분야 중 하나입니다.
하지만 한편으로는 많은 학생들이 힘들어하는 영역이기도 하지요.
"학생들이 어떻게 하면 확률과 통계를 보다 쉽게 이해할 수 있을까?"
우리 저자들은 이를 두고 오랜 시간 고민하였습니다.

「숨마쿰라우데 확률과 통계」는 한 편의 재미있는 이야기와 같습니다.
경우의 수 단원에서 다양한 방법으로 경우의 수를 구하는 것을 배우고 나면
이를 통해 확률을 쉽게 이해할 수 있고 통계 단원까지 그 내용이 자연스럽게 이어집니다.
마치 우리가 소설을 읽을 때 주인공이 어떤 어려움에 처했고
그 상황을 어떻게 헤쳐 나갔는지를 파악하며 읽어나가는 것과 마찬가지로
우리가 지금 어떤 문제를 풀어야 하는지,
그 문제를 어떻게 풀 수 있는지, 이러한 방법을 어떤 상황에 적용해볼 수 있을지 등을
쉽게 이해하고 따라갈 수 있도록 하였습니다.
아울러 **Advanced Lecture**와 **MATH *for* ESSAY**를 통해서는
대학별 고사 및 구술 면접 등에서의 보다 심화된 내용에도 대비할 수 있도록 하였습니다.

「숨마쿰라우데 수학 시리즈」는 오랜 시간 많은 사랑을 받아왔습니다.
이는 다른 수학 참고서와 비교할 수 없을 정도로 상세하고 친절한 설명과
다양한 수준의 학생들이 모두 만족할 수 있는 내용 덕분이라고 감히 생각합니다.
여러분도 이 책을 통해 '확률과 통계' 에 재미를 느끼고
꾸준한 연습을 통해 흔들리지 않는 실력을 쌓을 수 있기를 간절히 기원합니다!

-저자 일동-

쎈마클라우데® [확률과 통계]

가장 중요한 것은 나의 내부에서
빛이 꺼지지 않도록 노력하는 일이다.
안에 빛이 있으면
스스로 밖이 빛나는 법이다.

– 슈바이처

THINK MORE ABOUT YOUR FUTURE

STRUCTURE

[이 책의 구성과 특징]

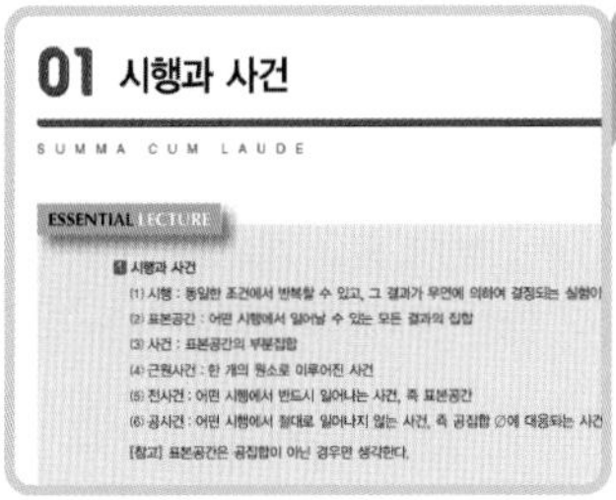
01 시행과 사건

SUMMA CUM LAUDE

ESSENTIAL LECTURE

1 시행과 사건

(1) 시행 : 동일한 조건에서 반복할 수 있고, 그 결과가 우연에 의하여 결정되는 실험이

(2) 표본공간 : 어떤 시행에서 일어날 수 있는 모든 결과의 집합

(3) 사건 : 표본공간의 부분집합

(4) 근원사건 : 한 개의 원소로 이루어진 사건

(5) 전사건 : 어떤 시행에서 반드시 일어나는 사건, 즉 표본공간

(6) 공사건 : 어떤 시행에서 절대로 일어나지 않는 사건, 즉 공집합 ∅에 대응되는 사건

[참고] 표본공간은 공집합이 아닌 경우만 생각한다.

01 개념 학습

수학 학습의 기본은 개념에 대한 완벽한 이해입니다. 단원을 개념의 기본이 되는 소단원으로 분류하여, 기본 개념을 확실하게 이해할 수 있도록 설명하였습니다. 〈공식의 정리〉와 함께 〈공식이 만들어진 원리〉, 학습 선배인 〈필자들의 팁〉, 문제 풀이시 〈범하기 쉬운 오류〉 등을 설명하여 확실한 개념 정립이 가능하도록 하였습니다.

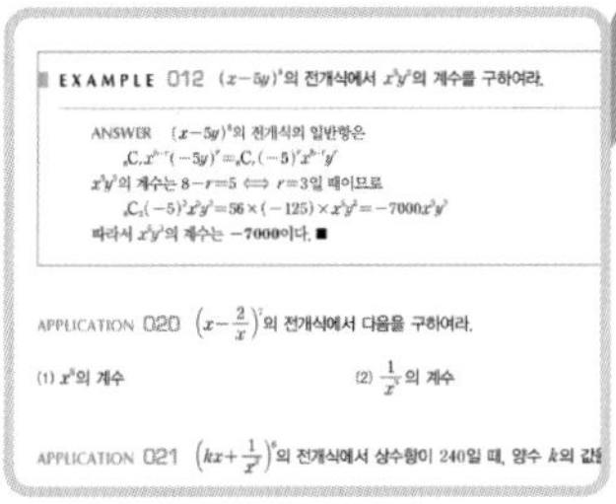
EXAMPLE 012 $(x-5y)^8$의 전개식에서 x^3y^5의 계수를 구하여라.

ANSWER $(x-5y)^8$의 전개식의 일반항은

${}_8C_r x^{8-r}(-5y)^r = {}_8C_r(-5)^r x^{8-r} y^r$

x^3y^5의 계수는 $8-r=5 \iff r=3$일 때이므로

${}_8C_3(-5)^3 x^5 y^3 = 56\times(-125)\times x^5y^3 = -7000x^5y^3$

따라서 x^5y^3의 계수는 -7000이다. ■

APPLICATION 020 $\left(x-\frac{2}{x}\right)^7$의 전개식에서 다음을 구하여라.

(1) x^5의 계수 (2) $\frac{1}{x^3}$의 계수

APPLICATION 021 $\left(kx+\frac{1}{x^2}\right)^6$의 전개식에서 상수항이 240일 때, 양수 k의 값을

02 EXAMPLE & APPLICATION

소단원에서 공부한 개념을 적용할 수 있도록 가장 적절한 〈EXAMPLE〉을 제시하였습니다. 다양한 접근 방법이나 추가 설명을 통해 개념을 확실하게 이해하고 넘어가도록 하였습니다. EXAMPLE에서 익힌 방법을 적용하거나 응용해 봄으로써 개념을 탄탄하게 다질 수 있도록 APPLICATION을 제시하였습니다.

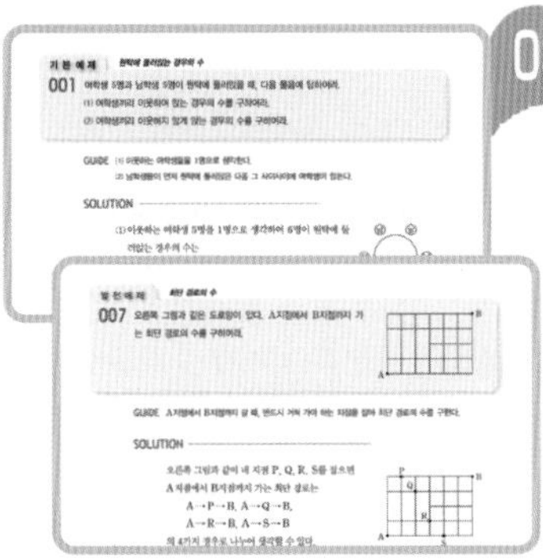
기본예제 원탁에 둘러앉는 경우의 수

001 여학생 3명과 남학생 5명이 원탁에 둘러앉을 때, 다음 물음에 답하여라.

GUIDE

SOLUTION

발전예제 최단 경로의 수

007 오른쪽 그림과 같은 도로망이 있다. A지점에서 B지점까지 가는 최단 경로의 수를 구하여라.

GUIDE

SOLUTION

A → P → B, A → Q → B,

A → R → B, A → S → B

03 기본예제 & 발전예제

탄탄한 개념이 정리된 상태에서 본격적인 수학 단원별 유형을 익힐 수 있습니다. 대표적인 유형 문제를 〈기본예제〉와 〈발전예제〉로 구분해 풀이 GUIDE와 함께 그 해법을 보여 주고, 같은 유형의 〈유제〉 문제를 제시하여 해당 유형을 완벽하게 연습할 수 있습니다. 또, 〈Summa's Advice〉에 보충설명을 제시하여 실수하기 쉬운 사항, 중요한 추가적인 설명을 덧붙여 해당 문항 유형에 철저하게 대비할 수 있도록 하였습니다.

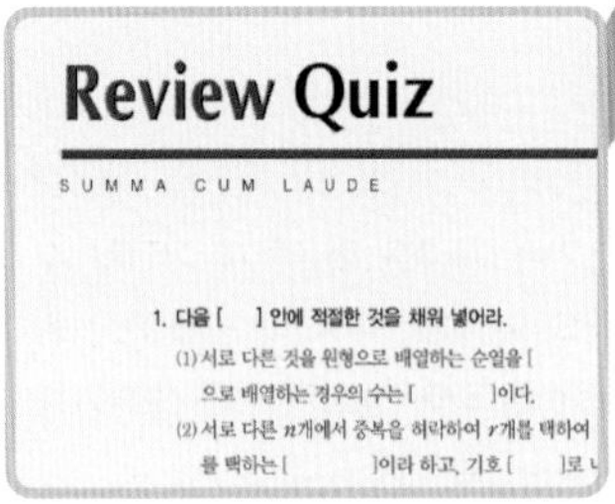

STRUCTURE

숨마쿰라우데® [확률과 통계]

04 중단원별 Review Quiz

소단원으로 나누어 공부했던 중요한 개념들을 중단원별로 모아 괄호 넣기 문제, 참·거짓 문제, 간단한 설명 문제 등을 제시하였습니다. 이는 중단원별로 중요한 개념을 다시 한번 정리하여 전체를 보는 안목을 유지할 수 있도록 해 줍니다.

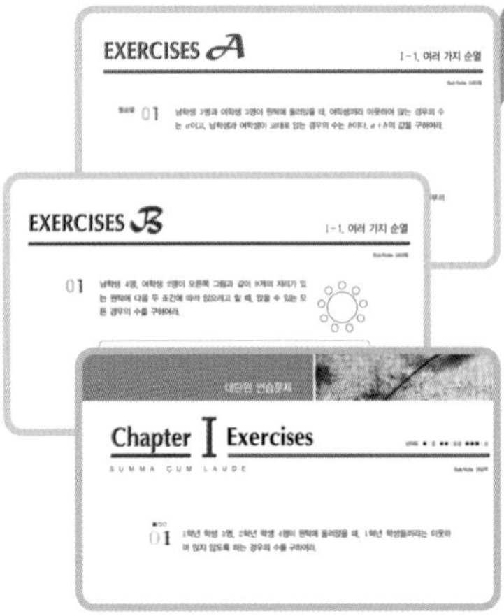

05 중단원별, 대단원별 EXERCISES

이미 학습한 개념과 유형문제들을 중단원과 대단원별로 테스트하도록 하였습니다. 〈난이도별〉로 A, B단계로 문항을 배치하였으며, 내신은 물론 수능 시험 등에서 출제가 가능한 문제들로 구성하여 정확한 자신의 실력을 측정할 수 있습니다. EXERCISES를 통해 부족한 부분을 스스로 체크하여 개념 학습으로 피드백하면 핵심 개념을 보다 완벽히 정리할 수 있습니다.

06 Advanced Lecture(심화, 연계 학습)

본문보다 더욱 심화된 내용과 앞으로 학습할 상위 단계와 연계된 내용을 제시하고 있습니다. 특히, 학생들이 충분히 이해할 수 있는 수준으로 설명하여 깊이 있는 학습으로 수학 실력이 보다 향상될 수 있도록 하였습니다.

[이 책의 구성과 특징]

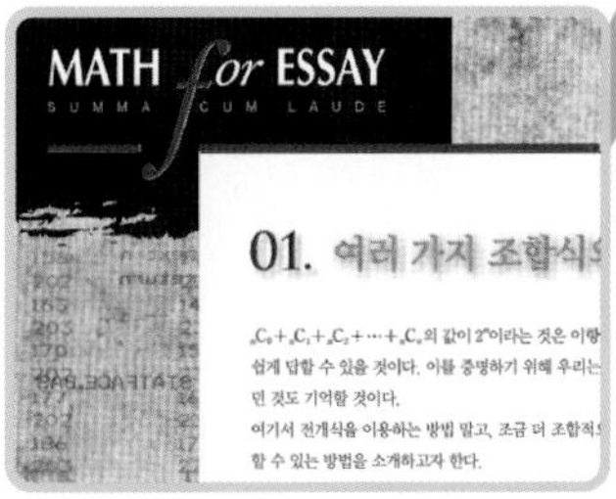

07 MATH for ESSAY

고2 수준에서 연계하여 공부할 수 있는 수리 논술, 구술에 관련된 학습 사항을 제시하였습니다. 앞의 심화, 연계 학습과 더불어 좀 더 수준 있는 수학을 접하고자 하는 학생들을 위해 깊이 있는 수학 원리 학습은 물론 앞으로 입시에서 강조되는 〈수리 논술, 구술〉에도 대비할 수 있도록 하였습니다.

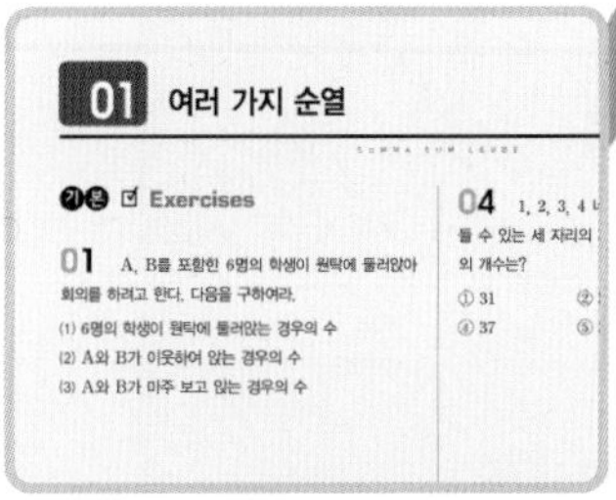

08 내신 · 모의고사 대비 TEST

수학 공부에서 많은 문제를 접하여 적응력을 키우는 것은 원리를 이해하는 것과 함께 중요한 수학 공부법 중 하나입니다. 이를 위해 별도로 단원별 우수 문제를 〈내신 · 모의고사 대비 TEST〉를 통해 추가로 제공하고 있습니다. 단원별로 자신의 실력을 측정하거나, 중간 · 기말 시험 및 각종 모의고사에 대비하여 실전 감각을 기를 수 있습니다.

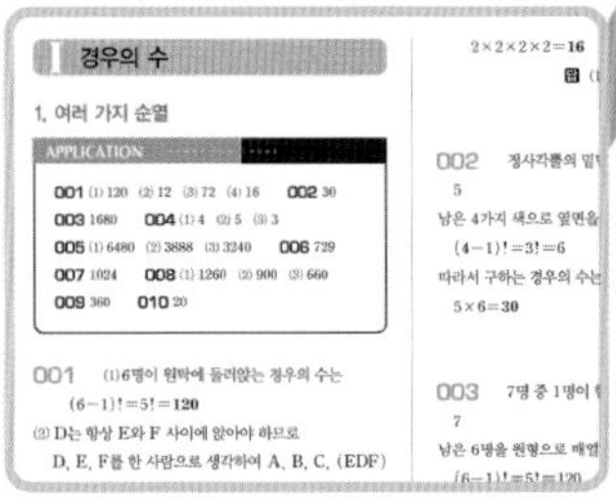

09 SUB NOTE – 정답 및 해설

각 문제에 대한 좋은 해설은 문제풀이 만큼 실력 향상을 위해 필요한 요소입니다. 해당 문제에 대해 가장 적절하고 쉬운 풀이 방법을 제시하였으며, 알아두면 도움이 되는 추가적인 풀이 방법 역시 제시하여 자학자습을 위한 교재로 손색이 없도록 하였습니다.

쎈마클라우데® [확률과 통계]

똑같이 출발하였는데 세월이 지난 뒤에 보면
어떤 이는 뛰어나고, 어떤 이는 낙오되어 있다.
이 두 사람의 거리는 좀처럼 가까워질 수 없게 되었다.
그것은, 하루하루 주어진 시간을 얼마나 잘 활용했느냐에 달려있다.

– 벤자민 프랭클린

THINK MORE ABOUT YOUR FUTURE

CONTENTS

[이 책의 차례]

CHAPTER Ⅰ. 경우의 수

CONTENTS

숨마쿰라우데® [확률과 통계]

CHAPTER Ⅱ. 확률

THINK MORE ABOUT YOUR FUTURE

CONTENTS

[이 책의 차례]

CHAPTER Ⅲ. 통계

숨마쿰라우데® [확률과 통계]

부자가 되기 위한 욕심보다
독서로 더 많은 지식을 취하라.
부는 일시적인 만족을 주지만 지식은
평생토록 마음을 부자로 만들어준다.

– 소크라테스

THINK MORE ABOUT YOUR FUTURE

STUDY SYSTEM

[수학 학습 시스템]

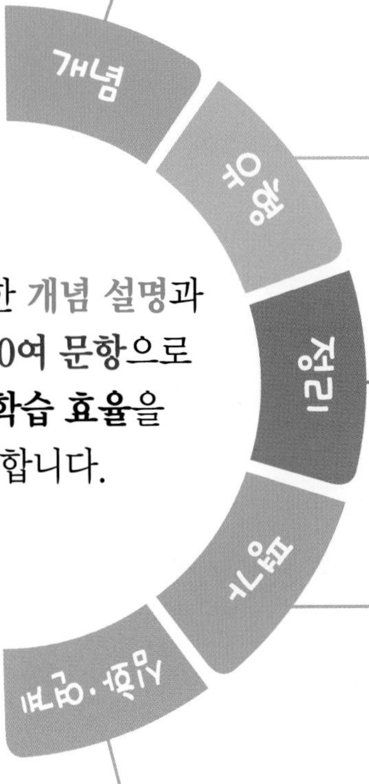

쉽고 상세한 개념 설명과
엄선된 750여 문항으로
최고의 학습 효율을
제공합니다.

단원 개념 학습 단계

EXAMPLE
APPLICATION

필수 유형 학습 단계

기본, 발전예제
유제

단원 학습 정리 단계

중단원별 Review Quiz
중단원별 EXERCISES
대단원별 Exercises

최종 실력 테스트 단계

내신 · 모의고사 대비 TEST

심화, 연계 학습 단계

Advanced Lecture
MATH for ESSAY

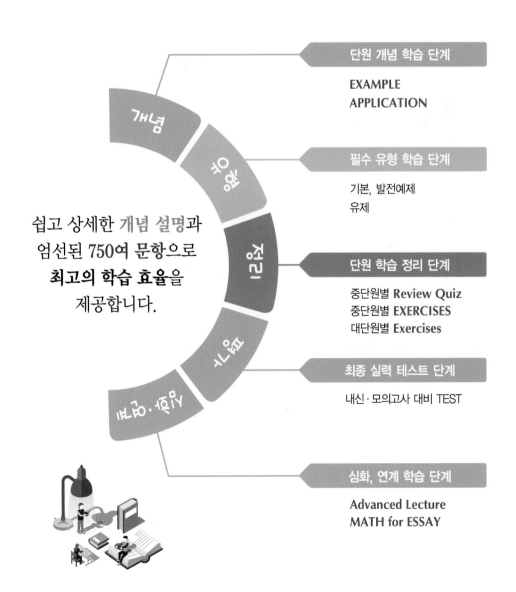

수학 공부법 특강

상위 1%가 되기 위한 효율적 학습법

www.erumenb.com

「확률과 통계」의 내용은 실생활에 매우 근접해 있어 문제의 활용 폭이 무궁무진하게 넓다. 다르게 말하자면, 아무리 많은 문제 유형을 암기한다고 해도 실전에서는 얼마든지 또 새로운 유형의 문제가 출제될 수 있다는 것을 뜻한다.

그러나 「확률과 통계」가 그렇게까지 답이 없는 것은 아니다. 핵심내용 및 원리를 파악하여 기본 개념을 익히고 문제를 많이 풀다 보면 자연스럽게 여러 가지 패턴이 눈에 들어오게 될 것이다. 그 패턴을 명확하게 분류할 수 없기 때문에 「확률과 통계」를 많은 학생들이 어려워하는 것이지만, 많은 문제를 풀어 패턴이 어느 정도 눈에 들어오면 「확률과 통계」가 어렵다고 느끼지는 않을 것이다.

「확률과 통계」를 공부할 때, "이 단원을 완성했다, 나는 모든 것을 이해하고 완벽하게 알고 있다"라는 자만심은 반드시 경계해야 하며, 지속적으로 다양하고 많은 문제를 접해 보고, 풀어 보면서 수학에 '정진'한다는 마음가짐으로 공부하는 것을 추천한다.

■ 『확률과 통계』 원리 잡기

「확률과 통계」는 경우의 수, 확률, 통계의 3개의 단원으로 구성되어 있다.

첫 단원인 경우의 수는 고1 때 배웠던 순열과 조합의 확장이다.

경우의 수를 바탕으로 전체에 대한 특정한 사건의 비율을 큰 틀로 생각하는 확률 단원은 중학교 때부터 공부해 온 내용으로 처음에 접근하기에 매우 친숙할 것이다. 고등학교 과정에서는 집합과 연계하여 사건을 이해하고, 이를 바탕으로 다양한 확률을 생각해 볼 것이다.

확률에 비해 통계 단원은 고등학교 과정에서 본격적으로 다뤄지다 보니 생소한 개념이 많이 나온다. 그러므로 일단 통계에 관련된 핵심 용어에 대한 정확한 이해가 필수이다.
통계는 수능이나 내신 시험에서 그다지 어렵게 출제되지 않음에도 불구하고 개념을 소홀히 하여 문제를 틀리는 경우가 많다. 따라서 핵심 개념을 반드시 자신의 것으로 만들도록 하자.
핵심 개념을 공부할 때에는 우선 중단원이 몇 개의 소단원으로 나누어져 있는지 확인하고, 어떤 차이로 구분되어 있는지 파악한 다음 각각 흐름에 따라 개념과 용어를 정리해 보는 것이 좋다. 다음 예와 같이 기본 틀을 만들고 여기에 살을 붙여가면서 정리하면 된다.

1. 확률분포

이산확률변수의 확률분포 → 이항분포 → 연속확률변수의 확률분포 → 정규분포

- 이산확률변수의 확률분포: 이산확률변수와 확률질량함수의 뜻
- 이항분포: 이항분포의 뜻
- 연속확률변수의 확률분포: 연속확률변수와 확률밀도함수의 뜻
- 정규분포: 정규분포, 표준 정규분포의 뜻

2. 통계적 추정

모집단과 표본 → 모평균의 추정

- 모집단과 표본: 모평균과 표본평균
- 모평균의 추정: 모평균의 신뢰구간

어떤 과목이든지 공부를 함에 있어서 중요한 것은 많은 양의 문제를 풀기보다

얼마나 깊이 생각해 보았는가?

에 있다. 문제를 맞닥트릴 때마다 치열하게 고민해 보자. 문제에 대해 치열하게 고민하는 것은 마치 새끼 동물이 딱딱한 알 껍질을 깨고 부화할 때 겪는 고통과 비슷하다.
문제에 대해 치열하게 고민할 때 비로소 독자가 생각할 수 있는 범위의 한계에 도달하게 되고 그 벽(딱딱한 알 껍질)을 깰 때 사고력이 조금씩 늘어날 것이다. 이 어려운 과정을 통해야 뇌의 구조가 변하고 사고의 폭이 넓어진다. 지금 당장은 어려워 보여도 단계적으로 차근차근 공부해 나간다면 어려움은 사라지고 어느새 자신의 것이 되어 있을 것이다.

한편 현실적으로 얼마나 오랜 시간 고민해야 하는가는 독자가 처한 상황에 따라 다를 것이다. 지금 당장 시험을 앞 둔 상황이라면 너무 오래 고민하는 것은 비효율적이다. 그러나 처음 시작하는 학생이라면 충분히 고민하여야 한다. 평소에 잘 풀리지 않는 문제는 자기 전에 혹은 지하철이나 버스 안에서도 고민해 보자. 우리의 뇌는 항상 깨어 있으니까.

공부를 하다 보면 스스로의 학습 방법을 찾는 것이 무엇보다 중요하다. 주변에서 볼 수 있는 선배들의 학습 노하우를 제시해 놓았으니 참고하여 자신만의 것을 만들어내도록 하자.

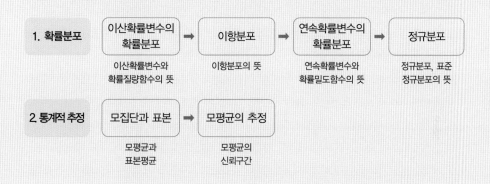

1 공식의 유도 과정을 기억하라.

수학 공부를 하면서 암기가 필요한 상황이 있다면 바로 수학 공식을 외울 때이다. 공식을 외우지 않는다면 문제에 공식을 적용하기가 어렵고, 또한 공식을 활용하는 데 있어 자신감이 떨어질 수밖에 없기 때문이다.

한편으로 공식을 외우는 것만큼 중요한 것이 공식의 유도 과정을 기억하는 것이다.

그 이유는 작게는 여러 가지 수학 서술형, 수리 논술에서 그 유도 과정을 묻는 문제가 출제되기 때문이고, 더 나아가서는 공식의 유도 과정이 해당 단원의 핵심적인 내용이며, 단원에 대한 이해의 가장 기본적인 바탕이 되기 때문이다. 또한 어려운 문제일수록 단순히 공식을 적용하는 것을 묻는 것이 아니라, 공식을 유도하는 과정을 조금 변형하여 활용해야만 풀 수 있도록 되어 있기 때문이다.

「확률과 통계」에서도 경우의 수부터 통계까지 많은 공식들이 있다. 기본적인 문제들은 이 공식들의 단순 암기만으로도 풀 수 있는 경우가 많다. 그러나 「확률과 통계」의 학문적 특성상 문제가 조금만 어려워져도 단순 암기로는 풀기 힘들며, 문제를 풀기 위해 여러 가지 다양한 방법을 생각해내야 한다. 필자는 이러한 방법을 생각해내기 위해서 공식의 유도 과정을 차근차근 익혀 두어 기본을 튼튼하게 해두는 것을 추천한다. 자신도 모르는 사이에 「확률과 통계」의 내용 자체에 매우 익숙해져 있는 것을 발견하게 될 수 있을 것이다.

2 문제로 다양한 패턴을 익혀라.

수학에서 기본 개념도 중요하지만, 궁극적으로는 문제 해결 능력을 길러야 한다.

기본 개념을 이해하는 것이 모든 것의 출발점이긴 하지만, 다양한 문제를 접해보지 않고는 기본 개념을 완벽하게 이해했다고 할 수 없으며, 또한 처음 접해 보는 다양한 문제에 대해 기본 개념을 바로 적용해 보는 것은 쉽지 않다.

따라서 기본 개념을 숙지한 다음에는 두려워하지 말고 많은 문제에 부딪혀 보면서

다양한 패턴을 익혀 실제 문제 해결 능력을 키우는 것

이 중요하겠다.

3 해설집을 100% 활용하라.

수학 공부를 하면서 문제를 풀어 보기도 전에 해설을 먼저 보는 것은 금물이다. 다만, 문제를 충분히 고민한 뒤에도 풀리지 않는 경우 해설을 100% 활용하는 것은 문제 풀이 능력의 향상에 큰 도움이 된다. 해설을 100% 활용하는 방법은 다음과 같다.

❶ 해설과 같은 방법을 생각해내야 하는 이유를 스스로에게 되묻자.

하늘에서 뚝 떨어진 것과 같은 해설을 보고 놀라는 것은 도움이 되지 않는다. 그 순간 문제의 답을 알았다는 것밖에 의미가 없다. 해설과 같은 방법을 생각하지 못했다고 자괴감에 빠지라는 의미가 아니다. 해설에서 생각한 방법이 신기하다면 해설을 100% 이해한 것이 아니다. 해설을 보면서 해설에서 제안한 방법이 스스로에게 납득될만큼 충분히 고민하고, 스스로에게 이런 풀이 방법을 생각해내야 하는 이유를 되물어라. 해설에서 제안한 방법을 비슷한 상황에서 생각해낼 수 있을 때까지!

❷ 해설을 보았다면 반드시 다시 풀어 보도록 하자.

해설만 확인하고 "아 그렇구나."하며 곧바로 다음 문제 해설로 넘어간다면 당연히 다음에 비슷한 문제가 나왔을 때, 해설에서 제안한 방법이 생각나지 않을 것이다. 해설을 확인한 후에는 꼭 답안지를 덮고 스스로 다시 한번 풀어 보아야 한다. 다시 풀기를 해야만 온전히 내가 해결한 문제가 된다. 다시 풀기를 여러 번 할수록 어느 순간부터 해설을 보지 않더라도 문제를 풀 때 머릿속에서 해법이 떠오르게 될 것이다.

4 오답노트를 작성하라.

오답노트는 수학을 공부하는 데 있어서 일종의 수련과 같다. 자신이 틀렸던 문제를 완벽하게 수련하여 다음에 비슷한 문제가 나왔을 때, 틀리지 말자는 것이다.

오답노트는 스스로 다시 풀어 본다는 마음가짐을 가지고 작성하는 것이다.

따라서 오답노트 자체를 위해 예쁘게 정성들여 꾸며가면서 해설을 단지 옮겨 적는 것은 의미가 없다. 오로지 자신만의 언어로 문제를 풀어나가는 과정을 적도록 해보자.

또한 이 문제를 통해 까먹고 있었던 공식, 혹은 이 문제를 통해 알게 된 새로운 아이디어 등을 중점적으로 메모해 놓는 것이 좋다. 단순히 머릿속으로 '아 이런 공식이 있었지.' 혹은 '오 참신한 풀이 방법이네!' 하는 것은 여전히 공식은 까먹고, 아이디어는 매번 새롭게 느껴지는 지름길이다.

수학을 수련한다는 마음으로 한 번씩 오답노트를 정리해 보자.

숨마쿰라우데 수학 기본서로 제대로 된 공부를 하여 수학에 대한 자신감을 가지기 바란다.

고통은 인간을 생각하게 만든다.
사고는 인간을 현명하게 만든다.
지혜는 인생을 견딜 만한 것으로 만든다.

– J. 패트릭 "팔월 십오야의 찻집"

CHAPTER I
경우의 수

숨마쿰라우데®
[확률과 통계]

INTRO to Chapter Ⅰ
경우의 수

SUMMA CUM LAUDE

디저트 카페를 가보면 쿠키들을 다양한 모양으로 진열해 둔다. 쿠키들을 원형이나 사각형 모양으로 진열하는 것은 일렬로 진열하는 것과 어떤 차이가 있을까? 이 단원을 통해 그 차이를 알아보자.

본 단원의 구성에 대하여...

Ⅰ. 경우의 수	1. 여러 가지 순열	01 원순열 02 중복순열 03 같은 것이 있는 순열 ● Review Quiz ● EXERCISES
	2. 중복조합과 이항정리	01 중복조합 02 이항정리 ● Review Quiz ● EXERCISES
	● **대단원 연습문제** ● **대단원 심화, 연계 학습** TOPIC (1) 점화식을 이용한 경우의 수 구하기 ● **논술, 구술 자료** 01. 여러 가지 조합식의 직관적 이해	

일상생활과 가장 가까운 수학 '경우의 수'

"우리나라가 16강에 진출할 경우의 수는?" 이는 월드컵 기간에 뉴스를 보면 꼭 나오는 말이다. 뉴스에서는 사람들에게 이 질문에 대한 답을 알려주기 위해 여러 가지 정보를 분석한 내용을 보도하고, 또 이 질문에 관심이 있는 많은 스포츠 팬들도 자기 나름의 생각을 논리적으로 펼쳐서 주변 사람들과 토의하곤 한다. 지금 이 책을 보고 있는 여러분도 당연히 경우의 수를 끊임없이 생각하고 있을 것이다. '오늘은 무슨 무슨 과목을 공부할까?', '내일 학교에 갈 때에는 어떤 길을 택해서 갈까?', '대학 원서는 어디 어디에 넣을까?' 등등 수없이 많다. 당장 수없이 많은 수학 문제를 풀어 봐도 알겠지만 실제 현실의 상황을 응용해서 만든 수학 문제는 거의 대부분이 경우의 수와 관련되어 있다.

이처럼 경우의 수는 항상 우리의 삶에 녹아 있다. 여기서 우리가 경우의 수를 공부해야 하는 이유를 알 수 있다. 경우의 수를 공부함으로써 실생활에서 우리가 하는 선택이 조금 더 합리적이고 풍성해질 수 있는 것이다. 실제로 경우의 수는 확률, 경제학, 생물학, 화학, 정보통신이론 등에 널리 활용되어 우리의 삶을 풍성하게 해 주고 있다.

경우의 수에 접근하는 방법

경우의 수 문제는 가능한 경우를 하나하나 일일이 다 구하기만 하면 답을 구할 수 있다. 하지만 경우의 수가 많을 때 그 경우를 일일이 구하는 것은 시간이 오래 걸리고 실수할 수도 있다. 따라서 경우의 수 문제를 풀 때,

각 경우의 수를 간단히 계산할 수 있는 '아이디어'를 찾아내어야 한다.

그러나 이는 쉽지 않다. 특별히 정해진 틀이 없기 때문에 문제 상황마다 유연하게 접근해야 하기 때문이다. 따라서 경우의 수를 구할 때 흔히 쓰는 몇 가지 패턴을 알아야 하는 것이다. 이는 이번 단원을 공부하면서 알 수 있다. 흔히 사용되는 패턴을 잘 익혔을 때 바로 여러분만의 톡톡 튀는 센스 있는 '아이디어'를 생각해 낼 수 있게 될 것이다. 또한

경우의 수를 구할 때 실수하지 않도록 침착하게 계산해야 한다.

1부터 10까지 세는 것이 쉽다 하더라도 도중에 수 하나를 빼먹으면 틀리게 되는 것이 경우의 수이다. 기발한 '아이디어'를 생각했어도 이를 침착하게 적용시키지 못하면 문제를 맞힐 수 없다. 즉, 문제를 푸는 방법을 알고 있다 하더라도 답은 틀리게 되는 웃지 못할 상황이 많이 발생하게 되는 것이다. 이런 이유에서 경우의 수를 어렵다고 단정짓고 포기하게 되는 학생이 많다.

또 고등학교 수준에서 필요한 대부분의 '아이디어'는 수학 교과 과정에 모두 포함되어 있기 때문에, 사실상 실전에서 경우의 수 문제를 푸는 것은 '침착함'과 더 관련이 있다. 요컨대 경우의 수의 본질은 '세는 방법'에 있는 것이 아니라 '세는 것'에 있기 때문에 아무리 '아이디어'가 있다고 한들 '침착함'이 없으면 쓸모없다는 것이다. '침착함'은 문제를 많이 풀어 보면서 연습을 하고 경험을 많이 쌓아야 얻을 수 있다.

결론적으로 '경우의 수' 단원을 공부할 때에는 '아이디어'들이 익숙해지도록 개념을 잡은 다음 많은 문제를 풀어 보면서 '침착함'을 얻는 것이 중요하다고 하겠다.

01 원순열

SUMMA CUM LAUDE

ESSENTIAL LECTURE

1 원순열

(1) 서로 다른 것을 원형으로 배열하는 순열을 원순열이라 한다.

(2) 서로 다른 n개를 원형으로 배열하는 원순열의 수는

$$\frac{{}_n\mathrm{P}_n}{n}=\frac{n!}{n}=(n-1)!$$

이번 단원에서 배울 원순열, 중복순열, 같은 것이 있는 순열은 고등 수학(하)에서 배운 순열의 특수한 형태이다. 따라서 순열의 개념을 잘 숙지하는 것이 무엇보다도 중요하다.

서로 다른 n개에서 중복되지 않게 $r(0<r\le n)$개를 택하여 일렬로 나열하는 것을

n개에서 r개를 택하는 **순열**(Permutation)

이라 하고, 이 순열의 수를 기호로 ${}_n\mathbf{P}_r$와 같이 나타낸다.

순열의 수 ${}_n\mathrm{P}_r$를 정리하면 다음과 같다.

① ${}_n\mathrm{P}_r=\underbrace{n(n-1)(n-2)\cdots(n-r+1)}_{r\text{개}}$ (단, $0<r\le n$)

② ${}_n\mathrm{P}_n=n(n-1)(n-2)\times\cdots\times3\times2\times1=n!$

③ $0!=1$, ${}_n\mathrm{P}_0=1$

④ ${}_n\mathrm{P}_r=\dfrac{n!}{(n-r)!}$ (단, $0\le r\le n$)

$${}_6\mathrm{P}_3=6\times5\times4$$

→ 6부터

→ 3개의 수

6부터 시작하여 하나씩 작아지는 3개의 수를 곱한다.

이제 순열을 바탕으로 원순열에 대해 알아보도록 하자.

1 원순열

순열이 서로 다른 것들을 일렬로 나열하는 것이라면 **원순열**(circular permutation)은 말 그대로 서로 다른 것들을 원형으로 배열하는 것이다. 일렬로 나열하는 것과 원형으로 배열하는 것에는 어떤 차이가 있을까?

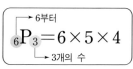

예를 들어 오른쪽 그림과 같은 원탁에 A, B, C, D, E, F 6명이 둘러앉는 경우에 대해 생각해 보자. 6명이 둘러앉는 경우의 수는 다음과 같이 2가지 방법으로 구할 수 있다.

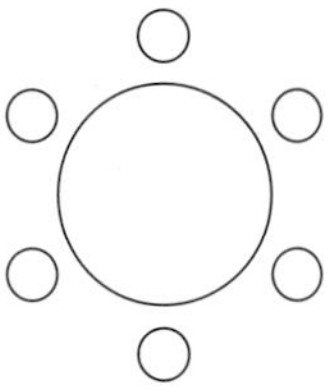

[방법 1]

어느 한 자리에 A를 먼저 앉힌 후 나머지 5명을 앉히는 방법을 이용할 수 있다.

이때 주의해야 할 점은 배치하는 주체인 우리가 마치 건물의 단면도를 보듯이 원탁을 내려다보는 시점에 위치해 있으므로

원탁의 동서남북, 전후좌우 등의 방위를 전혀 고려하지 않는다

는 것이다. 즉, 아무도 앉지 않은 상태에서 원탁의 6개의 자리는 서로 구분할 수가 없다.

따라서 A를 먼저 앉히는 경우는 다음 그림과 같이 오직 1가지뿐이다.

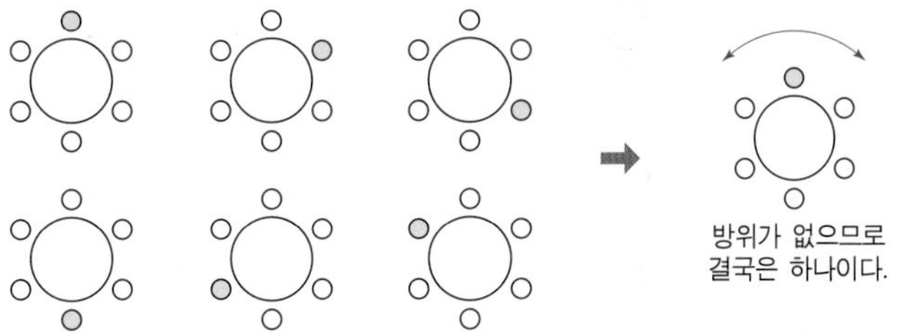

이제 B, C, D, E, F를 원탁의 남은 5개의 자리에 앉히면 되는데 이미 앉아 있는 A로 인하여 남은 5개의 자리는 A를 기준으로 시계 방향(또는 반시계 방향)으로 순서를 가지게 된다.

따라서 B, C, D, E, F를 원탁의 남은 5개의 자리에 앉히는 경우의 수는 서로 다른 5개를 일렬로 나열하는 경우의 수 5!과 같다.

결국 원탁에 A, B, C, D, E, F 6명이 둘러앉는 경우의 수는

$$1\times 5!=5!=120$$

임을 알 수 있다.

이를 일반화하여 n명이 둘러앉는 경우로 확장해 보면

(i) 처음 1명을 앉히는 경우의 수는 자리의 구분이 없으므로 1이고,

(ii) 이후 남은 $(n-1)$명을 앉히는 경우의 수는 $(n-1)!$

이로부터 서로 다른 n개를 원형으로 배열하는 원순열의 수는

$$1\times(n-1)!=\boldsymbol{(n-1)!}$$

임을 알 수 있다.

[방법 2]

먼저 A, B, C, D, E, F 6명을 일렬로 나열한 후, 그 순서에 맞게 고정한 원탁의 한 자리를 시작으로 시계 방향으로 앉히는 방법을 이용할 수 있다.

먼저 6명을 일렬로 나열하는 경우의 수는 ${}_6P_6=6!$이고, 이 중 6가지의 나열

ABCDEF, FABCDE, EFABCD, DEFABC, CDEFAB, BCDEFA

에 대하여 고정한 원탁의 한 자리를 시작으로 시계 방향으로 앉혀 보면 결국 모두 동일한 경우가 됨을 알 수 있다. (앞서 언급했듯이 원순열은 정해진 방위가 없으므로 적당히 회전하여 겹쳐지는 배열은 모두 동일한 것이 된다.)

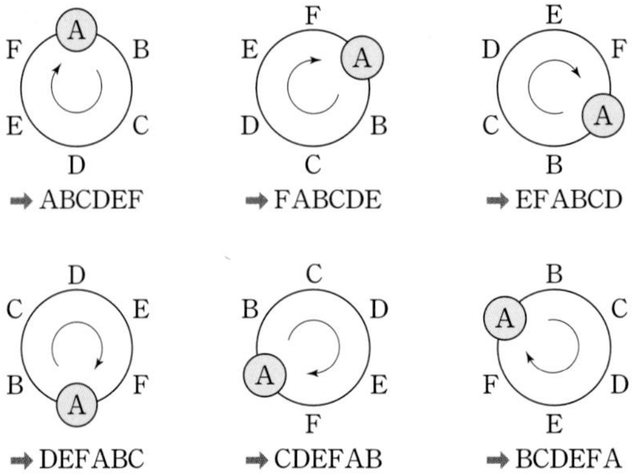

즉, 6명을 일렬로 나열할 때에는 시작과 끝이 존재하여 위의 6가지가 모두 다른 경우가 되지만, 이를 원형으로 배열할 때에는 시작과 끝의 의미가 없는 '상대적인 순서'만 존재하므로 모두 동일한 경우가 되는 것이다.

일렬로 나열한 전체 $6!$가지 중에는 위와 같이 동일한 경우가 6가지씩 중복되어 있으므로 결국 원탁에 A, B, C, D, E, F 6명이 둘러앉는 경우의 수는

$$\frac{{}_6P_6}{6}=\frac{6!}{6}=5!=120$$

임을 알 수 있다.

이를 일반화하여 n명이 둘러앉는 경우로 확장해 보면

(i) n명을 일렬로 나열하는 경우의 수는 ${}_nP_n=n!$

(ii) 원형으로 재배열하면 전체 $n!$가지 중에는 동일한 경우가 n가지씩 중복되어 있다.

이로부터 서로 다른 n개를 원형으로 배열하는 원순열의 수는

$$\boldsymbol{\frac{{}_nP_n}{n}=\frac{n!}{n}=(n-1)!}$$

임을 알 수 있다.

원순열의 수

서로 다른 n개를 원형으로 배열하는 원순열의 수는

[방법 1] 1개를 고정시킨 후 $(n-1)$개를 배열하면 되므로 $(n-1)!$

[방법 2] 순열에서 같은 경우가 n가지씩 있으므로 $\dfrac{{}_n\mathrm{P}_n}{n}=\dfrac{n!}{n}=(n-1)!$ ❶

EXAMPLE 001 8명의 학생이 있다. 다음 물음에 답하여라.

(1) 8명이 원탁에 둘러앉는 경우의 수를 구하여라.

(2) 8명 중 4명을 뽑아 원탁에 둘러앉히는 경우의 수를 구하여라.

ANSWER (1) 8명이 원탁에 둘러앉는 경우의 수는 $(8-1)!=7!=\mathbf{5040}$ ■

(2) 8명 중 4명을 뽑아 일렬로 앉히는 경우의 수는 ${}_8\mathrm{P}_4=1680$

그런데 이 4명을 원탁에 둘러앉히므로 4가지씩 중복된다.

따라서 구하는 경우의 수는 $1680\times\dfrac{1}{4}=\mathbf{420}$ ■

[다른 풀이] 8명 중 4명을 뽑는 경우의 수는 ${}_8\mathrm{C}_4=70$

뽑은 4명을 원탁에 둘러앉히는 경우의 수는 $(4-1)!=3!=6$

따라서 구하는 경우의 수는 $70\times 6=420$

EXAMPLE 002 할아버지, 할머니, 아버지, 어머니, 아들, 딸로 구성된 6명의 가족이 원탁에 둘러앉으려고 한다. 다음 물음에 답하여라.

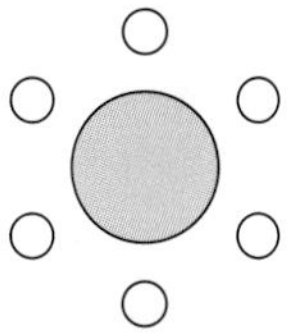

(1) 할아버지와 할머니가 이웃하여 앉는 경우의 수를 구하여라.

(2) 아버지와 어머니가 마주 보면서 앉는 경우의 수를 구하여라.

ANSWER (1) 할아버지와 할머니를 한 사람으로 생각하면

5명이 원탁에 둘러앉는 경우의 수는 $(5-1)!=4!=24$

이때 각각에 대하여 할아버지와 할머니가 자리를 서로 바꾸어 앉을 수 있으므로

구하는 경우의 수는 $24\times 2=\mathbf{48}$ ■

[다른 풀이] 할아버지가 먼저 앉은 다음 그 옆에 할머니가 앉는 경우를 생각해 보자.

(i) 할머니가 할아버지의 왼쪽에 앉고,

나머지 가족 구성원들이 구별되는 4개의 자리에 앉는 경우의 수는 $4!=24$

❶ 원순열의 기본적인 공식은 외우기 쉽기 때문에 대부분의 학생이 공식을 제대로 이해하려 하지 않고 공식만 알아둔 뒤 지나치는 경우가 많다. 그러나 원순열은 활용 범위가 매우 넓기 때문에 충분히 이해하지 않으면 실제 모의고사나 수능에서 문제를 풀기 어렵게 된다. 따라서 조금 귀찮더라도 공식이 유도되는 과정을 확실하게 알아두도록 하자.

(ii) 할머니가 할아버지의 오른쪽에 앉고,

나머지 가족 구성원들이 구별되는 4개의 자리에 앉는 경우의 수는 $4!=24$

(i), (ii)에 의하여 구하는 경우의 수는 $24+24=48$

(2) 아버지가 먼저 임의의 자리에 앉으면 어머니의 자리는 아버지 반대편으로 자동 결정되므로 앉는 경우의 수는 나머지 구성원들이 구별되는 4개의 자리에 앉는 경우의 수와 같다.

따라서 구하는 경우의 수는 $4!=\mathbf{24}$ ■

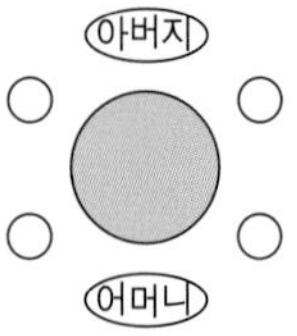

Sub Note 002쪽

APPLICATION 001 6명의 학생 A, B, C, D, E, F가 원탁에 둘러앉을 때, 다음 물음에 답하여라.

(1) 모든 경우의 수를 구하여라.

(2) D가 E, F 사이에 앉는 경우의 수를 구하여라.

(3) A와 B가 이웃하지 않게 앉는 경우의 수를 구하여라.

(4) A와 B, C와 D, E와 F가 각각 이웃하여 앉는 경우의 수를 구하여라.

Sub Note 002쪽

APPLICATION 002 오른쪽 그림과 같은 정사각뿔의 각 면을 서로 다른 5가지 색을 모두 사용하여 칠하는 경우의 수를 구하여라.

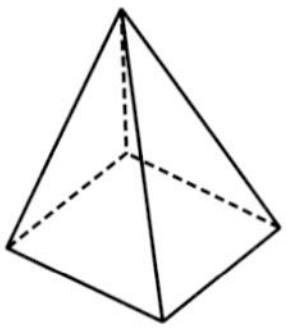

한편 원형 탁자가 아닌 다각형 탁자에 둘러앉는 경우의 수는 어떻게 될까?

n명이 원형 탁자에 둘러앉는 경우에는 처음 한 명을 어느 자리에 고정시키더라도 회전시키면 같은 경우가 되지만 다각형 탁자에 둘러앉는 경우에는 고정시키는 자리의 위치에 따라 회전시킬 때 서로 다른 경우가 될 수 있음에 유의해야 한다.

따라서 다각형 탁자에 둘러앉는 경우의 수를 구할 때는 원형 탁자로 생각하여 원순열의 수를 구한 다음 회전시킬 때 서로 다른 경우가 되는 자리의 수를 곱해 주도록 하자.

예를 들어 다각형 탁자 (i), (ii), (iii)에 둘러앉는 경우의 수를 구하면 다음과 같다.

(i)

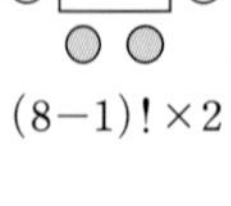

$(8-1)!\times 2$

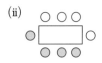

(ii)

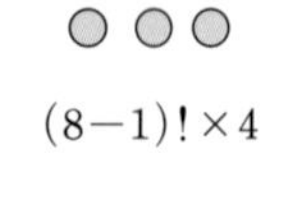

$(8-1)!\times 4$

(iii)

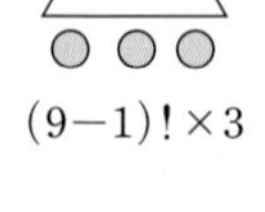

$(9-1)!\times 3$

EXAMPLE 003 오른쪽 그림과 같은 직사각형 모양의 탁자에 6명이 둘러앉는 경우의 수를 구하여라.

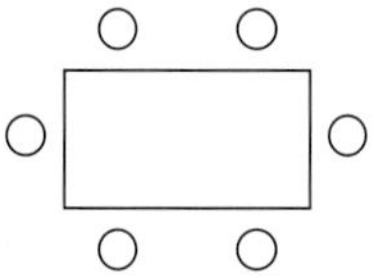

ANSWER 6명이 원탁에 둘러앉는 경우의 수는 $(6-1)!=5!=120$

원탁에서는 동일하던 것이 직사각형 모양의 탁자에서는 3가지씩 다른 것으로 나타난다.

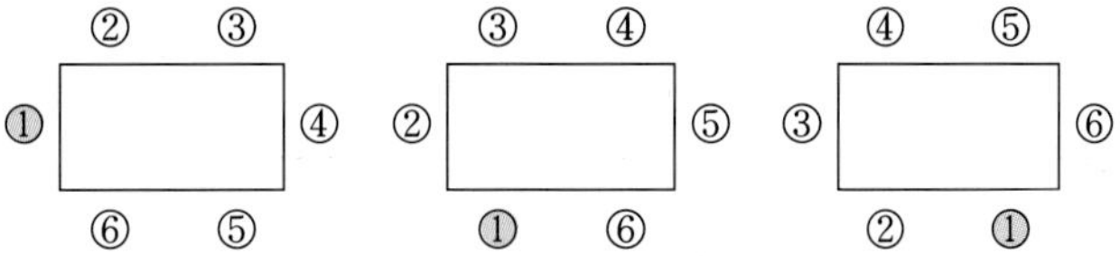

따라서 구하는 경우의 수는 $120\times3=$**360** ■

[다른 풀이] 직사각형 모양의 탁자에서 기준이 되는 한 명이 앉을 수 있는 자리는 3가지이다.

한 명이 앉고 나면 나머지 5개의 자리에 순서가 생기므로 남은 5명이 앉는 경우의 수는

$5!=120$

따라서 구하는 경우의 수는 $3\times120=360$

Sub Note 002쪽

APPLICATION **003** 오른쪽 그림과 같이 1개의 의자를 중심으로 6개의 의자가 정삼각형 모양으로 놓여 있다. 7명이 의자에 앉는 경우의 수를 구하여라. (단, 한가운데 의자에 앉은 학생이 보는 방향은 무시한다.)

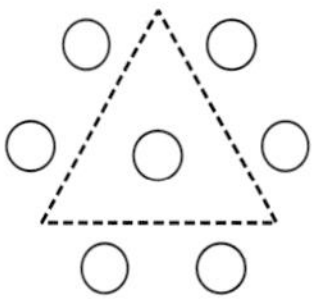

수학 공부법에 대한 저자들의 충고 – 염주순열

서로 다른 n개를 원형으로 배열할 때, 염주나 목걸이처럼 뒤집어 볼 수도 있다면 배열하는 경우의 수는 어떻게 될까?

다음 그림에 나타난 것처럼 원형 배열의 순서는 다르나 서로 방향이 반대인(시계 방향과 시계 반대 방향) 두 경우를 같은 배열 상태로 볼 수 있게 된다.

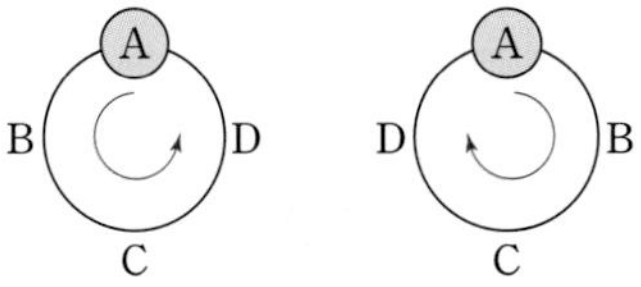

따라서 배열하는 경우의 수는 원순열의 수에서 반으로 줄어들게 된다. 이와 같이 염주처럼 뒤집어 볼 수 있는 원순열을 **염주순열**이라 하고, 서로 다른 n개를 원형으로 배열하는 염주순열의 수는 $\frac{1}{2}(n-1)!$로 계산된다.

기 본 예 제 **원탁에 둘러앉는 경우의 수**

001 여학생 5명과 남학생 5명이 원탁에 둘러앉을 때, 다음 물음에 답하여라.

(1) 여학생끼리 이웃하여 앉는 경우의 수를 구하여라.

(2) 여학생끼리 이웃하지 않게 앉는 경우의 수를 구하여라.

GUIDE (1) 이웃하는 여학생들을 1명으로 생각한다.

(2) 남학생들이 먼저 원탁에 둘러앉은 다음 그 사이사이에 여학생이 앉는다.

SOLUTION

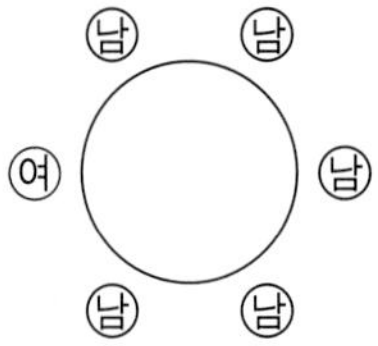

(1) 이웃하는 여학생 5명을 1명으로 생각하여 6명이 원탁에 둘러앉는 경우의 수는

$(6-1)!=5!=120$

여학생끼리 서로 자리를 바꾸는 경우의 수는

$5!=120$

따라서 구하는 경우의 수는

$120\times120=$**14400** ■

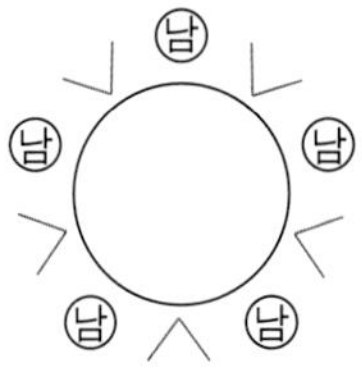

(2) 남학생 5명이 원탁에 둘러앉는 경우의 수는

$(5-1)!=4!=24$

여학생 5명은 남학생들 사이사이의 5자리에 앉으면 되므로 이때의 경우의 수는

$5!=120$

따라서 구하는 경우의 수는

$24\times120=$**2880** ■

유제 **001-1** Sub Note 017쪽

여학생 5명과 남학생 3명이 원탁에 둘러앉을 때, 다음 물음에 답하여라.

(1) 여학생끼리 이웃하여 앉는 경우의 수를 구하여라.

(2) 남학생끼리 이웃하지 않게 앉는 경우의 수를 구하여라.

유제 **001-2** Sub Note 017쪽

어른 4명과 어린이 4명이 원탁에 둘러앉을 때, 어른과 어린이가 교대로 앉는 경우의 수를 구하여라.

기 본 예 제 **도형에 색칠하는 경우의 수**

002 서로 다른 6가지 색을 모두 사용하여 오른쪽 그림과 같은 정육면체의 각 면을 색칠하는 경우의 수를 구하여라.

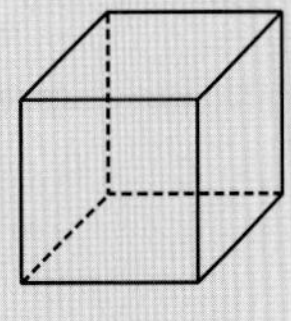

GUIDE (i) 기준이 되는 면의 색을 정한다.
(ii) 원순열을 이용하여 4개의 옆면에 색을 칠하는 경우의 수를 구한다.

SOLUTION

6가지 색 중에서 특정한 색을 윗면에 색칠하면 아랫면에 색칠하는 경우의 수는

5

나머지 4개의 옆면을 색칠하는 경우의 수는 윗면과 아랫면에 색칠한 색을 제외한 4가지 색을 원형으로 배열하는 원순열의 수와 같으므로

$(4-1)!=3!=6$

따라서 구하는 경우의 수는

$5\times6=\mathbf{30}$ ■

유제

002-1 오른쪽 그림과 같이 5개의 영역으로 나누어진 정사각형이 있다. 서로 다른 5가지 색을 모두 사용하여 5개의 영역을 색칠하는 경우의 수를 구하여라.
(단, 가운데 원을 제외한 나머지 4개의 영역은 합동이다.)

Sub Note 017쪽

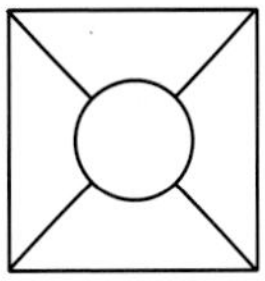

유제

002-2 오른쪽 그림과 같이 옆면이 모두 합동인 사각뿔대가 있다. 서로 다른 6가지 색을 모두 사용하여 사각뿔대의 각 면을 색칠하는 경우의 수를 구하여라.

Sub Note 017쪽

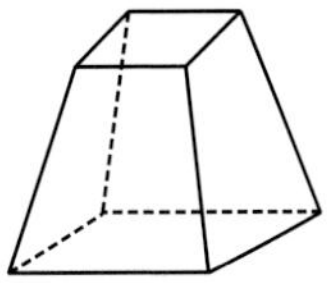

유제

002-3 서로 다른 4가지 색을 모두 사용하여 오른쪽 그림과 같은 정사면체의 각 면을 색칠한 다음 각 면에 1, 2, 3, 4를 하나씩 써넣으려고 한다. 만들 수 있는 서로 다른 정사면체의 개수를 구하여라.

Sub Note 017쪽

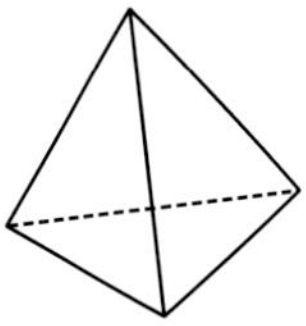

02 중복순열

SUMMA CUM LAUDE

ESSENTIAL LECTURE

1 중복순열

서로 다른 n개에서 중복을 허락하여 r개를 택하여 일렬로 나열하는 것을 n개에서 r개를 택하는 중복순열이라 하고, 이 중복순열의 수를 기호 ${}_n\Pi_r$로 나타낸다.

$${}_n\Pi_r=\underbrace{n\times n\times\cdots\times n}_{r\text{개}}=n^r$$

1 중복순열

중복순열은 말 그대로 중복을 허락하는 순열로, 중복순열의 정의는 다음과 같다.

중복순열

서로 다른 n개에서 중복을 허락하여 r개를 택하여 일렬로 나열하는 것을

n개에서 r개를 택하는 중복순열(repeated permutation)

이라 하고, 이 중복순열의 수를 기호 ${}_n\Pi_r$[2]로 나타낸다.

중복순열에서는 한 번 택한 것을 또 다시 택할 수 있으므로

각 단계에서 택할 수 있는 경우의 수가 항상 동일하게 유지

된다.

따라서 서로 다른 n개에서 중복을 허락하여 r개를 택하여 일렬로 나열할 때, 앞에서부터 차례로 각 자리에 올 수 있는 경우의 수는 항상 n이므로 곱의 법칙에 의하여 서로 다른 n개에서 r개를 택하는 중복순열의 수는

$$\mathbf{{}_n\Pi_r}=\underbrace{n\times n\times\cdots\times n}_{r\text{개}}=\boldsymbol{n^r} \quad \leftarrow n\text{과 } r\text{의 순서에 주의하자.}$$

임을 알 수 있다.

---

❷ ${}_n\Pi_r$에서 Π는 product(곱)의 첫 글자인 P에 해당하는 그리스 문자로 '파이'라 읽는다.
순열의 수 ${}_nP_r$에서는 $n\geq r$이어야 하지만 중복순열의 수 ${}_n\Pi_r$에서는 중복하여 택하므로 $n<r$일 수도 있다.

${}_n\Pi_r$에서 n은 서로 다른 것의 개수, r는 뽑는 대상의 개수이다. 예를 들어

서로 다른 2개에서 3개를 택하는 중복순열의 수는 ${}_2\Pi_3=2^3=8$,

서로 다른 3개에서 2개를 택하는 중복순열의 수는 ${}_3\Pi_2=3^2=9$

이다.

중복순열의 수

서로 다른 n개에서 r개를 택하는 중복순열의 수는

$${}_n\Pi_r=\underbrace{n\times n\times\cdots\times n}_{r\text{개}}=n^r$$

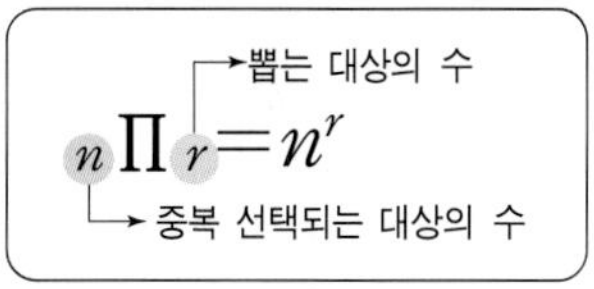

APPLICATION **004** 다음 등식을 만족시키는 자연수 n의 값을 구하여라. Sub Note 002쪽

(1) ${}_n\Pi_3={}_2\Pi_6$ (2) ${}_n\Pi_4=625$ (3) ${}_3\Pi_n=27$

EXAMPLE 004 다음을 구하여라.

(1) 4개의 숫자 1, 2, 3, 4를 중복 사용하여 만들 수 있는 세 자리 자연수의 개수

(2) 4개의 숫자 0, 1, 2, 3을 중복 사용하여 만들 수 있는 세 자리 자연수의 개수

ANSWER (1) 백의 자리에 올 수 있는 숫자는 4가지

십의 자리에 올 수 있는 숫자는 4가지

일의 자리에 올 수 있는 숫자는 4가지

따라서 만들 수 있는 세 자리 자연수의 개수는

${}_4\Pi_3=4^3=\mathbf{64}$ ■

(2) 백의 자리에 올 수 있는 숫자는 0을 제외한 3가지

십의 자리에 올 수 있는 숫자는 4가지

일의 자리에 올 수 있는 숫자는 4가지

따라서 만들 수 있는 세 자리 자연수의 개수는

$3\times{}_4\Pi_2=3\times4^2=\mathbf{48}$ ■

Sub Note 003쪽

APPLICATION **005** 0, 1, 2, 3, 4, 5의 6개의 숫자를 중복 사용하여 다섯 자리 자연수를 만들 때, 다음을 구하여라.

(1) 자연수의 개수

(2) 30000 이상인 자연수의 개수

(3) 짝수의 개수

앞의 **EXAMPLE 004**와 같이 중복 선택되는 대상이 명확한 경우도 있지만 중복 선택되는 대상이 명확하지 않아 스스로 판단을 해야 할 때도 있다. **EXAMPLE 005**를 통해 연습해 보자.

EXAMPLE 005 다음을 구하여라.

(1) 서로 다른 5통의 편지를 4개의 우체통에 넣는 경우의 수

(2) ○, ×로 답하는 6개의 문제에서 나올 수 있는 답안의 경우의 수

ANSWER (1) 중복이 되는 것은 우체통이다.

따라서 구하는 경우의 수는 서로 다른 4개의 우체통에서 중복을 허락하여 5개를 택하는 중복순열의 수와 같으므로

$_4\Pi_5=4^5=\mathbf{1024}$ ■

(2) 중복이 되는 것은 ○, ×이다.

따라서 구하는 경우의 수는 서로 다른 2개의 답(○, ×)에서 중복을 허락하여 6개를 택하는 중복순열의 수와 같으므로

$_2\Pi_6=2^6=\mathbf{64}$ ■

Sub Note 003쪽

APPLICATION 006 6명의 유권자가 3명의 후보에게 기명투표를 할 때, 투표하는 경우의 수를 구하여라. (단, 기권이나 무효표는 없다.)

Sub Note 003쪽

APPLICATION 007 어느 고등학교에서는 신입생을 A, B, C, D 네 개의 반으로 편성한다. 축구선수 2명을 포함한 S 중학교 출신의 신입생 6명을 네 반에 편성할 때, 축구선수 2명이 같은 반이 되는 경우의 수를 구하여라.

수학 공부법에 대한 저자들의 충고 – 함수의 개수

두 집합 X, Y의 원소의 개수가 각각 r, n일 때, X에서 Y로의 일대일함수의 개수는

$_n\mathrm{P}_r$ (단, $n\geq r$)

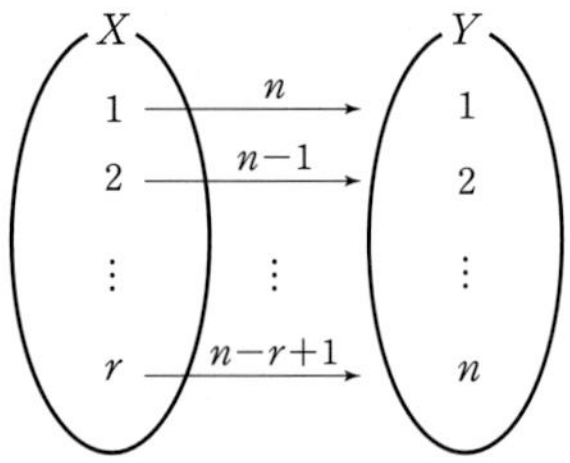

두 집합 X, Y의 원소의 개수가 각각 r, n일 때, X에서 Y로의 함수의 개수는

$_n\Pi_r$

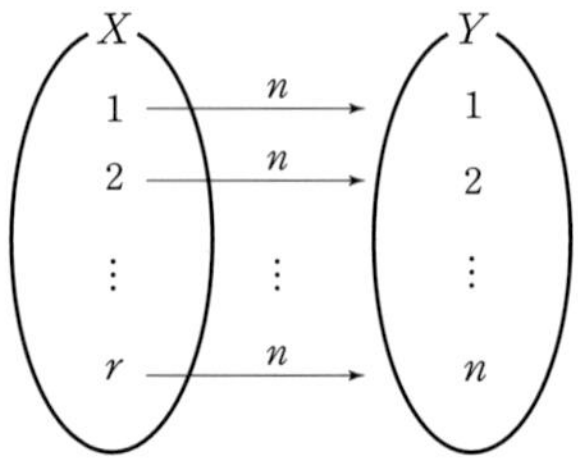

기 본 예 제 *자연수의 개수(중복순열)*

003 5개의 숫자 1, 2, 3, 4, 5에서 3개 이하의 숫자를 중복 사용하여 만들 수 있는 네 자리 자연수의 개수를 구하여라.

GUIDE 서로 다른 n개에서 r개를 택하는 중복순열의 수는

$${}_{n}\Pi_{r}=n^{r}$$

SOLUTION

3개 이하의 숫자를 중복 사용하여 만든 네 자리 자연수는 5개의 숫자를 중복 사용하여 만든 네 자리 자연수 중에서 네 자리 숫자가 모두 다른 수를 제외시키면 된다.

5개의 숫자를 중복 사용하여 만든 네 자리 자연수의 개수는

$${}_{5}\Pi_{4}=5^{4}=625$$

네 자리 숫자가 모두 다른 네 자리 자연수의 개수는 5개의 숫자에서 4개를 택하여 일렬로 나열하는 경우의 수와 같으므로

$${}_{5}P_{4}=120$$

따라서 구하는 네 자리 자연수의 개수는

$$625-120=\mathbf{505}\ \blacksquare$$

유제 Sub Note 017쪽

003-1 4개의 숫자 1, 2, 3, 4를 중복 사용하여 네 자리 자연수를 만들 때, 반드시 3이 포함되는 자연수의 개수를 구하여라.

유제 Sub Note 018쪽

003-2 4개의 숫자 0, 1, 2, 3을 중복 사용하여 다섯 자리 자연수를 만들어 작은 수부터 순서대로 나열할 때, 33311은 몇 번째 수인지 구하여라.

기본예제 *함수의 개수(중복순열)*

004 두 집합 $X=\{1, 2, 3, 4, 5\}$, $Y=\{a, b, c, d\}$에 대하여 함수 $f : X \longrightarrow Y$로 정의할 때, 다음을 구하여라.

(1) 함수 f의 개수

(2) $f(1)=a$를 만족시키는 함수 f의 개수

GUIDE 함수가 되려면 정의역 X의 원소에 Y의 원소가 하나씩 대응되면 된다. Y의 원소가 4개이므로 정의역 X의 원소 각각에 4개씩 대응될 수 있다.

SOLUTION

(1) X의 원소 1에 대응시킬 수 있는 Y의 원소는 a, b, c, d로 4개이고, 이 각각에 대하여 X의 원소 2, 3, 4, 5에 대응시킬 수 있는 Y의 원소도 각각 a, b, c, d로 4개씩이다.

따라서 구하는 함수 f의 개수는 서로 다른 4개에서 중복을 허락하여 5개를 택하는 중복순열의 수와 같으므로

$${}_4\Pi_5=4^5=\mathbf{1024}$$ ■

(2) $f(1)=a$이므로 X의 원소 1에 대응하는 Y의 원소가 a로 미리 정해져 있다.

따라서 1을 제외한 나머지 X의 원소 2, 3, 4, 5에 (1)과 같이 Y의 원소 a, b, c, d를 대응시키면 된다.

즉, 구하는 함수 f의 개수는 서로 다른 4개에서 중복을 허락하여 4개를 택하는 중복순열의 수와 같으므로

$${}_4\Pi_4=4^4=\mathbf{256}$$ ■

유제 Sub Note 018쪽

004-1 집합 $X=\{1, 2, 3, 4, 5, 6\}$에 대하여 함수 $f : X \longrightarrow X$가 다음 조건을 만족시킬 때, 함수 f의 개수를 구하여라. [교육청 기출]

(가) $f(3)$은 짝수이다.
(나) $x<3$이면 $f(x)<f(3)$이다.
(다) $x>3$이면 $f(x)>f(3)$이다.

기본예제 중복순열의 활용

005 모스 부호 •, −를 적당히 일렬로 나열하여 •−•, ••−−, ⋯과 같은 신호 100개를 만들려고 한다. 모스 부호를 최소한으로 사용한다고 할 때, 가장 긴 신호는 몇 개의 모스 부호로 만들어지는지 구하여라.

GUIDE 모스 부호 •, −만으로 신호를 만들므로 부호를 중복하여 사용함을 알 수 있다. 모스 부호를 가장 적게 사용하여 만들 수 있는 신호부터 차례로 생각해 보자.

SOLUTION

모스 부호를 사용하여 만들 수 있는 1자리 신호의 개수는

$${}_2\Pi_1$$

모스 부호를 사용하여 만들 수 있는 2자리 신호의 개수는

$${}_2\Pi_2$$

⋮

이므로 모스 부호를 사용하여 만들 수 있는 r자리 이하의 모든 신호의 개수는

$${}_2\Pi_1+{}_2\Pi_2+{}_2\Pi_3+\cdots+{}_2\Pi_r=2+2^2+2^3+\cdots+2^r$$

$r=5$일 때, $2+2^2+2^3+2^4+2^5=62<100$

$r=6$일 때, $2+2^2+2^3+2^4+2^5+2^6=126>100$

따라서 조건을 만족시키는 최소의 자연수 r의 값은 6이므로 가장 긴 신호는 **6개**의 모스 부호로 만들어진다. ■

유제 Sub Note 018쪽

005-1 흰색, 빨간색, 노란색의 세 깃발을 들어 올려서 신호를 만들려고 한다. 두 개 이상의 깃발을 동시에 올리지 않는다고 할 때, 깃발을 4번 이하로 들어 올려서 만들 수 있는 서로 다른 신호의 개수를 구하여라.

유제 Sub Note 018쪽

005-2 서로 다른 3개의 주사위를 동시에 던져서 나온 눈의 수를 작은 수부터 차례로 나열하여 세 자리 자연수를 만들려고 한다. 예를 들어 나온 눈의 수가 (4, 1, 1)이면 114, (4, 2, 6)이면 246이 된다. 이때 만들어지는 세 자리 자연수가 짝수가 되는 경우의 수를 구하여라.

03 같은 것이 있는 순열

SUMMA CUM LAUDE

ESSENTIAL LECTURE

1 같은 것이 있는 순열

n개 중에서 같은 것이 각각 p개, q개, $\cdots$, r개씩 있을 때, n개를 일렬로 나열하는 경우의 수는

$\dfrac{n!}{p!q!\cdots r!}$ (단, $p+q+\cdots+r=n$)

1 같은 것이 있는 순열

'순열'이 서로 다른 것들을 일렬로 나열하는 것이라면 '같은 것이 있는 순열'은 같은 것이 몇몇 포함되어 있는 것들을 일렬로 나열하는 것이다.
예를 들어 5개의 문자 a, a, a, b, b를 일렬로 나열하는 경우에 대해 생각해 보자.
나열하는 경우의 수를 헤아리는 한 방법으로

모두 다른 것으로 생각하여 일렬로 나열한 뒤 같은 경우를 없애는 방법

을 이용할 수 있다.

먼저 3개의 a와 2개의 b에 각각 번호를 붙여 a_1, a_2, a_3, b_1, b_2로 놓으면 주어진 5개의 문자는 모두 다른 것이 되므로 이들을 일렬로 나열하는 모든 경우의 수는 $5!$이다.
그런데 각 나열에 속해 있는 a_1, a_2, a_3, b_1, b_2의 번호를 모두 지워 a, b로 바꾸어 보면 다음과 같이 $(3!\times2!)$가지의 나열은 모두 동일한 경우가 됨을 알 수 있다.

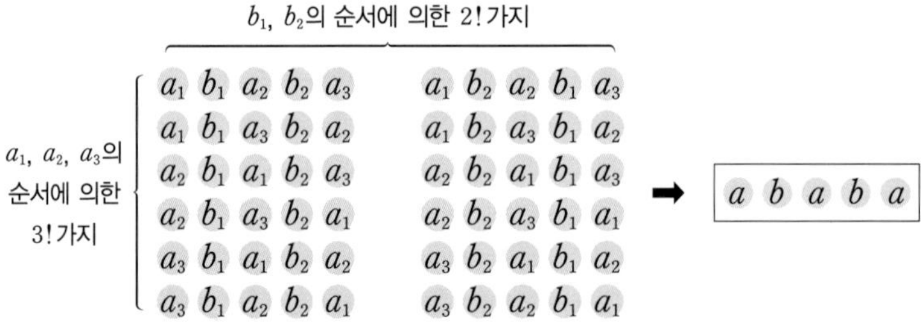

따라서 전체 $5!$가지 중에는 위와 같이 동일한 경우가 $(3!\times2!)$가지씩 중복되어 있으므로 5개의 문자 a, a, a, b, b를 일렬로 나열하는 경우의 수는 $\dfrac{5!}{3!2!}=10$임을 알 수 있다.

이를 n개 중에서 같은 것이 각각 p개, q개, …, r개씩 있을 때, n개를 일렬로 나열하는 경우로 확장해 보면 (단, $p+q+\cdots+r=n$)

(i) 서로 다른 n개로 생각하여 일렬로 나열하는 경우의 수는 $n!$

(ii) 서로 다르다고 생각한 것들로 인해, 전체 $n!$가지 중에는 동일한 경우가 $p!q!\cdots r!$가지씩 중복되어 있다.

따라서 n개 중에서 같은 것이 각각 p개, q개, …, r개씩 있을 때, n개를 일렬로 나열하는 경우의 수는 다음과 같다.

$$\frac{n!}{p!q!\cdots r!} \text{ (단, } p+q+\cdots+r=n\text{)}$$

같은 것이 있는 순열

n개 중에서 같은 것이 각각 p개, q개, …, r개씩 있을 때, n개를 일렬로 나열하는 경우의 수는

$$\frac{n!}{p!q!\cdots r!} \text{ (단, } p+q+\cdots+r=n\text{)}$$

EXAMPLE 006 SUMMACUM의 8개의 문자를 일렬로 나열할 때, 다음을 구하여라.

(1) 만들 수 있는 모든 문자열의 개수

(2) 양 끝에 U가 있는 문자열의 개수

(3) 모음은 모음끼리 이웃하는 문자열의 개수

ANSWER SUMMACUM을 살펴보면 S가 1개, U가 2개, M이 3개, A가 1개, C가 1개로 총 8개의 문자로 구성되어 있다.

(1) 8개의 문자를 일렬로 나열하여 만들 수 있는 문자열의 개수는 $\frac{8!}{2!3!}=\mathbf{3360}$ ■

(2) U가 2개 있으므로 U를 일단 양 끝에 놓고, 나머지 6개의 문자를 그 사이에 일렬로 나열하면 된다.

따라서 구하는 문자열의 개수는 $\frac{6!}{3!}=\mathbf{120}$ ■

(3) 8개의 문자 중에서 모음은 U가 2개, A가 1개 있고, 모음끼리 서로 이웃하므로 하나로 묶어서 생각한다. 즉, S, (UUA), M, M, M, C를 일렬로 나열하는 경우의 수는

$$\frac{6!}{3!}=120$$

이때 묶음 안의 U, U, A를 일렬로 나열하는 경우의 수는 $\frac{3!}{2!}=3$이므로 구하는 문자열의 개수는 $120\times3=\mathbf{360}$ ■

Sub Note 003쪽

APPLICATION 008 SUCCEED의 7개의 문자를 일렬로 나열할 때, 다음을 구하여라.

(1) 만들 수 있는 모든 문자열의 개수

(2) S와 D가 서로 이웃하지 않는 문자열의 개수

(3) 같은 문자는 서로 이웃하지 않는 문자열의 개수

Sub Note 004쪽

APPLICATION 009 7개의 숫자 0, 1, 1, 2, 2, 2, 3을 일렬로 나열하여 만들 수 있는 일곱 자리 자연수의 개수를 구하여라.

도로망으로 주어지는 최단 경로의 수도 같은 것이 있는 순열을 이용하여 간단히 구할 수 있다.

오른쪽 그림과 같은 도로망에서 A지점에서 B지점까지 최단 경로로 가려면 오른쪽으로 3칸, 위쪽으로 2칸 이동해야 한다. 오른쪽으로 1칸 가는 것을 a, 위쪽으로 1칸 가는 것을 b라 하면 최단 경로의 수는 a, a, a, b, b를 일렬로 나열하는 경우의 수와 같다. 즉, $\frac{5!}{3!2!}=10$이다.

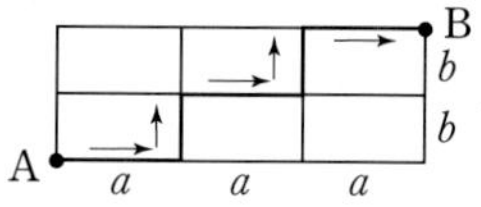

EXAMPLE 007 오른쪽 그림과 같은 도로망이 있다. A지점에서 출발하여 P지점을 거치지 않고 B지점까지 가는 최단 경로의 수를 구하여라.

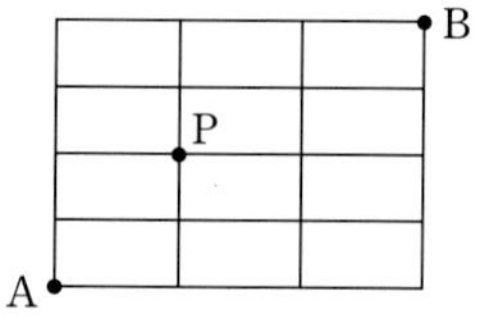

ANSWER A지점에서 B지점까지 가는 모든 최단 경로의 수는 $\frac{7!}{3!4!}=35$

이때 A → P로 가는 최단 경로의 수는 $\frac{3!}{2!}=3$

이고 P → B로 가는 최단 경로의 수는 $\frac{4!}{2!2!}=6$

이므로 A → P → B로 가는 최단 경로의 수는 $3\times6=18$

따라서 A지점에서 출발하여 P지점을 거치지 않고 B지점까지 가는 최단 경로의 수는

$35-18=$**17** ■

Sub Note 004쪽

APPLICATION 010 오른쪽 그림과 같은 도로망에서 A와 B 두 지점 사이에 큰 호수가 있다. A지점에서 B지점까지 가는 최단 경로의 수를 구하여라.

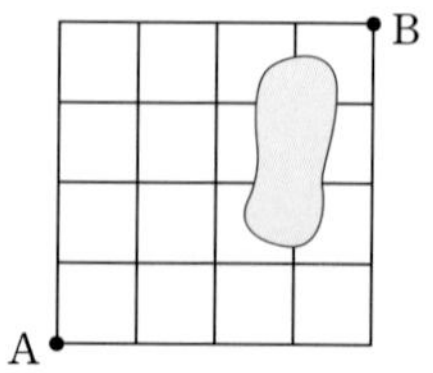

기 본 예 제 *순서가 정해진 순열(같은 것이 있는 순열)*

006 1부터 7까지의 자연수가 하나씩 적혀 있는 7장의 카드가 있다. 이 카드를 모두 한 번씩만 사용하여 일렬로 나열할 때, 2가 적혀 있는 카드는 6이 적혀 있는 카드보다 오른쪽에 나열하고, 홀수가 적혀 있는 카드는 작은 수부터 크기 순서로 왼쪽부터 나열하는 경우의 수를 구하여라.

GUIDE 대상들 사이에 순서가 미리 정해진 경우, 특히 수의 크기에 따라 순서가 결정되는 상황이 주어지면 이들을 '같은 것'으로 생각한 후 같은 것이 있는 순열을 이용한다.

SOLUTION

2, 6이 적혀 있는 카드는 그 순서가 이미 결정되어 있으므로 이 2장의 카드를 A, A로 생각하고, 홀수 1, 3, 5, 7이 적혀 있는 카드도 크기 순서로 나열하기 때문에 그 순서가 이미 결정되어 있으므로 이 4장의 카드를 B, B, B, B로 생각하자.
그러면 7장의 카드를 조건에 맞게 나열하는 경우의 수는 결국

A, A, B, B, B, B, 4가 적힌 카드

를 일렬로 나열하는 경우의 수와 같다.
(나열한 상태에서 첫 번째 A는 6이 적힌 카드, 두 번째 A는 2가 적힌 카드, 첫 번째 B는 1이 적힌 카드, 두 번째 B는 3이 적힌 카드, 세 번째 B는 5가 적힌 카드, 네 번째 B는 7이 적힌 카드로 바꾸면 된다.)
따라서 구하는 경우의 수는

$$\frac{7!}{2!4!}=\mathbf{105}$$ ■

유제 Sub Note 018쪽

006-1 빨간색, 주황색, 노란색, 초록색, 파란색, 남색, 보라색 깃발이 각각 하나씩 있다. 이 7개의 깃발을 일렬로 나열할 때, 빨간색 깃발은 노란색 깃발의 오른쪽에, 파란색 깃발은 노란색 깃발의 왼쪽에 위치하도록 하는 경우의 수를 구하여라.

유제 Sub Note 019쪽

006-2 STATISTICS의 10개의 문자를 일렬로 나열할 때, T, T, T, C가 이 순서대로 나열되는 문자열의 개수를 구하여라.

발전예제 *최단 경로의 수*

007 오른쪽 그림과 같은 도로망이 있다. A지점에서 B지점까지 가는 최단 경로의 수를 구하여라.

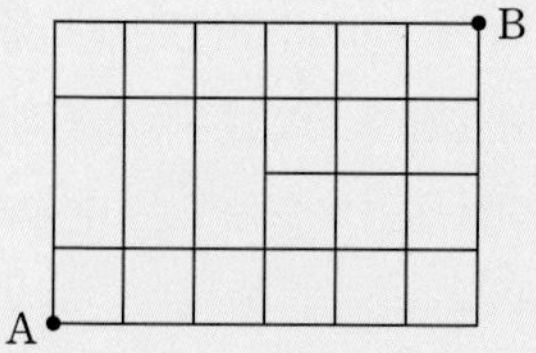

GUIDE A지점에서 B지점까지 갈 때, 반드시 거쳐 가야 하는 지점을 잡아 최단 경로의 수를 구한다.

SOLUTION

오른쪽 그림과 같이 네 지점 P, Q, R, S를 잡으면 A지점에서 B지점까지 가는 최단 경로는

A→P→B, A→Q→B,

A→R→B, A→S→B

의 4가지 경우로 나누어 생각할 수 있다.

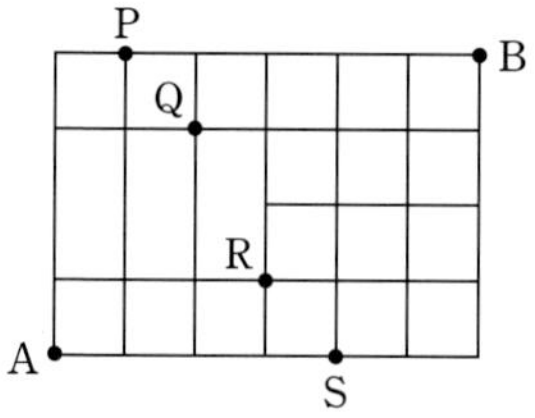

(i) A→P→B로 가는 최단 경로의 수 : $\frac{4!}{3!}\times1=4$

(ii) A→Q→B로 가는 최단 경로의 수 : $\frac{4!}{2!2!}\times\frac{5!}{4!}=30$

(iii) A→R→B로 가는 최단 경로의 수 : $\frac{4!}{3!}\times\frac{6!}{3!3!}=80$

(iv) A→S→B로 가는 최단 경로의 수 : $1\times\frac{6!}{2!4!}=15$

(i)~(iv)에 의하여 구하는 최단 경로의 수는

$4+30+80+15=$**129** ■

[다른 풀이 1] 문제에서 주어진 그림은 오른쪽 그림에서 붉은 선이 없는 그림과 같다.
따라서 구하는 최단 경로의 수는 오른쪽 그림에서 먼저 A지점에서 B지점까지 가는 모든 최단 경로의 수를 구한 다음 붉은 선을 지나는 최단 경로의 수를 구하여 빼면 된다.

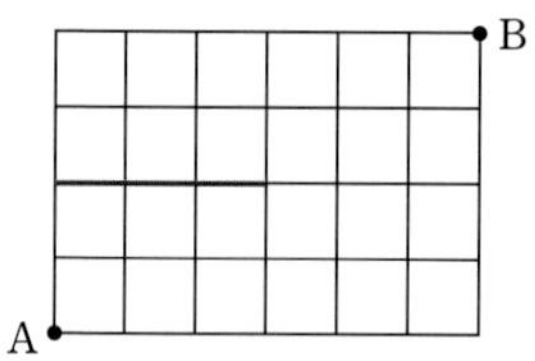

[그림 1]

먼저 A지점에서 B지점까지 가는 모든 최단 경로의 수는

$\frac{10!}{4!6!}=210$

한편 A지점에서 B지점까지 갈 때, [그림 1]의 붉은 선을 지나는 최단 경로의 수는 다음 세 그림과 같이 세 지점 S, T, U 중 하나라도 지나가는 경로의 수와 같다.

(i) [그림 2]에서와 같이 $A \rightarrow U \rightarrow B$로 가는 최단 경로의 수 : $\frac{4!}{2!2!} \times \frac{5!}{3!2!} = 60$

(ii) [그림 3]에서와 같이 $A \rightarrow T \rightarrow B$로 가는 최단 경로의 수 : $\frac{3!}{2!} \times \frac{5!}{4!} = 15$

(iii) [그림 4]에서와 같이 $A \rightarrow S \rightarrow B$로 가는 최단 경로의 수 : $1 \times \frac{6!}{5!} = 6$

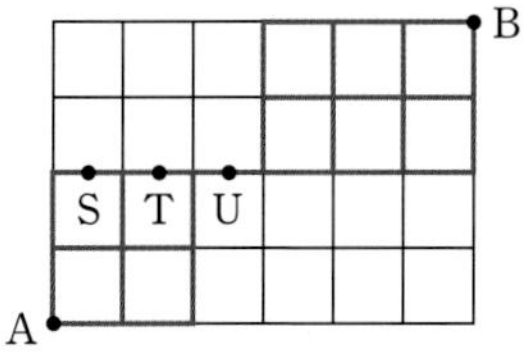

[그림 2]

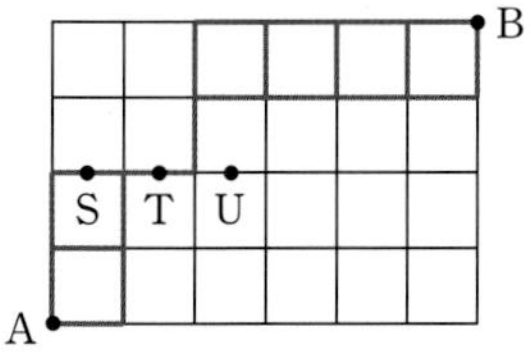

[그림 3]

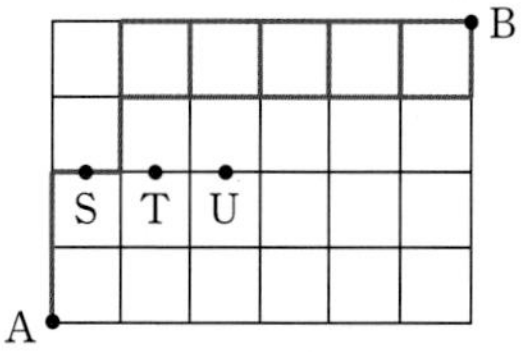

[그림 4]

(i), (ii), (iii)에 의하여 [그림 1]의 붉은 선을 지나는 최단 경로의 수는

$60+15+6=81$

따라서 A지점에서 B지점까지 가는 최단 경로의 수는

$210-81=129$

[다른 풀이 2] A지점에서 출발하여 각 지점을 지날 때, A지점에서 각 지점까지 가는 최단 경로의 수를 차례로 적어 나가면 오른쪽 그림과 같다.
따라서 A지점에서 B지점까지 가는 최단 경로의 수는 129이다.

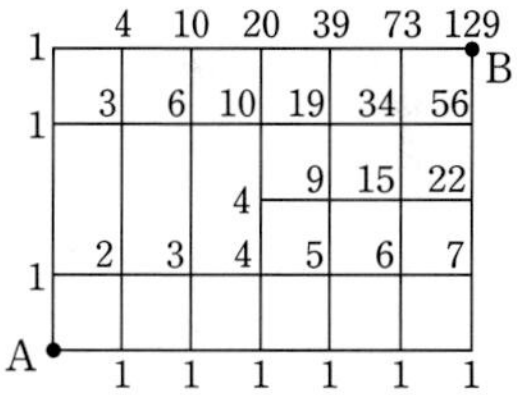

유제

007-1 오른쪽 그림과 같은 도로망이 있다. A지점에서 B지점까지 가는 최단 경로의 수를 구하여라.

Sub Note 019쪽

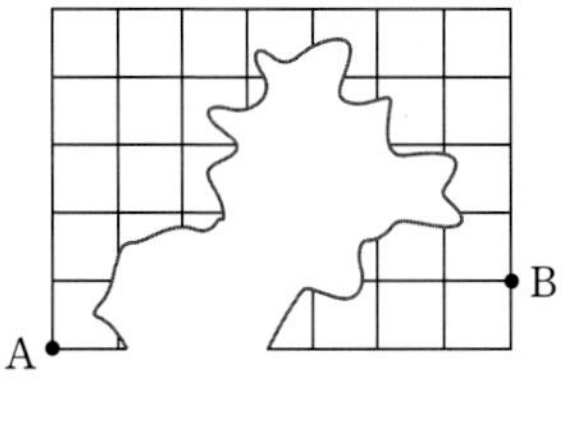

1. 다음 [ ] 안에 적절한 것을 채워 넣어라.

(1) 서로 다른 것을 원형으로 배열하는 순열을 [ ]이라 하고, 서로 다른 n개를 원형으로 배열하는 경우의 수는 [ ]이다.

(2) 서로 다른 n개에서 중복을 허락하여 r개를 택하여 일렬로 나열하는 것을 n개에서 r개를 택하는 [ ]이라 하고, 기호 [ ]로 나타낸다.

(3) n개 중에서 같은 것이 각각 p개, q개, $\cdots$, r개씩 있을 때, n개를 일렬로 나열하는 경우의 수는 [ ]이다. (단, $p+q+\cdots+r=n$)

(4) 실수 전체의 집합의 두 부분집합 X, Y에 대하여 $n(X)=a$, $n(Y)=b$일 때, 함수 $f: X \longrightarrow Y$의 개수는 [ ]이다.

2. 다음 문장이 참(true) 또는 거짓(false)인지 결정하고, 그 이유를 설명하거나 적절한 반례를 제시하여라.

(1) 4명의 학생이 각각 축구부, 농구부, 배구부 중 1개의 동아리에 가입하는 경우의 수는 ${}_4\Pi_3$이다.

(2) 중복순열의 수 ${}_n\Pi_r$에서 항상 $n \geq r$이어야 한다.

3. 다음 물음에 대한 답을 간단히 서술하여라.

(1) 서로 다른 n개를 원형으로 배열하는 원순열의 수가 $(n-1)!$임을 설명하여라.

(2) a, a, b, b, b를 일렬로 나열하는 경우의 수는 조합의 수 ${}_5C_2$와 같음을 설명하여라.

EXERCISES A

Sub Note 040쪽

원순열 **01** 남학생 3명과 여학생 3명이 원탁에 둘러앉을 때, 여학생끼리 이웃하여 앉는 경우의 수는 a이고, 남학생과 여학생이 교대로 앉는 경우의 수는 b이다. $a+b$의 값을 구하여라.

원순열 **02** 서술형 네 쌍의 부부가 원탁에 둘러앉을 때, 부부끼리 이웃하여 앉는 경우의 수는 m, 부부끼리 마주 보고 앉는 경우의 수는 n이다. $m-n$의 값을 구하여라.

원순열 **03** 오른쪽 그림과 같은 원판의 8개의 각 영역을 서로 다른 8가지 색을 모두 사용하여 칠하는 경우의 수는?

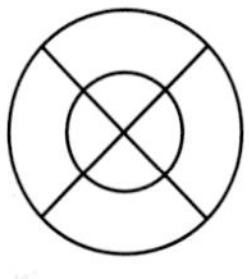

① $8!$ ② $\frac{8!}{2}$ ③ $\frac{8!}{3}$
④ $\frac{8!}{4}$ ⑤ $\frac{8!}{5}$

원순열 **04** 10명의 학생이 오른쪽 그림과 같은 직사각형 모양의 탁자에 둘러앉는 경우의 수는?

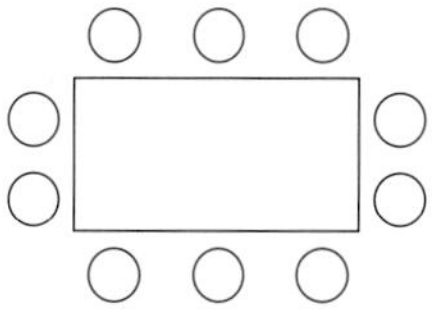

① $9!$ ② $9!\times2$ ③ $9!\times3$
④ $9!\times4$ ⑤ $9!\times5$

중복순열 **05** ○, ×로 답하는 n개의 문제에 답하는 경우의 수가 256일 때, n의 값을 구하여라.

중복순열 **06** 서로 다른 사탕 6개를 3개의 그릇 A, B, C에 남김없이 담으려고 할 때, 그릇 A에는 사탕 2개만 담는 경우의 수를 구하여라.

(단, 사탕을 하나도 담지 않은 그릇이 있을 수 있다.)

중복순열 **07** 5개의 숫자 0, 1, 2, 3, 4를 중복 사용하여 만들 수 있는 다섯 자리 자연수 중에서 짝수의 개수를 구하여라.

같은 것이 있는 순열 **08** mathematics에 있는 11개의 문자를 일렬로 나열할 때, c는 s보다 앞에 오고, i는 h보다 앞에, h는 e보다 앞에 오도록 나열하는 경우의 수는 $k \times 11!$이다. 이때 상수 k의 값을 구하여라.

같은 것이 있는 순열 **09** 6개의 문자 c, o, f, f, e, e를 일렬로 나열하여 만든 모든 문자열을 사전식으로 나열했을 때, 100번째 나오는 문자열은?

① eofcef ② effcoe ③ feefoc
④ fcfeeo ⑤ fcoeef

같은 것이 있는 순열 **10** 오른쪽 그림과 같은 도로망이 있다. A지점에서 B지점까지 가는 최단 경로의 수를 구하여라.

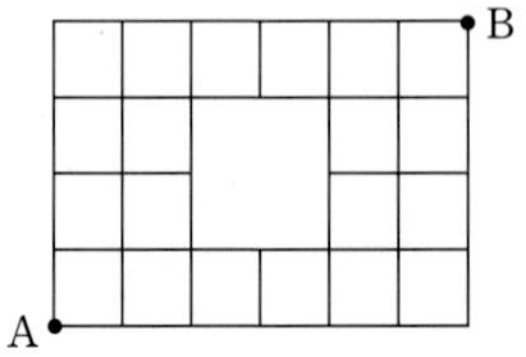

EXERCISES B

Sub Note 043쪽

01 남학생 4명, 여학생 2명이 오른쪽 그림과 같이 9개의 자리가 있는 원탁에 다음 두 조건에 따라 앉으려고 할 때, 앉을 수 있는 모든 경우의 수를 구하여라.

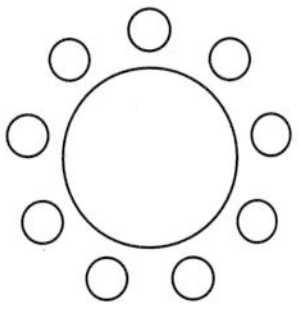

(가) 남학생, 여학생 모두 각각 같은 성별끼리 2명씩 조를 만든다.
(나) 같은 조끼리는 서로 이웃하여 앉는다.
(다) 서로 다른 두 개의 조 사이에 반드시 한 자리를 비워둔다.

02 오른쪽 그림과 같이 가로의 길이, 세로의 길이, 높이가 모두 다른 직육면체의 겉면을 서로 다른 6가지 색을 모두 사용하여 칠하는 경우의 수를 구하여라.

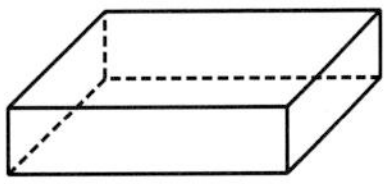

03 여섯 개의 숫자 0, 1, 2, 3, 4, 5를 중복 사용하여 만들 수 있는 모든 자연수를 크기가 작은 수부터 차례로 나열할 때, 4000은 몇 번째 수인가?

① 860번째 ② 861번째 ③ 862번째
④ 863번째 ⑤ 864번째

04

4개의 숫자 1, 2, 3, 4를 중복 사용하여 만들 수 있는 모든 네 자리 자연수의 총합은?

① $4^3\times10\times1111$ ② $4^3\times100\times111$ ③ $4^4\times11^2$
④ $4^2\times100\times1111$ ⑤ $4^2\times10\times1010$

05

세 수 0, 1, 2 중에서 중복을 허락하여 다섯 개의 수를 택해 다음 조건을 만족시키도록 일렬로 배열하여 자연수를 만든다.

> (가) 다섯 자리의 자연수가 되도록 배열한다.
> (나) 1끼리는 서로 이웃하지 않도록 배열한다.

예를 들어 20200, 12201은 조건을 만족시키는 자연수이고 11020은 조건을 만족시키지 않는 자연수이다. 만들 수 있는 모든 자연수의 개수는? [교육청 기출]

① 88 ② 92 ③ 96 ④ 100 ⑤ 104

06

전체집합 $U=\{a, b, c, d, e\}$의 두 부분집합 A, B에 대하여 $A\cap B\neq\varnothing$를 만족시키는 순서쌍 (A, B)의 개수를 구하여라.

07

서술형

8개의 문자 a, b, b, c, c, c, d, d를 일렬로 나열할 때, 양 끝에 서로 다른 문자가 오는 경우의 수를 구하여라.

08 여섯 개의 숫자 0, 1, 1, 4, 4, 5를 모두 사용하여 만들 수 있는 여섯 자리 자연수 중 홀수의 개수를 구하여라.

09 그림과 같이 주머니에 숫자 1이 적힌 흰 공과 검은 공이 각각 2개, 숫자 2가 적힌 흰 공과 검은 공이 각각 2개가 들어 있고, 비어 있는 8개의 칸에 1부터 8까지의 자연수가 하나씩 적혀 있는 진열장이 있다. 숫자가 적힌 8개의 칸에 주머니 안의 공을 한 칸에 한 개씩 모두 넣을 때, 숫자 4, 5, 6이 적힌 칸에 넣는 세 개의 공이 적힌 수의 합이 5이고 모두 같은 색이 되도록 하는 경우의 수를 구하여라. (단, 모든 공은 크기와 모양이 같다.) [교육청 기출]

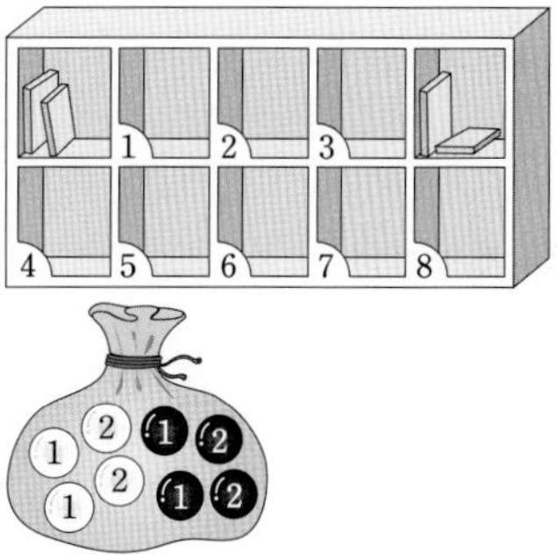

10 그림과 같은 직선 도로망이 있다. 5개의 지점 P, Q, R, S, T 중 어느 한 지점도 지나지 않고 A지점에서 B지점까지 최단거리로 갈 수 있는 모든 경로의 수를 구하여라. [교육청 기출]

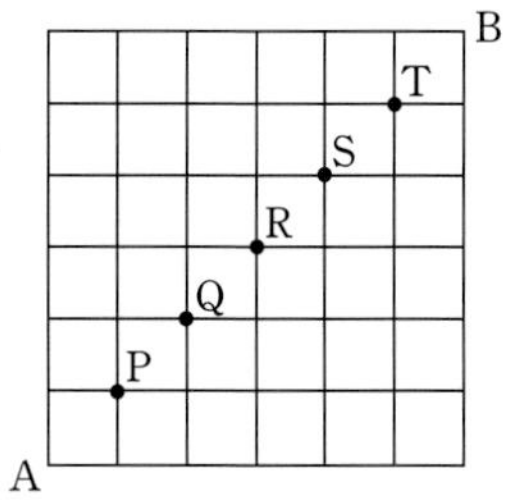

내신 · 모의고사 대비 TEST 258쪽

01 중복조합

SUMMA CUM LAUDE

ESSENTIAL LECTURE

1 중복조합

서로 다른 n개에서 순서를 고려하지 않고 중복을 허락하여 r개를 택하는 것을 n개에서 r개를 택하는 중복조합이라 하고, 이 중복조합의 수를 기호 ${}_{n}\mathrm{H}_{r}$로 나타낸다.

$${}_{n}\mathrm{H}_{r}={}_{n+r-1}\mathrm{C}_{r}$$

[참고] 조합의 수 ${}_{n}\mathrm{C}_{r}$에서는 $r\le n$이어야 하지만 중복조합의 수 ${}_{n}\mathrm{H}_{r}$에서는 $r>n$이어도 된다.

1 중복조합

중복조합은 조합의 특수한 형태이다. 따라서 조합의 개념을 잘 숙지하는 것이 무엇보다도 중요하다.

서로 다른 n개에서 순서를 고려하지 않고 중복되지 않게 $r\,(0<r\le n)$개를 택하는 것을

n개에서 r개를 택하는 **조합**(combination)

이라 하고, 이 조합의 수를 기호로 ${}_{n}\mathrm{C}_{r}$와 같이 나타낸다.

① ${}_{n}\mathrm{C}_{n}=1,\ {}_{n}\mathrm{C}_{0}=1$

② ${}_{n}\mathrm{C}_{r}=\dfrac{{}_{n}\mathrm{P}_{r}}{r!}=\dfrac{n!}{(n-r)!\,r!}$ (단, $0\le r\le n$)

순열을 중복의 허락 여부에 따라 순열과 중복순열로 세분화했듯이, 조합도 중복의 허락 여부에 따라 조합과 중복조합으로 세분화한다. 중복조합의 정의는 다음과 같다.

중복조합

서로 다른 n개에서 순서를 고려하지 않고 중복을 허락하여 r개를 택하는 것을

n개에서 r개를 택하는 중복조합(repeated combination)

이라 하고, 이 중복조합의 수를 기호 ${}_{n}\mathrm{H}_{r}$❶로 나타낸다.

❶ ${}_{n}\mathrm{H}_{r}$에서 H는 Homogeneous(동질)의 첫 글자이다.

중복조합을 간단한 예로 표현하면 다음과 같다.

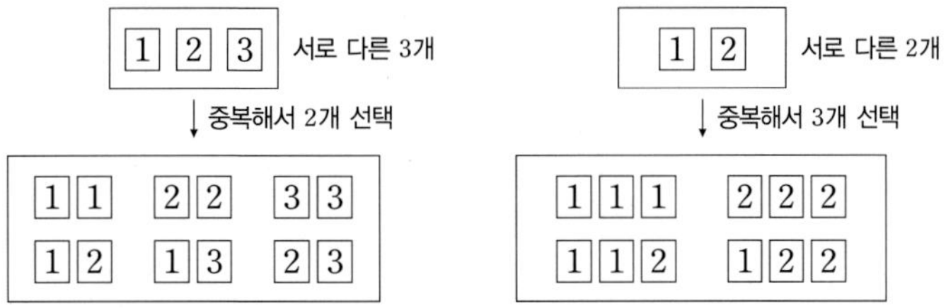

$_3H_2=6$　　　　$_2H_3=4$

지금부터 중복조합의 수 $_nH_r$를 어떻게 구하는지 알아보도록 하자.

중복조합의 수를 구하는 데 있어 사용되는 아이디어는

'중복을 허락하지 않는 경우가 중복을 허락하는 경우보다 다루기 쉽다.'

는 사실이다. 즉, 중복조합을 (그냥)조합으로 변형하여 생각하는 것이 중복조합의 핵심이다.
3개의 숫자 1, 2, 3에서 2개를 택하는 중복조합을 예로 들어 이 변형을 이해해 보자.

3개의 숫자 1, 2, 3에서 2개를 택하는 중복조합의 각 경우는 다음과 같다.

$\{1, 1\}, \{1, 2\}, \{1, 3\}, \{2, 2\}, \{2, 3\}, \{3, 3\}$[2]　　…… ㉠

이때 이들 각 경우의 첫 번째, 두 번째 수에 각각 0, 1을 더하면

$\{1, 2\}, \{1, 3\}, \{1, 4\}, \{2, 3\}, \{2, 4\}, \{3, 4\}$　　…… ㉡

가 되는데, 이는 4개의 숫자 1, 2, 3, 4에서 2개를 택하는 조합의 각 경우가 된다.
㉠의 각 경우와 ㉡의 각 경우는 서로 일대일대응이 되므로 그 개수는 명백히 서로 같다.
즉, $_3H_2={}_4C_2=6$이다.
여기에서 $4=3+(2-1)$이다.

이를 일반화하면 '서로 다른 n개에서 r개를 택하는 중복조합'은

'서로 다른 $(n+r-1)$개에서 r개를 택하는 조합'

으로 변형됨을 알 수 있다. 즉, 다음이 성립한다.

$$_nH_r={}_{n+r-1}C_r$$

❷ 집합에서 같은 원소를 두 번 표기하는 것은 잘못된 표현이지만, 중복조합은 순서가 없기 때문에 편의상 각 경우를 순서쌍이 아닌 집합으로 표기하였다.

$_{n}\mathrm{H}_{r}$

$\{1, 1, 1, \cdots, 1\}$
$\{1, 1, 1, \cdots, 2\}$
$\{1, 1, 1, \cdots, 3\}$
$\vdots$
$\{2, 2, 2, \cdots, 2\}$
$\vdots$
$\{\underbrace{n, n, n, \cdots, n}_{r개}\}$

➡ 각 경우의 첫 번째, 두 번째, $\cdots$, r번째 수에 각각 $0, 1, 2, \cdots, r-1$을 더한다. ➡

$_{n+r-1}\mathrm{C}_{r}$

$\{1, 2, 3, \cdots, r\}$
$\{1, 2, 3, \cdots, r+1\}$
$\{1, 2, 3, \cdots, r+2\}$
$\vdots$
$\{2, 3, 4, \cdots, r+1\}$
$\vdots$
$\{\underbrace{n, n+1, n+2, \cdots, n+r-1}_{r개}\}$

중복조합의 수

서로 다른 n개에서 r개를 택하는 중복조합의 수는
서로 다른 $(n+r-1)$개에서 r개를 택하는 조합의 수와 같다.

$$_{n}\mathrm{H}_{r} = {}_{n+r-1}\mathrm{C}_{r}$$

$_{n}\mathrm{H}_{r} = {}_{n+r-1}\mathrm{C}_{r}$
(r → 뽑는 대상의 수, n → 중복 선택되는 대상의 수)

위의 공식이 성립함을 '같은 것이 있는 순열' 로도 이해할 수 있다.

예를 들어 3개의 문자 a, b, c에서 4개를 택하는 중복조합의 수를 생각해 보자.

이것은 같은 종류의 공 4개를 서로 다른 3개의 바구니에 담을 때 각 바구니에 담긴 공의 개수만큼 문자를 대응시켜 생각할 수 있다.

다음 그림과 같이 구분 막대 2개를 이용하여 3개의 영역(바구니)을 만든 후 공 4개를 놓는다고 생각하자.

각 영역에 담긴 공의 개수만큼 문자를 나열하면 다음 그림의 오른쪽과 같다.

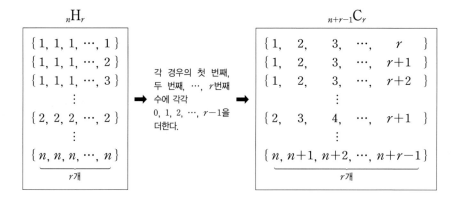

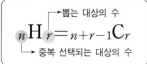

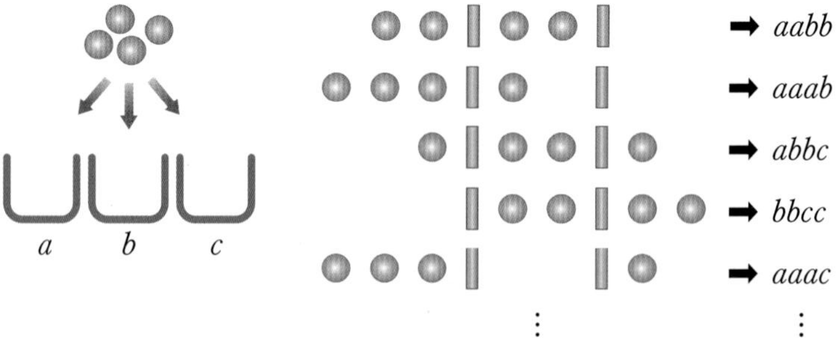

위의 그림에서 알 수 있듯이 3개의 문자 a, b, c에서 4개를 택하는 중복조합의 수 $_{3}\mathrm{H}_{4}$는 결국 4개의 공과 2개의 구분 막대를 일렬로 나열하는 같은 것이 있는 순열의 수인 $\frac{6!}{4!2!}$과 같다.

이를 일반화하면 서로 다른 n개에서 r개를 택하는 중복조합의 수 ${}_{n}\mathrm{H}_{r}$는

r개의 공과 $(n-1)$개의 구분 막대를 일렬로 나열하는 같은 것이 있는 순열의 수

와 같으므로 다음이 성립한다.

$$ {}_{n}\mathrm{H}_{r}=\frac{(n+r-1)!}{(n-1)!\,r!}={}_{n+r-1}\mathrm{C}_{r} $$

수학 공부법에 대한 저자들의 충고 – 최단 경로의 수와 중복조합의 수

4개의 공과 2개의 구분 막대를 일렬로 나열하는 같은 것이 있는 순열의 수 $\frac{6!}{4!2!}$은 오른쪽 그림에서 A지점에서 B지점까지 가는 최단 경로의 수와 같다.

즉, 우리는 중복조합의 수 ${}_{n}\mathrm{H}_{r}$를 최단 경로의 수로 생각하여 구할 수 있다.

이때 가로로 $(n-1)$칸, 세로로 r칸인 직사각형을 이용하면 된다.

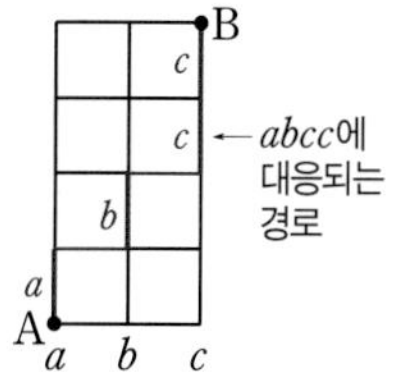

$$ {}_{4}\mathrm{H}_{2}=\frac{5!}{3!2!} \Rightarrow $$

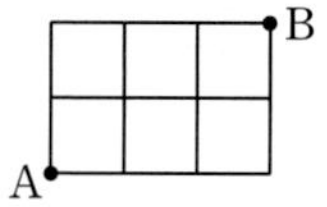

가로로 $(4-1)$칸,
세로로 2칸

APPLICATION 011 다음을 계산하여라. Sub Note 004쪽

(1) ${}_{5}\mathrm{H}_{4}$ (2) ${}_{4}\mathrm{H}_{6}$ (3) ${}_{3}\mathrm{H}_{3}$

APPLICATION 012 다음 등식을 만족시키는 자연수 n의 값을 구하여라. Sub Note 004쪽

(1) ${}_{8}\mathrm{H}_{4}={}_{n}\mathrm{C}_{7}$ (2) ${}_{3}\mathrm{H}_{n}=28$ (3) ${}_{4}\mathrm{H}_{4}={}_{7}\mathrm{C}_{n}$

EXAMPLE 008 (1) 1부터 9까지의 자연수에서 중복을 허락하여 3개를 택하는 경우의 수를 구하여라.

(2) 2명의 후보가 출마한 선거에서 7명의 유권자가 각각 한 명의 후보에게 투표할 때, 무기명으로 투표하는 경우의 수를 구하여라. (단, 기권이나 무효표는 없다.)

ANSWER (1) 구하는 경우의 수는 서로 다른 9개에서 중복을 허락하여 3개를 택하는 중복조합의 수와 같으므로 ${}_{9}\mathrm{H}_{3}={}_{9+3-1}\mathrm{C}_{3}={}_{11}\mathrm{C}_{3}=\mathbf{165}$ ■

(2) 무기명 투표는 어느 유권자가 어느 후보를 뽑았는지 알 수 없으므로 무기명으로 투표하는 경우의 수는 서로 다른 2개에서 중복을 허락하여 7개를 택하는 중복조합의 수와 같다.

$\therefore\ {}_{2}\mathrm{H}_{7}={}_{2+7-1}\mathrm{C}_{7}={}_{8}\mathrm{C}_{7}={}_{8}\mathrm{C}_{1}=\mathbf{8}$ ■

[참고] 기명으로 투표하는 경우의 수는 서로 다른 2개에서 중복을 허락하여 7개를 택하는 중복순열의 수와 같으므로 ${}_{2}\Pi_{7}=2^{7}=128$

Sub Note 004쪽

APPLICATION 013 1부터 4까지의 번호가 각각 적혀 있는 4개의 상자에 같은 종류의 공 20개를 넣는 경우의 수를 구하여라. (단, 빈 상자가 있을 수도 있다.)

EXAMPLE 009 같은 종류의 공 8개를 3명의 학생에게 나누어 주려고 한다. 다음을 구하여라.

(1) 공 8개를 나누어 주는 경우의 수

(2) 공 8개를 각 학생에게 적어도 한 개씩 나누어 주는 경우의 수

ANSWER (1) 3명의 학생에게 같은 종류의 공 8개를 나누어 주는 경우의 수는 서로 다른 3개에서 중복을 허락하여 8개를 택하는 중복조합의 수와 같으므로

$${}_3H_8={}_{3+8-1}C_8={}_{10}C_8={}_{10}C_2=\mathbf{45}\ \blacksquare$$

(2) 먼저 공을 각각 한 개씩 나누어 주고 남은 공 5개를 3명의 학생에게 나누어 주면 된다.
따라서 구하는 경우의 수는 서로 다른 3개에서 중복을 허락하여 5개를 택하는 중복조합의 수와 같으므로

$${}_3H_5={}_{3+5-1}C_5={}_7C_5={}_7C_2=\mathbf{21}\ \blacksquare$$

[참고] 서로 다른 n개에서 중복을 허용하여 $r\,(n\le r)$개를 택할 때, 서로 다른 n개가 적어도 한 개씩 포함되도록 택하는 중복조합의 수는 ${}_nH_{r-n}$이다.

Sub Note 004쪽

APPLICATION 014 사과, 포도, 귤, 복숭아 중에서 7개를 선택하려고 한다. 사과, 포도, 귤, 복숭아를 각각 적어도 1개 이상씩 선택하는 경우의 수를 구하여라.

(단, 각 종류의 과일은 7개 이상씩 있고, 같은 종류의 과일은 서로 구별하지 않는다.)

Sub Note 005쪽

APPLICATION 015 빨간색, 파란색, 흰색, 검은색의 네 종류의 깃발에서 11개를 선택할 때, 빨간색 깃발은 2개 이상, 파란색 깃발은 3개 이상 선택하는 경우의 수를 구하여라.

(단, 각 색의 깃발은 11개 이상씩 있고, 같은 색의 깃발은 서로 구별하지 않는다.)

중복조합을 이용하면 다음과 같이 방정식의 해의 개수도 간단히 구할 수 있다.

방정식 $x+y=5$의 음이 아닌 정수해를 순서쌍 (x, y)로 나타내면

$$(0, 5), (1, 4), (2, 3), (3, 2), (4, 1), (5, 0)$$

과 같이 6개이다. 각 순서쌍의 수를 x, y의 사용 개수로 생각하여 순서쌍 $(2, 3)$을 $xxyyy$와 같이 대응시키면 위의 6개의 해는 다음과 같이 나타낼 수 있다.

$$(0, 5) \longleftrightarrow yyyyy \qquad (1, 4) \longleftrightarrow xyyyy \qquad (2, 3) \longleftrightarrow xxyyy$$
$$(3, 2) \longleftrightarrow xxxyy \qquad (4, 1) \longleftrightarrow xxxxy \qquad (5, 0) \longleftrightarrow xxxxx$$

이때 나열된 문자열은 x, y의 두 문자에서 중복을 허락하여 5개를 택하는 중복조합과 같다는 것을 알 수 있다.

따라서 방정식 $x+y=5$의 음이 아닌 정수해의 개수는 중복조합의 수 ${}_2H_5$와 같음을 알 수 있다.

방정식의 해의 개수

방정식 $x_1+x_2+\cdots+x_n=r$에서

① 음이 아닌 정수해의 개수 ⇨ ${}_nH_r$

② 양의 정수해의 개수 ⇨ ${}_nH_{r-n}$ (단, $n \le r$)❸

EXAMPLE 010 (1) 방정식 $x+y+z=6$의 음이 아닌 정수해의 개수를 구하여라.

(2) 방정식 $x+y+z=6$의 양의 정수해의 개수를 구하여라.

ANSWER (1) 구하는 해의 개수는 3개의 문자 x, y, z에서 중복을 허락하여 6개를 택하는 중복조합의 수와 같으므로

$${}_3H_6={}_{3+6-1}C_6={}_8C_6={}_8C_2=\mathbf{28}\ ■$$

(2) $x \ge 1$, $y \ge 1$, $z \ge 1$이므로

$x=x'+1$, $y=y'+1$, $z=z'+1$로 놓으면 방정식 $x+y+z=6$에서

$$(x'+1)+(y'+1)+(z'+1)=6 \qquad \therefore x'+y'+z'=3 \text{ (단, } x' \ge 0,\ y' \ge 0,\ z' \ge 0)$$

즉, 구하는 해의 개수는 3개의 문자 x', y', z'에서 중복을 허락하여 3개를 택하는 중복조합의 수와 같으므로

$${}_3H_3={}_{3+3-1}C_3={}_5C_3={}_5C_2=\mathbf{10}\ ■$$

Sub Note 005쪽

APPLICATION 016 방정식 $x+y+z+w=12$의 양의 정수해의 개수를 구하여라.

중복조합은 위에서 알아본 '방정식의 해의 개수' 이외에도 '전개식의 항의 개수', '부등식의 해의 개수'를 구하는 문제에도 자주 사용된다.

Sub Note 005쪽

APPLICATION 017 $(x+y+z)^7$의 전개식에서 서로 다른 항의 개수를 구하여라.

Sub Note 005쪽

APPLICATION 018 $3 \le a \le b \le c \le d \le 10$을 만족시키는 자연수 a, b, c, d의 모든 순서쌍 (a, b, c, d)의 개수를 구하여라.

❸ 음이 아닌 정수해의 개수가 중복조합의 수와 같으므로 양의 정수해의 개수를 구할 때에는 **EXAMPLE 010**의 (2)에서와 같이 음이 아닌 정수해가 되도록 식을 변형해야 함에 주의하자.

한편 조합과 중복조합은 중복의 허락 여부에 따라 나누어지므로 서로 다른 n개에서 순서를 생각하지 않고 r개를 택할 때 (중복 없이 택하는) 조합의 수 ${}_{n}C_{r}$에서는 항상 $r \le n$을 만족시켜야 하지만 중복조합의 수 ${}_{n}H_{r}$에서는 중복이 가능하기 때문에 $r > n$이어도 가능하다. 즉, 중복조합에서는 주어진 대상의 개수가 선택하고자 하는 것의 개수보다 작은 경우도 있을 수 있다.

수학 공부법에 대한 저자들의 충고 – 순열, 중복순열, 조합, 중복조합

지금까지 배운 순열과 중복순열, 조합과 중복조합 사이의 차이를 정확하게 아는 것은 매우 중요하다. 먼저 순서를 고려하느냐 고려하지 않느냐에 따라 순열과 조합으로 나뉜다. 또 순열에서는 중복 선택을 허락하느냐 허락하지 않느냐에 따라 순열과 중복순열로 나뉜다. 조합도 마찬가지로 조합과 중복조합으로 나뉜다. 이를 다음 표와 같이 정리해 두도록 하자.

	중복을 허락하지 않음	중복을 허락
순서 고려	순열(${}_{n}P_{r}$)	중복순열(${}_{n}\Pi_{r}$)
순서 무시	조합(${}_{n}C_{r}$)	중복조합(${}_{n}H_{r}$)

예를 들어 a, b, c에서 2개를 뽑는 경우의 수 ${}_{3}P_{2}$, ${}_{3}\Pi_{2}$, ${}_{3}C_{2}$, ${}_{3}H_{2}$의 차이점을 알아보면 다음과 같다.

(i) 서로 다른 3개에서 순서를 고려하여 중복되지 않게 2개를 선택하면

ab, ba, ac, ca, bc, cb ➡ ${}_{3}P_{2}=3\times2=6$

(ii) 서로 다른 3개에서 순서를 고려하고 중복을 허락하여 2개를 선택하면

ab, ba, ac, ca, bc, cb, aa, bb, cc ➡ ${}_{3}\Pi_{2}=3^{2}=9$

(iii) 서로 다른 3개에서 순서를 고려하지 않고 중복되지 않게 2개를 선택하면

ab, ac, bc ➡ ${}_{3}C_{2}=\frac{3\times2}{2}=3$

(iv) 서로 다른 3개에서 순서를 고려하지 않고 중복을 허락하여 2개를 선택하면

ab, ac, bc, aa, bb, cc ➡ ${}_{3}H_{2}={}_{3+2-1}C_{2}={}_{4}C_{2}=\frac{4\times3}{2}=6$

겉보기에는 사소해 보이지만 이 차이를 안다면, 문제를 풀 때 올바른 접근법을 사용할 수 있게 되고, 신유형 문제가 자주 출제되는 수능이나 모의고사에서도 당황하지 않고 잘 풀 수 있게 될 것이다.

기본예제 중복조합

008 흰색 탁구공 8개와 주황색 탁구공 7개를 3명의 학생에게 나누어 주려고 한다. 각 학생이 흰색 탁구공과 주황색 탁구공을 각각 적어도 한 개씩 갖도록 나누어 주는 경우의 수를 구하여라.

(단, 같은 색의 탁구공은 서로 구별하지 않는다.)

GUIDE 적어도 한 개씩 갖도록 나누어 준다. ⇨ 먼저 한 개씩 나누어 준 다음 중복조합을 이용한다.

SOLUTION

3명의 학생에게 흰색 탁구공 8개와 주황색 탁구공 7개를 각각 한 개 이상씩 갖도록 나누어 주어야 하므로 먼저 흰색 탁구공과 주황색 탁구공을 한 개씩 나누어 주고, 나머지 흰색 탁구공 5개와 주황색 탁구공 4개를 나누어 주는 경우의 수를 구하면 된다.

(i) 흰색 탁구공 5개를 3명의 학생에게 나누어 주는 경우의 수는 서로 다른 3개에서 중복을 허락하여 5개를 택하는 중복조합의 수와 같으므로

$${}_3H_5={}_{3+5-1}C_5={}_7C_5={}_7C_2=21$$

(ii) 주황색 탁구공 4개를 3명의 학생에게 나누어 주는 경우의 수는 서로 다른 3개에서 중복을 허락하여 4개를 택하는 중복조합의 수와 같으므로

$${}_3H_4={}_{3+4-1}C_4={}_6C_4={}_6C_2=15$$

(i), (ii)에 의하여 구하는 경우의 수는

$21\times15=$ **315** ■

유제

008-1 흰 장미 5송이와 붉은 장미 10송이가 있다. 세 사람에게 장미를 나누어 주는데 흰 장미는 한 송이 이상씩, 붉은 장미는 두 송이 이상씩 받도록 나누어 주는 경우의 수를 구하여라.

(단, 같은 색의 장미는 서로 구별하지 않는다.) Sub Note 019쪽

유제

008-2 $(a+b)^4(x+y+z)^3$의 전개식에서 서로 다른 항의 개수를 구하여라. Sub Note 019쪽

유제

008-3 서로 다른 종류의 사탕 3개와 같은 종류의 구슬 7개를 같은 종류의 주머니 3개에 나누어 넣으려고 한다. 각 주머니에 사탕과 구슬이 각각 1개 이상씩 들어가도록 나누어 넣는 경우의 수를 구하여라. Sub Note 019쪽

기 본 예 제 **방정식의 해의 개수** (수능 고빈도 출제)

009 방정식 $2x_1+x_2+x_3+x_4=11$을 만족시키는 음이 아닌 정수해의 개수를 구하여라.

GUIDE x_1의 계수가 2이므로 가능한 x_1의 값이 0, 1, …, 5로 제한됨을 이용한다. 가능한 x_1의 값을 주어진 식에 각각 대입하여 변형된 방정식의 해의 개수를 구하면 된다.

SOLUTION

(i) $x_1=0$일 때

$x_2+x_3+x_4=11$을 만족시키는 음이 아닌 정수해의 개수를 구하는 것과 같으므로

$${}_3H_{11}={}_{3+11-1}C_{11}={}_{13}C_{11}={}_{13}C_2=78$$

(ii) $x_1=1$일 때

$x_2+x_3+x_4=9$를 만족시키는 음이 아닌 정수해의 개수를 구하는 것과 같으므로

$${}_3H_9={}_{3+9-1}C_9={}_{11}C_9={}_{11}C_2=55$$

(iii) $x_1=2$일 때

$x_2+x_3+x_4=7$을 만족시키는 음이 아닌 정수해의 개수를 구하는 것과 같으므로

$${}_3H_7={}_{3+7-1}C_7={}_9C_7={}_9C_2=36$$

(iv) $x_1=3$일 때

$x_2+x_3+x_4=5$를 만족시키는 음이 아닌 정수해의 개수를 구하는 것과 같으므로

$${}_3H_5={}_{3+5-1}C_5={}_7C_5={}_7C_2=21$$

(v) $x_1=4$일 때

$x_2+x_3+x_4=3$을 만족시키는 음이 아닌 정수해의 개수를 구하는 것과 같으므로

$${}_3H_3={}_{3+3-1}C_3={}_5C_3={}_5C_2=10$$

(vi) $x_1=5$일 때

$x_2+x_3+x_4=1$을 만족시키는 음이 아닌 정수해의 개수를 구하는 것과 같으므로

$${}_3H_1={}_{3+1-1}C_1={}_3C_1=3$$

(i)~(vi)에 의하여 구하는 음이 아닌 정수해의 개수는

$78+55+36+21+10+3=$ **203** ■

유제

Sub Note 020쪽

009-1 방정식 $a+b+c=12$에서 $a\geq1$, $b\geq2$, $c\geq3$을 만족시키는 정수해의 개수를 구하여라.

발전예제 *함수의 개수(중복조합)*

010 (1) 두 집합 $X=\{1, 2, 3, 4\}$, $Y=\{1, 2, 3, 4, 5\}$에 대하여 함수 $f: X \longrightarrow Y$ 중 「$x_1 \in X$, $x_2 \in X$일 때 $x_1 < x_2$이면 $f(x_1) \leq f(x_2)$」를 만족시키는 함수 f의 개수를 구하여라.

(2) 두 집합 $A=\{1, 2, 3, 4, 5, 6\}$, $B=\{7, 8, 9, 10, 11\}$에 대하여 함수 $f: A \longrightarrow B$ 중 다음 조건을 만족시키는 함수 f의 개수를 구하여라.

> (가) $f(2)=8$ (나) $f(i) \leq f(i+1)$ (단, $i=1, 2, 3, 4, 5$)

GUIDE (1) $f(x_1)=f(x_2)$인 경우도 되므로 중복이 가능하다는 것을 이용한다.
(2) $f(2)$가 주어졌으므로 $f(1)$과 $f(3) \sim f(6)$으로 나누어 생각한다.

SOLUTION

(1) 조건을 만족시키는 함수 $f: X \longrightarrow Y$는 공역에서 중복을 허락하여 4개를 뽑아 작은 순서대로 정의역의 각 원소에 대응시킨 것과 같다.
따라서 함수 f의 개수는 $\quad {}_5H_4 = {}_{5+4-1}C_4 = {}_8C_4 = \mathbf{70}$ ■

(2) (i) 조건 (가)에서 $f(2)=8$이므로 조건 (나)를 만족시키려면 $f(1)$의 값은 $f(1)=7$ 또는 $f(1)=8$로 2가지가 가능하다.

(ii) 조건 (나)에 의하여 $8 \leq f(3) \leq f(4) \leq f(5) \leq f(6)$이므로 집합 B의 원소 8, 9, 10, 11에서 중복을 허락하여 4개를 뽑아 작은 순서대로 3, 4, 5, 6에 대응시키는 경우의 수는 $\quad {}_4H_4 = {}_{4+4-1}C_4 = {}_7C_4 = {}_7C_3 = 35$

(i), (ii)에 의하여 구하는 함수 f의 개수는 $\quad 2 \times 35 = \mathbf{70}$ ■

유제 Sub Note 020쪽

010-1 두 집합 $X=\{1, 2, 3, 4, 5\}$, $Y=\{6, 7, 8\}$에 대하여 함수 $f: X \longrightarrow Y$ 중 치역이 공역과 같고 $f(1) \leq f(2) \leq f(3) \leq f(4) \leq f(5)$를 만족시키는 함수 f의 개수를 구하여라.

유제 Sub Note 020쪽

010-2 두 집합 $X=\{1, 2, 3, 4, 5\}$, $Y=\{1, 2, 3, 4, 5, 6\}$에 대하여 함수 $f: X \longrightarrow Y$ 중 다음 조건을 만족시키는 함수 f의 개수를 구하여라.

> (가) 집합 X의 원소 중 홀수 a, b에 대하여 $a<b$이면 $f(a) \leq f(b)$이다.
> (나) 집합 X의 원소 중 짝수 c, d에 대하여 $c<d$이면 $f(c) \geq f(d)$이다.

02 이항정리

ESSENTIAL LECTURE

1 이항정리

n이 자연수일 때, $(a+b)^n$을 전개하면

$$(a+b)^n={}_nC_0a^n+{}_nC_1a^{n-1}b+{}_nC_2a^{n-2}b^2+\cdots+{}_nC_ra^{n-r}b^r+\cdots+{}_nC_nb^n$$

이것을 $(a+b)^n$에 대한 이항정리라 하고, ${}_nC_ra^{n-r}b^r$을 일반항, ${}_nC_0$, ${}_nC_1$, $\cdots$, ${}_nC_r$, $\cdots$, ${}_nC_n$을 이항계수라 한다.

2 이항계수의 성질

① ${}_nC_0+{}_nC_1+{}_nC_2+\cdots+{}_nC_n=2^n$

② ${}_nC_0-{}_nC_1+{}_nC_2-{}_nC_3+\cdots+(-1)^n{}_nC_n=0$

③ ${}_nC_0+{}_nC_2+{}_nC_4+\cdots={}_nC_1+{}_nC_3+{}_nC_5+\cdots=2^{n-1}$

3 파스칼의 삼각형

n이 자연수일 때, $(a+b)^n$의 이항계수를 다음과 같이 차례로 배열한 것을 파스칼의 삼각형이라 한다.

$(a+b)^1$	${}_1C_0\ \ {}_1C_1$		$1\ \ 1$
$(a+b)^2$	${}_2C_0\ \ {}_2C_1\ \ {}_2C_2$	➡	$1\ \ 2\ \ 1$
$(a+b)^3$	${}_3C_0\ \ {}_3C_1\ \ {}_3C_2\ \ {}_3C_3$		$1\ \ 3\ \ 3\ \ 1$
$(a+b)^4$	${}_4C_0\ \ {}_4C_1\ \ {}_4C_2\ \ {}_4C_3\ \ {}_4C_4$		$1\ \ 4\ \ 6\ \ 4\ \ 1$
$\vdots$	$\vdots$		$\vdots$

1 이항정리

조합을 이용하여 $(a+b)^3$의 전개식을 구하는 방법에 대하여 알아보자.

먼저 고등 수학(상)에서 배웠던 곱셈 공식을 이용하여 $(a+b)^3$을 전개하면

$$(a+b)^3=a^3+3a^2b+3ab^2+b^3$$

이다.

이때 a^2b는 3개의 인수 $(a+b)$, $(a+b)$, $(a+b)$ 중에서 1개에서는 b를 택하고, 남은 2개에서는 각각 a를 택하여 곱한 것으로 볼 수 있다. 즉, a^2b의 계수는 3개의 인수 $(a+b)$, $(a+b)$, $(a+b)$ 중에서 b를 1개 택하는 경우의 수 ${}_3C_1$이라 할 수 있다. 마찬가지 방법으로 a^3, ab^2, b^3의 계수를 구하면 다음 표와 같다.

$(a+b)^3$	$(a+b)$	$(a+b)$	$(a+b)$	각 항의 계수
a^3	a	a	a	${}_3C_0=1$
$3a^2b$	a	a	b	${}_3C_1=3$
	a	b	a	
	b	a	a	
$3ab^2$	a	b	b	${}_3C_2=3$
	b	a	b	
	b	b	a	
b^3	b	b	b	${}_3C_3=1$

$(a+b)^3$의 각 항의 계수

따라서 $(a+b)^3$의 전개식을 조합을 이용하여 나타내면 다음과 같다.

$$(a+b)^3={}_3C_0a^3+{}_3C_1a^2b+{}_3C_2ab^2+{}_3C_3b^3$$ $a\neq0$, $b\neq0$일 때 $a^0=1$, $b^0=1$로 정한다.

위의 내용을 일반화하면 자연수 n에 대하여 $(a+b)^n$의 전개식을 얻을 수 있다. 즉, $(a+b)^n$의 전개식은 n개의 인수 $(a+b)$의 각각에서 a 또는 b를 하나씩 택하여 곱한 것을 모두 더한 것이다. 이때 n개의 인수 $(a+b)$ 중에서 r개의 인수에서는 b를, $(n-r)$개의 인수에서는 a를 택하여 곱하면 $a^{n-r}b^r$이고, $a^{n-r}b^r$의 계수는 n개의 인수 $(a+b)$ 중에서 b를 r개 택하는 경우의 수 ${}_nC_r$가 된다.

따라서 $(a+b)^n$을 전개하면

$$(a+b)^n={}_nC_0a^n+{}_nC_1a^{n-1}b+{}_nC_2a^{n-2}b^2+\cdots+\boldsymbol{{}_nC_ra^{n-r}b^r}+\cdots+{}_nC_nb^n$$ ❹

이 되는데, 이를 **이항정리**(binomial theorem)라 한다. 이때 각 항의 계수

$${}_nC_0,\ {}_nC_1,\ {}_nC_2,\ \cdots,\ {}_nC_r,\ \cdots,\ {}_nC_n$$

을 **이항계수**(binomial coefficient)라 하고, 항 $\boldsymbol{{}_nC_ra^{n-r}b^r}$을 $(a+b)^n$의 전개식의 **일반항**이라 한다.

이항정리

n이 자연수일 때, $(a+b)^n$을 전개하면

$$(a+b)^n={}_nC_0a^n+{}_nC_1a^{n-1}b+{}_nC_2a^{n-2}b^2+\cdots+{}_nC_ra^{n-r}b^r+\cdots+{}_nC_nb^n$$

이것을 $(a+b)^n$에 대한 이항정리라 하고, ${}_nC_ra^{n-r}b^r$을 일반항, ${}_nC_0$, ${}_nC_1$, $\cdots$, ${}_nC_r$, $\cdots$, ${}_nC_n$을 이항계수라 한다.

❹ 조합의 성질에 의하여 ${}_nC_r={}_nC_{n-r}$이므로 $a^{n-r}b^r$과 a^rb^{n-r}의 계수는 서로 같다. 따라서 $(a+b)^n$의 전개식을 내림차순으로 정리하면 각 항의 계수(이항계수)는 좌우 대칭을 이루게 된다.

EXAMPLE 011 이항정리를 이용하여 $(x+2)^5$을 전개하여라.

ANSWER $(x+2)^5={}_5C_0x^5+{}_5C_1x^4\cdot 2+{}_5C_2x^3\cdot 2^2+{}_5C_3x^2\cdot 2^3+{}_5C_4x\cdot 2^4+{}_5C_52^5$
$=\mathbf{x^5+10x^4+40x^3+80x^2+80x+32}$ ■

APPLICATION 019 이항정리를 이용하여 다음 식을 전개하여라. Sub Note 005쪽

(1) $(a-b)^4$

(2) $(2a+5)^5$

(3) $(2x+3y)^6$

(4) $(3x-1)^5$

EXAMPLE 012 $(x-5y)^8$의 전개식에서 x^5y^3의 계수를 구하여라.

ANSWER $(x-5y)^8$의 전개식의 일반항은

$${}_8C_rx^{8-r}(-5y)^r={}_8C_r(-5)^rx^{8-r}y^r$$

x^5y^3의 계수는 $8-r=5 \iff r=3$일 때이므로

$${}_8C_3(-5)^3x^5y^3=56\times(-125)\times x^5y^3=-7000x^5y^3$$

따라서 x^5y^3의 계수는 $\mathbf{-7000}$이다. ■

APPLICATION 020 $\left(x-\dfrac{2}{x}\right)^7$의 전개식에서 다음을 구하여라. Sub Note 006쪽

(1) x^5의 계수

(2) $\dfrac{1}{x^3}$의 계수

Sub Note 006쪽

APPLICATION 021 $\left(kx+\dfrac{1}{x^2}\right)^6$의 전개식에서 상수항이 240일 때, 양수 k의 값을 구하여라.

한편 이항정리를 유도했던 방법과 똑같은 방법으로 다항식 $(a+b+c)^n$(n은 자연수)에 대한 전개식도 유도할 수 있는데, 이를 **삼항정리**(trinomial theorem)라 한다.
지금부터 삼항정리에서의 일반항을 유도해 보자.

다항식 $(a+b+c)^n$의 전개식에서 $p+q+r=n$인 p, q, r(p, q, r는 음이 아닌 정수)에 대하여 $a^pb^qc^r$의 계수는 n개의 인수 $(a+b+c)$ 중에서 p개의 인수에서는 a를, q개의 인수에서는 b를, r개의 인수에서는 c를 택하는 경우의 수와 같다.
즉, n개에서 p개를 택하고 나머지 $(n-p)$개에서 q개를 택하며, 그 나머지 $r(=n-p-q)$

개에서 r개를 택하는 경우의 수이므로 $a^p b^q c^r$의 계수는

$${}_n\mathrm{C}_p \cdot {}_{n-p}\mathrm{C}_q \cdot {}_r\mathrm{C}_r$$

가 된다. 이는 n개 중에 a가 p개, b가 q개, c가 r개 있을 때, a, b, c를 일렬로 나열하는 경우의 수, 즉 같은 것이 있는 순열의 수와 같음을 알 수 있다.

따라서 다항식 $(a+b+c)^n$(n은 자연수)의 전개식의 일반항은

$${}_n\mathrm{C}_p \cdot {}_{n-p}\mathrm{C}_q \cdot {}_r\mathrm{C}_r a^p b^q c^r = \boldsymbol{\frac{n!}{p!q!r!}a^p b^q c^r} \text{ (단, } p+q+r=n\text{)}$$

임을 알 수 있다. (조합의 성질을 이용하면 위의 식에서 (좌변)과 (우변)이 같음을 쉽게 확인해 볼 수 있을 것이다.)

참고로 다음과 같이 이항정리를 2번 이용하여 삼항정리에서의 일반항을 유도할 수도 있다.

$(x+y)^n$의 전개식의 일반항 ${}_n\mathrm{C}_k x^{n-k} y^k$에 ${}_n\mathrm{C}_k = \dfrac{n!}{k!(n-k)!}$을 대입하면

$${}_n\mathrm{C}_k x^{n-k} y^k = \frac{n!}{k!(n-k)!} x^{n-k} y^k = \frac{n!}{p!q!} x^p y^q \qquad \cdots\cdots \text{㉠}$$

(단, $p=n-k$, $q=k$ ➡ $p+q=n$)

이 됨을 이용하자. $(a+b+c)^n = \{a+(b+c)\}^n$이므로 ㉠에 의하여

$$\frac{n!}{p!s!} a^p (b+c)^s \text{ (단, } p+s=n\text{)} \qquad \cdots\cdots \text{㉡}$$

이고, $(b+c)^s$의 전개식의 일반항은 ㉠에 의하여

$$\frac{s!}{q!r!} b^q c^r \text{ (단, } q+r=s\text{)} \qquad \cdots\cdots \text{㉢}$$

㉡, ㉢에 의하여 $(a+b+c)^n$의 전개식의 일반항은

$$\frac{n!}{p!s!} a^p \cdot \frac{s!}{q!r!} b^q c^r = \boldsymbol{\frac{n!}{p!q!r!} a^p b^q c^r} \text{ (단, } p+q+r=n\text{)}$$

삼항정리를 이용한 문제 풀이는 67쪽의 **기본예제 012**를 통해 연습해 보도록 하자.

2 이항계수의 성질

이항정리에 의하여 $(1+x)^n$을 전개하면

$$\boldsymbol{(1+x)^n = {}_n\mathrm{C}_0 + {}_n\mathrm{C}_1 x + {}_n\mathrm{C}_2 x^2 + \cdots + {}_n\mathrm{C}_n x^n} \qquad \cdots\cdots \text{㉠}$$

이다. 이때 식 ㉠을 이용하면 이항계수에 대한 몇 가지 성질을 알아볼 수 있다.

① ㉠의 양변에 $x=1$을 대입하면

$${}_{n}\mathrm{C}_{0}+{}_{n}\mathrm{C}_{1}+{}_{n}\mathrm{C}_{2}+\cdots+{}_{n}\mathrm{C}_{n}=2^{n}$$ ⬅ 이항계수의 총합

② ㉠의 양변에 $x=-1$을 대입하면

$${}_{n}\mathrm{C}_{0}-{}_{n}\mathrm{C}_{1}+{}_{n}\mathrm{C}_{2}-{}_{n}\mathrm{C}_{3}+\cdots+(-1)^{n}{}_{n}\mathrm{C}_{n}=0$$

③ (①+②)÷2를 하면

$${}_{n}\mathrm{C}_{0}+{}_{n}\mathrm{C}_{2}+{}_{n}\mathrm{C}_{4}+\cdots=2^{n-1}$$ ⬅ 홀수 번째 항의 계수들의 합

④ (①−②)÷2를 하면

$${}_{n}\mathrm{C}_{1}+{}_{n}\mathrm{C}_{3}+{}_{n}\mathrm{C}_{5}+\cdots=2^{n-1}$$ ⬅ 짝수 번째 항의 계수들의 합

이상을 정리하면 다음과 같다.

이항계수의 성질

① ${}_{n}\mathrm{C}_{0}+{}_{n}\mathrm{C}_{1}+{}_{n}\mathrm{C}_{2}+\cdots+{}_{n}\mathrm{C}_{n}=2^{n}$ ⬅ 이항계수의 총합

② ${}_{n}\mathrm{C}_{0}-{}_{n}\mathrm{C}_{1}+{}_{n}\mathrm{C}_{2}-{}_{n}\mathrm{C}_{3}+\cdots+(-1)^{n}{}_{n}\mathrm{C}_{n}=0$

③ ${}_{n}\mathrm{C}_{0}+{}_{n}\mathrm{C}_{2}+{}_{n}\mathrm{C}_{4}+\cdots=2^{n-1}$ ⬅ 홀수 번째 항의 계수들의 합

④ ${}_{n}\mathrm{C}_{1}+{}_{n}\mathrm{C}_{3}+{}_{n}\mathrm{C}_{5}+\cdots=2^{n-1}$ ⬅ 짝수 번째 항의 계수들의 합

(홀수 번째 항의 계수들의 합)
=(짝수 번째 항의 계수들의 합)
=(이항계수의 총합의 반)

수학 공부법에 대한 저자들의 충고 – 미적분으로 이항계수의 성질 유도

⑤ ${}_{n}\mathrm{C}_{1}+2\cdot{}_{n}\mathrm{C}_{2}+3\cdot{}_{n}\mathrm{C}_{3}+\cdots+n\cdot{}_{n}\mathrm{C}_{n}=n\cdot2^{n-1}$

⑥ ${}_{n}\mathrm{C}_{1}-2\cdot{}_{n}\mathrm{C}_{2}+3\cdot{}_{n}\mathrm{C}_{3}-\cdots+(-1)^{n-1}\cdot n\cdot{}_{n}\mathrm{C}_{n}=0$

⑦ ${}_{n}\mathrm{C}_{0}+\frac{{}_{n}\mathrm{C}_{1}}{2}+\frac{{}_{n}\mathrm{C}_{2}}{3}+\cdots+\frac{{}_{n}\mathrm{C}_{n}}{n+1}=\frac{1}{n+1}(2^{n+1}-1)$

위의 성질 ⑤, ⑥, ⑦은 수학Ⅱ에서 배우는 미분, 적분을 통해 유도할 수 있다.

㉠의 양변을 x에 대하여 미분하면

$$n(1+x)^{n-1}={}_{n}\mathrm{C}_{1}+2\cdot{}_{n}\mathrm{C}_{2}x+3\cdot{}_{n}\mathrm{C}_{3}x^{2}+\cdots+n\cdot{}_{n}\mathrm{C}_{n}x^{n-1} \quad \cdots\cdots ㉡$$

⑤ ㉡의 양변에 $x=1$을 대입하면 ${}_{n}\mathrm{C}_{1}+2\cdot{}_{n}\mathrm{C}_{2}+3\cdot{}_{n}\mathrm{C}_{3}+\cdots+n\cdot{}_{n}\mathrm{C}_{n}=n\cdot2^{n-1}$

⑥ ㉡의 양변에 $x=-1$을 대입하면 ${}_{n}\mathrm{C}_{1}-2\cdot{}_{n}\mathrm{C}_{2}+3\cdot{}_{n}\mathrm{C}_{3}-\cdots+(-1)^{n-1}\cdot n\cdot{}_{n}\mathrm{C}_{n}=0$

⑦ ㉠의 양변을 구간 $[0,\ 1]$에서 적분하면

$$\int_{0}^{1}(1+x)^{n}dx=\int_{0}^{1}\{{}_{n}\mathrm{C}_{0}+{}_{n}\mathrm{C}_{1}x+{}_{n}\mathrm{C}_{2}x^{2}+\cdots+{}_{n}\mathrm{C}_{n}x^{n}\}dx$$

$$\left[\frac{1}{n+1}(1+x)^{n+1}\right]_{0}^{1}=\left[{}_{n}\mathrm{C}_{0}x+\frac{{}_{n}\mathrm{C}_{1}}{2}x^{2}+\frac{{}_{n}\mathrm{C}_{2}}{3}x^{3}+\cdots+\frac{{}_{n}\mathrm{C}_{n}}{n+1}x^{n+1}\right]_{0}^{1}$$

$$\therefore\ {}_{n}\mathrm{C}_{0}+\frac{{}_{n}\mathrm{C}_{1}}{2}+\frac{{}_{n}\mathrm{C}_{2}}{3}+\cdots+\frac{{}_{n}\mathrm{C}_{n}}{n+1}=\frac{1}{n+1}(2^{n+1}-1)$$

EXAMPLE 013 (1) ${}_6C_0+{}_6C_1+{}_6C_2+\cdots+{}_6C_6$의 값을 구하여라.

(2) ${}_4C_0-{}_4C_1+{}_4C_2-{}_4C_3+{}_4C_4$의 값을 구하여라.

(3) ${}_nC_0+{}_nC_1+{}_nC_2+\cdots+{}_nC_n=256$을 만족시키는 자연수 n의 값을 구하여라.

ANSWER 이항계수의 성질을 이용한다.

(1) ${}_6C_0+{}_6C_1+{}_6C_2+\cdots+{}_6C_6=2^6=\mathbf{64}$ ■

(2) ${}_4C_0-{}_4C_1+{}_4C_2-{}_4C_3+{}_4C_4=\mathbf{0}$ ■

(3) ${}_nC_0+{}_nC_1+{}_nC_2+\cdots+{}_nC_n=2^n$이므로

$2^n=256=2^8 \qquad \therefore n=\mathbf{8}$ ■

Sub Note 006쪽

APPLICATION 022 (1) ${}_{12}C_1-{}_{12}C_2+{}_{12}C_3-\cdots+{}_{12}C_{11}$의 값을 구하여라.

(2) $500<{}_nC_1+{}_nC_2+{}_nC_3+\cdots+{}_nC_n<600$을 만족시키는 자연수 n의 값을 구하여라.

EXAMPLE 014 다음 식의 값을 구하여라.

(1) ${}_{2019}C_1+{}_{2019}C_3+\cdots+{}_{2019}C_{2019}$

(2) ${}_{99}C_0+{}_{99}C_1+\cdots+{}_{99}C_{49}$

ANSWER (1) ${}_{2019}C_1+{}_{2019}C_3+\cdots+{}_{2019}C_{2019}=2^{2019-1}=\mathbf{2^{2018}}$ ■

(2) ${}_{99}C_0+{}_{99}C_1+\cdots+{}_{99}C_{99}=2^{99}$이고,

${}_{99}C_0={}_{99}C_{99},\ {}_{99}C_1={}_{99}C_{98},\ \cdots,\ {}_{99}C_{49}={}_{99}C_{50}$에서

${}_{99}C_0+{}_{99}C_1+\cdots+{}_{99}C_{49}={}_{99}C_{99}+{}_{99}C_{98}+\cdots+{}_{99}C_{50}$

이므로 ${}_{99}C_0+{}_{99}C_1+\cdots+{}_{99}C_{49}=\frac{1}{2}\times2^{99}=\mathbf{2^{98}}$ ■

[다른 풀이] ${}_{99}C_1={}_{99}C_{98},\ {}_{99}C_3={}_{99}C_{96},\ {}_{99}C_5={}_{99}C_{94},\ \cdots,\ {}_{99}C_{47}={}_{99}C_{52},\ {}_{99}C_{49}={}_{99}C_{50}$이므로

${}_{99}C_0+{}_{99}C_1+\cdots+{}_{99}C_{49}$

$={}_{99}C_0+{}_{99}C_2+{}_{99}C_4+\cdots+{}_{99}C_{98}$

$=2^{99-1}=2^{98}$

Sub Note 006쪽

APPLICATION 023 (1) ${}_{10}C_2+{}_{10}C_4+\cdots+{}_{10}C_{10}$의 값을 구하여라.

(2) ${}_{41}C_0+{}_{41}C_1+\cdots+{}_{41}C_{20}$의 값을 구하여라.

❸ 파스칼의 삼각형

$n=1, 2, 3, 4, 5, \cdots$일 때, $(a+b)^n$의 전개식을 나타내면

$n=1$일 때, $(a+b)^1=1a+1b$

$n=2$일 때, $(a+b)^2=1a^2+2ab+1b^2$

$n=3$일 때, $(a+b)^3=1a^3+3a^2b+3ab^2+1b^3$

$n=4$일 때, $(a+b)^4=1a^4+4a^3b+6a^2b^2+4ab^3+1b^4$

$n=5$일 때, $(a+b)^5=1a^5+5a^4b+10a^3b^2+10a^2b^3+5ab^4+1b^5$

$\vdots$ $\vdots$

이때 위 전개식들의 각 항의 계수를 모아 차수별로 배열하면 다음과 같이 삼각형 모양으로 나타낼 수 있다.

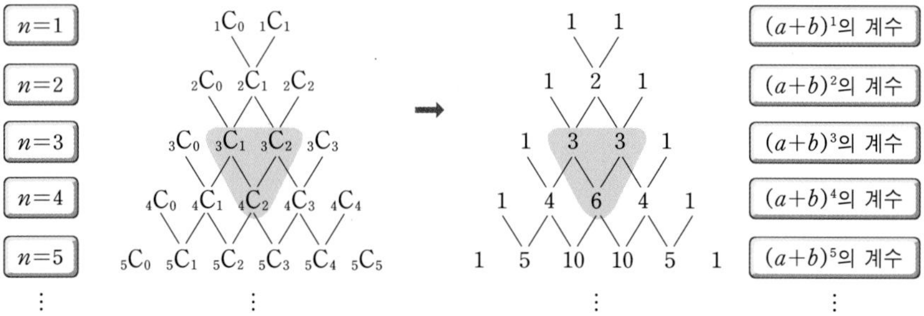

이와 같이 이항계수를 배열한 것을 **파스칼의 삼각형**(Pascal's triangle)이라 하고, 위의 수의 배열을 통해 다음과 같은 성질을 확인할 수 있다.

(1) 각 행에서 양 끝의 수는 항상 1이고, n번째 행의 왼쪽에서 2번째 수와 오른쪽에서 2번째 수는 모두 n이다.

$${}_nC_0={}_nC_n=1$$
$${}_nC_1={}_nC_{n-1}=n$$

(2) 위의 그림의 파란색 역삼각형 부분과 같이 **각 수는 왼쪽 위와 오른쪽 위의 두 수의 합과 같다.**

$${}_nC_r={}_{n-1}C_{r-1}+{}_{n-1}C_r$$ ❺

(3) 각 행의 수는 정중앙에 대하여 **좌우 대칭**을 이룬다. 이때 최대 계수는 n이 짝수일 때는 중앙항, n이 홀수일 때는 정중앙의 좌우 두 항의 계수가 된다.

$${}_nC_r={}_nC_{n-r}$$

---

❺ 서로 다른 n개에서 r개를 뽑는 경우의 수(${}_nC_r$)는 어떤 특정한 하나를 포함하여 r개를 뽑는 경우의 수(${}_{n-1}C_{r-1}$)와 특정한 하나를 포함하지 않고 r개를 뽑는 경우의 수(${}_{n-1}C_r$)의 합으로 나타낼 수 있음을 고등 수학(하)에서 배웠다.

EXAMPLE 015 오른쪽 파스칼의 삼각형에서 색칠한 수들의 합과 같은 값을 갖는 것은?

① ${}_{21}C_3$ ② ${}_{22}C_3$ ③ ${}_{20}C_4$
④ ${}_{21}C_4$ ⑤ ${}_{22}C_4$

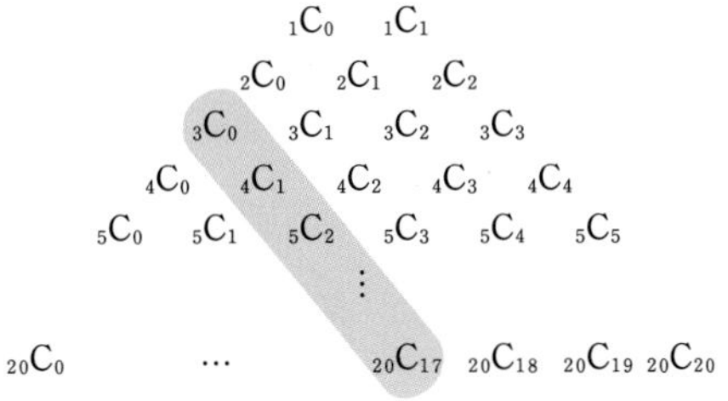

ANSWER ${}_3C_0={}_4C_0=1$이고, ${}_{n-1}C_{r-1}+{}_{n-1}C_r={}_nC_r$이므로

$$\begin{aligned}{}_3C_0+{}_4C_1+{}_5C_2+\cdots+{}_{20}C_{17}&=({}_4C_0+{}_4C_1)+{}_5C_2+\cdots+{}_{20}C_{17}\\&=({}_5C_1+{}_5C_2)+\cdots+{}_{20}C_{17}\\&\vdots\\&={}_{20}C_{16}+{}_{20}C_{17}\\&={}_{21}C_{17}={}_{21}C_4\end{aligned}$$

따라서 구하는 합과 같은 값을 갖는 것은 ④ $\mathbf{{}_{21}C_4}$이다. ■

[다른 풀이] 파스칼의 삼각형의 하키스틱의 법칙에 의하여 ${}_3C_0=1$에서 시작하여 대각선 방향으로 더하면 꺾여 내려진 곳의 수와 같으므로

$${}_3C_0+{}_4C_1+{}_5C_2+\cdots+{}_{20}C_{17}={}_{21}C_{17}={}_{21}C_4$$ (수학 공부법에 대한 저자들의 충고 참조)

Sub Note 006쪽

APPLICATION 024 파스칼의 삼각형을 이용하여 ${}_4C_4+{}_5C_4+{}_6C_4+{}_7C_4+\cdots+{}_{15}C_4$의 값을 구하여라.

수학 공부법에 대한 저자들의 충고 – 파스칼의 삼각형의 성질

파스칼의 삼각형에는 앞에서 배운 성질 이외에도 여러 가지 재미있는 성질이 있다.

(1) n번째 행의 수의 합은 항상 2^n이 된다.
이는 ${}_nC_0+{}_nC_1+{}_nC_2+\cdots+{}_nC_n=2^n$을 생각하면 이해하기 쉽다.

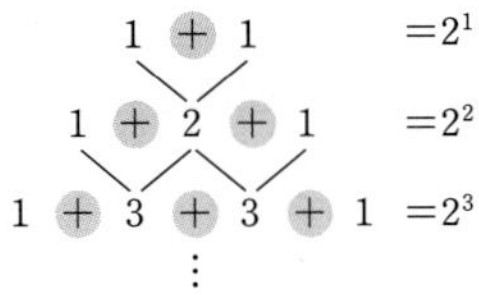

(2) 행에 있는 모든 수가 한 자리의 수인 n행에 대하여 그 행의 수를 그대로 이어 붙인 수는 항상 11^n이 된다.
예) $11=11^1$, $121=11^2$, $1331=11^3$, $14641=11^4$

(3) 맨 위에 1을 놓고, 1에서 시작하여 대각선 방향으로 수들을 더하면 꺾여 내려진 곳의 수와 같다. (하키스틱의 법칙)

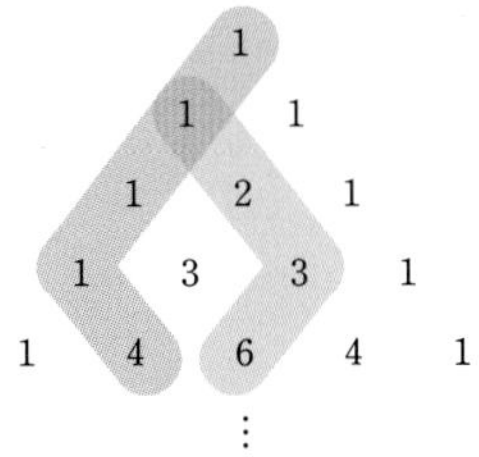

기본예제 이항정리를 이용한 전개식 (수능 고빈도 출제)

011 $(ax^2-4)\left(x-\frac{1}{x}\right)^9$의 전개식에서 x^3의 계수가 210일 때, 상수 a의 값을 구하여라.

GUIDE $(x+y)(z+w)^a$ 꼴은 분배법칙을 사용하여 $x(z+w)^a+y(z+w)^a$ 꼴로 바꾸어 따로따로 원하는 항의 계수를 찾는다.

SOLUTION

$(ax^2-4)\left(x-\frac{1}{x}\right)^9=ax^2\left(x-\frac{1}{x}\right)^9-4\left(x-\frac{1}{x}\right)^9$이고,

$\left(x-\frac{1}{x}\right)^9$의 전개식의 일반항은

$${}_9C_r x^{9-r}\left(-\frac{1}{x}\right)^r={}_9C_r(-1)^r\frac{x^{9-r}}{x^r} \quad \cdots\cdots ㉠$$

주어진 식에서의 x^3항은 ax^2과 ㉠의 x항, -4와 ㉠의 x^3항이 곱해질 때 나타난다.

(i) ㉠에서 x항은 $9-r-r=1 \Longleftrightarrow r=4$일 때 나타나므로

$${}_9C_4(-1)^4x=126x$$

(ii) ㉠에서 x^3항은 $9-r-r=3 \Longleftrightarrow r=3$일 때 나타나므로

$${}_9C_3(-1)^3x^3=-84x^3$$

(i), (ii)에 의하여 주어진 식의 x^3항은 다음과 같다.

$$ax^2\times126x+(-4)\times(-84x^3)=(126a+336)x^3$$

이때 x^3의 계수가 210이므로

$$126a+336=210,\ 126a=-126$$

$$\therefore a=\mathbf{-1}\ ■$$

Summa's Advice

$(a+b)^m(c+d)^n$ 꼴의 식의 전개식에서 특정 항의 계수를 구할 때에는
$(a+b)^m$과 $(c+d)^n$의 전개식의 일반항을 따로따로 구한 다음 곱하여 정리한다. 이때 각 전개식의 일반항의 변수는 반드시 서로 다른 문자로 지정하고, 그 범위에 주의해야 한다. (**유제 011-2**)

유제
011-1 $(x^2+2)\left(x+\frac{1}{x}\right)^6$의 전개식에서 상수항과 x의 계수의 합을 구하여라. Sub Note 021쪽

유제
011-2 $(1+2x)^4(x+3)^5$의 전개식에서 x^2의 계수를 구하여라. Sub Note 021쪽

기 본 예 제 **삼항정리를 이용한 전개식**

012 (1) $(x+y+z)^7$의 전개식에서 x^4yz^2의 계수를 구하여라.

(2) $\left(x-1+\dfrac{1}{x}\right)^7$의 전개식에서 x^4의 계수를 구하여라.

GUIDE $(a+b+c)^n$의 전개식의 일반항 ➡ $\dfrac{n!}{p!q!r!}a^pb^qc^r$ (단, $p+q+r=n$, $p\geq0$, $q\geq0$, $r\geq0$)

SOLUTION

(1) $(x+y+z)^7$의 전개식의 일반항은

$$\frac{7!}{p!q!r!}x^py^qz^r \text{ (단, } p+q+r=7,\ p\geq0,\ q\geq0,\ r\geq0)$$

이때 x^4yz^2항은 $p=4$, $q=1$, $r=2$일 때이므로 x^4yz^2의 계수는

$$\frac{7!}{4!1!2!}=\mathbf{105}\ ■$$

(2) $\left(x-1+\dfrac{1}{x}\right)^7$의 전개식의 일반항은

$$\frac{7!}{p!q!r!}x^p\cdot(-1)^q\cdot\left(\frac{1}{x}\right)^r=\frac{7!\cdot(-1)^q}{p!q!r!}\cdot\frac{x^p}{x^r}$$

(단, $p+q+r=7$, $p\geq0$, $q\geq0$, $r\geq0$)

이때 x^4항을 구하려면 $p-r=4$, $p+q+r=7$을 만족시켜야 한다.

p, q, r는 음이 아닌 정수이므로 이를 만족시키는 p, q, r의 순서쌍 (p, q, r)는

$(4, 3, 0)$, $(5, 1, 1)$

따라서 x^4의 계수는

$$\frac{7!\cdot(-1)^3}{4!3!0!}+\frac{7!\cdot(-1)}{5!1!1!}=-35-42=\mathbf{-77}\ ■$$

유제

012-1 $\left(x^2+2-\dfrac{1}{x}\right)^3$의 전개식에서 x^4의 계수를 구하여라. Sub Note 021쪽

유제

012-2 $(ax^2+2x-1)^6$의 전개식에서 x^2의 계수가 -30일 때, 상수 a의 값을 구하여라. Sub Note 021쪽

발전예제 *이항정리의 활용*

013 (1) 12^{10}을 20으로 나눈 나머지를 구하여라.

(2) $10^{27}+12^{27}$을 121로 나눈 나머지를 구하여라.

GUIDE (1) 12^{10}을 $(10+2)^{10}$의 꼴로 변형하여 전개한다.

(2) $10^{27}+12^{27}$을 $(11-1)^{27}+(11+1)^{27}$ 꼴로 변형하여 전개한다.

SOLUTION

(1) $12^{10}=(10+2)^{10}$ 꼴로 변형하여 전개하면

$$(10+2)^{10}={}_{10}C_0 10^{10}+{}_{10}C_1 10^9\cdot 2+\cdots+{}_{10}C_9 10\cdot 2^9+{}_{10}C_{10}2^{10}$$
$$=20(10^8\cdot 5+{}_{10}C_1 10^8+\cdots+{}_{10}C_9 2^8)+{}_{10}C_{10}2^{10}$$

이때 $20(10^8\cdot 5+{}_{10}C_1 10^8+\cdots+{}_{10}C_9 2^8)$은 20으로 나누어떨어지므로

12^{10}을 20으로 나눈 나머지는 ${}_{10}C_{10}2^{10}=1024$를 20으로 나눈 나머지와 같다.

$1024=51\times 20+4$이므로 12^{10}을 20으로 나눈 나머지는 **4**이다. ■

(2) $10^{27}+12^{27}=(11-1)^{27}+(11+1)^{27}$ 꼴로 변형하여 전개해 보자.

(i) $(11-1)^{27}={}_{27}C_0 11^{27}-{}_{27}C_1 11^{26}+{}_{27}C_2 11^{25}-\cdots-{}_{27}C_{25}11^2+{}_{27}C_{26}11-{}_{27}C_{27}$

$$=11^2(11^{25}-{}_{27}C_1 11^{24}+{}_{27}C_2 11^{23}-\cdots-{}_{27}C_{25})+{}_{27}C_{26}11-{}_{27}C_{27}$$

즉, $10^{27}=(11-1)^{27}$을 $121=11^2$으로 나눈 나머지는 ${}_{27}C_{26}11-{}_{27}C_{27}=296$을 121로 나눈 나머지와 같다.

(ii) $(11+1)^{27}={}_{27}C_0 11^{27}+{}_{27}C_1 11^{26}+{}_{27}C_2 11^{25}+\cdots+{}_{27}C_{25}11^2+{}_{27}C_{26}11+{}_{27}C_{27}$

$$=11^2(11^{25}+{}_{27}C_1 11^{24}+{}_{27}C_2 11^{23}+\cdots+{}_{27}C_{25})+{}_{27}C_{26}11+{}_{27}C_{27}$$

즉, $12^{27}=(11+1)^{27}$을 $121=11^2$으로 나눈 나머지는 ${}_{27}C_{26}11+{}_{27}C_{27}=298$을 121로 나눈 나머지와 같다.

(i), (ii)에 의하여 $10^{27}+12^{27}$을 121로 나눈 나머지는 $296+298=594$를 121로 나눈 나머지와 같다.

$594=121\times 4+110$이므로 $10^{27}+12^{27}$을 121로 나눈 나머지는 **110**이다. ■

유제 **013-1** $12^5+13^5+16^5$을 25로 나눈 나머지를 구하여라. Sub Note 022쪽

유제 **013-2** Sub Note 022쪽
9^{10}의 백의 자리의 숫자를 x, 십의 자리의 숫자를 y, 일의 자리의 숫자를 z라 할 때, $x+y+z$의 값을 구하여라.

발 전 예 제 *이항계수의 성질*

014 $(1+x)^{2n}$의 전개식을 이용하여 다음 등식을 증명하여라.

$$({}_{n}\mathrm{C}_{0})^{2}+({}_{n}\mathrm{C}_{1})^{2}+({}_{n}\mathrm{C}_{2})^{2}+\cdots+({}_{n}\mathrm{C}_{n})^{2}={}_{2n}\mathrm{C}_{n}$$

GUIDE 이항계수의 성질에서 우리는 $({}_{n}C_{r})^{2}$과 같은 이항계수의 제곱꼴에 대한 식을 접해본 적이 없으므로 식의 변형만으로 풀기는 어렵다. $(1+x)^{2n}=(1+x)^{n}(x+1)^{n}$임을 이용하여 그 방법을 찾아보자.

SOLUTION

$(1+x)^{2n}$을 이항정리를 이용하여 전개하면

$$(1+x)^{2n}={}_{2n}\mathrm{C}_{0}x^{0}+{}_{2n}\mathrm{C}_{1}x^{1}+\cdots+{}_{2n}\mathrm{C}_{n}x^{n}+\cdots+{}_{2n}\mathrm{C}_{2n}x^{2n} \quad ㉠$$

$(1+x)^{2n}$의 전개식에서 x^{n}의 계수가 주어진 등식의 우변인 ${}_{2n}\mathrm{C}_{n}$임에 착안하여 좌변의 식이 나오는 경우를 생각해 보자.

이때 $(1+x)^{2n}=\{(1+x)^{n}\}^{2}=(1+x)^{n}(x+1)^{n}$이므로

$(1+x)^{n}$과 $(x+1)^{n}$을 이항정리를 이용하여 전개하면

$$(1+x)^{n}={}_{n}\mathrm{C}_{0}x^{0}+{}_{n}\mathrm{C}_{1}x^{1}+{}_{n}\mathrm{C}_{2}x^{2}+\cdots+{}_{n}\mathrm{C}_{n}x^{n} \quad ㉡$$

$$(x+1)^{n}={}_{n}\mathrm{C}_{0}x^{n}+{}_{n}\mathrm{C}_{1}x^{n-1}+{}_{n}\mathrm{C}_{2}x^{n-2}+\cdots+{}_{n}\mathrm{C}_{n}x^{0} \quad ㉢$$

㉡과 ㉢을 곱하면 ㉠과 같으므로 두 식의 x^{n}항을 비교하면

$$\begin{aligned}{}_{2n}\mathrm{C}_{n}x^{n}&={}_{n}\mathrm{C}_{0}x^{0}\cdot{}_{n}\mathrm{C}_{0}x^{n}+{}_{n}\mathrm{C}_{1}x^{1}\cdot{}_{n}\mathrm{C}_{1}x^{n-1}+{}_{n}\mathrm{C}_{2}x^{2}\cdot{}_{n}\mathrm{C}_{2}x^{n-2}+\cdots+{}_{n}\mathrm{C}_{n}x^{n}\cdot{}_{n}\mathrm{C}_{n}x^{0}\\&=\{({}_{n}\mathrm{C}_{0})^{2}+({}_{n}\mathrm{C}_{1})^{2}+({}_{n}\mathrm{C}_{2})^{2}+\cdots+({}_{n}\mathrm{C}_{n})^{2}\}x^{n}\end{aligned}$$

$$\therefore ({}_{n}\mathrm{C}_{0})^{2}+({}_{n}\mathrm{C}_{1})^{2}+({}_{n}\mathrm{C}_{2})^{2}+\cdots+({}_{n}\mathrm{C}_{n})^{2}={}_{2n}\mathrm{C}_{n} \ ■$$

Sub Note 022쪽

유제

014-1 $(1+x)^{20}$의 전개식을 이용하여 $\dfrac{({}_{10}\mathrm{C}_{0})^{2}+({}_{10}\mathrm{C}_{1})^{2}+\cdots+({}_{10}\mathrm{C}_{10})^{2}}{{}_{20}\mathrm{C}_{11}}$의 값을 구하여라.

Sub Note 022쪽

유제

014-2 ${}_{25}\mathrm{C}_{20}\cdot{}_{15}\mathrm{C}_{0}+{}_{25}\mathrm{C}_{19}\cdot{}_{15}\mathrm{C}_{1}+\cdots+{}_{25}\mathrm{C}_{5}\cdot{}_{15}\mathrm{C}_{15}={}_{a}\mathrm{C}_{b}$를 만족시킬 때, a, b의 값을 구하여라.

발전예제 ***파스칼의 삼각형의 활용***

015

오른쪽 그림과 같이 P에서부터 선을 그어 문자열 PERFECT를 만들려고 할 때, 가능한 경우의 수를 구하여라. (단, 대각선으로는 선을 긋지 못하고 반드시 이웃한 문자로만 선을 그어야 한다.)

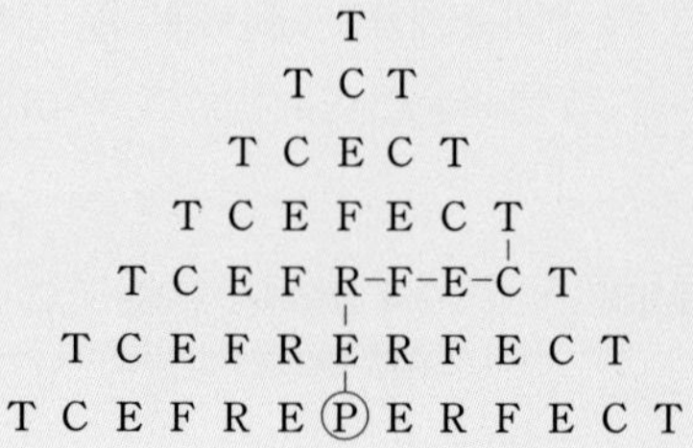

GUIDE 파스칼의 삼각형의 성질을 이용하여 경우의 수를 구한다.

SOLUTION

[그림 1]의 파스칼의 삼각형에서 첫 번째 행의 1에서 연결된 선을 따라 최단 거리로 6까지 가는 경우우의 수를 세어 보면 6이다.

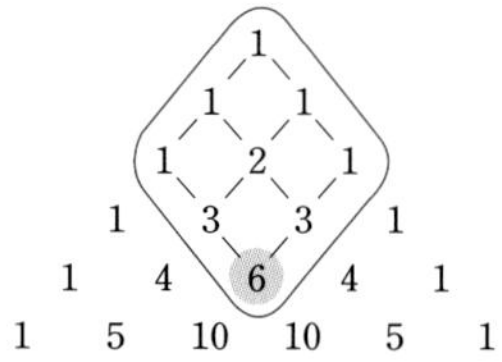

[그림 1]

일반적으로 파스칼의 삼각형에서 첫 번째 행의 1에서 연결된 선을 따라 최단 거리로 n까지 가는 경우의 수는 n이다.

이를 위 문제에 적용하여 생각해 보자.

PERFECT의 문자열이 만들어지기 위해서는 반드시 P에서 어느 한 T까지 최단 거리로 선을 그어야 한다. 파스칼의 삼각형을 이용하여 P에서 각각의 T까지 최단 거리로 가는 경우의 수를 구하면 [그림 2]와 같다.

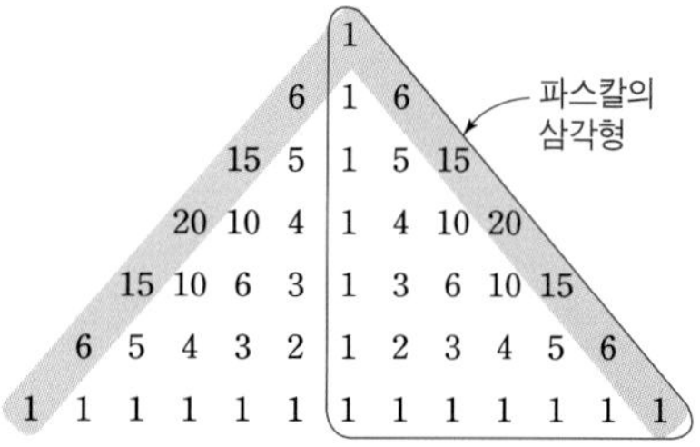

[그림 2]

따라서 구하는 경우의 수는

$$1+(6+15+20+15+6+1)\times 2=\mathbf{127}$$ ■

유제

015-1

Sub Note 023쪽

오른쪽 그림과 같이 중앙의 K에서부터 선을 그어 문자열 KOREA를 만들려고 할 때, 가능한 경우의 수를 구하여라. (단, 대각선으로는 선을 긋지 못하고 반드시 이웃한 문자로만 선을 그어야 한다.)

Review Quiz *for*

SUMMA CUM LAUDE

Sub Note 046쪽

1. 다음 [ ] 안에 적절한 것을 채워 넣어라.

(1) 서로 다른 n개에서 순서를 고려하지 않고 중복을 허락하여 r개를 택하는 것을 n개에서 r개를 택하는 [ ]이라 하고, 그 경우의 수를 기호 ${}_n\mathrm{H}_r$로 나타낸다.
이때 ${}_n\mathrm{H}_r$를 조합의 기호를 사용하여 나타내면 [ ]이다.

(2) $(a+b)^n = {}_n\mathrm{C}_0 a^n + {}_n\mathrm{C}_1 a^{n-1}b + {}_n\mathrm{C}_2 a^{n-2}b^2 + \cdots + {}_n\mathrm{C}_r[\quad] + \cdots + {}_n\mathrm{C}_n b^n$
위 식을 $(a+b)^n$에 대한 [ ]라 한다.

(3) $(x+a)^n$의 전개식에서 x^k의 계수는 [ ]이다.
(단, a는 상수이고 $1 \le k \le n$)

2. 다음 문장이 참(true) 또는 거짓(false)인지 결정하고, 그 이유를 설명하거나 적절한 반례를 제시하여라.

(1) 조합의 수 ${}_n\mathrm{C}_r$, 중복조합의 수 ${}_n\mathrm{H}_r$는 항상 $n \ge r$를 만족시켜야 한다.

(2) ${}_n\mathrm{C}_1 + {}_n\mathrm{C}_2 + \cdots + {}_n\mathrm{C}_n = 2^n$이다.

(3) 파스칼의 삼각형에서 각 행의 수는 정중앙에 대하여 좌우 대칭을 이루며, 최대 계수는 n이 짝수일 때는 정중앙의 좌우 두 항, n이 홀수일 때는 중앙항의 계수이다.

3. 다음 물음에 대한 답을 간단히 서술하여라.

(1) 순열과 중복순열 그리고 조합과 중복조합에 대해서 비교하여 설명하여라.

(2) $(x+a)^m(x+b)^n$의 전개식에서 x^k의 계수를 구하는 방법을 이항정리를 이용하여 설명하여라. (단, a, b는 상수)

(3) ${}_n\mathrm{H}_r = {}_{n-1}\mathrm{H}_r + {}_{n-1}\mathrm{H}_{r-1} + {}_{n-1}\mathrm{H}_{r-2} + \cdots + {}_{n-1}\mathrm{H}_0$이 성립함을 방정식 $x_1 + x_2 + \cdots + x_n = r$ (r는 자연수)의 음이 아닌 정수해를 이용하여 증명하여라.

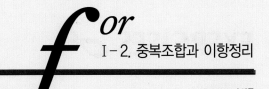

EXERCISES A

Sub Note 047쪽

중복조합 **01** 자연수 r에 대하여 ${}_{3}\mathrm{H}_{r}={}_{8}\mathrm{C}_{2}$일 때, ${}_{4}\mathrm{H}_{r}$의 값을 구하여라.

중복조합 **02** $(a+b+c)^{11}$의 전개식에서 세 문자 a, b, c가 모두 들어 있는 서로 다른 항의 개수를 구하여라.

중복조합 **03** 서술형 숫자 1, 2, 3, 4에서 중복을 허락하여 5개를 택할 때, 숫자 2가 한 개 이하인 경우의 수를 구하여라.

중복조합 **04** 같은 종류의 사탕 8개를 4명의 학생에게 모두 나누어 줄 때, 한 개도 받지 못하는 학생이 생기는 경우의 수를 구하여라.

중복조합 **05** 방정식 $x+y+z=17$을 만족시키는 홀수인 자연수 x, y, z의 모든 순서쌍 (x, y, z)의 개수를 구하여라.

중복조합 **06**

집합 $A=\{1, 2, 3, 4, 5, 6, 7\}$에서 집합 A로의 함수 f 중 다음 조건을 만족시키는 함수의 개수를 구하여라.

> (가) $f(4)=4$, $f(5)=5$
> (나) $x_1 \in A$, $x_2 \in A$에 대하여 $x_1 < x_2$이면 $f(x_1) \le f(x_2)$이다.

이항정리 **07**

다음 물음에 답하여라.

(1) $(x+a)^7$의 전개식에서 x^5의 계수가 84일 때, x^4의 계수를 구하여라. (단, $a>0$)

(2) $(x^2+1)^3(x-y)^7$의 전개식에서 x^5y^4의 계수를 구하여라.

이항정리 **08**

${}_{10}C_0+7\times{}_{10}C_1+7^2\times{}_{10}C_2+\cdots+7^{10}\times{}_{10}C_{10}$의 값은?

① 2^{20} ② $2^{20}+1$ ③ 2^{21} ④ 2^{30} ⑤ $2^{30}+1$

이항계수의 성질 **09**

부등식 $500<{}_nC_1+{}_nC_2+{}_nC_3+\cdots+{}_nC_n<2050$을 만족시키는 자연수 n의 개수를 구하여라.

파스칼의 삼각형 **10**

오른쪽의 파스칼의 삼각형에서 색칠한 부분의 모든 수의 합을 구하여라.

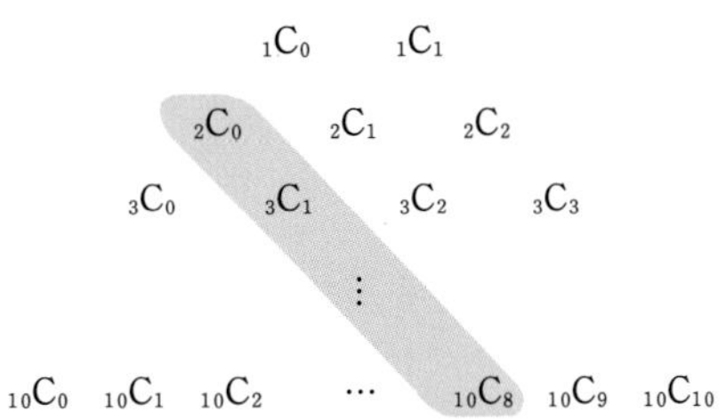

EXERCISES B

Sub Note 049쪽

01 각 자리의 숫자의 합이 8인 네 자리 자연수의 개수를 구하여라.

02 A, B, C 세 사람이 같은 종류의 구슬이 들어 있는 상자에서 x개, y개, z개를 꺼낼 때, 다음을 만족시키는 경우의 수를 구하여라. (단, 상자에 구슬이 18개 이상 들어 있다.)

$2\le x\le y\le z\le 6$ 또는 $2\le x\le z\le y\le 6$

03 1층에서 7명이 엘리베이터를 타고 8층까지 올라간다. 8층에 도달했을 때, 엘리베이터 안에는 1명만이 남았고 나머지는 모두 중간에서 내렸는데, 올라오면서 3개의 층에서만 멈췄다고 한다. 오른쪽 표에 내린 층과 내린 사람 수만을 기록할 때, 가능한 경우의 수를 구하여라. (단, 엘리베이터가 멈췄을 때, 적어도 1명의 사람이 내리고, 중간에 탄 사람은 없다고 한다.)

내린 층	내린 사람 수

04 서로 다른 3개의 상자에 8개의 흰 공과 3개의 검은 공을 넣는 경우의 수를 구하여라. (단, 각 상자에 적어도 1개의 공은 넣어야 하고, 같은 색의 공은 서로 구별하지 않는다.)

05 서술형

집합 $A=\{1, 2, 3, 4, 5\}$에 대하여 다음 조건을 만족시키는 A에서 A로의 함수 f의 개수를 구하여라.

(가) A의 원소 x에 대하여 $x\le 3$이면 $f(x)\le 3$이다.
(나) $f(4)\ge f(5)$

06

개구리가 좌표평면 위의 원점에 있다. 이 개구리는 다음과 같은 규칙을 따르면서 점프를 한다.

> [규칙 1] 개구리는 정수 좌표로만 착지할 수 있다.
> [규칙 2] 개구리는 제자리에서 점프하거나 $\rightarrow$ 방향, $\uparrow$ 방향, $\nearrow$ 방향으로 점프할 수 있다.

예를 들어 원점에서 1번 점프하면 점 $(2,\ 0)$, 점 $(4,\ 1)$로는 갈 수 있지만 점 $(0,\ -1)$, 점 $(-1,\ -3)$으로는 갈 수 없다. 이 개구리가 3번 점프하였을 때, 점 $(8,\ 6)$에 있게 되는 경우의 수를 구하여라.

07

$(1+ax)^n(1-x)^5$의 전개식에서 x^2의 계수가 -6이 되도록 하는 두 자연수 a, n에 대하여 $10(a+n)$의 값을 구하여라. (단, $n\geq4$)

08

$(0.98)^7$을 반올림하여 소수점 아래 넷째 자리까지 나타낸 값은?

① 0.8676 ② 0.8681 ③ 0.8688 ④ 0.8692 ⑤ 0.8699

09

다음 중 ${}_8C_8\times{}_{12}C_7+{}_8C_7\times{}_{12}C_6+{}_8C_6\times{}_{12}C_5+\cdots+{}_8C_1\times{}_{12}C_0$의 값과 같은 것은?

① ${}_{19}C_7$ ② ${}_{19}C_8$ ③ ${}_{20}C_6$ ④ ${}_{20}C_7$ ⑤ ${}_{20}C_8$

10

빨간색, 노란색, 파란색, 검은색 공이 있다. 각 색의 공을 적어도 하나씩 포함하여 20개 이하의 공을 선택하는 경우의 수를 구하여라.

(단, 각 색의 공은 20개 이상씩 있고, 같은 색의 공은 서로 구별되지 않는다.)

내신 · 모의고사 대비 TEST 260쪽

Chapter I Exercises

SUMMA CUM LAUDE

난이도 ■ : 중 ■■ : 중상 ■■■ : 상

Sub Note 052쪽

■□□

01 1학년 학생 3명, 2학년 학생 4명이 원탁에 둘러앉을 때, 1학년 학생들끼리는 이웃하여 앉지 않도록 하는 경우의 수를 구하여라.

■□□

02 오른쪽 그림과 같은 사분원 모양의 탁자에 8명의 학생이 둘러앉는 경우의 수는?

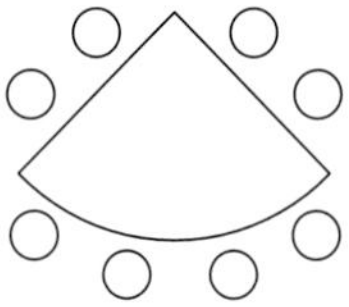

① $7!$　　② $3\times7!$　　③ $4\times7!$
④ $8!$　　⑤ $3\times8!$

■■□

03 오른쪽 그림과 같은 합동인 삼각형 5개로 이루어진 5개의 영역이 있다. 서로 다른 n가지 색 중에서 5가지를 골라 모두 사용하여 칠하는 경우의 수가 1344일 때, n의 값을 구하여라.

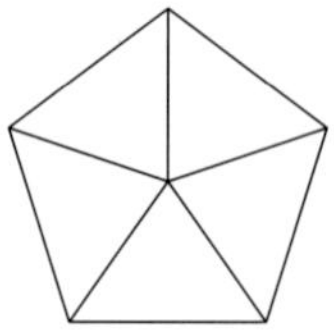

■□□
04

5개의 숫자 1, 2, 3, 4, 5로 중복을 허락하여 만들 수 있는 네 자리의 자연수 중 2400보다 큰 자연수의 개수를 구하여라.

■■□
05

세 문자 a, b, c 중에서 중복을 허락하여 4개를 택해 일렬로 나열할 때, 문자 a가 두 번 이상 나오는 경우의 수를 구하여라. [평가원 기출]

■■■
06

집합 $X=\{-3, -2, -1, 1, 2, 3\}$에 대하여 X에서 X로의 함수 $f(x)$는 다음 조건을 만족시킨다.

> (가) X의 모든 원소 x에 대하여 $|f(x)+f(-x)|=1$이다.
> (나) $x>0$이면 $f(x)>0$이다.

함수 $f(x)$의 개수를 구하여라.

■■□
07

서로 다른 케이크 4개와 커피 맛, 딸기 맛, 바나나 맛, 초콜릿 맛의 우유가 각각 2개씩 있다. 학생 4명에게 케이크와 우유를 각각 1개씩 나누어 주는 경우의 수를 구하여라.

(단, 같은 맛이 나는 우유는 서로 구별하지 않는다.)

■■□
08

오른쪽 그림과 같은 정사각형 모양으로 이루어진 도로망이 있다. 승화는 A에서 B로, 웅호는 B에서 A로 각각 동시에 출발하여 같은 속력으로 최단 거리를 택하여 간다고 할 때, 승화와 웅호가 서로 만나지 않고 각각 B, A에 도착하는 경우의 수를 구하여라.

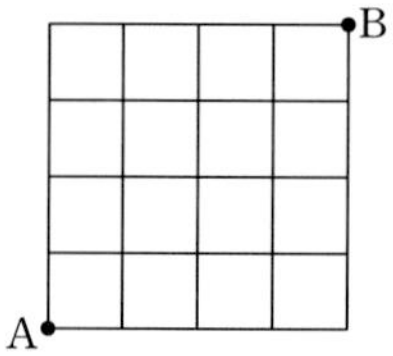

■■■
09

좌표평면 위의 점들의 집합 $S=\{(x,\ y)\,|\,x$와 y는 정수$\}$가 있다. 집합 S에 속하는 한 점에서 S에 속하는 다른 점으로 이동하는 '점프'는 다음 규칙을 만족시킨다.

> 점 P에서 한 번의 '점프'로 점 Q로 이동할 때, 선분 PQ의 길이는 1 또는 $\sqrt{2}$ 이다.

점 A$(-2,\ 0)$에서 점 B$(2,\ 0)$까지 4번만 '점프'하여 이동하는 경우의 수를 구하여라. (단, 이동하는 과정에서 지나는 점이 다르면 다른 경우이다.) [평가원 기출]

■□□
10

장미, 백합, 개나리, 튤립 네 종류의 꽃 중에서 5송이를 구입할 때, 튤립은 1송이 이하로 구입하는 경우의 수를 구하여라.

(단, 각 꽃은 5송이 이상 준비되어 있고, 구입하지 않는 종류의 꽃이 있을 수 있다.)

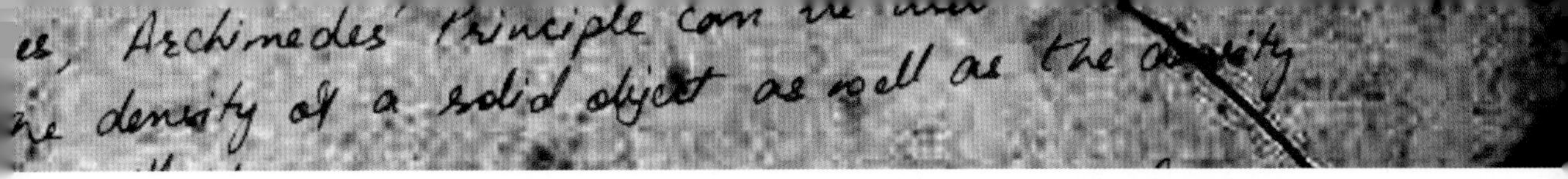

■■□

11 한 개의 주사위를 6번 던질 때, 나온 눈의 수를 순서대로 a_n $(n=1,\ 2,\ \cdots,\ 6)$이라 하자. 이때 $a_1 \le a_2 < a_3 \le a_4 \le a_5 < a_6$을 만족시키는 경우의 수를 구하여라.

■■□

12 방정식 $4x+y+z+w=12$를 만족시키는 음이 아닌 정수 x, y, z와 자연수 w의 모든 순서쌍 $(x,\ y,\ z,\ w)$의 개수를 구하여라.

■■□

13 다음 조건을 만족시키는 자연수 N의 개수를 구하여라. [교육청 기출]

(가) N은 10 이상 9999 이하의 홀수이다.
(나) N의 각 자리 수의 합은 7이다.

■■■

14 부등식 $|x|+|y|+|z| \le 5$의 정수해의 개수를 구하여라.

15

집합 $X=\{1, 2, 3, 4, 5, 6, 7, 8\}$에 대하여 $a\in X$, $b\in X$, $c\in X$, $d\in X$일 때, 함수 $f : X \longrightarrow X$는 다음의 조건을 만족시킨다. 함수 f의 개수를 m이라 할 때, $\sqrt{m}$의 값을 구하여라.

> (가) $a<b\leq 4$이면 $f(a)\leq f(b)$이다.
> (나) $5\leq c<d$이면 $f(c)\geq f(d)$이다.
> (다) $f(1)\neq f(4)$, $f(5)\neq f(8)$

16

다항식 $(x+2)^{19}$의 전개식에서 x^k의 계수가 x^{k+1}의 계수보다 크게 되는 자연수 k의 최솟값은? [평가원 기출]

① 4 ② 5 ③ 6 ④ 7 ⑤ 8

17

$\left(3x-\frac{1}{a}\right)(a^2x+1)^{501}$의 전개식에서 x^2의 계수가 0일 때, 양수 a의 값을 구하여라.

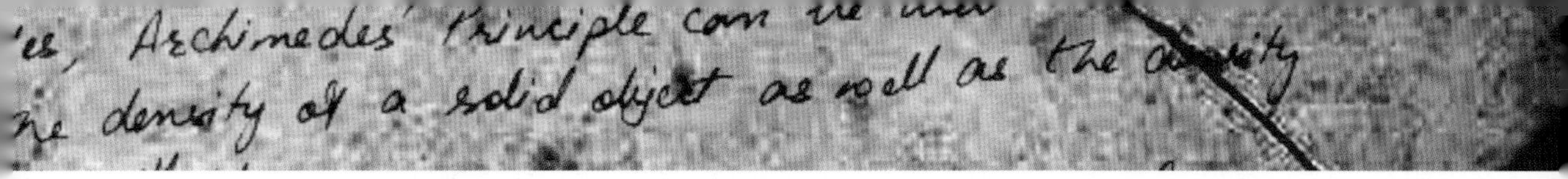

■□□

18 50 이하의 자연수인 n 중에서 ${}_{n}\mathrm{C}_{1}+{}_{n}\mathrm{C}_{2}+\cdots+{}_{n}\mathrm{C}_{n}$의 값이 3의 배수가 되도록 하는 n의 개수를 구하여라.

■■■

19 원소가 n개인 전체집합 U의 두 부분집합 A, B에 대하여 $A\subset B$를 만족시키는 경우의 수가 800을 넘는다고 한다. 이때 n의 최솟값을 구하여라.

■■■

20 자연수 n을 여러 개의 자연수의 합으로 나타낼 수 있다. 예를 들면 자연수 5를 $1+4$, $4+1$, $1+1+3$, $1+2+1+1$, $\cdots$의 방법으로 나타낼 수 있다. 이때 자연수 10을 2개 이상의 자연수의 합으로 나타낼 수 있는 모든 경우의 수를 구하여라.

(단, $1+9$, $9+1$과 같이 순서가 바뀐 것은 서로 다른 것으로 간주한다.)

내신 · 모의고사 대비 TEST 272쪽

Chapter Ⅰ Advanced Lecture

SUMMA CUM LAUDE

TOPIC (1) 점화식을 이용한 경우의 수 구하기

지금까지 우리는 경우의 수를 구하는 아이디어로 순열, 원순열, 중복순열, 같은 것이 있는 순열, 조합, 중복조합, 이항정리를 배웠다. 이것 외에도 경우의 수를 구하는 방법은 수없이 많은데 이번에는 수학 I 의 수열 단원에서 배우는 점화식을 바탕으로 경우의 수를 구하는 방법을 알아보도록 하자.

1 피보나치 수열의 점화식을 이용한 문제

피보나치 수열이란 1, 2, 3, 5, 8, 13, 21, …과 같이 연속하는 앞의 두 항의 합이 그 다음 항이 되도록 나열한 수열을 말한다. 이 피보나치 수열의 점화식은 다음과 같이 나타내어진다.

$$a_n=a_{n-1}+a_{n-2}(n\geq 3),\ a_1=1,\ a_2=2$$

이 점화식이 경우의 수 문제에서 어떻게 활용되는지 다음 문제를 살펴보면서 알아보자.

민수는 10개의 계단을 올라가려고 한다. 민수는 한 번에 계단을 1개 혹은 2개 올라갈 수 있다고 할 때, 민수가 10개의 계단을 오르는 경우의 수를 구하여라.

위 문제는 지금까지 배운 순열, 조합, 이항정리 등 그 어떤 것으로도 풀기가 매우 애매하다. 바로 이런 경우에 점화식의 개념을 적용시켜 볼 수 있다. 점화식의 개념을 적용시켜 보기 위해서는 문제를 다음과 같이 일반화시켜 보는 것이 좋다.

민수는 n개의 계단을 올라가려고 한다. 민수는 한 번에 계단을 1개 혹은 2개 올라갈 수 있다고 할 때, 민수가 n개의 계단을 오르는 경우의 수를 구하여라. (단, $n\geq 3$)

n개의 계단을 오르는 경우의 수는 마지막에 1개를 오르는 경우와 2개를 오르는 경우로 나누어 볼 수 있다.

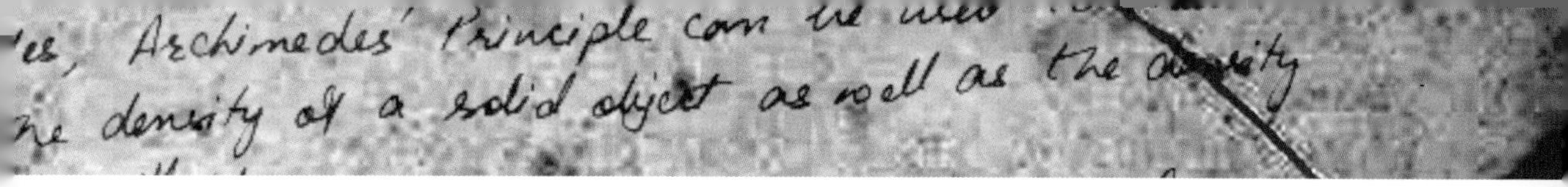

즉,

(ⅰ) $n-1$개의 계단을 오른 뒤 마지막 1개의 계단을 한 번에 오른다.

(ⅱ) $n-2$개의 계단을 오른 뒤 마지막 2개의 계단을 한 번에 오른다.

이때 n개의 계단을 오르는 경우의 수를 a_n이라 하면

(ⅰ)의 경우의 수는 $n-1$개의 계단을 오르는 경우의 수 a_{n-1}과 같고,
(ⅱ)의 경우의 수는 $n-2$개의 계단을 오르는 경우의 수 a_{n-2}와 같음을 알 수 있다.

(ⅰ), (ⅱ)는 동시에 일어나지 않으므로 합의 법칙에 의해 다음 식이 성립하게 되는 것이다.

$$a_n = a_{n-1} + a_{n-2} \ (n \geq 3) \qquad \cdots\cdots ㉠$$

여기서 $a_1=1$이고, $a_2=2$라는 것은 쉽게 알 수 있다. 결국 ㉠은 피보나치 수열의 점화식과 같으므로 수열 $\{a_n\}$은 피보나치 수열과 같다. 즉, n번째 계단을 오르는 경우의 수는 피보나치 수열의 n번째 항과 같은 것이다. 수열 $\{a_n\}$을 나열해 보면

$$\{a_n\} : 1, 2, 3, 5, 8, 13, 21, 34, 55, 89, \cdots$$

따라서 $a_{10}=89$이므로 10개의 계단을 오르는 방법은 89가지가 된다.

Sub Note 060쪽

APPLICATION *01* 자연수 12를 숫자 1과 2의 합으로 나타내려고 한다.
$1+2+1+2+2+2+2$와 $2+1+2+2+2+1+2$와 같이 순서가 다른 것은 다른 경우로 생각한다고 할 때, 가능한 경우의 수를 구하여라.

2 완전순열에서의 점화식

순열의 의미를 잘 이해하고 있는 학생이라면 다음 문제의 답이 $5!$임을 어렵지 않게 생각해낼 수 있을 것이다.

> 5명의 학생이 수학 시험을 치른 후 그 답안지를 걷어 한 사람에게 하나의 답안지를 임의로 분배하여 채점하려고 한다. 답안지를 나눌 수 있는 가능한 경우의 수를 구하여라.

그런데 문제에 다음과 같은 조건이 추가된다면 어떻게 해야 할까?

"단, 부정의 소지가 있으므로 모든 학생은 자신의 답안지를 스스로 채점할 수 없다."

이와 같이 자기 자신과는 짝을 이루지 않도록 배열하는 방법을 진정한 의미의 순열이라는 뜻에서 **완전순열**이라고 한다.
완전순열의 수를 구할 때, 가장 쉽게 떠올릴 수 있는 해결 방법은 전체 경우에서 조건을 만족시키지 않는 경우를 제외하는 것이다. 하지만 그것은 너무 힘들다. 이 문제에서는 그나마 120가지의 경우만 살펴보면 되지만, 만약 사람 수가 10명만 되어도 $10!=3628800$(가지)의 경우를 다 세어 보아야 하니 현명한 방법이 아니다.

이 문제도 위의 계단 문제와 마찬가지로 경우를 나누어 생각하면 쉽게 그 규칙을 발견할 수 있다. 편의상 학생 다섯 명을 A, B, C, D, E라 하고 그들이 작성한 답안지를 a, b, c, d, e라 하자. 학생 A가 답안지 b를 뽑는 경우를 가정하면 이 경우는 다음 두 경우로 나누어 생각할 수 있다.

(i) 학생 B가 답안지 a를 뽑는 경우

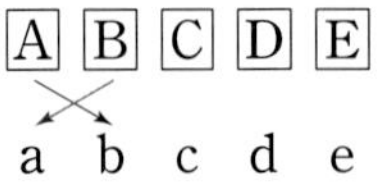

(ii) 학생 B가 답안지 a를 뽑지 않는 경우

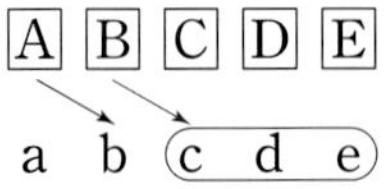

(i)의 경우, 학생 A, B가 서로의 답안지를 바꾼 셈이므로 남아 있는 학생 C, D, E와 답안지 c, d, e를 규칙에 맞게 짝짓는 경우의 수와 같다. 이는 원래 문제에서의 다섯 사람을 세 사람으로 바꾼 경우의 수와 같다.
(ii)의 경우, 학생 B, C, D, E와 답안지 a, c, d, e를 짝지어야 하는데, 학생 B가 답안지 a를 선택하지 않기로 가정하였다. 따라서 이는 답안지 a를 b로 놓고 문제의 조건에 따르는 경우의 수를 구하는 것과 같다. 즉, 경우의 수는 원래 문제에서의 다섯 사람을 네 사람으로 바꾼 경우의 수와 같게 된다.
(i), (ii)의 경우의 수를 합하면 A가 답안지 b를 선택하는 경우의 수가 된다.

같은 방법으로 A는 c, d, e를 선택할 수도 있으므로 5명의 학생이 본인의 답안지는 갖지 않도록 서로의 답안지를 나누어 갖는 경우의 수를 w_5라 하면

$$w_5=4\times(w_3+w_4)$$

의 관계가 성립하는 것을 알 수 있다. 이를 n명의 경우로 일반화시켜 생각해 보면

$$w_n=(n-1)(w_{n-2}+w_{n-1})\ (n\geq 3)$$

이라는 점화식을 얻는다.

명백히 $w_1=0$, $w_2=1$이므로 앞의 점화식을 통해 w_3, w_4, w_5, …를 차례로 구할 수 있다.

$$w_3=2\times(w_1+w_2)=2\times(0+1)=2$$
$$w_4=3\times(w_2+w_3)=3\times(1+2)=9$$
$$w_5=4\times(w_3+w_4)=4\times(2+9)=44$$

따라서 5명의 학생이 본인의 답안지는 갖지 않도록 서로의 답안지를 나누어 갖는 경우의 수는 44가지이다.
참고로 각각의 경우를 모두 찾아 w_3, w_4의 값을 구하면 다음과 같다.

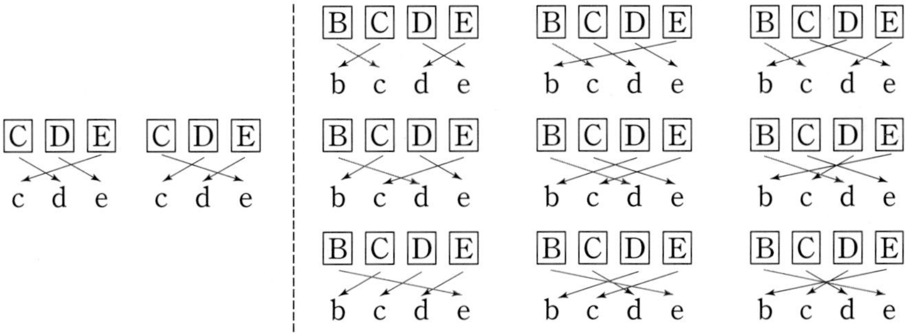

Sub Note 060쪽

APPLICATION 02 집합 $X=\{1, 2, 3, 4, 5, 6, 7\}$에 대하여 함수 $f: X \rightarrow X$가 다음 조건을 만족할 때, 가능한 함수 f의 개수를 구하여라.

> ㈎ 함수 $f: X \rightarrow X$는 일대일대응이다.
> ㈏ $f(a)=a$를 만족시키는 $a\in X$는 존재하지 않는다.
> ㈐ $f(7)=1$이다.

우리는 지금까지 점화식을 이용하여 경우의 수를 구하는 방법을 알아보았다.
정리를 하자면 점화식을 이용하기 위한 첫 번째 단계는 문제를 자연수 n에 대해 일반화시키는 것이고, 두 번째 단계는 적절하게 경우를 나누어 생각하여 연관된 점화식을 구하는 것이다.
점화식을 이용하여 경우의 수를 구하는 것 자체는 고등학교 교과 과정에 포함되어 있지는 않다. 그러나 점화식을 활용하는 아이디어는 "확률과 통계"에서 문제를 푸는 데에 하나의 강력한 무기가 될 수 있을 뿐만 아니라, 많은 수학경시대회나 대학교 논술에서도 자주 출제되고 있다. 따라서 공부하여 익혀 두면 활용할 수 있는 곳이 많을 것이다.

01. 여러 가지 조합식의 직관적 이해

${}_n\mathrm{C}_0+{}_n\mathrm{C}_1+{}_n\mathrm{C}_2+\cdots+{}_n\mathrm{C}_n$의 값이 2^n이라는 것은 이항정리 단원을 공부한 학생이라면 쉽게 답할 수 있을 것이다. 이를 증명하기 위해 우리는 $(x+1)^n$의 전개식을 이용하였던 것도 기억할 것이다.
여기서 전개식을 이용하는 방법 말고, 조금 더 조합적으로 이 이항계수의 성질을 설명할 수 있는 방법을 소개하고자 한다.

위 식을 조합적으로 설명하기 위해서 집합의 개념을 빌려와 보자.
'집합' 을 떠올리면 2^n이라는 수가 그리 낯설지 않을 것이다. 다름 아닌

원소가 n개인 집합의 부분집합의 개수가 2^n이다.

한편 ${}_n\mathrm{C}_r$가 조합적으로 서로 다른 n개 중에서 r개를 뽑는 것을 의미함을 상기하여 이를 집합으로 생각해 보면, 서로 다른 n개의 원소를 갖는 집합 A의 부분집합 중 원소가 r개인 부분집합의 개수가 ${}_n\mathrm{C}_r$임을 알 수 있다. 즉,

원소가 0개인 부분집합의 개수는 ${}_n\mathrm{C}_0$ ← $\varnothing$
원소가 1개인 부분집합의 개수는 ${}_n\mathrm{C}_1$ ← $\{1\}, \{2\}, \{3\}, \cdots, \{n\}$
원소가 2개인 부분집합의 개수는 ${}_n\mathrm{C}_2$ ← $\{1, 2\}, \{1, 3\}, \{1, 4\}, \cdots, \{n-1, n\}$
⋮
원소가 n개인 부분집합의 개수는 ${}_n\mathrm{C}_n$ ← $\{1, 2, 3, \cdots, n\}$

따라서 ${}_n\mathrm{C}_0+{}_n\mathrm{C}_1+{}_n\mathrm{C}_2+\cdots+{}_n\mathrm{C}_n$의 값은 집합 A의 모든 부분집합의 개수의 합이므로 2^n과 같다.

이번에는 다음 식을 조합의 수로 설명해 보겠다. (이 식은 69쪽 **발전예제 014**에서 이항계수의 성질을 이용하여 증명했었다.)

$$({}_n\mathrm{C}_0)^2+({}_n\mathrm{C}_1)^2+({}_n\mathrm{C}_2)^2+\cdots+({}_n\mathrm{C}_n)^2={}_{2n}\mathrm{C}_n$$

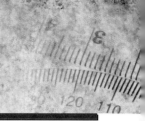

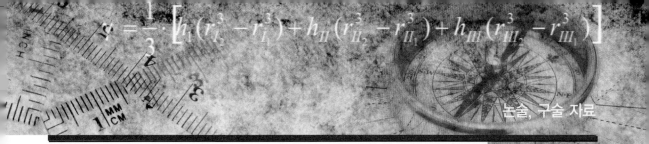

앞의 식도 특정 조건의 경우의 수를 두 가지 방법으로 구하여 증명할 수 있다.

1에서 n까지 번호가 붙은 빨간 구슬과 파란 구슬이 각각 n개씩 있다고 할 때,

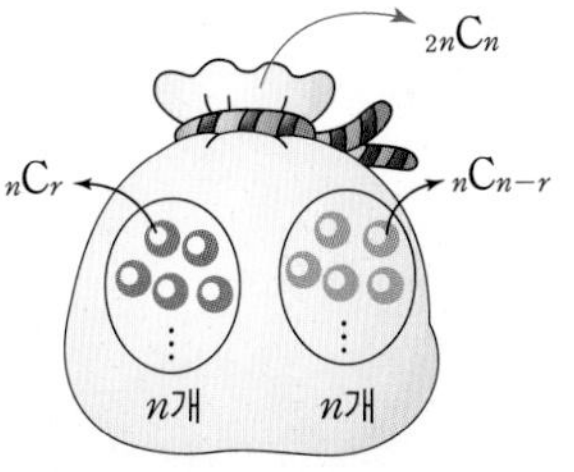

(i) $2n$개의 구슬에서 n개를 뽑는 경우의 수는 ${}_{2n}C_n$이다.

(ii) $2n$개의 구슬에서 n개를 뽑는 경우의 수는 n개의 빨간 구슬에서 0개, 1개, 2개, $\cdots$, n개를 뽑고, 각각 나머지를 파란 구슬 n개에서 뽑는 경우의 수의 합과 같다.

빨간 구슬(n)	0	1	2	$\cdots$	$n-1$	n
파란 구슬(n)	n	$n-1$	$n-2$	$\cdots$	1	0
경우의 수	${}_nC_0\cdot{}_nC_n$	${}_nC_1\cdot{}_nC_{n-1}$	${}_nC_2\cdot{}_nC_{n-2}$	$\cdots$	${}_nC_{n-1}\cdot{}_nC_1$	${}_nC_n\cdot{}_nC_0$

이때 조합의 성질에 의해 ${}_nC_r\cdot{}_nC_{n-r}={}_nC_r\cdot{}_nC_r=({}_nC_r)^2$이므로 위의 표에 나타낸 각각의 경우의 수의 합은 다음과 같다.

$$({}_nC_0)^2+({}_nC_1)^2+({}_nC_2)^2+\cdots+({}_nC_n)^2$$

따라서 (i)과 (ii)에 의해 다음이 성립한다.

$$({}_nC_0)^2+({}_nC_1)^2+({}_nC_2)^2+\cdots+({}_nC_n)^2={}_{2n}C_n$$

지금까지 설명한 방식을 잘 살펴보면, 어떤 경우의 수를 구하는 문제를 설정한 다음, 두 가지의 방법으로 경우의 수를 세는 것을 통해 주어진 식을 증명하고 있음을 알 수 있다. 이와 같이 어떤 두 식이 같다는 것을 보일 때, 특정 경우의 수를 두 가지 방법으로 세어서 증명하는 조합적 방법을 **이중계산(Double counting)**이라 한다. 하나의 문제를 풀기 위해 두 가지 이상의 접근법을 생각해내야 하는 만큼, 이와 같은 연습을 한다면 조합과 관련하여 직관적이고 폭넓은 이해를 하는 데에 도움이 많이 될 것이다.

Sub Note 060쪽

APPLICATION 01 다음 이항계수의 성질을 조합적으로 설명하여라.

$$1\times{}_nC_1+2\times{}_nC_2+3\times{}_nC_3+\cdots+n\times{}_nC_n=n2^{n-1}$$

추녀 끝에 걸어놓은 풍경은
바람이 불지 않으면 소리를 내지 않는다.
바람이 불어야만 비로소 그윽한 소리를 낸다.
인생도 무사평온하다면 즐거움이 무엇인지 알지 못한다.
힘든 일이 있기 때문에 비로소 즐거움도 알게 된다.

– 채근담

CHAPTER Ⅱ
확률

숨마쿰라우데®
[확률과 통계]

INTRO to Chapter Ⅱ
확률

SUMMA CUM LAUDE

기업은 17세기경부터 자산운용에 확률론을 적용해 왔다. 각 기업은 투자나 자산운용 시 과거의 경험을 통해 미래에 나타날 수 있는 불확실한 일들의 발생 확률을 종합 분석하여 위험을 최소화하고 회피할 수 있는 대책을 꾸준히 강구하였다.
확률론의 발달로 위험(risk)은 더 이상 운명적인 것이 아닌 선택의 문제로 받아들여지게 되었다.

본 단원의 구성에 대하여...

Ⅱ. 확률	1. 확률의 뜻과 활용	01 시행과 사건 02 확률의 뜻 03 확률의 덧셈정리 • Review Quiz • EXERCISES
	2. 조건부확률	01 조건부확률 02 사건의 독립과 종속 • Review Quiz • EXERCISES
	• **대단원 연습문제** • **대단원 심화, 연계 학습** TOPIC (1) 전확률 공식과 베이즈 정리 • **논술, 구술 자료** 01. 몬티홀 문제	

확률의 탄생

역사적으로 볼 때 확률은 도박에서 비롯되었다고 해도 과언이 아니다. 확률을 수학적으로 분석할 줄 아는 능력이 있으면 도박에서 돈을 딸 가능성이 높기 때문이다. 17세기 프랑스의 도박사 드 메레는 수학적인 분석을 통해 도박에서 많은 이익을 얻은 사람이다. 그는 도박에 관하여 궁금한 점이 생기면 수학자 파스칼에게 편지를 보냈다. 드 메레가 보낸 문제는 일명 '득점 문제(problems of the points)'로 알려져 있는데 그 내용을 살펴보면 다음과 같다.

"실력이 같은 두 사람 A, B가 각각 32피스톨씩의 돈을 걸고 비기는 경우가 없는 게임을 하였다네. 한 번 이기면 1점을 얻는 것으로 하고, 먼저 3점을 얻는 사람이 64피스톨을 모두 가지기로 했는데 A가 2점, B가 1점을 따 놓은 상황에서 더는 시합을 할 수 없게 되었다면 이 경우 64피스톨을 어떻게 분배하는 것이 좋겠나?"

이 편지의 내용은 확률이라는 개념을 탄생하게 한 계기가 되었다. 파스칼은 이때부터 확률을 본격적으로 연구하기 시작하였고, 이후 베르누이, 드무아브르, 라플라스 등의 수학자들에 의하여 확률론이 체계화되었다.

확률은 그 탄생 배경이 도박과 같은 실생활 환경이었던 만큼 그 유용성도 무한하다. 좁은 범위에서의 확률은 개인적으로 어떤 게임이나 도박에서 승리하기 위한 것으로 볼 수 있지만 넓은 범위에서는 국가나 기업이 나아가야 할 목표를 정하는 데 확률을 참고하기도 하고, 때로는 확률이 직접적으로 그 길을 제시해 주기도 한다.
세계 증시의 심장인 뉴욕 월 가(wall street)에서도 수학, 통계 전공자들이 각광을 받고 있는데, 그 이유 역시 끊임없는 수학적 연구를 통해 손해를 보지 않는 투자 기법을 찾고자 하는 데에 있다.

확률에 다가가기

확률은 '경우의 수'를 바탕으로 한다. 우리는 I단원에서 원순열, 중복순열, 같은 것이 있는 순열, 중복조합과 같이 다양한 방법으로 경우의 수를 구하는 것을 배웠다. 확률에 있어서 경우의 수가 중요하게 자리 잡고 있는 이유는 확률의 정의 자체가 경우의 수에 따르기 때문이다.

$$(\text{확률})=\frac{(\text{구하고자 하는 경우의 수})}{(\text{전체 경우의 수})}$$

따라서 확률을 잘 계산하기 위해서는 무엇보다도 경우의 수를 정확히 구해내는 능력이 중요하다.

다른 분야도 마찬가지겠지만 확률에 있어서는 마지막까지 꼼꼼하게 체크하는 자세가 요구된다. 조건이 복잡해질수록 해당되는 경우를 빠짐없이 찾기란 쉽지 않다. 이럴 때에는 경우를 하나하나 잘 분류하여 그 가짓수를 차례차례 구하는 차분함을 갖도록 하자.

독자들로 하여금 확률 문제를 어렵게 느끼도록 만드는 요인 중 하나가 문제의 문장이 아주 길다는 것이다. 바라건대, 독자들은 '문장이 길면 문제가 어렵다.'는 선입견을 부디 가지지 않길 바란다. 확률에서 문장이 긴 것은 실생활 소재를 문제화시키다 보니 설명해야 할 부분이 많아서이다. 문장 전체가 문제의 조건이 아님을 기억하라. 문제에서 조건이 되는 부분, 핵심이 되는 부분을 표시해 가며 **'문제를 단순화'**시키는 작업을 하면 의외로 쉽게 해결되는 문제들을 많이 보게 될 것이다.

01 시행과 사건

SUMMA CUM LAUDE

ESSENTIAL LECTURE

1 시행과 사건

(1) 시행 : 동일한 조건에서 반복할 수 있고, 그 결과가 우연에 의하여 결정되는 실험이나 관찰

(2) 표본공간 : 어떤 시행에서 일어날 수 있는 모든 결과의 집합

(3) 사건 : 표본공간의 부분집합

(4) 근원사건 : 한 개의 원소로 이루어진 사건

(5) 전사건 : 어떤 시행에서 반드시 일어나는 사건, 즉 표본공간

(6) 공사건 : 어떤 시행에서 절대로 일어나지 않는 사건, 즉 공집합 $\varnothing$에 대응되는 사건

[참고] 표본공간은 공집합이 아닌 경우만 생각한다.

2 합사건, 곱사건, 배반사건, 여사건

표본공간 S의 두 사건 A, B에 대하여

(1) 합사건 : A 또는 B가 일어나는 사건을 A와 B의 합사건이라 하고, 기호로 $A\cup B$와 같이 나타낸다.

(2) 곱사건 : A와 B가 동시에 일어나는 사건을 A와 B의 곱사건이라 하고, 기호로 $A\cap B$와 같이 나타낸다.

(3) 배반사건 : A와 B가 동시에 일어나지 않을 때, 즉 $A\cap B=\varnothing$일 때, A와 B는 서로 배반이라 하고, 이 두 사건을 서로 배반사건이라 한다.

(4) 여사건 : A가 일어나지 않는 사건을 A의 여사건이라 하고, 기호로 A^c과 같이 나타낸다.

확률이 무엇인지 제대로 배우기 위해서는 확률과 관련된 여러 개념들을 먼저 알아야 한다. 이 소단원에서는 확률에 대한 여러 가지 개념들이 나오는데, 이들은 우리가 확률을 다루기 위해 필요한 최소한의 용어이므로 그 정의를 정확히 이해하도록 하자.

1 시행과 사건

우리가 확률을 이해하기 위해서는 시행과 사건에 대해 정확히 이해해야 한다.
먼저 동전 던지기나 주사위 던지기처럼

<u>(i) 동일한 조건에서 (ii) 반복할 수 있고,</u>

<u>(iii) 그 결과가 우연에 의하여 결정되는 실험이나 관찰</u>

을 시행(experiment)이라 한다.

따라서 각 행위 사이에 조건이 동일하지 않거나, 반복할 수 없는 성질의 행위, 행위의 결과가 우연에 의하여 결정되지 않는 경우에는 확률에서 다루려는 시행의 범위를 벗어난다.

한편 한 개의 주사위를 던지는 시행에서 우리는 그 결과로 1부터 6까지의 눈 중에서 하나를 얻는다. 이렇게

어떤 시행에서 일어날 수 있는 모든 결과의 집합

을 **표본공간**(sample space)이라 한다.

즉, '한 개의 주사위를 던지는 시행'에서 표본공간은 {1, 2, 3, 4, 5, 6}이다.

또한 **사건**(event)이란 특정한 조건을 만족시키는 모든 결과의 집합을 의미한다.

표본공간이 집합이므로 '한 개의 주사위를 던지는 시행에서 짝수의 눈이 나오는 사건'을 {2, 4, 6}으로 나타내는 것은 자연스럽게 받아들여질 것이다.

다른 예로 '한 개의 주사위를 던지는 시행에서 3 이하의 눈이 나오는 사건'은 {1, 2, 3}이 될 것이다. 이처럼 사건은 집합으로 표현되는데 잠시 생각해 보면 시행의 모든 결과의 집합이 표본공간이고, 어떤 시행의 결과가 사건으로 나타나므로 결국

모든 사건은 표본공간의 부분집합

임을 알 수 있다.❶

EXAMPLE 016 (1) 각 면에 1부터 4까지의 숫자가 각각 하나씩 적힌 정사면체를 던져 바닥에 닿는 면에 적힌 수를 읽을 때, 이 정사면체를 한 개 던지는 시행에서 표본공간 S와 짝수가 나오는 사건 A를 구하여라.

(2) 동전을 한 개 던지는 시행에서 표본공간 S를 구하여라.

ANSWER (1) $\boldsymbol{S=\{1,\ 2,\ 3,\ 4\}}$, $\boldsymbol{A=\{2,\ 4\}}$ ■

(2) $\boldsymbol{S=\{}$**앞면, 뒷면**$\boldsymbol{\}}$ ■

Sub Note 007쪽

APPLICATION 025 동전 한 개와 주사위 한 개를 동시에 던지는 시행에서 다음을 구하여라.
(단, 동전의 앞면은 H, 뒷면은 T로 표기)

(1) 표본공간 S

(2) 동전의 앞면과 주사위의 짝수인 눈이 동시에 나오는 사건 A

❶ 모든 사건이 표본공간의 부분집합이므로 표본공간을 '전체집합'으로 이해할 수 있다. 나중에 이를 전제로 여사건을 정의하게 된다.

아래에서 설명할 특별한 사건들은 확률을 공부하거나 문제를 푸는 데 있어서 필수적인 것은 아니지만 중요한 의미를 갖는다. 앞으로 이 개념들을 계속 언급할 것이므로 여기에서는 각 개념들이 무엇을 의미하는지 잘 이해해 두자.

(1) 근원사건(fundamental event) : 표본공간의 부분집합 중에서 한 개의 원소로 이루어진 사건을 말한다.
예를 들어 한 개의 주사위를 던지는 시행에서 표본공간이 $\{1, 2, 3, 4, 5, 6\}$이므로 그 부분집합 $\{1\}, \{2\}, \{3\}, \{4\}, \{5\}, \{6\}$은 각각 근원사건이 된다.
근원사건은 어떤 시행에서 일어날 수 있는 하나의 결과를 일컫고, 사건은 어떤 시행에서 일어날 수 있는 일정한 범위의 결과를 말한다. 따라서 근원사건이 모여 특정한 사건을 이룬다.

(2) 전사건(whole event) : 어떤 시행에서 반드시 일어나는 사건을 말한다.
예를 들어 한 개의 주사위를 던지는 시행에서 '6 이하의 눈이 나오는 사건' 은 반드시 일어나므로 $\{1, 2, 3, 4, 5, 6\}$이 바로 전사건이 된다. 즉, 전사건은 표본공간과 같다.

(3) 공사건(null event) : 어떤 시행에서 절대로 일어나지 않는 사건을 말한다.
예를 들어 한 개의 주사위를 던지는 시행에서 '6보다 큰 눈이 나오는 사건' 은 절대로 일어나지 않으므로 공사건이 된다. 공사건은 기호로 $\varnothing$와 같이 나타낸다.

EXAMPLE 017 1부터 10까지의 자연수가 각각 하나씩 적힌 10장의 카드 중에서 임의로 한 장의 카드를 뽑는 시행을 할 때, 다음은 어떤 사건인지 구하여라.

(1) 카드에 적힌 수가 7의 배수이면서 3의 배수인 사건

(2) 카드에 적힌 수가 16보다 작은 사건

ANSWER (1) 카드에 적힌 수가 7의 배수이면서 3의 배수이려면 21의 배수이어야 한다.
따라서 절대로 일어나지 않는 사건이므로 **공사건**이다. ■

(2) 카드에 적힌 수는 모두 16보다 작다.
따라서 반드시 일어나는 사건이므로 **전사건**이다. ■

Sub Note 007쪽

APPLICATION 026 검은 공 2개가 들어 있는 주머니에서 임의로 한 개의 공을 꺼내는 시행을 할 때, 다음은 어떤 사건인지 구하여라.

(1) 검은 공이 나오는 사건 (2) 흰 공이 나오는 사건

❷ 합사건, 곱사건, 배반사건, 여사건

지금까지 사건에 대해 살펴보았다. 사건을 집합으로 표현하였으므로 사건 사이의 관계도 집합 사이의 연산으로 표현될 것임을 어렵지 않게 추측할 수 있을 것이다.

한 개의 주사위를 던지는 시행에서 다음 세 사건 A, B, C를 생각해 보자.

사건 A	4의 약수의 눈이 나오는 사건	$A=\{1,\ 2,\ 4\}$
사건 B	홀수의 눈이 나오는 사건	$B=\{1,\ 3,\ 5\}$
사건 C	짝수의 눈이 나오는 사건	$C=\{2,\ 4,\ 6\}$

위 세 사건 A, B, C를 토대로 다음의 네 사건을 생각할 수 있다. (단, S는 표본공간이다.)

(1) 합사건 : 4의 약수 또는 홀수의 눈이 나오는 사건, 즉

A 또는 B가 일어나는 사건

을 생각해 볼 수 있다. 이를 두 사건 A, B의 **합사건**(sum event)이라 한다. 사건은 집합을 이용하여 표현[❷]하므로 명백히 두 사건 A, B의 합사건은 $A\cup B$가 된다.

➡ $A\cup B=\{1,\ 2,\ 4\}\cup\{1,\ 3,\ 5\}=\{1,\ 2,\ 3,\ 4,\ 5\}$

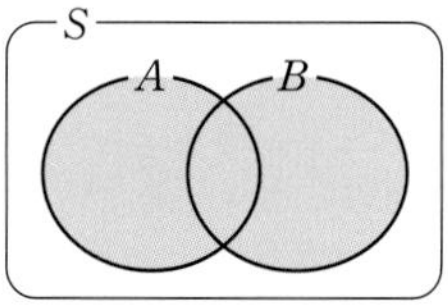

(2) 곱사건 : 4의 약수이면서 동시에 홀수의 눈이 나오는 사건, 즉

A와 B가 동시에 일어나는 사건

도 생각해 볼 수 있는데, 이를 두 사건 A, B의 **곱사건**(product event)이라 한다. 마찬가지로 두 사건 A, B의 곱사건은 $A\cap B$가 된다.

➡ $A\cap B=\{1,\ 2,\ 4\}\cap\{1,\ 3,\ 5\}=\{1\}$

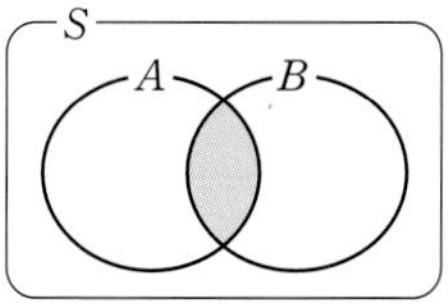

(3) 배반사건 : 홀수이면서 동시에 짝수의 눈이 나오는 사건, 즉 B와 C가 동시에 일어나는 사건은 절대로 일어나지 않는 사건이다. 이와 같이 두 사건 B, C가 동시에 일어나지 않을 때, 즉 $B\cap C=\varnothing$일 때, B와 C는 서로 **배반**[❸]이라 하고, 이 두 사건을 서로 **배반사건**(exclusive events)이라 한다.

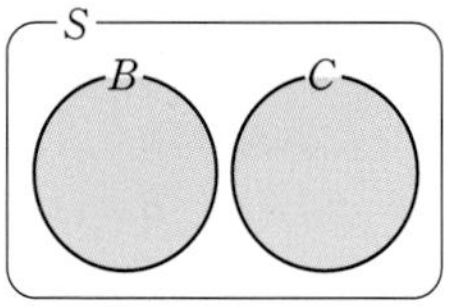

❷ 사건은 집합을 이용하여 표현하므로 모든 것을 집합으로 바꾸어 이해하면 편리하다.
두 집합 A, B의 합집합 $A\cup B$: A 또는 B에 속하는 모든 원소로 이루어진 집합
두 집합 A, B의 교집합 $A\cap B$: A와 B에 동시에 속하는 모든 원소로 이루어진 집합
집합 A의 여집합 A^C : A에 속하지 않으면서 S에 속하는 모든 원소로 이루어진 집합 (단, S는 전체집합)

❸ '믿음을 저버리고 돌아섬'을 의미하는 배반(背叛)이 아니라 '양립하지 않음'을 의미하는 배반(背反)임에 주의하자.

(4) 여사건 : 사건 A에 대하여 A가 일어나지 않는 사건을 A의 여사건(complementary event)이라 하고, 기호로 A^C과 같이 나타낸다.

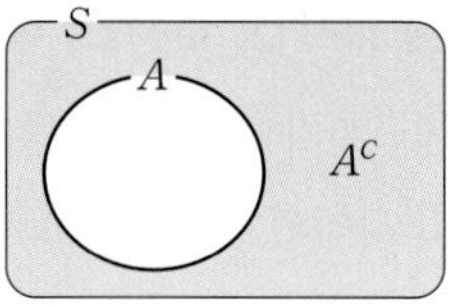

즉, 표본공간이 전체집합 S[4]일 때, 4의 약수의 눈이 나오지 않는 사건은 A의 여사건 A^C이므로

$$A^C = S - A = \{1, 2, 3, 4, 5, 6\} - \{1, 2, 4\} = \{3, 5, 6\}$$

어떤 사건이 일어나지 않는 경우를 다루거나 주어진 사건 이외의 경우를 다룰 때에는 여사건을 이용하면 편리할 때가 많다.

한편 앞에서 언급했던 전사건과 공사건의 정의를 생각해 보면 공사건의 여사건은 전사건이고, 전사건의 여사건은 공사건이 됨은 자명하다.

$$\varnothing^C = S,\ S^C = \varnothing$$

또한 $A \cap A^C = \varnothing$이므로 사건 A와 그 여사건 A^C은 서로 배반사건이다.

수능 문제를 포함하여 직접적으로 이들 관계를 묻는 경우는 흔치 않지만 확률 문제 대부분이 사건 사이의 관계를 이해함을 전제로 하기 때문에 이 부분을 확실히 이해해 놓도록 하자.

EXAMPLE 018 한 개의 주사위를 던지는 시행에서 나오는 눈의 수가 소수가 아닌 사건을 A, 소수인 사건을 B라 할 때, 다음 물음에 답하여라.

(1) 두 사건 A와 B의 합사건을 구하여라.
(2) 사건 A의 여사건을 구하여라.
(3) 두 사건 A와 B의 관계를 설명하여라.

ANSWER $A = \{1, 4, 6\}$, $B = \{2, 3, 5\}$이므로

(1) $A \cup B = \mathbf{\{1, 2, 3, 4, 5, 6\}}$ ■

(2) $A^C = \mathbf{\{2, 3, 5\}}$ ■

(3) $A \cap B = \varnothing$이므로 두 사건 A, B는 서로 **배반사건**이다.
또 $A^C = B$이므로 **B는 A의 여사건**이다. ■

❹ 모든 사건은 그에 대응되는 집합이 존재한다. 그런데 이들 집합은 '일어날 수 있는 모든 결과의 집합'인 표본공간에 포함되므로 우리는 표본공간을 전체집합이라 생각할 수 있게 된다.

Sub Note 007쪽

APPLICATION 027 1부터 10까지의 자연수가 각각 하나씩 적힌 10장의 카드 중 임의로 한 장을 뽑는 시행에서 8의 약수가 적힌 카드가 나오는 사건을 A, 짝수가 적힌 카드가 나오는 사건을 B라 할 때, 두 사건 A와 B의 합사건과 곱사건을 구하여라.

EXAMPLE 019 한 개의 주사위를 던지는 시행에서 3 이하의 눈이 나오는 사건을 A라 할 때, 다음 물음에 답하여라.

(1) 사건 A의 여사건을 구하여라.

(2) 사건 A와 배반인 사건의 개수를 구하여라.

ANSWER 표본공간을 S라 하면 $S=\{1, 2, 3, 4, 5, 6\}$

(1) 3 이하의 눈이 나오는 사건 A는 $A=\{1, 2, 3\}$

$\therefore A^C=\{\mathbf{4, 5, 6}\}$ ■

(2) 사건 A와 배반인 사건은 여사건 A^C의 부분집합이다.

따라서 $A^C=\{4, 5, 6\}$이므로 사건 A와 배반인 사건의 개수는

$2^3=\mathbf{8}$ ■

[참고] 원소의 개수가 n인 집합의 부분집합의 개수는 2^n이다.

Sub Note 007쪽

APPLICATION 028 표본공간 $S=\{1, 2, 3, 4, 5, 6, 7, 8\}$에 대하여 두 사건 A, B가 $A=\{1, 2, 6\}$, $B=\{1, 2, 3, 7, 8\}$일 때, 두 사건 A, B와 모두 배반인 사건 C의 개수를 구하여라.

수학 공부법에 대한 저자들의 충고 – 배반사건과 여사건

배반사건과 여사건에 대하여 다음 두 명제의 참, 거짓을 염두에 두자.

(1) 사건 A와 사건 B가 서로 여사건이면 두 사건 A, B는 서로 배반사건이다. (참)

(2) 두 사건 A, B가 서로 배반사건이면 사건 A와 사건 B는 서로 여사건이다. (거짓)

두 명제의 참, 거짓은 집합을 이용하면 간단히 증명된다.

(1)의 경우, 사건 A와 사건 B가 서로 여사건이면 $B=A^C$이므로

$A\cap B=A\cap A^C=\varnothing$

따라서 두 사건 A, B는 서로 배반사건이다. (참)

(2)의 경우, 두 사건 A, B가 서로 배반사건이면 $A\cap B=\varnothing$이다.

하지만 $A\cap B=\varnothing$이라 하여 반드시 $B=A^C$인 것은 아니다.

한 개의 주사위를 던지는 시행에서 두 사건 $A=\{1\}$, $B=\{2\}$를 생각해 보면 된다. (거짓)

02 확률의 뜻

SUMMA CUM LAUDE

ESSENTIAL LECTURE

1 수학적 확률

(1) 확률 : 어떤 시행에서 사건 A가 일어날 가능성을 수로 나타낸 것을 사건 A가 일어날 확률이라 하고, 기호로 $\mathrm{P}(A)$와 같이 나타낸다.

(2) 수학적 확률 : 어떤 시행에서 표본공간 S가 유한개의 근원사건으로 이루어져 있고, 각 근원사건이 일어날 가능성이 모두 같을 때, 사건 A가 일어날 확률 $\mathrm{P}(A)$는

$$\mathrm{P}(A)=\frac{n(A)}{n(S)}=\frac{(\text{사건 } A\text{가 일어나는 경우의 수})}{(\text{일어날 수 있는 모든 경우의 수})}$$

이다. 이 확률을 사건 A가 일어날 수학적 확률이라 한다.

2 통계적 확률

같은 시행을 n번 반복할 때, 사건 A가 일어난 횟수를 r_n이라 하면 시행 횟수 n을 한없이 크게 함에 따라 상대도수 $\frac{r_n}{n}$이 일정한 값 p에 가까워진다. 이때 이 값 p를 사건 A가 일어날 통계적 확률이라 한다.

3 기하적 확률

연속적인 변량을 크기로 갖는 표본공간의 영역 S 안에서 각각의 점을 택할 가능성이 같을 때, 영역 S에 포함되어 있는 영역 A에 대하여 영역 S에서 임의로 택한 점이 영역 A에 속할 확률 $\mathrm{P}(A)$는

$$\mathrm{P}(A)=\frac{(\text{영역 } A\text{의 크기})}{(\text{영역 } S\text{의 크기})}$$

이다. 이 확률을 영역 S에서 임의로 택한 점이 영역 A에 속할 기하적 확률이라 한다.

4 확률의 기본 성질

표본공간이 S인 어떤 시행에서

(1) 임의의 사건 A에 대하여 $0\le \mathrm{P}(A)\le 1$

(2) 반드시 일어나는 사건 S에 대하여 $\mathrm{P}(S)=1$

(3) 절대로 일어나지 않는 사건 $\varnothing$에 대하여 $\mathrm{P}(\varnothing)=0$

1 수학적 확률

한 개의 주사위를 던질 때, 나올 수 있는 눈의 수는 1, 2, 3, 4, 5, 6으로 6가지이다. 이때 눈의 수가 1이 나올 가능성은 6가지의 모든 경우 중 1가지, 즉 $\frac{1}{6}$이라 할 수 있다.

이 주사위가 정상적으로 만들어졌다면 눈의 수가 2, 3, 4, 5, 6이 나올 가능성도 각각 같은 정도로 기대할 수 있다.
동전을 던지는 경우도 마찬가지이다. 한 개의 동전을 던질 때, 나올 수 있는 면은 앞면, 뒷면으로 2가지이고, 뒷면이 나오는 경우는 그중 1가지이므로 뒷면이 나올 가능성은 $\frac{1}{2}$이 된다.
이때 앞면이 나올 가능성도 같은 이유로 $\frac{1}{2}$이다.

이렇게 주사위나 동전을 던질 때와 같이 어떤 사건이 일어날 가능성을 수로 나타낸 것을 그 사건이 일어날 **확률**(probability)이라 하고, 사건 A가 일어날 확률을 기호로 $\mathbf{P}(\boldsymbol{A})$❺와 같이 나타낸다.

$$\mathbf{P}(\boldsymbol{A})=\frac{\boldsymbol{n}(\boldsymbol{A})}{\boldsymbol{n}(\boldsymbol{S})}$$

일반적으로 어떤 시행에서 표본공간 S가 유한개의 근원사건으로 이루어져 있고, 각 근원사건이 일어날 가능성이 모두 같을 때, 표본공간의 원소의 개수 $n(S)$에 대한 사건 A의 원소의 개수 $n(A)$의 비율을 사건 A가 일어날 **수학적 확률**(mathematical probability)이라 한다. 여기서

각 근원사건이 일어날 가능성이 모두 같다

는 말에 주목해야 한다.
만약 던지는 주사위가 오뚝이처럼 일어나서 항상 어느 한 면만을 나타낸다면 앞에서 구한 주사위의 각 면(눈)이 나올 확률 $\frac{1}{6}$이라는 수는 의미가 없어진다.
따라서 수학적 확률의 계산에서는 어느 근원사건이나 같은 가능성을 가지고 일어난다는 가정이 반드시 필요하고, 이때의 수학적 확률은 이론적 확률이라 할 수 있다.

수학적 확률

어떤 시행에서 표본공간 S가 유한개의 근원사건으로 이루어져 있고, 각 근원사건이 일어날 가능성이 모두 같을 때, 사건 A가 일어날 확률 $\mathrm{P}(A)$는

$$\mathrm{P}(A)=\frac{n(A)}{n(S)}=\frac{(\text{사건 } A\text{가 일어나는 경우의 수})}{(\text{일어날 수 있는 모든 경우의 수})}$$

이다. 이 확률을 사건 A가 일어날 수학적 확률이라 한다.

---

❺ $\mathrm{P}(A)$의 P는 확률(probability)의 첫 글자 P이다.

예 서로 다른 2개의 주사위를 동시에 던질 때, 표본공간을 S, 나오는 두 눈의 수가 같은 사건을 A, 두 눈의 수의 합이 4인 사건을 B라 하면

$S=\{(1, 1), (1, 2), (1, 3), \cdots, (6, 6)\}$	$n(S)=36$	
$A=\{(1, 1), (2, 2), \cdots, (6, 6)\}$	$n(A)=6$	$\mathrm{P}(A)=\dfrac{n(A)}{n(S)}=\dfrac{6}{36}=\dfrac{1}{6}$
$B=\{(1, 3), (2, 2), (3, 1)\}$	$n(B)=3$	$\mathrm{P}(B)=\dfrac{n(B)}{n(S)}=\dfrac{3}{36}=\dfrac{1}{12}$

EXAMPLE 020 흰 공, 검은 공, 파란 공이 각각 2개씩 들어 있는 주머니가 있을 때, 다음을 구하여라.

(1) 임의로 1개의 공을 꺼낼 때, 파란 공일 확률

(2) 임의로 2개의 공을 동시에 꺼낼 때, 모두 흰 공일 확률

(3) 임의로 3개의 공을 동시에 꺼낼 때, 흰 공, 검은 공, 파란 공이 각각 한 개씩 나올 확률

ANSWER (1) 6개의 공 중에서 1개를 꺼내는 경우의 수는 $_6\mathrm{C}_1=6$

2개의 파란 공 중에서 1개를 꺼내는 경우의 수는 $_2\mathrm{C}_1=2$

따라서 구하는 확률은 $\dfrac{2}{6}=\mathbf{\dfrac{1}{3}}$ ■

(2) 6개의 공 중에서 2개를 꺼내는 경우의 수는 $_6\mathrm{C}_2=15$

2개의 흰 공 중에서 2개를 꺼내는 경우의 수는 $_2\mathrm{C}_2=1$

따라서 구하는 확률은 $\mathbf{\dfrac{1}{15}}$ ■

(3) 6개의 공 중에서 3개를 꺼내는 경우의 수는 $_6\mathrm{C}_3=20$

2개의 흰 공 중에서 1개, 2개의 검은 공 중에서 1개, 2개의 파란 공 중에서 1개를 꺼내는 경우의 수는 $_2\mathrm{C}_1\times{}_2\mathrm{C}_1\times{}_2\mathrm{C}_1=8$

따라서 구하는 확률은 $\dfrac{8}{20}=\mathbf{\dfrac{2}{5}}$ ■

Sub Note 007쪽

APPLICATION 029 A, B를 포함한 7개의 체험 프로그램 중에서 임의로 3개를 선택할 때, 다음을 구하여라.

(1) A, B를 모두 선택할 확률

(2) A는 선택하고 B는 선택하지 않을 확률

Sub Note 007쪽

APPLICATION 030 A, B, C, D, E의 5명을 일렬로 세울 때, 다음을 구하여라.

(1) 맨 뒤에 A를 세울 확률

(2) B, C, D를 서로 이웃하게 세울 확률

2 통계적 확률

앞에서 수학적 확률은 각 근원사건이 일어날 가능성이 모두 같다는 가정 아래에서 정의하였다. 그러나 실제로 자연 현상이나 사회 현상에서는 각 근원사건이 일어날 가능성이 같지 않은 경우가 더 많다. 이와 같은 경우에는 같은 시행을 여러 번 반복하여 얻어지는 상대도수를 통해 그 사건이 일어날 확률을 구할 수 있다.

예를 들어 어떤 농구 선수가 자유투를 성공할 확률은 여러 번의 자유투 중에서 성공한 횟수를 조사하여 $\frac{\text{(자유투를 성공한 횟수)}}{\text{(자유투를 던진 횟수)}}$로 계산한다.

이밖에 야구 선수가 안타를 칠 확률, 비가 올 확률, 연령대별 이혼율 등도 마찬가지로 과거의 경험이나 여러 번 반복된 시행을 통해 사건이 일어날 확률을 계산하게 된다.

일반적으로 같은 시행을 n번 반복할 때, 사건 A가 일어난 횟수를 r_n이라 하면 시행 횟수 n을 한없이 크게 함에 따라 상대도수 $\frac{r_n}{n}$이 일정한 값 p에 가까워진다. 이때 이 값 p를 사건 A가 일어날 **통계적 확률**(statistical probability)[6]이라 한다. 그런데 실제로 시행 횟수 n을 한없이 크게 할 수 없으므로 n이 충분히 클 때의 상대도수 $\frac{r_n}{n}$을 통계적 확률로 생각한다.

한편 시행 횟수 n이 크면 클수록 통계적 확률은 수학적 확률에 가까워진다고 알려져 있다.[7]

가령 하나의 동전을 던져 앞면이 나오는 통계적 확률을 구할 때, 동전을 10번, 20번 정도 던져 본 결과로 얻은 통계적 확률은 운이 좋게 수학적 확률 $\frac{1}{2}$과 같을 수도 있지만, 모든 결과가 앞면이거나 혹은 뒷면이 되어 그 확률이 1이나 0과 같은 극단적인 결과가 나올 수도 있다. 하지만 같은 시행을 100번, 1000번 이상 계속 반복하면 통계적 확률은 거의 $\frac{1}{2}$에 가까워지는 것을 확인할 수 있다.

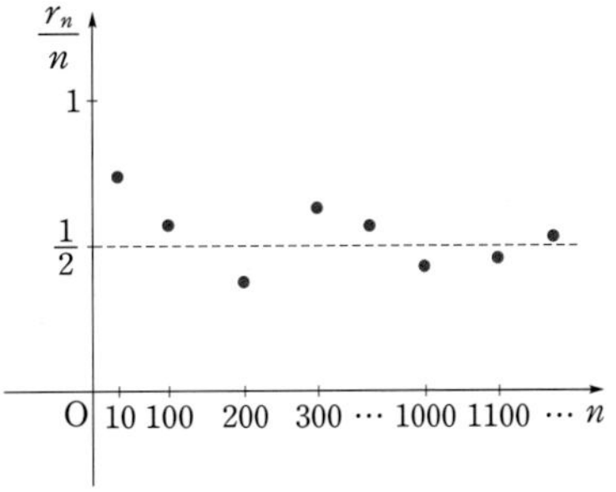

(앞면이 나오는 횟수의 상대도수)

통계적 확률

같은 시행을 n번 반복할 때, 사건 A가 일어난 횟수를 r_n이라 하면 시행 횟수 n을 한없이 크게 함에 따라 상대도수 $\frac{r_n}{n}$이 일정한 값 p에 가까워진다. 이때 이 값 p를 사건 A가 일어날 통계적 확률이라 한다.

---

6. 또는 경험적 확률이라고도 한다.
7. 이것을 큰수의 법칙(law of large numbers)이라 한다. 이 법칙에 대한 자세한 내용은 Ⅲ. 통계에서 배운다.

EXAMPLE 021 다음 표는 어느 야구 선수가 한 시즌 동안 500타석에서 기록한 결과를 나타낸 것이다.

(단위 : 개)

안타	볼넷	아웃	합계
200	50	250	500

이 선수가 한 번의 타석에서 볼넷을 얻을 확률을 a, 안타를 칠 확률을 b라 할 때, $a+b$의 값을 구하여라.

ANSWER 볼넷을 얻을 확률은 $a=\frac{50}{500}=\frac{1}{10}$

안타를 칠 확률은 $b=\frac{200}{500}=\frac{2}{5}$

$\therefore a+b=\frac{1}{10}+\frac{2}{5}=\mathbf{\frac{1}{2}}$ ■

Sub Note 008쪽

APPLICATION 031 어느 동호회의 회원 중 100명을 뽑아 그중 검은 신발을 신은 사람을 조사하였더니 20명이었다고 한다. 이 동호회에서 회원 한 명을 임의로 뽑았을 때, 검은 신발을 신고 있을 확률을 구하여라.

Sub Note 008쪽

APPLICATION 032 어느 농구 선수가 자유투 연습을 하는데 공을 200번 던져서 총 125번 성공시켰다. 이 선수가 자유투를 한 번 할 때, 성공시킬 확률을 구하여라.

3 기하적 확률

앞서 배운 수학적 확률과 통계적 확률은 경우의 수를 따질 수 있을 때의 확률이다. 즉, 수학적 확률과 통계적 확률은 그 계산 방식과 의미의 차이는 있지만 $\frac{(\text{특정 경우의 수})}{(\text{전체 경우의 수})}$라는 점에서는 동일하다. 그런데 경우의 수를 따질 수 없는 상황들이 있다.

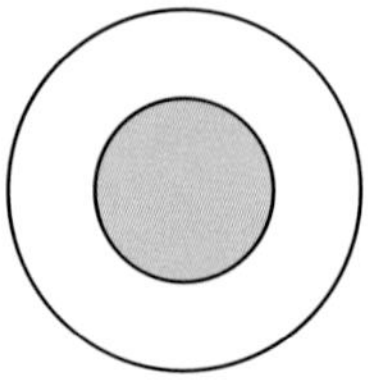

오른쪽 그림과 같은 과녁에 화살을 쏘는 경우를 생각해 보자. 화살이 꽂힐 수 있는 점은 과녁 안에 무수히 많으므로 전체 경우의 수와 특정 경우의 수를 이용하여 확률을 계산할 수 없다. 이럴 때 이용할 수 있는 것이 바로 넓이의 비율이다. 즉, 점의 개수를 셀 수 없으므로 무수히 많은 점을 합친 영역의 넓이를 이용하는 것이다. 넓이를 이용하면 화살이 붉은 영역에 꽂힐 확률은 $\frac{(\text{붉은 영역의 넓이})}{(\text{전체 과녁의 넓이})}$가 된다.

일반적으로 영역의 길이, 넓이 등을 이용하여 확률을 구하는 것을 **기하적 확률**(geometric probability)이라 한다. 기하적 확률에는 '**영역 위의 모든 점을 택할 가능성이 같다**'는 가정이 전제된다.

기하적 확률

연속적인 변량을 크기로 갖는 표본공간의 영역 S 안에서 각각의 점을 택할 가능성이 같을 때, 영역 S에 포함되어 있는 영역 A에 대하여 영역 S에서 임의로 택한 점이 영역 A에 속할 확률 $\mathrm{P}(A)$는

$$\mathrm{P}(A)=\frac{(\text{영역 } A\text{의 크기})}{(\text{영역 } S\text{의 크기})}$$

이다. 이 확률을 영역 S에서 임의로 택한 점이 영역 A에 속할 기하적 확률이라 한다.

[참고] 영역 S를 표본공간, 점을 근원사건, 영역 A를 사건 A로 바꾸면 수학적 확률과 같다.

EXAMPLE 022 오른쪽 그림과 같이 반지름의 길이가 각각 3, 5인 두 원으로 이루어진 과녁이 있다. 이 과녁에 화살 한 개를 쏠 때, 화살이 색칠한 부분에 꽂힐 확률을 구하여라.

(단, 화살은 경계선에 꽂히지 않고, 과녁을 벗어나지 않는다.)

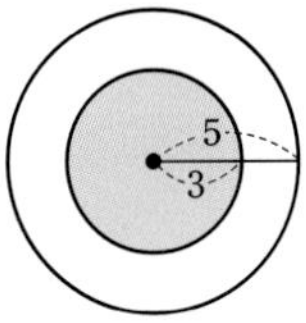

ANSWER 과녁 전체의 넓이는 $\pi\times5^2=25\pi$

색칠한 부분의 넓이는 $\pi\times3^2=9\pi$

따라서 구하는 확률은 $\frac{9\pi}{25\pi}=\mathbf{\frac{9}{25}}$ ■

Sub Note 008쪽

APPLICATION 033 오른쪽 그림과 같이 한 변의 길이가 4인 정사각형 모양의 과녁이 있다. 이 과녁에 화살 한 개를 쏠 때, 화살이 꽂힌 점과 정사각형의 네 꼭짓점 사이의 거리가 모두 2 이상일 확률을 구하여라.

(단, 화살은 과녁을 벗어나지 않는다.)

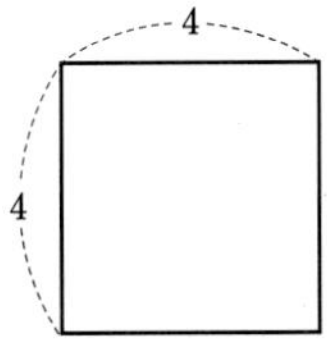

4 확률의 기본 성질

어떤 시행에서 표본공간 S의 각 근원사건이 일어날 가능성이 모두 같을 때 성립하는 확률의 성질에 대하여 알아보자.

표본공간 S의 임의의 사건 A에 대하여 $\varnothing\subset A\subset S$이므로 다음이 성립한다.

$$0\le n(A)\le n(S)$$

이 부등식의 각 변을 $n(S)$로 나누면

$$\frac{0}{n(S)} \leq \frac{n(A)}{n(S)} \leq \frac{n(S)}{n(S)} \qquad \therefore 0 \leq \mathrm{P}(A) \leq 1$$

특히 $A=S$이면 $\mathrm{P}(S)=\frac{n(S)}{n(S)}=1$이므로 전사건 S가 일어날 확률은 1이고,

$A=\varnothing$이면 $\mathrm{P}(\varnothing)=\frac{n(\varnothing)}{n(S)}=0$이므로 공사건 $\varnothing$가 일어날 확률은 0이다.[8]

즉, 전사건과 공사건이 아닌 임의의 사건 A에 대하여 항상 $0<\mathrm{P}(A)<1$이다.

이상을 정리하면 다음과 같은 확률의 기본 성질을 얻을 수 있다.

확률의 기본 성질

표본공간이 S인 어떤 시행에서

(1) 임의의 사건 A에 대하여 $0 \leq \mathrm{P}(A) \leq 1$

(2) 반드시 일어나는 사건 S에 대하여 $\mathrm{P}(S)=1$

(3) 절대로 일어나지 않는 사건 $\varnothing$에 대하여 $\mathrm{P}(\varnothing)=0$

EXAMPLE 023 각 면에 1, 3, 5, 7, 9, 11의 수가 각각 하나씩 적힌 정육면체를 던져 바닥에 닿는 면에 적힌 수를 읽는다. 이 정육면체를 한 개 던질 때, 다음을 구하여라.

(1) 소수가 나올 확률 (2) 짝수가 나올 확률 (3) 홀수가 나올 확률

ANSWER (1) 정육면체의 각 면에 1, 3, 5, 7, 9, 11이 적혀 있으므로 나올 수 있는 모든 경우의 수는 6이고, 소수는 3, 5, 7, 11이므로 소수가 나오는 경우의 수는 4이다.

따라서 소수가 나올 확률은 $\frac{4}{6}=\mathbf{\frac{2}{3}}$ ■

(2) 정육면체의 각 면에 적힌 수들은 모두 홀수이므로 짝수가 나오는 사건은 공사건이고, 이때의 확률은 **0**이다. ■

(3) 정육면체의 각 면에 적힌 수들은 모두 홀수이므로 홀수가 나오는 사건은 전사건이고, 이때의 확률은 **1**이다. ■

[8] 다시 말해서 임의의 사건 A에 대하여
$\mathrm{P}(A)=1$이면 사건 A가 반드시 일어난다.
$\mathrm{P}(A)=0$이면 사건 A가 절대로 일어나지 않는다.

기 본 예 제 **수학적 확률**

016

(1) 한 개의 주사위를 2번 던져서 나오는 눈의 수를 차례로 a, b라 할 때, 이차방정식 $x^2+ax+2b=0$이 실근을 가질 확률을 구하여라.

(2) 144의 모든 양의 약수가 각각 하나씩 적힌 카드 중에서 임의로 한 장의 카드를 뽑을 때, 카드에 적힌 수가 90의 약수일 확률을 구하여라.

GUIDE (1) 이차방정식 $x^2+ax+2b=0$이 실근을 가지려면 이 이차방정식의 판별식을 D라 할 때, $D\ge0$이어야 함을 이용하여 순서쌍 (a, b)를 구해 본다.

(2) 144의 양의 약수 중에서 90의 약수인 것은 144와 90의 공약수임을 이용한다.

SOLUTION

(1) 한 개의 주사위를 2번 던질 때, 모든 경우의 수는

$6\times6=36$

이차방정식 $x^2+ax+2b=0$이 실근을 가지려면 이 이차방정식의 판별식을 D라 할 때, $D\ge0$이어야 하므로

$D=a^2-8b\ge0$에서 $\quad a^2\ge8b \quad \cdots\cdots$ ㉠

㉠을 만족시키는 순서쌍 (a, b)는

$(3, 1), (4, 1), (4, 2), (5, 1), (5, 2), (5, 3),$

$(6, 1), (6, 2), (6, 3), (6, 4)$

의 10가지이다.

따라서 구하는 확률은 $\quad \dfrac{10}{36}=\mathbf{\dfrac{5}{18}}$ ■

(2) $144=2^4\times3^2$이므로 144의 모든 양의 약수의 개수는

$(4+1)\times(2+1)=15$

144의 양의 약수 중에서 90의 약수는 144와 90의 공약수와 같다.

이때 $90=2\times3^2\times5$이므로 144와 90의 최대공약수는

$2\times3^2=18$

따라서 144와 90의 공약수의 개수는 $(1+1)\times(2+1)=6$이므로 구하는 확률은

$\dfrac{6}{15}=\mathbf{\dfrac{2}{5}}$ ■

유제 **016-1** Sub Note 023쪽

두 개의 주사위 A, B를 동시에 던져서 나오는 눈의 수를 각각 a, b라 할 때, 이차방정식 $x^2-ax+b=0$이 서로 다른 두 실근을 가질 확률을 구하여라.

기본 예제 *순열을 이용한 수학적 확률*

017

(1) 부모와 자녀를 포함한 5명의 가족이 원탁에 둘러앉을 때, 부모가 서로 이웃하여 앉을 확률을 구하여라.

(2) 세 자리의 자연수 중에서 임의로 하나를 택할 때, 각 자리의 숫자가 모두 홀수일 확률을 구하여라.

GUIDE (1) 원순열을 이용하여 5명의 가족이 원탁에 둘러앉는 방법의 수와 이중 부모가 서로 이웃하여 앉는 방법의 수를 구한다.
(2) 중복순열을 이용하여 세 자리의 자연수 중에서 각 자리의 숫자가 모두 홀수인 수의 개수를 구한다.

SOLUTION

(1) 5명의 가족이 원탁에 둘러앉는 방법의 수는

$$(5-1)!=4!=24$$

이때 부모가 서로 이웃하여 앉는 방법의 수는 부모를 한 사람으로 보고 배열한 다음 부모의 자리가 서로 바뀌는 경우를 곱하면 되므로

$$(4-1)!\times 2=3!\times 2=12$$

따라서 구하는 확률은 $\frac{12}{24}=\mathbf{\frac{1}{2}}$ ■

(2) 세 자리의 자연수는 100부터 999까지이므로 택할 수 있는 모든 경우의 수는 900이다.

이때 각 자리의 숫자가 모두 홀수인 세 자리의 자연수의 개수는

1, 3, 5, 7, 9의 다섯 개의 숫자로 중복을 허락하여 만들 수 있는 세 자리의 자연수의 개수와 같으므로

$${}_5\Pi_3=5^3=125$$

따라서 구하는 확률은 $\frac{125}{900}=\mathbf{\frac{5}{36}}$ ■

유제 Sub Note 023쪽

017-1 남학생 3명과 여학생 4명이 원탁에 둘러앉을 때, 남학생끼리 이웃하지 않게 앉을 확률을 구하여라.

유제 Sub Note 024쪽

017-2 8개의 문자 a, a, b, b, b, c, c, c를 일렬로 나열할 때, 양 끝에 같은 문자가 올 확률을 구하여라.

기본예제 *조합을 이용한 수학적 확률*

018

1부터 30까지의 자연수가 각각 하나씩 적힌 30장의 카드가 들어 있는 상자에서 임의로 3장의 카드를 동시에 꺼낼 때, 카드에 적힌 세 수의 합이 3의 배수일 확률을 구하여라.

GUIDE $3k-2$, $3k-1$, $3k$(k는 자연수) 꼴의 자연수에 대하여
(i) 같은 꼴인 세 수의 합은 3의 배수이다. 예 $3k+3k+3k=3\times 3k$
(ii) 모두 다른 꼴인 세 수의 합은 3의 배수이다. 예 $(3k-2)+(3k-1)+3k=3(3k-1)$

SOLUTION

30장의 카드 중에서 3장을 동시에 꺼낼 때, 모든 경우의 수는

$${}_{30}C_3=4060$$

카드에 적힌 1부터 30까지의 자연수 중에는 $3k-2$, $3k-1$, $3k$ ($k=1, 2, \cdots, 10$) 꼴의 수가 각각 10개씩 있다.

이때 카드에 적힌 세 수의 합이 3의 배수가 되려면 세 수가 모두 같은 꼴이거나 모두 다른 꼴이어야 한다.

(i) 세 수가 모두 같은 꼴인 경우의 수
같은 꼴의 수 10개 중에서 3개를 선택하면 되므로

$$3\times {}_{10}C_3=3\times 120=360$$

(ii) 세 수가 모두 다른 꼴인 경우의 수
10개씩 있는 각 꼴의 수 중에서 각각 1개씩 선택하면 되므로

$${}_{10}C_1\times {}_{10}C_1\times {}_{10}C_1=10\times 10\times 10=1000$$

(i), (ii)에 의하여 카드에 적힌 세 수의 합이 3의 배수인 경우의 수는

$$360+1000=1360$$

따라서 구하는 확률은 $\dfrac{1360}{4060}=\mathbf{\dfrac{68}{203}}$ ■

유제 **018-1** Sub Note 024쪽

흰 공과 검은 공을 합하여 모두 12개의 공이 들어 있는 상자에서 임의로 2개의 공을 동시에 꺼낼 때, 모두 검은 공이 나올 확률이 $\dfrac{1}{11}$이다. 이 상자에서 임의로 3개의 공을 동시에 꺼낼 때, 모두 흰 공이 나올 확률을 구하여라.

유제 **018-2** Sub Note 024쪽

똑같은 구슬 12개를 임의로 4개의 주머니 A, B, C, D에 나누어 넣으려고 할 때, 각 주머니에 적어도 2개의 구슬이 들어갈 확률을 구하여라.

기본예제 *기하적 확률*

019

오른쪽 그림과 같이 한 변의 길이가 1인 정사각형 ABCD의 내부에 임의로 한 점 P를 잡을 때, 다음을 구하여라.

(1) 삼각형 PAB가 둔각삼각형이 될 확률

(2) 삼각형 PAB가 예각삼각형이 될 확률

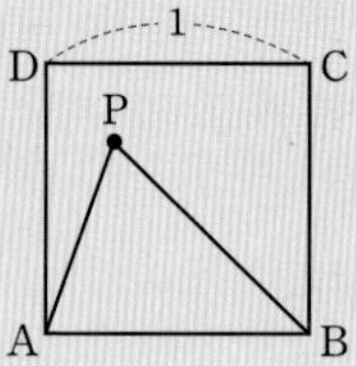

GUIDE 삼각형 PAB가 직각삼각형이 되도록 하는 점 P의 위치를 기준으로 삼각형 PAB가 둔각삼각형이나 예각삼각형이 되는 경우를 생각하여 기하적 확률을 구한다.

SOLUTION

(1) 점 P가 선분 AB를 지름으로 하는 반원 위에 있을 때, 삼각형 PAB는 직각삼각형이 되므로 이 반원의 내부에 점 P를 잡으면 $\angle APB > 90^\circ$가 되어 삼각형 PAB는 둔각삼각형이 된다.

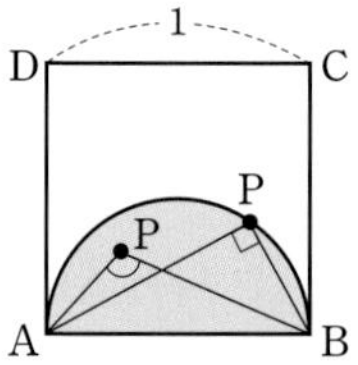

따라서 구하는 확률은

$$\frac{(\text{색칠한 부분의 넓이})}{(\square ABCD\text{의 넓이})} = \frac{\frac{1}{2} \times \pi \times \left(\frac{1}{2}\right)^2}{1 \times 1} = \frac{\pi}{8}$$ ■

(2) 선분 AB를 지름으로 하는 반원의 외부에 점 P를 잡으면 $\angle APB < 90^\circ$가 되어 삼각형 PAB는 예각삼각형이 된다.

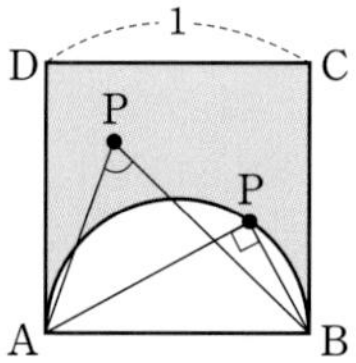

따라서 구하는 확률은

$$\frac{(\text{색칠한 부분의 넓이})}{(\square ABCD\text{의 넓이})} = \frac{1 - \frac{1}{2} \times \pi \times \left(\frac{1}{2}\right)^2}{1 \times 1} = 1 - \frac{\pi}{8}$$ ■

유제 **019-1** Sub Note 024쪽

한 변의 길이가 10인 정사각형이 사방으로 겹치지 않게 빈틈없이 이어붙여진 충분히 큰 판이 있다. 이 판의 내부에 지름의 길이가 2인 동전을 던질 때, 동전이 정사각형 안에 완전히 들어갈 확률을 구하여라.

03 확률의 덧셈정리

SUMMA CUM LAUDE

ESSENTIAL LECTURE

1 확률의 덧셈정리

표본공간 S의 두 사건 A, B에 대하여

$$\mathrm{P}(A\cup B)=\mathrm{P}(A)+\mathrm{P}(B)-\mathrm{P}(A\cap B)$$

특히 두 사건 A, B가 서로 배반사건이면

$$\mathrm{P}(A\cup B)=\mathrm{P}(A)+\mathrm{P}(B)$$

2 여사건의 확률

표본공간 S의 사건 A와 그 여사건 A^C에 대하여

$$\mathrm{P}(A^C)=1-\mathrm{P}(A)$$

1 확률의 덧셈정리

어떤 시행으로부터 얻어진 표본공간과 사건들을 우리는 집합을 이용하여 표현하였고, 이때 표본공간과 사건들은 모두 유한집합이 된다. (주사위나 동전 던지기, 주머니에서 공 꺼내기, 카드 선택하기 등을 생각해 보면 당연한 이야기이다.)

따라서 두 사건 A, B에 대하여 고등 수학(하)의 집합 단원에서 배운 다음 등식이 성립함은 자명하다.

$$n(A\cup B)=n(A)+n(B)-n(A\cap B) \qquad \cdots\cdots ㉠$$

이때 ㉠을 적당히 변형하면 확률에 대해서도 비슷한 등식을 얻을 수 있게 된다.

지금부터 이에 대하여 알아보자.

표본공간 S의 두 사건 A, B에 대하여 ㉠이 성립하므로 ㉠의 양변을 $n(S)$로 나누면

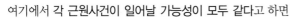

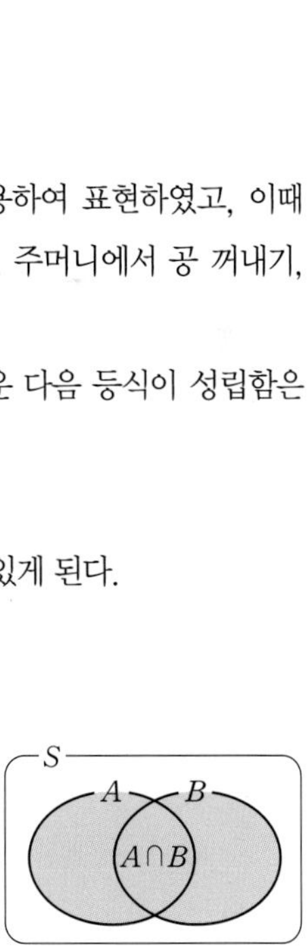

$$\frac{n(A\cup B)}{n(S)}=\frac{n(A)}{n(S)}+\frac{n(B)}{n(S)}-\frac{n(A\cap B)}{n(S)}$$

여기에서 각 근원사건이 일어날 가능성이 모두 같다고 하면

$$\mathbf{P}(\boldsymbol{A}\cup\boldsymbol{B})=\mathbf{P}(\boldsymbol{A})+\mathbf{P}(\boldsymbol{B})-\mathbf{P}(\boldsymbol{A}\cap\boldsymbol{B})$$

가 된다. 이것을 **확률의 덧셈정리**(addition theorem of probability)라 한다.

특히 두 사건 A, B가 서로 배반사건이면 $A\cap B=\varnothing$이므로

$\mathrm{P}(A\cap B)=\mathrm{P}(\varnothing)=0$이 되어

$$\mathbf{P}(\boldsymbol{A}\cup\boldsymbol{B})=\mathbf{P}(\boldsymbol{A})+\mathbf{P}(\boldsymbol{B})$$

가 된다.

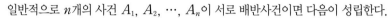

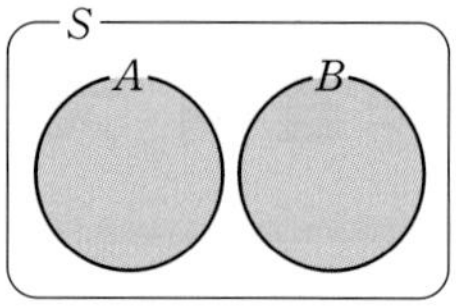

일반적으로 n개의 사건 A_1, A_2, $\cdots$, A_n이 서로 배반사건이면 다음이 성립한다.

$$\mathrm{P}(A_1\cup A_2\cup\cdots\cup A_n)=\mathrm{P}(A_1)+\mathrm{P}(A_2)+\cdots+\mathrm{P}(A_n)$$

확률의 덧셈정리

표본공간 S의 두 사건 A, B에 대하여

$$\mathrm{P}(A\cup B)=\mathrm{P}(A)+\mathrm{P}(B)-\mathrm{P}(A\cap B)$$

특히 두 사건 A, B가 서로 배반사건이면

$$\mathrm{P}(A\cup B)=\mathrm{P}(A)+\mathrm{P}(B)$$

확률의 덧셈정리는 보통 '주사위를 던질 때, 짝수의 눈 또는 3의 배수의 눈이 나올 확률', '수학 시험에서 100점 또는 90점을 맞을 확률', …과 같이 두 사건이 '또는'이라는 단어로 연결되어 있는 문제, 즉 합사건의 확률을 구할 때 사용한다.

다음 문제를 통해 확률의 덧셈정리를 적용해 보자.

EXAMPLE 024 1부터 20까지의 자연수가 각각 하나씩 적힌 20장의 카드 중에서 임의로 한 장의 카드를 뽑을 때, 다음을 구하여라.

(1) 카드에 적힌 수가 2의 배수일 확률

(2) 카드에 적힌 수가 3의 배수일 확률

(3) 카드에 적힌 수가 2의 배수 또는 3의 배수일 확률

ANSWER (1) 카드에 적힌 수가 2의 배수인 사건을 A라 하면

$A=\{2, 4, 6, 8, 10, 12, 14, 16, 18, 20\}$이므로 $\mathrm{P}(A)=\frac{10}{20}=\mathbf{\frac{1}{2}}$ ■

(2) 카드에 적힌 수가 3의 배수인 사건을 B라 하면

$B=\{3, 6, 9, 12, 15, 18\}$이므로 $\mathrm{P}(B)=\frac{6}{20}=\mathbf{\frac{3}{10}}$ ■

(3) 카드에 적힌 수가 2의 배수이면서 3의 배수인 사건은 $A\cap B$이고

$A\cap B=\{6, 12, 18\}$이므로 $\mathrm{P}(A\cap B)=\frac{3}{20}$

이때 카드에 적힌 수가 2의 배수 또는 3의 배수인 사건은 $A\cup B$이므로 구하는 확률은

$$\mathrm{P}(A\cup B)=\mathrm{P}(A)+\mathrm{P}(B)-\mathrm{P}(A\cap B)=\frac{1}{2}+\frac{3}{10}-\frac{3}{20}=\mathbf{\frac{13}{20}}$$ ■

[참고] 사실 이 문제는 확률의 정의를 이용해도 간단히 풀 수 있다.
카드에 적힌 수가 2의 배수 또는 3의 배수인 사건 $A\cup B$를 직접 구하면
$A\cup B=\{2, 3, 4, 6, 8, 9, 10, 12, 14, 15, 16, 18, 20\}$이므로

$$\mathrm{P}(A\cup B)=\frac{13}{20}$$

하지만 확률을 구할 때 각 사건들이 이 문제처럼 쉽게 구해지지 않거나 복잡한 경우도 많고, 확률로만 식이 제시되는 경우도 있으므로 풀이와 같이 해결하는 방법에도 익숙해지도록 하자.

Sub Note 008쪽

APPLICATION 034 1부터 100까지의 자연수가 각각 하나씩 적힌 100장의 카드 중에서 임의로 한 장의 카드를 뽑을 때, 카드에 적힌 수가 3의 배수이거나 7의 배수일 확률을 구하여라.

2 여사건의 확률 (수능 고빈도 출제)

어떤 사건 A가 일어날 확률을 안다면 사건 A가 일어나지 않는 사건, 즉 여사건 A^C의 확률도 쉽게 구할 수 있다.

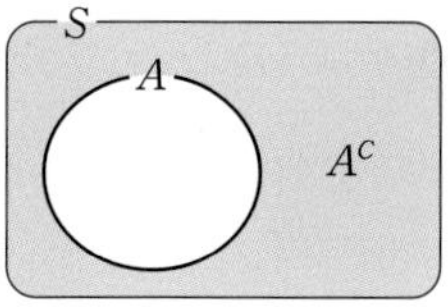

표본공간 S의 두 사건 A, B에 대하여 $A\cap B=\varnothing$인 경우 확률의 덧셈정리에 의하여

$$\mathrm{P}(A\cup B)=\mathrm{P}(A)+\mathrm{P}(B)$$

임을 배웠다. 여기에서 B가 A의 여사건, 즉 $B=A^C$이라 하면 A와 A^C은 서로 배반사건이므로

$$\mathrm{P}(A\cup A^C)=\mathrm{P}(A)+\mathrm{P}(A^C)$$

이 성립한다.
이때 $A\cup A^C=S$에서 $\mathrm{P}(A\cup A^C)=\mathrm{P}(S)=1$이므로

$$1=\mathrm{P}(A)+\mathrm{P}(A^C) \Longleftrightarrow \mathbf{P(A^C)=1-P(A)}$$

가 됨을 알 수 있다.

여사건의 확률
표본공간 S의 사건 A와 그 여사건 A^C에 대하여

$$\mathrm{P}(A^C)=1-\mathrm{P}(A)$$

여사건의 확률은 보통 구하고자 하는 확률이 여사건의 확률을 구하는 것보다 어려울 때 사용한다.
특히 '적어도 ~일 확률', '~ 이상일 확률' 등을 구하는 문제에서는 반드시 여사건의 확률을 생각해 봐야 하겠다.
문제를 통해 이를 확인해 보자.

EXAMPLE 025 남자 3명과 여자 4명 중에서 임의로 2명의 대표를 선출할 때, 적어도 남자가 1명 선출될 확률을 구하여라.

ANSWER 2명의 대표를 선출할 때, 적어도 남자 1명이 선출되는 사건은

(i) 남자 1명, 여자 1명이 선출되는 경우와 (ii) 남자 2명이 선출되는 경우

로 나누어서 구해도 되지만, 여자 2명이 선출되는 사건을 먼저 생각해 주면 보다 쉽다.

적어도 남자 1명이 선출되는 사건을 A라 하면 A^C은 여자 2명이 선출되는 사건이다.

이때 $\mathrm{P}(A^C)=\frac{{}_4\mathrm{C}_2}{{}_7\mathrm{C}_2}=\frac{6}{21}=\frac{2}{7}$이므로 여사건의 확률에 의하여 구하는 확률은

$$\mathrm{P}(A)=1-\mathrm{P}(A^C)=1-\frac{2}{7}=\mathbf{\frac{5}{7}} \blacksquare$$

Sub Note 008쪽

APPLICATION 035 흰 공 5개, 검은 공 2개가 들어 있는 주머니에서 임의로 2개의 공을 동시에 꺼낼 때, 적어도 하나가 흰 공일 확률을 구하여라.

Sub Note 008쪽

APPLICATION 036 한 개의 동전을 세 번 던질 때, 앞면이 한 번 이상 나올 확률을 구하여라.

수학 공부법에 대한 저자들의 충고 – 확률의 덧셈정리의 확장

확률의 덧셈정리가 두 사건에 대한 것이라면, 이를 확장하여 세 사건에 대해서도 생각할 수 있다. 즉, 표본공간 S의 세 사건 A, B, C에 대하여 등식

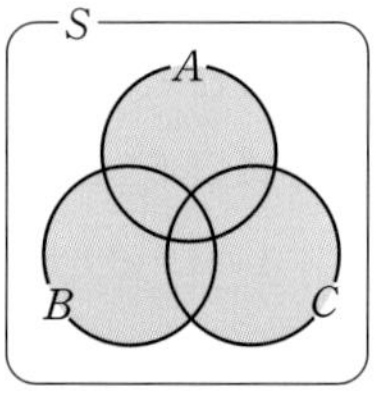

$$n(A\cup B\cup C)=n(A)+n(B)+n(C)-n(A\cap B)-n(B\cap C)-n(C\cap A)+n(A\cap B\cap C)$$

가 성립하므로 각 근원사건이 일어날 가능성이 모두 같다고 하고 위의 식의 양변을 $n(S)$로 나누면 $\mathrm{P}(A\cup B\cup C)$는 다음과 같다.

$$\mathrm{P}(A\cup B\cup C)=\mathrm{P}(A)+\mathrm{P}(B)+\mathrm{P}(C)-\mathrm{P}(A\cap B)-\mathrm{P}(B\cap C)-\mathrm{P}(C\cap A)+\mathrm{P}(A\cap B\cap C)$$

특히 세 사건 A, B, C가 서로 배반사건이면

$A\cap B=\varnothing$, $B\cap C=\varnothing$, $C\cap A=\varnothing$, $A\cap B\cap C=\varnothing$이므로

$\mathrm{P}(A\cup B\cup C)$는 다음과 같다.

$$\mathrm{P}(A\cup B\cup C)=\mathrm{P}(A)+\mathrm{P}(B)+\mathrm{P}(C)$$

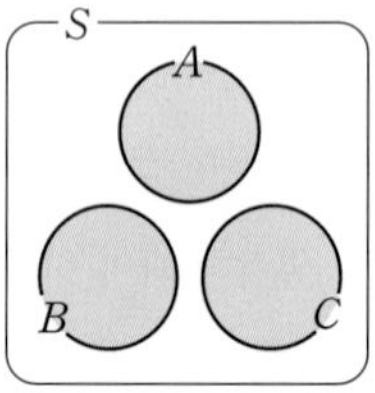

기본예제 *확률의 덧셈정리(1)*

020 표본공간 S의 부분집합인 세 사건 A, B, C 사이의 관계가 오른쪽 벤다이어그램과 같다.

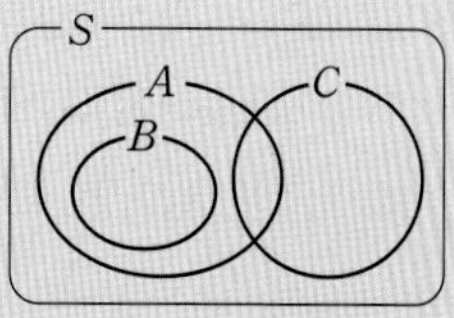

$$P(A)=0.7,\ P(B)=0.4,\ P(C)=0.3,\ P(A\cap C)=0.1$$

일 때, 다음 사건이 일어날 확률을 구하여라.

(1) $A\cup C$　　(2) $B\cup C$　　(3) $A\cup B$　　(4) $A\cap B$

GUIDE 주어진 벤다이어그램에서 $B\cap C=\varnothing$이므로 두 사건 B, C는 서로 배반사건이다.
또 $B\subset A$이므로 $A\cup B=A$, $A\cap B=B$가 성립한다.

SOLUTION

(1) 두 사건 A, C는 서로 배반사건이 아니므로

$$P(A\cup C)=P(A)+P(C)-P(A\cap C)=0.7+0.3-0.1=\mathbf{0.9}\ \blacksquare$$

(2) 두 사건 B, C는 서로 배반사건이므로

$$P(B\cup C)=P(B)+P(C)=0.4+0.3=\mathbf{0.7}\ \blacksquare$$

(3) 두 사건 A, B에서 $B\subset A$이므로 $A\cup B=A$이다.

$$\therefore P(A\cup B)=P(A)=\mathbf{0.7}\ \blacksquare$$

(4) 두 사건 A, B에서 $B\subset A$이므로 $A\cap B=B$이다.

$$\therefore P(A\cap B)=P(B)=\mathbf{0.4}\ \blacksquare$$

유제

020-1 사건 A가 일어날 확률은 0.6, 사건 B가 일어날 확률은 0.5이고 두 사건 A, B가 모두 일어날 확률은 0.2일 때, 두 사건 A, B 중 적어도 한 사건이 일어날 확률을 구하여라.

Sub Note 025쪽

유제

020-2 사건 전체의 집합 S의 두 사건 A와 B는 서로 배반사건이고, $A\cup B=S$, $P(A)=2P(B)$일 때, $P(A)$의 값은? [수능 기출]

Sub Note 025쪽

① $\frac{2}{3}$　② $\frac{1}{2}$　③ $\frac{2}{5}$　④ $\frac{1}{3}$　⑤ $\frac{1}{4}$

기본 예제 *확률의 덧셈정리(2)*

021 A 상자에는 2, 3, 5, 7의 숫자가 각각 하나씩 적힌 4장의 카드가 들어 있고, B 상자에는 1, 2, 3, 4, 5, 6의 숫자가 각각 하나씩 적힌 6장의 카드가 들어 있다. 두 상자 A, B에서 임의로 각각 1장씩 카드를 꺼낼 때, 두 카드에 적힌 숫자의 합이 5 이하이거나 4의 배수일 확률을 구하여라.

GUIDE 두 카드에 적힌 숫자의 합이 5 이하인 사건을 A, 4의 배수인 사건을 B로 놓고, $\mathrm{P}(A)$, $\mathrm{P}(B)$, $\mathrm{P}(A\cap B)$를 구해 본다.

SOLUTION

두 상자 A, B에서 각각 1장씩 카드를 꺼낼 때, 모든 경우의 수는

$4\times6=24$

두 카드에 적힌 숫자의 합이 5 이하인 사건을 A, 4의 배수인 사건을 B라 할 때,
두 카드에 적힌 숫자를 순서쌍으로 나타내면

$A=\{(2, 1), (2, 2), (2, 3), (3, 1), (3, 2)\}$

$B=\{(2, 2), (2, 6), (3, 1), (3, 5), (5, 3), (7, 1), (7, 5)\}$

$A\cap B=\{(2, 2), (3, 1)\}$

$\therefore \mathrm{P}(A)=\frac{5}{24}, \mathrm{P}(B)=\frac{7}{24}, \mathrm{P}(A\cap B)=\frac{2}{24}$

따라서 구하는 확률은

$$\mathrm{P}(A\cup B)=\mathrm{P}(A)+\mathrm{P}(B)-\mathrm{P}(A\cap B)$$
$$=\frac{5}{24}+\frac{7}{24}-\frac{2}{24}=\mathbf{\frac{5}{12}}\ \blacksquare$$

유제 Sub Note 025쪽

021-1 두 집합 $X=\{0, 1, 2\}$, $Y=\{-1, 0, 1, 2, 3, 4\}$에 대하여 함수 $f: X \longrightarrow Y$를 만들 때, $f(0)=-1$ 또는 $f(1)=3$일 확률을 구하여라.

유제 Sub Note 025쪽

021-2 빨간 공 7개, 노란 공 3개가 들어 있는 상자에서 임의로 6개의 공을 동시에 꺼낼 때, 빨간 공이 노란 공보다 많이 나올 확률을 구하여라.

기본예제 **여사건의 확률**

022 크기가 서로 다른 10켤레의 구두가 있다. 여기서 구두 4짝을 임의로 뽑을 때, 짝이 맞는 구두가 적어도 한 켤레 있을 확률을 구하여라.

GUIDE 문제에 '적어도~'라는 말이 있으면 먼저 여사건을 떠올리고 문제를 푸는 것이 좋다. 즉, 짝이 맞는 구두가 적어도 한 켤레 있을 확률을 구하는 것이므로 짝이 맞는 구두가 한 켤레도 없을 확률을 먼저 구해 본다.

SOLUTION

10켤레의 구두, 즉 20짝의 구두 중에서 4짝의 구두를 뽑을 때, 모든 경우의 수는

$${}_{20}\mathrm{C}_4=4845$$

짝이 맞는 구두가 적어도 한 켤레 있는 사건을 A라 하면 A^C은 짝이 맞는 구두가 단 한 켤레도 없는 사건이다. 먼저 짝이 맞는 구두가 단 한 켤레도 없는 경우를 생각해 보자.

4짝의 구두 중 짝이 맞는 것이 단 한 켤레도 없으려면 4짝의 구두가 모두 다른 종류이어야 한다.

이때 4짝의 구두가 모두 다른 종류가 나오는 경우의 수는 10켤레의 구두 중에서 4켤레를 선택한 후 각 켤레에서 구두를 한 짝씩만 선택하는 경우의 수와 같으므로

$${}_{10}\mathrm{C}_4\times({}_2\mathrm{C}_1\times{}_2\mathrm{C}_1\times{}_2\mathrm{C}_1\times{}_2\mathrm{C}_1)=210\times16=3360$$

$$\therefore \mathrm{P}(A^C)=\frac{3360}{4845}=\frac{224}{323}$$

따라서 구하는 확률은

$$\mathrm{P}(A)=1-\mathrm{P}(A^C)=1-\frac{224}{323}=\mathbf{\frac{99}{323}}$$ ■

유제 Sub Note 025쪽

022-1 5개의 숫자 1, 2, 3, 4, 5 중에서 서로 다른 4개를 사용하여 네 자리 자연수를 만들 때, 2300 이상일 확률을 구하여라.

유제 Sub Note 025쪽

022-2 6명의 남학생과 n명의 여학생 중에서 임의로 3명의 대표를 뽑을 때, 여학생이 1명 이상 뽑힐 확률이 $\frac{27}{28}$이라 한다. 이때 n의 값을 구하여라.

기 본 예 제 **여사건의 확률의 활용**

023 한 개의 주사위를 4번 던져서 나오는 눈의 수를 차례로 a, b, c, d라 할 때, $(a-b)(b-c)(c-d)=0$이 될 확률을 구하여라.

GUIDE $(a-b)(b-c)(c-d)=0$을 만족시키기 위한 필요충분조건은 $a=b$ 또는 $b=c$ 또는 $c=d$ 임을 이용한다.

SOLUTION

$(a-b)(b-c)(c-d)=0 \iff a=b$ 또는 $b=c$ 또는 $c=d$

이므로 $a=b$인 사건을 A, $b=c$인 사건을 B, $c=d$인 사건을 C라 하면

$a=b$ 또는 $b=c$ 또는 $c=d$

가 될 확률은 $\mathrm{P}(A\cup B\cup C)$이다.

이제 구하려는 확률 $\mathrm{P}(A\cup B\cup C)$를 여사건의 확률 $\mathrm{P}((A\cup B\cup C)^C)$을 이용하여 구해 보자.

드모르간의 법칙에 의하여 $(A\cup B\cup C)^C=A^C\cap B^C\cap C^C$이므로

$(A\cup B\cup C)^C$은 $a\neq b$이고 $b\neq c$이고 $c\neq d$인 사건을 의미한다.

한 개의 주사위를 4번 던질 때, 모든 경우의 수는 $6\times6\times6\times6=1296$이고,

$a\neq b$이고 $b\neq c$이고 $c\neq d$인 경우의 수는 $6\times5\times5\times5=750$이므로

$$\mathrm{P}((A\cup B\cup C)^C)=\frac{750}{1296}=\frac{125}{216}$$

따라서 구하는 확률은

$$\mathrm{P}(A\cup B\cup C)=1-\mathrm{P}((A\cup B\cup C)^C)=1-\frac{125}{216}=\mathbf{\frac{91}{216}}\ ■$$

[다른 풀이1] 다음 확률의 덧셈정리를 이용하여 $\mathrm{P}(A\cup B\cup C)$를 구해 보도록 하자.

$$\begin{aligned}\mathrm{P}(A\cup B\cup C)=&\mathrm{P}(A)+\mathrm{P}(B)+\mathrm{P}(C)\\&-\mathrm{P}(A\cap B)-\mathrm{P}(B\cap C)-\mathrm{P}(C\cap A)\\&+\mathrm{P}(A\cap B\cap C)\end{aligned}$$

(i) $\mathrm{P}(A)$, $\mathrm{P}(B)$, $\mathrm{P}(C)$ 구하기

$a=b$인 경우의 수는 $6\times1\times6\times6=216$ ➡ $\mathrm{P}(A)=\frac{216}{1296}=\frac{1}{6}$

$b=c$인 경우의 수는 $6\times6\times1\times6=216$ ➡ $\mathrm{P}(B)=\frac{1}{6}$

$c=d$인 경우의 수는 $6\times6\times6\times1=216$ ➡ $\mathrm{P}(C)=\frac{1}{6}$

(ii) $\mathrm{P}(A\cap B)$, $\mathrm{P}(B\cap C)$, $\mathrm{P}(C\cap A)$ 구하기

$a=b=c$인 경우의 수는 $6\times1\times1\times6=36$ ➡ $\mathrm{P}(A\cap B)=\dfrac{36}{1296}=\dfrac{1}{36}$

$b=c=d$인 경우의 수는 $6\times6\times1\times1=36$ ➡ $\mathrm{P}(B\cap C)=\dfrac{1}{36}$

$a=b$이고 $c=d$인 경우의 수는 $6\times1\times6\times1=36$ ➡ $\mathrm{P}(C\cap A)=\dfrac{1}{36}$

(iii) $\mathrm{P}(A\cap B\cap C)$ 구하기

$a=b=c=d$인 경우의 수는 6이므로

$$\mathrm{P}(A\cap B\cap C)=\frac{6}{1296}=\frac{1}{216}$$

(i), (ii), (iii)에 의하여

$$\begin{aligned}\mathrm{P}(A\cup B\cup C)&=\mathrm{P}(A)+\mathrm{P}(B)+\mathrm{P}(C)\\&\quad-\mathrm{P}(A\cap B)-\mathrm{P}(B\cap C)-\mathrm{P}(C\cap A)\\&\quad+\mathrm{P}(A\cap B\cap C)\\&=\frac{1}{6}+\frac{1}{6}+\frac{1}{6}-\frac{1}{36}-\frac{1}{36}-\frac{1}{36}+\frac{1}{216}=\frac{91}{216}\end{aligned}$$

[다른 풀이2] 배반사건의 개념을 이용하여 사건을 설정하면 훨씬 간편하게 해결할 수 있다.

$$(a-b)(b-c)(c-d)=0 \iff a=b \text{ 또는 } b=c \text{ 또는 } c=d$$

이므로 이것을 서로 배반사건이 되도록 나누어 그 확률을 구하면 다음과 같다.

사건 A : $a=b$ ➡ $\mathrm{P}(A)=\dfrac{6\times1\times6\times6}{1296}=\dfrac{1}{6}$

사건 B : $a\neq b$, $b=c$ ➡ $\mathrm{P}(B)=\dfrac{6\times5\times1\times6}{1296}=\dfrac{5}{36}$

사건 C : $a\neq b$, $b\neq c$, $c=d$ ➡ $\mathrm{P}(C)=\dfrac{6\times5\times5\times1}{1296}=\dfrac{25}{216}$

이때 세 사건 A, B, C는 서로 배반사건이므로 구하는 확률은

$$\mathrm{P}(A\cup B\cup C)=\mathrm{P}(A)+\mathrm{P}(B)+\mathrm{P}(C)=\frac{1}{6}+\frac{5}{36}+\frac{25}{216}=\frac{91}{216}$$

유제

Sub Note 026쪽

023-1 서로 다른 세 주사위를 동시에 던져서 나오는 눈의 수를 각각 a, b, c라 할 때, 다음을 구하여라.

(1) $(a-b)(b-c)=0$일 확률

(2) $(a-b)(b-c)(c-a)=0$일 확률

1. 다음 [　　] 안에 적절한 것을 채워 넣어라.

(1) 동일한 조건에서 반복할 수 있고, 그 결과가 우연에 의하여 결정되는 실험이나 관찰을 [　　　]이라 하고, 어떤 시행에서 일어날 수 있는 모든 결과의 집합을 [　　　　　]이라 한다. 또 표본공간의 부분집합을 [　　　]이라 한다.

(2) 두 사건 A와 B가 [　　　　　]을 만족시킬 때, 두 사건 A와 B는 서로 배반사건이라 한다.

(3) 사건 A가 일어나지 않는 사건을 A의 [　　　]이라 한다.

(4) 임의의 사건 A에 대하여 [　]$\le \mathrm{P}(A) \le$[　]이 항상 성립한다.

(5) 사건 A가 일어날 확률이 $\mathrm{P}(A)$라면 A의 여사건 A^C이 일어날 확률 $\mathrm{P}(A^C)$은 [　　　]이다.

2. 다음 문장이 참(true) 또는 거짓(false)인지 결정하고, 그 이유를 설명하거나 적절한 반례를 제시하여라.

(1) 두 사건 A, B에 대하여 $\mathrm{P}(A)+\mathrm{P}(B)=1$이면 A와 B는 서로 배반사건이다.

(2) 1부터 100까지의 자연수 중에서 임의로 하나의 수를 뽑을 때, 100의 약수를 뽑는 사건과 91의 약수를 뽑는 사건은 서로 배반사건이다.

(3) 한 개의 동전을 네 번 던질 때, 뒷면이 한 번 이상 나올 확률은 $\frac{15}{16}$이다.

3. 다음 물음에 대한 답을 간단히 서술하여라.

(1) 수학적 확률과 통계적 확률의 차이점을 설명하여라.

(2) 표본공간 S의 두 사건 A, B에 대하여 $\mathrm{P}(A^C \cap B^C)+\mathrm{P}(A \cup B)=1$임을 설명하여라.

(3) 표본공간 S의 세 사건 A, B, C에 대하여

$$\begin{aligned}\mathrm{P}(A \cup B \cup C)=&\mathrm{P}(A)+\mathrm{P}(B)+\mathrm{P}(C)\\&-\mathrm{P}(A \cap B)-\mathrm{P}(B \cap C)-\mathrm{P}(C \cap A)\\&+\mathrm{P}(A \cap B \cap C)\end{aligned}$$

가 성립함을 설명하여라. (단, 각 근원사건이 일어날 가능성은 모두 같다.)

EXERCISES A

Sub Note 062쪽

배반사건 **01** 서로 다른 두 주사위를 동시에 던져서 나오는 눈의 수를 각각 a, b라 하자. a, b가 서로소인 사건을 A라 할 때, 사건 Y는 사건 A와 배반인 임의의 사건 X에 대하여 $X\cup Y=Y$를 만족시킨다. 이때 $n(Y)$의 최솟값을 구하여라. (단, $a\neq b$)

수학적 확률 **02** 한 개의 주사위를 2번 던져서 나오는 눈의 수를 차례로 a, b라 할 때, 두 직선 $y=ax+3$, $y=\frac{b}{4}x-2$가 서로 평행할 확률은?

① $\frac{1}{36}$ ② $\frac{1}{18}$ ③ $\frac{1}{6}$ ④ $\frac{1}{3}$ ⑤ $\frac{1}{2}$

수학적 확률 **03** 서술형

두 집합 $X=\{1, 2, 3, 4\}$, $Y=\{5, 6, 7, 8\}$에 대하여 함수 $f: X \longrightarrow Y$를 만들 때, f가 X의 서로 다른 원소에 Y의 서로 다른 원소를 대응시키는 함수가 될 확률을 a, $i<j$이면 $f(i)\leq f(j)$인 함수가 될 확률을 b라 하자. 이때 $a+b$의 값을 구하여라.

(단, i, $j\in X$)

통계적 확률 **04** A 회사에서 생산하는 컴퓨터는 10000대당 40대 꼴로 불량품이 발생하고, B 회사에서 생산하는 컴퓨터는 50000대당 250대 꼴로 불량품이 발생한다고 한다. 두 회사 A, B에서 생산한 컴퓨터를 각각 한 대씩 뽑아 검사를 할 때, 불량품이 발생할 확률을 각각 x, y라 하자. 이때 xy의 값은?

① $\frac{1}{10000}$ ② $\frac{1}{20000}$ ③ $\frac{1}{30000}$ ④ $\frac{1}{40000}$ ⑤ $\frac{1}{50000}$

기하적 확률 **05** $-2\leq a\leq 6$인 실수 a에 대하여 이차방정식 $x^2+4ax+8a=0$이 실근을 가질 확률을 구하여라.

확률의 덧셈정리 **06**

두 사건 A와 B는 서로 배반사건이고 $\mathrm{P}(A)=\mathrm{P}(B)$, $\mathrm{P}(A)\mathrm{P}(B)=\frac{1}{9}$일 때, $\mathrm{P}(A\cup B)$의 값은? [수능 기출]

① $\frac{1}{6}$　② $\frac{1}{3}$　③ $\frac{1}{2}$　④ $\frac{2}{3}$　⑤ $\frac{5}{6}$

확률의 덧셈정리 **07**

전사건을 S, 공사건을 $\varnothing$라 할 때, 임의의 두 사건 A, B에 대하여 옳은 것만을 보기에서 있는 대로 고른 것은?

보기

ㄱ. $0\le \mathrm{P}(A)\le 1$
ㄴ. $\mathrm{P}(S)+\mathrm{P}(\varnothing)=1$
ㄷ. $\mathrm{P}(A\cup B)>\mathrm{P}(A)+\mathrm{P}(B)$
ㄹ. $1<\mathrm{P}(S)+\mathrm{P}(A)+\mathrm{P}(B)+\mathrm{P}(\varnothing)<2$

① ㄱ　② ㄱ, ㄴ　③ ㄴ, ㄷ
④ ㄷ, ㄹ　⑤ ㄱ, ㄴ, ㄹ

확률의 덧셈정리 **08**

태희의 지갑에는 10000원짜리 지폐가 2장, 5000원짜리 지폐가 3장, 1000원짜리 지폐가 5장 있다. 태희가 15000원짜리 물건을 계산하기 위해 지갑에서 임의로 3장의 지폐를 꺼낼 때, 물건의 값을 지불할 수 있을 확률을 구하여라.

여사건의 확률 **09**

오른쪽 그림과 같이 평행한 두 직선 l, m 위에 각각 4개, 5개의 점이 있다. 이 중 임의로 3개의 점을 선택할 때, 이 세 점을 꼭짓점으로 하는 삼각형이 생길 확률을 구하여라.

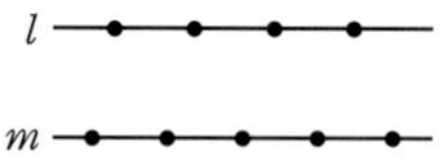

여사건의 확률 **10**

20개의 복권 중에서 임의로 2개의 복권을 동시에 뽑을 때, 적어도 1개의 당첨 복권이 뽑힐 확률이 $\frac{27}{38}$이라 한다. 이때 당첨 복권의 개수를 구하여라.

EXERCISES B

Sub Note 065쪽

01 1, 2, 3이 각각 두 면에 적힌 주사위 세 개를 동시에 던질 때, 나오는 세 눈의 수를 a, b, $c\,(a \geq b \geq c)$라 하자. a, b, c를 각각 백의 자리, 십의 자리, 일의 자리 숫자로 하는 세 자리 자연수를 만들 때, 다음 사건 중 서로 배반사건인 것을 모두 찾아라.

> A : 세 자리 자연수가 3의 배수인 사건
> B : 세 자리 자연수의 백의 자리의 숫자가 2인 사건
> C : 세 자리 자연수가 소수인 사건
> D : 세 자리 자연수의 각 자리의 숫자 중 2개만 같은 사건

02 1부터 6까지의 자연수가 각각 하나씩 적힌 6장의 카드 중에서 임의로 3장의 카드를 동시에 뽑을 때, 카드에 적힌 수를 a, b, c라 하자. 이때 이차방정식 $ax^2+2bx+c=0$이 서로 다른 두 실근을 가질 확률을 구하여라.

03 좌표평면에서 원 $x^2+y^2=1$ 위에 있는 7개의 점

$$\mathrm{P}_1(1,\ 0),\ \mathrm{P}_2\left(\frac{\sqrt{2}}{2},\ \frac{\sqrt{2}}{2}\right),\ \mathrm{P}_3\left(\frac{1}{2},\ \frac{\sqrt{3}}{2}\right),\ \mathrm{P}_4(0,\ 1)$$

$$\mathrm{P}_5\left(-\frac{\sqrt{2}}{2},\ \frac{\sqrt{2}}{2}\right),\ \mathrm{P}_6(-1,\ 0),\ \mathrm{P}_7\left(-\frac{\sqrt{3}}{2},\ -\frac{1}{2}\right)$$

에서 임의로 세 점을 선택할 때, 이 세 점을 꼭짓점으로 하는 삼각형이 직각삼각형일 확률을 구하여라.

04 서로 다른 두 주사위를 동시에 던질 때, 나오는 눈의 수를 각각 m, n이라 하자. $i^m \times (-1)^n$의 값이 1이 될 확률을 구하여라. (단, $i=\sqrt{-1}$)

05 오른쪽 그림과 같은 6개의 영역에 빨강, 파랑, 노랑의 3가지 색을 모두 사용하여 칠하려고 한다. 이때 이웃하는 영역을 서로 다른 색으로 칠할 확률을 구하여라.

(단, 각 영역에는 한 가지 색만 칠한다.)

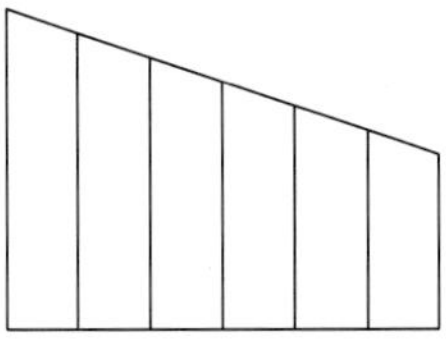

06

표본공간 S의 두 사건 A, B에 대하여 $\mathrm{P}(A\cap B)=\frac{1}{18}$, $\mathrm{P}(A^C\cap B^C)=\frac{2}{9}$이고 $\frac{1}{4}\le \mathrm{P}(A)\le \frac{2}{3}$이다. $\mathrm{P}(B)$의 최댓값을 M, 최솟값을 m이라 할 때, $M-m$의 값을 구하여라.

07

오른쪽 그림과 같은 도로망이 있다. A 지점을 출발하여 B 지점까지 최단 거리로 갈 때, P 지점 또는 Q 지점을 거쳐서 갈 확률을 구하여라. (단, 최단 거리로 가는 각 방법을 택할 확률은 같은 것으로 생각한다.)

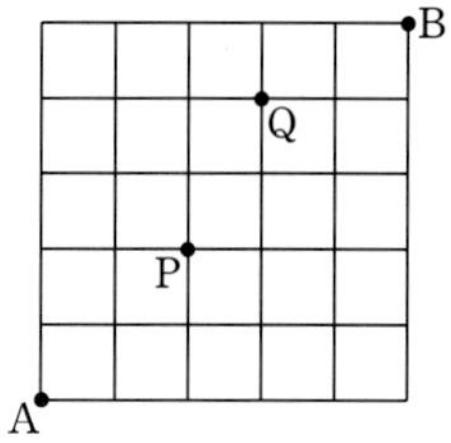

08

1부터 7까지의 자연수가 각각 하나씩 적힌 7개의 공이 들어 있는 주머니에서 임의로 3개의 공을 동시에 꺼낼 때, 꺼낸 공에 적힌 수 a, b, $c\,(a<b<c)$가 다음 조건을 모두 만족시킬 확률을 구하여라.

> (가) $a+b+c$는 홀수이다.　　(나) $a\times b\times c$는 3의 배수이다.

09

5명의 수험생이 자신들의 수험표를 가지고 가다가 5명 모두 실수로 바닥에 수험표를 떨어뜨렸다. 5명의 수험생이 임의로 바닥에서 수험표를 한 개씩 주웠을 때, 적어도 1명의 수험생은 자신의 수험표를 주웠을 확률을 구하여라.

10

서술형

방정식 $x+y+z=8$을 만족시키는 자연수 x와 음이 아닌 정수 y, z의 모든 순서쌍 $(x,\ y,\ z)$ 중에서 임의로 한 개를 선택할 때, 선택한 순서쌍 $(x,\ y,\ z)$가 $(x-y)(y-z)(z-x)\neq 0$을 만족시킬 확률을 구하여라.

내신 · 모의고사 대비 TEST 262쪽

01 조건부확률

SUMMA CUM LAUDE

ESSENTIAL LECTURE

1 조건부확률

사건 A가 일어났다고 가정할 때, 사건 B가 일어날 확률을 사건 A가 일어났을 때의 사건 B의 조건부확률이라 하고, 기호로 $\mathrm{P}(B|A)$와 같이 나타낸다.

$$\mathrm{P}(B|A)=\frac{n(A\cap B)}{n(A)}=\frac{\mathrm{P}(A\cap B)}{\mathrm{P}(A)}\ (\text{단, } \mathrm{P}(A)\neq 0)$$

[참고] 사건 A가 일어나지 않으면 $\mathrm{P}(B|A)$는 아무런 의미가 없으므로 $\mathrm{P}(A)\neq 0$일 때만 생각한다.

2 확률의 곱셈정리

두 사건 A, B에 대하여 $\mathrm{P}(A)\neq 0$, $\mathrm{P}(B)\neq 0$일 때, A, B가 동시에 일어날 확률은

$$\mathrm{P}(A\cap B)=\mathrm{P}(A)\mathrm{P}(B|A)=\mathrm{P}(B)\mathrm{P}(A|B)$$

1 조건부확률 (수능 고빈도 출제)

오른쪽 표는 어느 영화 동호회 남녀 회원 90명을 대상으로 두 장르, SF와 멜로의 선호도를 조사한 것이다.
이 동호회에서 임의로 한 회원을 선택했을 때, 다음 두 확률을 비교해 보자. (설명을 위해 전체 회원의 집합을 S, 남자 회원의 집합을 A, SF를 좋아하는 회원의 집합을 B로 놓겠다.)

(단위 : 명)

	남(A)	여(A^C)	합계
SF(B)	12	22	34
멜로(B^C)	28	28	56
합계	40	50	90
	⬆ ②		⬆ ①

① 선택한 회원이 SF를 좋아할 확률

$$\frac{(\text{SF를 좋아하는 회원의 수})}{(\text{전체 회원의 수})}=\frac{n(B)}{n(S)}=\frac{34}{90}=\frac{17}{45}$$

② 선택한 회원이 남자였을 때, 그 회원이 SF를 좋아할 확률

$$\frac{(\text{SF를 좋아하는 남자 회원의 수})}{(\text{남자 회원의 수})}=\frac{n(A\cap B)}{n(A)}=\frac{12}{40}=\frac{3}{10}$$

확률 ①과 ②는 '선택한 회원이 SF를 좋아할 확률'을 구한다는 점은 비슷하지만 그 결과는 완전히 다르다.

계산 과정을 살펴보면 확률 ①은 '전체 회원'을 표본공간으로 보고 확률을 구하는 반면 확률 ②는 '전체 회원'이 아닌 '남자 회원'만을 표본공간으로 보고 확률을 구한 것으로 볼 수 있다. 즉, 확률 ②의 경우는 선택한 회원이 남자 회원인지 아닌지의 여부가 SF를 좋아할 확률에 영향을 주게 된다.

이와 같이 표본공간 S의 두 사건 A, B에 대하여 사건 A가 일어났다는 가정하에 사건 B가 일어날 확률을 사건 A가 일어났을 때의 사건 B의 **조건부확률**(conditional probability)이라 하고, 기호로 $\mathbf{P(\boldsymbol{B}|\boldsymbol{A})}$와 같이 나타낸다.
즉, 확률 $\mathrm{P}(B|A)$는 사건 $A(n(A)\neq 0)$를 새로운 표본공간으로 보고, 사건 $A\cap B$가 일어날 확률을 구하는 것이므로 $\mathrm{P}(B|A)=\dfrac{n(A\cap B)}{n(A)}$이다.

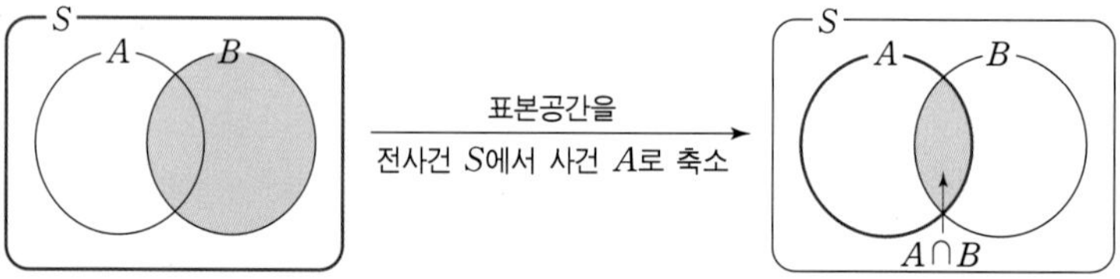

$\mathrm{P}(B)=\dfrac{n(B)}{n(S)}$ $\qquad$ $\mathrm{P}(B|A)=\dfrac{n(A\cap B)}{n(A)}$

이때 위의 식의 우변의 분모, 분자를 각각 $n(S)$로 나누면

$$\mathbf{P(\boldsymbol{B}|\boldsymbol{A})}=\frac{n(A\cap B)}{n(A)}=\frac{\dfrac{n(A\cap B)}{n(S)}}{\dfrac{n(A)}{n(S)}}=\frac{\mathbf{P(\boldsymbol{A}\cap\boldsymbol{B})}}{\mathbf{P(\boldsymbol{A})}}\ (\text{단, } \mathrm{P}(A)\neq 0)$$

가 성립한다.

조건부확률

사건 A가 일어났다고 가정할 때, 사건 B가 일어날 확률을 사건 A가 일어났을 때의 사건 B의 조건부확률이라 하고, 기호로 $\mathrm{P}(B|A)$와 같이 나타낸다.

$$\mathrm{P}(B|A)=\frac{n(A\cap B)}{n(A)}=\frac{\mathrm{P}(A\cap B)}{\mathrm{P}(A)}\ (\text{단, } \mathrm{P}(A)\neq 0)$$

이때 $\mathrm{P}(A|B)$와 $\mathrm{P}(B|A)$를 헷갈리지 않도록 주의하자.
$\mathrm{P}(A|B)$는 사건 B를 전사건으로 할 때 사건 $A\cap B$가 일어날 확률이고, $\mathrm{P}(B|A)$는 사건 A를 전사건으로 할 때 사건 $A\cap B$가 일어날 확률이다.

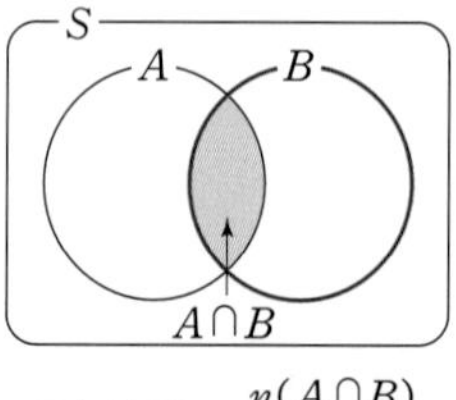

$\mathrm{P}(A|B)=\dfrac{n(A\cap B)}{n(B)}$

EXAMPLE 026 두 사건 A, B에 대하여 $\mathrm{P}(A)=\frac{3}{4}$, $\mathrm{P}(B)=\frac{1}{3}$, $\mathrm{P}(A\cup B)=\frac{4}{5}$일 때, $\mathrm{P}(A|B)$를 구하여라.

ANSWER $\mathrm{P}(A\cup B)=\mathrm{P}(A)+\mathrm{P}(B)-\mathrm{P}(A\cap B)$이므로

$$\frac{4}{5}=\frac{3}{4}+\frac{1}{3}-\mathrm{P}(A\cap B) \qquad \therefore \mathrm{P}(A\cap B)=\frac{17}{60}$$

$$\therefore \mathrm{P}(A|B)=\frac{\mathrm{P}(A\cap B)}{\mathrm{P}(B)}=\frac{\frac{17}{60}}{\frac{1}{3}}=\mathbf{\frac{17}{20}} \ \blacksquare$$

한편 두 사건 A, B가 서로 배반사건이면 $A\cap B=\varnothing$, 즉 $\mathrm{P}(A\cap B)=0$이므로 $\mathrm{P}(A|B)=\mathrm{P}(B|A)=0$이다.

Sub Note 009쪽

APPLICATION 037 두 사건 A, B가 서로 배반사건이고 $\mathrm{P}(A)=\frac{1}{5}$, $\mathrm{P}(B)=\frac{3}{4}$일 때, $\mathrm{P}(A|B^C)$를 구하여라.

EXAMPLE 027 1부터 100까지의 자연수가 각각 하나씩 적힌 100장의 카드에서 임의로 뽑은 한 장의 카드에 적힌 수가 10의 배수이었을 때, 그 수가 4의 배수일 확률을 구하여라.

ANSWER 임의로 뽑은 한 장의 카드에 적힌 수가 10의 배수인 사건을 A, 4의 배수인 사건을 B라 하면 구하는 확률은 $\mathrm{P}(B|A)$이다.

이때 $\mathrm{P}(A)=\frac{10}{100}$, $\mathrm{P}(A\cap B)=\frac{5}{100}$이므로 ← $A\cap B$는 카드에 적힌 수가 20의 배수인 사건

$$\mathrm{P}(B|A)=\frac{\mathrm{P}(A\cap B)}{\mathrm{P}(A)}=\frac{\frac{5}{100}}{\frac{10}{100}}=\mathbf{\frac{1}{2}} \ \blacksquare$$ ← $\mathrm{P}(B|A)=\frac{n(A\cap B)}{n(A)}=\frac{5}{10}=\frac{1}{2}$

Sub Note 009쪽

APPLICATION 038 오른쪽 표는 어느 학급 남녀 학생들을 대상으로 마라톤 대회의 참가 여부를 조사한 것이다. 이 학급에서 임의로 뽑은 한 명이 여학생이었을 때, 그 학생이 마라톤 대회에 참가한 학생일 확률을 구하여라.

(단위 : 명)

	참가	불참
남학생	13	2
여학생	14	6

Sub Note 009쪽

APPLICATION 039 어느 고등학교의 남학생은 전체의 60 %이고, 이과로 진학한 남학생은 전체의 36 %이다. 이 고등학교에서 임의로 뽑은 한 명이 남학생이었을 때, 그 학생이 이과생일 확률을 구하여라.

2 확률의 곱셈정리

조건부확률을 이용하면 두 사건 A, B가 동시에 일어날 때, 즉 곱사건 $A\cap B$의 확률을 생각해 볼 수 있다.

조건부확률에서

$$\mathrm{P}(B|A)=\frac{\mathrm{P}(A\cap B)}{\mathrm{P}(A)},\ \mathrm{P}(A|B)=\frac{\mathrm{P}(A\cap B)}{\mathrm{P}(B)}$$

이므로 각 식의 양변에 $\mathrm{P}(A)$, $\mathrm{P}(B)$를 곱하면

$$\mathbf{P}(A\cap B)=\mathbf{P}(A)\mathbf{P}(B|A)=\mathbf{P}(B)\mathbf{P}(A|B)$$

를 얻을 수 있다. 이를 확률의 곱셈정리(multiplication theorem of probability)라 한다.

확률의 곱셈정리

두 사건 A, B에 대하여 $\mathrm{P}(A)\neq 0$, $\mathrm{P}(B)\neq 0$일 때, A, B가 동시에 일어날 확률은

$$\mathrm{P}(A\cap B)=\mathrm{P}(A)\mathrm{P}(B|A)=\mathrm{P}(B)\mathrm{P}(A|B)$$

예 두 사건 A, B에 대하여

(1) $\mathrm{P}(A)=0.5$, $\mathrm{P}(B|A)=0.2$일 때

$$\mathrm{P}(A\cap B)=\mathrm{P}(A)\mathrm{P}(B|A)=0.5\times 0.2=0.1$$

(2) $\mathrm{P}(B)=0.3$, $\mathrm{P}(A|B)=0.1$일 때

$$\mathrm{P}(A\cap B)=\mathrm{P}(B)\mathrm{P}(A|B)=0.3\times 0.1=0.03$$

확률의 곱셈정리는 보통 두 사건이 차례로 연이어 일어날 때 적용된다.

사실 식으로 표현되어 낯설어 보이지만 문제를 보면 쉽게 이해될 것이다. 문제를 통해 확률의 곱셈정리를 이해해 보자.

EXAMPLE 028 당첨제비 7개를 포함한 50개의 제비가 들어 있는 상자에서 두 사람 A, B의 순서로 제비를 임의로 한 개씩 뽑을 때, 두 사람이 모두 당첨제비를 뽑을 확률을 구하여라. (단, 뽑은 제비는 다시 넣지 않는다.)

ANSWER A가 당첨제비를 뽑는 사건을 A, B가 당첨제비를 뽑는 사건을 B라 하면

A가 당첨제비를 뽑을 확률은 $\mathrm{P}(A)=\frac{7}{50}$

A가 당첨제비를 뽑았을 때, B도 당첨제비를 뽑을 확률은 $\mathrm{P}(B|A)=\frac{7-1}{50-1}=\frac{6}{49}$

따라서 두 사람이 모두 당첨제비를 뽑을 확률은

$$\mathrm{P}(A\cap B)=\mathrm{P}(A)\mathrm{P}(B|A)=\frac{7}{50}\times\frac{6}{49}=\mathbf{\frac{3}{175}}$$ ■

Sub Note 009쪽

APPLICATION 040 2개의 불량품이 포함된 10개의 제품이 있다. 민우, 아영이의 순서로 제품을 임의로 한 개씩 고를 때, 두 사람이 모두 불량품을 고를 확률을 구하여라.

(단, 고른 제품은 다시 넣지 않는다.)

한편 표본공간 S의 두 사건 A, B가 서로 배반사건이고, $A\cup B=S$일 때, 즉 오른쪽 벤다이어그램과 같은 경우, 사건 E가 일어날 확률은 다음과 같이 구할 수 있다.

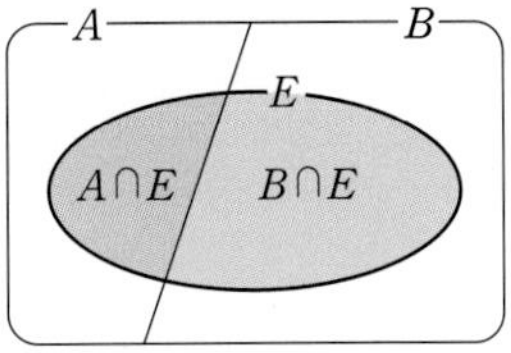

$$\mathrm{P}(E)=\mathrm{P}(A\cap E)+\mathrm{P}(B\cap E)$$
$$=\mathrm{P}(A)\mathrm{P}(E|A)+\mathrm{P}(B)\mathrm{P}(E|B)$$

EXAMPLE 029 어느 회사에서는 같은 모델의 냉장고를 두 공장 A, B에서 생산하는데 A 공장과 B 공장의 생산량은 각각 전체의 40 %와 60 %이고, 불량률은 각각 2 %와 3 %라 한다. 두 공장에서 생산된 냉장고 중 임의로 한 대를 선택할 때, 다음을 구하여라.

(1) 선택한 냉장고가 불량품일 확률

(2) 선택한 냉장고가 불량품일 때, 그 냉장고가 A 공장에서 생산되었을 확률

ANSWER A 공장에서 생산된 냉장고를 선택하는 사건을 A, B 공장에서 생산된 냉장고를 선택하는 사건을 B, 불량품을 선택하는 사건을 E라 하자.

(1)(ⅰ) A 공장을 선택하여 불량품일 확률은

$\mathrm{P}(A)=0.4$, $\mathrm{P}(E|A)=0.02$이므로

$$\mathrm{P}(A\cap E)=\mathrm{P}(A)\mathrm{P}(E|A)=0.4\times0.02=0.008$$

(ⅱ) B 공장을 선택하여 불량품일 확률은

$\mathrm{P}(B)=0.6$, $\mathrm{P}(E|B)=0.03$이므로

$$\mathrm{P}(B\cap E)=\mathrm{P}(B)\mathrm{P}(E|B)=0.6\times0.03=0.018$$

(ⅰ), (ⅱ)에 의하여 선택한 냉장고가 불량품일 확률은

$$\mathrm{P}(E)=\mathrm{P}(A\cap E)+\mathrm{P}(B\cap E)=0.008+0.018=\mathbf{0.026}$$ ■

(2) 선택한 냉장고가 불량품일 때, 그 냉장고가 A 공장에서 생산되었을 확률은

$$\mathrm{P}(A|E)=\frac{\mathrm{P}(A\cap E)}{\mathrm{P}(E)}=\frac{0.008}{0.026}=\mathbf{\frac{4}{13}}$$ ■

Sub Note 009쪽

APPLICATION 041 주머니 A에는 빨간 공이 3개, 노란 공이 1개, 파란 공이 2개 들어 있고, 주머니 B에는 빨간 공이 2개, 노란 공이 2개, 파란 공이 2개 들어 있다. 두 주머니 중에서 한 주머니를 임의로 택하여 한 개의 공을 꺼내었더니 노란 공이었을 때, 이 공이 주머니 A에서 나왔을 확률을 구하여라.

기본예제 *조건부확률*

024 12개의 제비 중 1등 당첨제비는 1개, 2등 당첨제비는 4개가 있다. 이 중에서 임의로 3개의 제비를 동시에 뽑았더니 당첨제비가 2개 나왔을 때, 이 당첨제비 중 1등 당첨제비가 포함되어 있을 확률을 구하여라.

GUIDE 당첨제비가 2개 나오는 사건을 A, 1등 당첨제비가 나오는 사건을 B라 하면 구하는 확률은 $\mathrm{P}(B|A)$이다.

SOLUTION

당첨제비가 2개 나오는 사건을 A, 1등 당첨제비가 나오는 사건을 B라 하면

$$\mathrm{P}(A)=\frac{{}_5\mathrm{C}_2\times{}_7\mathrm{C}_1}{{}_{12}\mathrm{C}_3}=\frac{10\times7}{220}=\frac{70}{220}$$

$$\mathrm{P}(A\cap B)=\frac{{}_1\mathrm{C}_1\times{}_4\mathrm{C}_1\times{}_7\mathrm{C}_1}{{}_{12}\mathrm{C}_3}=\frac{1\times4\times7}{220}=\frac{28}{220}$$

따라서 구하는 확률은

$$\mathrm{P}(B|A)=\frac{\mathrm{P}(A\cap B)}{\mathrm{P}(A)}=\frac{\frac{28}{220}}{\frac{70}{220}}=\mathbf{\frac{2}{5}}\ \blacksquare$$

Summa's Advice

원소의 개수를 구할 수 있다면 다음과 같이 푸는 것이 간편하다.

$$\mathrm{P}(B|A)=\frac{n(A\cap B)}{n(A)}=\frac{{}_1\mathrm{C}_1\times{}_4\mathrm{C}_1\times{}_7\mathrm{C}_1}{{}_5\mathrm{C}_2\times{}_7\mathrm{C}_1}=\frac{28}{70}=\frac{2}{5}$$

유제

Sub Note 026쪽

024-1 어느 체육 동아리 회원은 40명이고, 각 회원은 농구와 테니스 중 하나를 선택하였다. 농구를 선택한 회원 중에서 남자는 11명, 여자는 5명이다. 이 동아리의 회원 중에서 임의로 뽑은 한 명이 테니스를 선택한 회원일 때, 이 회원이 남자일 확률은 $\frac{7}{12}$이다. 이 동아리의 여자 회원의 수를 구하여라.

유제

Sub Note 027쪽

024-2 15명의 학생이 특별활동 시간에 연주할 악기를 오른쪽 표와 같이 하나씩 선택하였다. 15명의 학생 중에서 임의로 뽑은 3명이 선택한 악기가 모두 같았을 때, 그 악기가 피아노이거나 플루트일 확률을 구하여라.

피아노	바이올린	플루트
4명	6명	5명

기 본 예 제 *확률의 곱셈정리(1)*

025 (1) 두 사건 A, B에 대하여 $P(A|B)=\frac{2}{5}$, $P(B|A)=\frac{3}{8}$, $P(A)=\frac{3}{10}$일 때, $P(A\cup B)$를 구하여라.

(2) 두 사건 A, B에 대하여 $P(A)=\frac{1}{3}$, $P(B)=\frac{1}{4}$, $P(A|B)=\frac{1}{3}$일 때, $P(A^C\cap B^C)$을 구하여라.

GUIDE 두 사건 A, B에 대하여 $P(A)\neq 0$, $P(B)\neq 0$일 때,
$P(A\cap B)=P(A)P(B|A)=P(B)P(A|B)$

SOLUTION

(1) $P(A\cap B)=P(A)P(B|A)=\frac{3}{10}\times\frac{3}{8}=\frac{9}{80}$

$P(A\cap B)=P(B)P(A|B)$에서

$\frac{9}{80}=P(B)\times\frac{2}{5}\qquad \therefore P(B)=\frac{9}{32}$

$\therefore P(A\cup B)=P(A)+P(B)-P(A\cap B)$

$=\frac{3}{10}+\frac{9}{32}-\frac{9}{80}=\mathbf{\frac{15}{32}}$ ■

(2) $P(A\cap B)=P(B)P(A|B)=\frac{1}{4}\times\frac{1}{3}=\frac{1}{12}$이므로

$P(A\cup B)=P(A)+P(B)-P(A\cap B)$

$=\frac{1}{3}+\frac{1}{4}-\frac{1}{12}=\frac{1}{2}$

$\therefore P(A^C\cap B^C)=P((A\cup B)^C)=1-P(A\cup B)=1-\frac{1}{2}=\mathbf{\frac{1}{2}}$ ■

Sub Note 027쪽

유제
025-1 두 사건 A, B에 대하여 $P(A)=\frac{2}{5}$, $P(A\cup B)=\frac{11}{15}$, $P(B|A)=\frac{2}{3}$일 때, $P(A|B^C)$을 구하여라.

Sub Note 027쪽

유제
025-2 두 사건 A, B에 대하여 $P(B)=0.3$, $P(B|A)=0.2$, $P(A\cup B)=0.7$일 때, $P(A|B)$를 구하여라.

기 본 예 제 *확률의 곱셈정리(2)*

026

두 축구팀 P, Q가 경기를 할 때, P 축구팀이 이길 확률은 비가 오는 날에는 0.4이고 비가 오지 않는 날에는 0.6이라 한다. 내일 비가 올 확률이 0.3일 때, 내일 열리는 두 축구팀 P, Q의 경기에서 P 축구팀이 이길 확률을 구하여라.

GUIDE 두 사건 A, B에 대하여

$$\mathrm{P}(B)=\mathrm{P}(A\cap B)+\mathrm{P}(A^C\cap B)=\mathrm{P}(A)\mathrm{P}(B|A)+\mathrm{P}(A^C)\mathrm{P}(B|A^C)$$

임을 이용한다.

SOLUTION

내일 비가 오는 사건을 A, P 축구팀이 이기는 사건을 B라 하면

(i) 내일 비가 오고 P 축구팀이 이길 확률은

$$\mathrm{P}(A\cap B)=\mathrm{P}(A)\mathrm{P}(B|A)$$
$$=0.3\times0.4=0.12$$

(ii) 내일 비가 오지 않고 P 축구팀이 이길 확률은

$$\mathrm{P}(A^C\cap B)=\mathrm{P}(A^C)\mathrm{P}(B|A^C)$$
$$=(1-0.3)\times0.6=0.42$$

(i), (ii)에 의하여 구하는 확률은

$$\mathrm{P}(B)=\mathrm{P}(A\cap B)+\mathrm{P}(A^C\cap B)$$
$$=0.12+0.42=\mathbf{0.54}\ ■$$

유제 Sub Note 027쪽

026-1 3장의 당첨권을 포함한 10장의 영화 시사회 응모권이 들어 있는 상자에서 수호와 지효의 순서로 응모권을 임의로 한 장씩 뽑을 때, 지효가 당첨권을 뽑을 확률을 구하여라.

(단, 뽑은 응모권은 다시 넣지 않는다.)

유제 Sub Note 027쪽

026-2 주머니 A에는 흰 공이 5개, 검은 공이 3개 들어 있고, 주머니 B에는 흰 공이 4개, 검은 공이 2개 들어 있다. 주머니 A에서 임의로 한 개의 공을 꺼내어 주머니 B에 넣은 후, 주머니 B에서 임의로 한 개의 공을 꺼낼 때, 그 공이 흰 공일 확률을 구하여라.

발전예제 *조건부확률의 활용*

027 태영이가 학교에서 문구점과 편의점을 차례로 들러 집으로 돌아오는데 학교, 문구점, 편의점에서 우산을 잃어버릴 확률이 각각 $\frac{1}{5}$이라 한다. 태영이가 집에 도착한 후 우산을 잃어버린 것을 알았을 때, 잃어버린 장소가 문구점일 확률을 구하여라.

GUIDE 태영이는 집에 도착한 후 우산을 잃어버렸다는 것을 알았다. 즉, 우산을 잃어버린 사건이 발생했을 때, 그 장소가 문구점일 확률을 구하는 조건부확률이다. 우산을 잃어버릴 확률을 구하기 위해서는 각 장소에서 잃어버릴 확률을 각각 구하여 더해야 한다.

SOLUTION

태영이가 학교, 문구점, 편의점에 들르는 사건을 각각 A, B, C라 하고, 우산을 잃어버린 사건을 E라 하면 우산을 잃어버릴 확률 $\mathrm{P}(E)$는 $\mathrm{P}(A\cap E)$, $\mathrm{P}(B\cap E)$, $\mathrm{P}(C\cap E)$의 합이 된다.

(i) 학교에서 우산을 잃어버릴 확률은 $\mathrm{P}(A\cap E)=\frac{1}{5}$

(ii) 문구점에서 우산을 잃어버릴 확률은 $\mathrm{P}(B\cap E)=\frac{4}{5}\times\frac{1}{5}=\frac{4}{25}$

(iii) 편의점에서 우산을 잃어버릴 확률은 $\mathrm{P}(C\cap E)=\frac{4}{5}\times\frac{4}{5}\times\frac{1}{5}=\frac{16}{125}$

(i)~(iii)에 의하여

$$\begin{aligned}\mathrm{P}(E)&=\mathrm{P}(A\cap E)+\mathrm{P}(B\cap E)+\mathrm{P}(C\cap E)\\&=\frac{1}{5}+\frac{4}{25}+\frac{16}{125}=\frac{61}{125}\end{aligned}$$

따라서 구하는 확률은

$$\mathrm{P}(B|E)=\frac{\mathrm{P}(B\cap E)}{\mathrm{P}(E)}=\frac{\frac{4}{25}}{\frac{61}{125}}=\mathbf{\frac{20}{61}}\ \blacksquare$$

유제 Sub Note 028쪽

027-1 상자 A에는 흰 공이 3개, 검은 공이 2개 들어 있고, 상자 B에는 흰 공이 4개, 검은 공이 2개 들어 있다. 상자 A에서 임의로 3개의 공을 꺼내어 상자 B에 넣은 후, 상자 B에서 임의로 한 개의 공을 꺼냈더니 흰 공이었다. 이때 이 공이 상자 A에서 온 흰 공일 확률을 구하여라.

02 사건의 독립과 종속

SUMMA CUM LAUDE

ESSENTIAL LECTURE

1 사건의 독립과 종속

(1) 독립 : 두 사건 A, B에 대하여 한 사건이 일어나는 것이 다른 사건이 일어날 확률에 아무런 영향을 주지 않을 때, 즉

$$\mathrm{P}(B|A)=\mathrm{P}(B) \text{ 또는 } \mathrm{P}(A|B)=\mathrm{P}(A)$$

일 때, 두 사건 A, B는 서로 독립이라 한다.

(2) 종속 : 두 사건 A, B에 대하여 한 사건이 일어나는 것이 다른 사건이 일어날 확률에 영향을 줄 때, 즉

$$\mathrm{P}(B|A)\neq\mathrm{P}(B),\ \mathrm{P}(A|B)\neq\mathrm{P}(A)$$

일 때, 두 사건 A, B는 서로 종속이라 한다.

(3) 두 사건이 서로 독립일 조건 : 두 사건 A, B가 서로 독립이기 위한 필요충분조건은

$$\mathrm{P}(A\cap B)=\mathrm{P}(A)\mathrm{P}(B) \text{ (단, } \mathrm{P}(A)\neq 0,\ \mathrm{P}(B)\neq 0)$$

2 독립시행의 확률

(1) 독립시행 : 동일한 시행을 반복하는 경우 각 시행에서 일어나는 사건이 서로 독립일 때, 이러한 시행을 독립시행이라 한다.

(2) 독립시행의 확률 : 어떤 시행에서 사건 A가 일어날 확률이 p $(0<p<1)$일 때, 이 시행을 n번 반복하는 독립시행에서 사건 A가 r번 일어날 확률은

$$_n\mathrm{C}_r p^r(1-p)^{n-r} \text{ (단, } r=0,\ 1,\ 2,\ \cdots,\ n)$$

1 사건의 독립과 종속

독립, 종속의 사전적인 의미는 다음과 같다.

독립 – 다른 것에 예속되거나 의존하지 않는 상태임.
종속 – 자주성이 없이 주가 되는 것에 딸려 붙음.

이번 소단원에서 다루고자 하는 사건의 독립과 종속도 이와 같은 의미이다. 확률에서의 독립과 종속의 의미를 지금부터 자세히 알아보자.

흰 공 7개와 빨간 공 3개가 들어 있는 주머니에서 정안이와 주형이가 차례로 공을 한 개씩 꺼낼 때, 두 사람 모두 빨간 공을 꺼낼 확률을 구하는데 다음과 같은 두 조건이 있다.

(i) 정안이가 꺼낸 공을 다시 주머니에 넣는 경우

(ii) 정안이가 꺼낸 공을 다시 주머니에 넣지 않는 경우

정안이가 빨간 공을 꺼내는 사건을 A, 주형이가 빨간 공을 꺼내는 사건을 B라 하면

(i) 정안이가 꺼낸 공을 다시 주머니에 넣는 경우

사건 A가 일어난 후에도 주머니 안의 공의 개수는 변함이 없으므로 앞으로 일어날 사건 B에 아무런 영향을 주지 않게 된다. 즉,

$$\mathrm{P}(A)=\frac{3}{10},\ \mathrm{P}(B|A)=\frac{3}{10} \qquad \therefore \mathrm{P}(A\cap B)=\frac{3}{10}\times\frac{3}{10}=\frac{9}{100}$$

(ii) 정안이가 꺼낸 공을 다시 주머니에 넣지 않는 경우

사건 A가 일어난 후 주머니 안의 빨간 공의 개수가 2로 줄어들므로 앞으로 일어날 사건 B에 영향을 준다. 즉,

$$\mathrm{P}(A)=\frac{3}{10},\ \mathrm{P}(B|A)=\frac{2}{9} \qquad \therefore \mathrm{P}(A\cap B)=\frac{3}{10}\times\frac{2}{9}=\frac{1}{15}$$

위의 (i)과 같이 두 사건 A, B에 대하여 한 사건이 일어나는 것이 다른 사건이 일어날 확률에 아무런 영향을 주지 않을 때, 즉

$$\mathbf{P}(\boldsymbol{B}|\boldsymbol{A})=\mathbf{P}(\boldsymbol{B}) \text{ 또는 } \mathbf{P}(\boldsymbol{A}|\boldsymbol{B})=\mathbf{P}(\boldsymbol{A})$$

일 때, 두 사건 A, B는 서로 **독립**(independence)이라 하고, 서로 독립인 두 사건을 독립사건(independent events)이라 한다.

반대로 (ii)와 같이 두 사건 A, B에 대하여 한 사건이 일어나는 것이 다른 사건이 일어날 확률에 영향을 줄 때, 즉

$$\mathbf{P}(\boldsymbol{B}|\boldsymbol{A})\neq\mathbf{P}(\boldsymbol{B}),\ \mathbf{P}(\boldsymbol{A}|\boldsymbol{B})\neq\mathbf{P}(\boldsymbol{A})$$

일 때, 두 사건 A, B는 서로 **종속**(dependence)이라 하고, 서로 종속인 두 사건을 종속사건(dependent events)이라 한다.

두 사건 A, B가 서로 독립이면 확률의 곱셈정리에 의하여 $\mathrm{P}(A\cap B)=\mathrm{P}(A)\mathrm{P}(B)$가 성립한다.

$$\mathrm{P}(A\cap B)=\begin{cases}\mathrm{P}(A)\mathrm{P}(B|A)=\mathrm{P}(A)\mathrm{P}(B)\\ \mathrm{P}(B)\mathrm{P}(A|B)=\mathrm{P}(B)\mathrm{P}(A)\end{cases} \Rightarrow \mathrm{P}(A\cap B)=\mathrm{P}(A)\mathrm{P}(B)$$

역으로 $\mathrm{P}(A\cap B)=\mathrm{P}(A)\mathrm{P}(B)$이고 $\mathrm{P}(A)\neq0$, $\mathrm{P}(B)\neq0$이면 두 사건 A, B는 서로 독립이다.

$$\mathrm{P}(B|A)=\frac{\mathrm{P}(A\cap B)}{\mathrm{P}(A)}=\frac{\mathrm{P}(A)\mathrm{P}(B)}{\mathrm{P}(A)}=\mathrm{P}(B) \Rightarrow \mathrm{P}(B|A)=\mathrm{P}(B)$$

$$\mathrm{P}(A|B)=\frac{\mathrm{P}(A\cap B)}{\mathrm{P}(B)}=\frac{\mathrm{P}(A)\mathrm{P}(B)}{\mathrm{P}(B)}=\mathrm{P}(A) \Rightarrow \mathrm{P}(A|B)=\mathrm{P}(A)$$

따라서 다음이 성립한다.

두 사건이 서로 독립일 조건

두 사건 A, B가 서로 독립이기 위한 필요충분조건은

$$\mathrm{P}(A\cap B)=\mathrm{P}(A)\mathrm{P}(B) \text{ (단, } \mathrm{P}(A)\neq 0,\ \mathrm{P}(B)\neq 0\text{)}$$

[참고] 두 사건 A, B가 서로 종속이기 위한 필요충분조건은 $\mathrm{P}(A\cap B)\neq\mathrm{P}(A)\mathrm{P}(B)$이다.

예 (1) 두 사건 A, B가 서로 독립이고 $\mathrm{P}(A)=\frac{1}{2}$, $\mathrm{P}(B)=\frac{1}{3}$이면

$\mathrm{P}(A\cap B)=\frac{1}{2}\times\frac{1}{3}=\frac{1}{6}$이다.

(2) 두 사건 A, B에 대하여 $\mathrm{P}(A)=\frac{1}{3}$, $\mathrm{P}(B)=\frac{3}{4}$, $\mathrm{P}(A\cap B)=\frac{1}{4}$이면

$\mathrm{P}(A)\mathrm{P}(B)=\frac{1}{3}\times\frac{3}{4}=\frac{1}{4}=\mathrm{P}(A\cap B)$이므로 두 사건 A, B는 서로 독립이다.

(3) 두 사건 A, B에 대하여 $\mathrm{P}(A)=\frac{2}{5}$, $\mathrm{P}(B)=\frac{1}{2}$, $\mathrm{P}(A\cap B)=\frac{1}{6}$이면

$\mathrm{P}(A)\mathrm{P}(B)=\frac{2}{5}\times\frac{1}{2}=\frac{1}{5}\neq\mathrm{P}(A\cap B)$이므로 두 사건 A, B는 서로 종속이다.

EXAMPLE 030 1부터 10까지의 자연수가 각각 하나씩 적힌 10장의 카드 중에서 임의로 한 장의 카드를 뽑을 때, 카드에 적힌 수가 홀수인 사건을 A, 짝수인 사건을 B, 5의 배수인 사건을 C라 하자. 이때 다음 두 사건이 서로 독립인지 종속인지 말하여라.

(1) A와 B (2) B와 C (3) C와 A

ANSWER $A=\{1, 3, 5, 7, 9\}$, $B=\{2, 4, 6, 8, 10\}$, $C=\{5, 10\}$이므로

$\mathrm{P}(A)=\frac{5}{10}=\frac{1}{2}$, $\mathrm{P}(B)=\frac{5}{10}=\frac{1}{2}$, $\mathrm{P}(C)=\frac{2}{10}=\frac{1}{5}$

또 $A\cap B=\varnothing$, $B\cap C=\{10\}$, $C\cap A=\{5\}$이므로

$\mathrm{P}(A\cap B)=0$, $\mathrm{P}(B\cap C)=\frac{1}{10}$, $\mathrm{P}(C\cap A)=\frac{1}{10}$

(1) $\mathrm{P}(A)\mathrm{P}(B)=\frac{1}{2}\times\frac{1}{2}=\frac{1}{4}\neq\mathrm{P}(A\cap B)$이므로 두 사건 A와 B는 서로 **종속**이다. ■

(2) $\mathrm{P}(B)\mathrm{P}(C)=\frac{1}{2}\times\frac{1}{5}=\frac{1}{10}=\mathrm{P}(B\cap C)$이므로 두 사건 B와 C는 서로 **독립**이다. ■

(3) $\mathrm{P}(C)\mathrm{P}(A)=\frac{1}{5}\times\frac{1}{2}=\frac{1}{10}=\mathrm{P}(C\cap A)$이므로 두 사건 C와 A는 서로 **독립**이다. ■

Sub Note 010쪽

APPLICATION 042 한 개의 주사위를 던질 때, 나오는 눈의 수가 홀수인 사건을 A, 소수인 사건을 B, 3의 배수인 사건을 C라 하자. 이때 다음 두 사건이 서로 독립인지 종속인지 말하여라.

(1) A와 B (2) B와 C (3) C와 A

Sub Note 010쪽

APPLICATION 043 오른쪽 표는 성인 남녀 100명을 대상으로 아메리카노와 라떼 중 선호하는 커피 종류를 조사한 것이다. 100명 중 임의로 한 명을 뽑을 때, 뽑힌 사람이 남자인 사건을 A, 아메리카노를 선호하는 사람인 사건을 B라 하자. 이때 두 사건 A, B가 서로 독립인지 종속인지 말하여라.

(단위 : 명)

	아메리카노	라떼
남자	22	18
여자	33	27

한편 **두 사건 A, B가 서로 독립**이면 **A^C과 B, A와 B^C, A^C과 B^C도 각각 서로 독립**이다.
이 중에서 두 사건 A, B가 서로 독립이면 A^C과 B도 서로 독립임을 증명해 보자.

[증명] 두 사건 A, B가 서로 독립이면 $\mathrm{P}(A\cap B)=\mathrm{P}(A)\mathrm{P}(B)$이므로

$$\begin{aligned}\mathrm{P}(A^C\cap B)&=\mathrm{P}(B)-\mathrm{P}(A\cap B)\\&=\mathrm{P}(B)-\mathrm{P}(A)\mathrm{P}(B)\\&=\mathrm{P}(B)\{1-\mathrm{P}(A)\}=\mathrm{P}(A^C)\mathrm{P}(B)\end{aligned}$$

따라서 두 사건 A^C과 B는 서로 독립이다.

두 사건 A, B가 서로 독립이면 A와 B^C, A^C과 B^C도 각각 서로 독립이라는 것에 대한 증명은 **APPLICATION**으로 남겨두니 각자 증명해 보기 바란다.

Sub Note 010쪽

APPLICATION 044 두 사건 A, B가 서로 독립일 때, 다음이 성립함을 증명하여라.

(1) A와 B^C도 서로 독립이다.　　(2) A^C과 B^C도 서로 독립이다.

여기서 잠시 배반사건과 독립사건을 비교해 보도록 하자.
배반과 독립이라는 단어의 어감때문에 두 관계를 혼동하거나 비슷한 것으로 생각할 수도 있으나 둘은 엄연히 다른 사건이다.
다음 표를 통해 확인해 보자.

배반사건과 독립사건의 비교

	배반사건	독립사건
정의	$A\cap B=\varnothing$	$\mathrm{P}(B\|A)=\mathrm{P}(B)$ 또는 $\mathrm{P}(A\|B)=\mathrm{P}(A)$
의미	두 사건 A, B가 동시에 일어나지 않는다.	두 사건 A, B에 대하여 한 사건이 일어나는 것이 다른 사건이 일어날 확률에 아무런 영향을 주지 않는다.
판단 방법	$\mathrm{P}(A\cap B)=0$이면 두 사건 A, B는 서로 배반사건이다.	$\mathrm{P}(A\cap B)=\mathrm{P}(A)\mathrm{P}(B)$이면 두 사건 A, B는 서로 독립이다.
관계	공사건이 아닌 두 사건 A, B가 서로 배반사건이면 두 사건 A, B는 서로 종속이다.	

앞의 표에 제시한 배반사건과 독립사건의 '관계'는 다음 증명으로 쉽게 이해할 수 있다. 교과 과정에서는 배우지 않지만, 수능에서는 충분히 활용될 수 있으므로 기억해 두도록 하자.

[증명] 공사건이 아닌 두 사건 A, B가 서로 배반사건이면

$\mathrm{P}(A)\neq 0$, $\mathrm{P}(B)\neq 0$, $\mathrm{P}(A\cap B)=0$이므로

$$\mathrm{P}(A\cap B)\neq \mathrm{P}(A)\mathrm{P}(B)$$

따라서 두 사건 A, B는 서로 종속이다.

사실 직관적으로 두 사건이 동시에 일어나지 않는다는 것은 두 사건이 서로에게 영향을 준다고 볼 수 있다. 왜냐하면 한 사건이 먼저 일어나면 그 결과로 다른 사건이 절대 일어날 수 없게 되기 때문이다.

한편 두 사건이 서로에게 영향을 주는 것이 반드시 두 사건이 동시에 일어나지 않게 하는 것은 아니므로 표에 제시한 '관계'의 역은 성립하지 않는다.

Sub Note 010쪽

APPLICATION **045** 두 사건 A, B에 대하여 보기 중 옳은 것만을 있는 대로 골라라.

보기

ㄱ. A, B가 서로 독립이면 A^C, B도 서로 독립이다.

ㄴ. A, B가 서로 독립이면 A, B는 서로 배반사건이다.

ㄷ. A, A^C은 서로 독립이다.

ㄹ. A, B가 서로 독립이면 $\mathrm{P}(B|A^C)=1-\mathrm{P}(B^C|A)$이다.

경우의 수나 확률에 관련된 문제 중에는 주머니에서 공을 꺼낸다던지, 제비를 뽑는다던지 하는 추출 문제가 많이 나오는데, 이런 문제 유형들은 복원추출과 비복원추출로 나뉜다.

(1) **복원추출**(sampling with replacement)

공을 꺼낸 후 확인하고, 꺼낸 공을 다시 주머니에 넣은 다음 새롭게 공을 꺼내는 추출법을 말한다.

이때 복원추출로 나오는 각 사건은 서로 아무런 영향을 주지 않으므로 독립사건이다.

$$\mathrm{P}(A\cap B)=\mathrm{P}(A)\mathrm{P}(B|A)=\mathrm{P}(A)\mathrm{P}(B)$$

(2) **비복원추출**(sampling without replacement)

복원추출과 반대되는 추출법으로 공을 꺼낸 후 확인하고, 꺼낸 공을 다시 주머니에 넣지 않은 다음 새롭게 공을 꺼내는 추출법을 말한다.

이때 비복원추출로 나오는 각 사건은 서로 영향을 주므로 종속사건이다.

$$\mathrm{P}(A\cap B)=\mathrm{P}(A)\mathrm{P}(B|A)$$

이 두 가지의 추출법은 이처럼 다르게 접근해야 하므로 각각의 상황에 맞추어서 문제를 풀 수 있어야 한다.

Sub Note 010쪽

APPLICATION 046 검은 공 2개와 흰 공 4개가 들어 있는 주머니에서 임의로 공을 한 개씩 3번 꺼낼 때, 다음을 구하여라.

(1) 복원추출일 때, 꺼낸 공 중 2개가 검은 공일 확률

(2) 비복원추출일 때, 꺼낸 공 중 2개가 검은 공일 확률

2 독립시행의 확률

한 개의 주사위를 여러 번 반복하여 던지는 시행을 생각해 보자.

처음 주사위를 던질 때, 4의 눈이 나올 확률은 $\frac{1}{6}$이다. 그 결과에 관계없이 두 번째로 주사위를 던질 때, 4의 눈이 나올 확률은 마찬가지로 $\frac{1}{6}$이다.

이와 같이 동일한 시행을 여러 번 반복할 때, 각 시행의 결과가 다른 시행의 결과에 아무런 영향을 주지 않을 경우, 즉 매회 일어나는 사건이 서로 독립인 경우, 이러한 시행을 **독립시행**(independent trials)이라 한다.

독립시행

동일한 시행을 반복하는 경우 각 시행에서 일어나는 사건이 서로 독립일 때, 이러한 시행을 독립시행이라 한다.

예 (1) 한 개의 동전을 10번 던진다.
(2) 문제당 정답률이 a인 학생이 20문제를 푼다.
(3) 자유투 성공률이 b인 선수가 5번 자유투를 한다.
} ➡ 독립시행

한 개의 주사위를 5번 던질 때, 4의 눈이 3번 나올 확률을 생각해 보자.

① 주사위를 한 번 던질 때,

$$(4\text{의 눈이 나올 확률}) = \frac{1}{6}$$

$$(4\text{ 이외의 눈이 나올 확률}) = 1 - \frac{1}{6} = \frac{5}{6}$$

② 4의 눈이 나오면 ○, 다른 눈이 나오면 ×로 나타내면 주사위를 5번 던지는 독립시행에서 4의 눈이 3번 나오는 경우는 오른쪽 표와 같이 ${}_5\mathrm{C}_3=10$(가지)이다.

③ 이때 표에 제시된 각 경우의 확률은 모두 $\left(\frac{1}{6}\right)^3\times\left(\frac{5}{6}\right)^2$이다.

④ 따라서 한 개의 주사위를 5번 던지는 독립시행에서 4의 눈이 3번 나올 확률은

$${}_5\mathrm{C}_3\left(\frac{1}{6}\right)^3\left(\frac{5}{6}\right)^2$$ ❶

1회	2회	3회	4회	5회
○	○	○	×	×
○	○	×	○	×
○	○	×	×	○
○	×	○	○	×
○	×	○	×	○
○	×	×	○	○
×	○	○	○	×
×	○	○	×	○
×	○	×	○	○
×	×	○	○	○

일반적으로 독립시행의 확률에 대하여 다음이 성립한다.

독립시행의 확률

어떤 시행에서 사건 A가 일어날 확률이 $p\,(0<p<1)$일 때, 이 시행을 n번 반복하는 독립시행에서 사건 A가 r번 일어날 확률은

$${}_n\mathrm{C}_r p^r(1-p)^{n-r}\ (\text{단, } r=0,\ 1,\ 2,\ \cdots,\ n)$$

일어날 횟수　합이 n

$${}_n\mathrm{C}_r p^r(1-p)^{n-r}$$

합이 1

EXAMPLE 031 한 개의 동전을 5번 던질 때, 다음을 구하여라.

(1) 앞면이 2번 나올 확률

(2) 앞면이 4번 이상 나올 확률

(3) 앞면이 2번 이상 나올 확률

ANSWER 동전을 한 번 던질 때, 앞면이 나올 확률은 $\frac{1}{2}$이고, 뒷면이 나올 확률도 $\frac{1}{2}$이다.

(1) ${}_5\mathrm{C}_2\left(\frac{1}{2}\right)^2\left(\frac{1}{2}\right)^3=\mathbf{\frac{5}{16}}$ ■

(2) (i) 앞면이 4번 나올 확률은 ${}_5\mathrm{C}_4\left(\frac{1}{2}\right)^4\left(\frac{1}{2}\right)^1=\frac{5}{32}$

(ii) 앞면이 5번 나올 확률은 ${}_5\mathrm{C}_5\left(\frac{1}{2}\right)^5\left(\frac{1}{2}\right)^0=\frac{1}{32}$

(i), (ii)에 의하여 구하는 확률은 $\frac{5}{32}+\frac{1}{32}=\mathbf{\frac{3}{16}}$ ■

❶ 한 개의 주사위를 5번 던질 때, 4의 눈이 3번 나오는 사건을 A라 하면 표에 제시된 10가지 경우는 모두 A의 근원사건이고, 각 근원사건은 서로 배반사건이므로 구하는 확률은 확률의 덧셈정리에 의하여 ${}_5\mathrm{C}_3\left(\frac{1}{6}\right)^3\left(\frac{5}{6}\right)^2$이 된다.

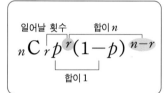

(3) 앞면이 2번 이상 나올 확률은 전체 확률에서 앞면이 1번 이하로 나올 확률을 뺀 것과 같다.

(i) 앞면이 한 번도 나오지 않을 확률은 $_5C_0\left(\frac{1}{2}\right)^0\left(\frac{1}{2}\right)^5=\frac{1}{32}$

(ii) 앞면이 1번 나올 확률은 $_5C_1\left(\frac{1}{2}\right)^1\left(\frac{1}{2}\right)^4=\frac{5}{32}$

(i), (ii)에 의하여 앞면이 1번 이하로 나올 확률은

$\frac{1}{32}+\frac{5}{32}=\frac{3}{16}$

따라서 구하는 확률은 $1-\frac{3}{16}=\mathbf{\frac{13}{16}}$ ■

Sub Note 011쪽

APPLICATION 047 페널티킥 성공률이 $\frac{4}{5}$인 어떤 축구 선수가 페널티킥을 3번 시도할 때, 2번 이상 실패할 확률을 구하여라.

Sub Note 011쪽

APPLICATION 048 두 프로 야구팀 A, B가 7번의 경기를 해서 어느 팀이 4번을 먼저 이기면 우승을 한다. 한 번의 경기에서 A팀이 이길 확률이 $\frac{2}{5}$일 때, 5번째 경기에서 우승팀이 결정될 확률을 구하여라. (단, 비기는 경우는 없다.)

수학 공부법에 대한 저자들의 충고 – 세 가지 이상의 결과가 나오는 독립시행

고등학교 수학에서의 독립시행은 일반적으로 이항의 독립시행을 의미한다. 즉, 어떤 사건 A가 일어나거나, 일어나지 않는 두 가지 결과만을 갖는 시행에 대한 확률만 공부한다. 하지만 세 가지 이상의 결과가 나오는 독립시행에 대해서도 그 확률을 계산할 수 있다.
그 확률은 다음과 같다.

어떤 시행에서 서로 배반인 k개의 사건 A_1, A_2, A_3, $\cdots$, A_k가 일어날 확률이 각각

p_1, p_2, p_3, $\cdots$, p_k $(p_1+p_2+p_3+\cdots+p_k=1)$

일 때, 이 시행을 n번 반복하는 독립시행에서

A_1이 n_1번, A_2가 n_2번, A_3이 n_3번, $\cdots$, A_k가 n_k번$(n_1+n_2+n_3+\cdots+n_k=n)$

일어날 확률은 다음과 같다.

$$\frac{n!}{n_1!n_2!n_3!\cdots n_k!}p_1^{n_1}p_2^{n_2}p_3^{n_3}\cdots p_k^{n_k}$$

기본 예제 *독립사건의 확률(1)*

028

어느 수학경시대회는 총점 80점 이상이면 합격이라 한다. 이 수학경시대회에서 세 학생 A, B, C가 합격할 확률이 각각 0.5, 0.2, 0.1이라 할 때, 다음을 구하여라.

(1) A, B, C가 모두 합격할 확률

(2) A는 합격하고 B, C는 합격하지 못할 확률

(3) A 또는 B 또는 C가 합격할 확률

GUIDE 수학경시대회에서 A, B, C가 합격하는 사건을 각각 A, B, C라 하면 세 사건 A, B, C는 서로에게 영향을 주지 않으므로 서로 독립이다.
이때 세 사건 A, B, C가 서로 독립이면 A와 B^C과 C^C, A^C과 B^C과 C^C도 각각 서로 독립이다.

SOLUTION

수학경시대회에서 A, B, C가 합격하는 사건을 각각 A, B, C라 하면 세 사건 A, B, C는 서로 독립이고 $\mathrm{P}(A)=0.5$, $\mathrm{P}(B)=0.2$, $\mathrm{P}(C)=0.1$

(1) A, B, C가 모두 합격하는 사건은 $A\cap B\cap C$이고, 세 사건 A, B, C는 서로 독립이므로

$$\mathrm{P}(A\cap B\cap C)=\mathrm{P}(A)\mathrm{P}(B)\mathrm{P}(C)=0.5\times0.2\times0.1=\mathbf{0.01}\ ■$$

(2) A는 합격하고 B, C는 합격하지 못하는 사건은 $A\cap B^C\cap C^C$이고, 세 사건 A, B^C, C^C은 서로 독립이므로

$$\begin{aligned}\mathrm{P}(A\cap B^C\cap C^C)&=\mathrm{P}(A)\mathrm{P}(B^C)\mathrm{P}(C^C)\\&=0.5\times(1-0.2)\times(1-0.1)=\mathbf{0.36}\ ■\end{aligned}$$

(3) A 또는 B 또는 C가 합격하는 사건은 $A\cup B\cup C$이고, 세 사건 A^C, B^C, C^C은 서로 독립이므로 여사건의 확률에 의하여

$$\begin{aligned}\mathrm{P}(A\cup B\cup C)&=1-\mathrm{P}((A\cup B\cup C)^C)\\&=1-\mathrm{P}(A^C\cap B^C\cap C^C)\\&=1-\mathrm{P}(A^C)\mathrm{P}(B^C)\mathrm{P}(C^C)\\&=1-(1-0.5)\times(1-0.2)\times(1-0.1)\\&=1-0.36=\mathbf{0.64}\ ■\end{aligned}$$

유제

Sub Note 028쪽

028-1 두 양궁 선수 A, B가 화살을 한 발씩 쏠 때, A, B 중 적어도 한 명이 과녁의 10점 영역을 맞힐 확률이 $\frac{3}{5}$이고, A 선수가 과녁의 10점 영역을 맞힐 확률이 $\frac{1}{3}$이다. 이때 B 선수가 과녁의 10점 영역을 맞힐 확률을 구하여라.

기본예제 *독립사건의 확률(2)*

029 두 사람 A, B가 차례로 한 개의 주사위를 던져서 먼저 3의 배수의 눈이 나오는 사람이 이기는 게임을 한다. 1회에는 A, 2회에는 B, …의 순서로 교대로 주사위를 던질 때, 5회 이내에 A가 이길 확률을 구하여라.

GUIDE A는 1회, 3회, 5회, …에서 주사위를 던지므로 A가 5회 이내에 이기는 경우는 1회, 3회, 5회에서 이기는 경우이다.

SOLUTION

주사위를 한 번 던질 때, 3의 배수의 눈이 나올 확률은 $\frac{1}{3}$, 3의 배수의 눈이 나오지 않을 확률은 $\frac{2}{3}$ 이다.

오른쪽 표와 같이 A는 1회, 3회, 5회에서 3의 배수의 눈이 나오면 이긴다.
(3의 배수의 눈이 나오면 ○, 다른 눈이 나오면 ×로 표시함.)

1회(A)	2회(B)	3회(A)	4회(B)	5회(A)
○				
×	×	○		
×	×	×	×	○

A가 1회, 3회, 5회에서 이길 확률을 구하면 다음과 같다.

(i) 1회 : $\frac{1}{3}$

(ii) 3회 : $\frac{2}{3}\times\frac{2}{3}\times\frac{1}{3}=\frac{4}{27}$

(iii) 5회 : $\frac{2}{3}\times\frac{2}{3}\times\frac{2}{3}\times\frac{2}{3}\times\frac{1}{3}=\frac{16}{243}$

(i)~(iii)에 의하여 구하는 확률은

$$\frac{1}{3}+\frac{4}{27}+\frac{16}{243}=\mathbf{\frac{133}{243}}$$ ■

유제 Sub Note 029쪽

029-1 빨간 공 3개, 파란 공 4개, 노란 공 5개가 들어 있는 주머니에서 1회에는 A, 2회에는 B, …의 순서로 교대로 공을 임의로 하나씩 꺼낼 때, 먼저 빨간 공을 꺼내는 사람이 이기는 게임을 한다. 이때 6회 이내에 B가 이길 확률을 구하여라. (단, 꺼낸 공은 다시 넣는다.)

기본 예제 *독립시행의 확률*

030 좌표평면 위의 원점에 점 P가 있다. 한 개의 동전을 던지는 시행에서 앞면이 나오면 점 P를 x축의 양의 방향으로 1만큼 이동하고, 뒷면이 나오면 점 P를 y축의 양의 방향으로 1만큼 이동하는데 점 P의 x좌표 또는 y좌표가 10이 되면 시행을 멈춘다고 하자. 점 P의 좌표가 $(4,\ 10)$이 되어 시행이 멈출 확률을 구하여라.

GUIDE 점 P가 원점에서 출발하여 x축의 양의 방향으로 4만큼, y축의 양의 방향으로 10만큼 이동하였으므로 동전을 던지는 시행을 총 14회하였고, 이 중 앞면이 4회, 뒷면이 10회 나왔음을 알 수 있다.

SOLUTION

동전을 한 번 던질 때, 앞면이 나올 확률은 $\frac{1}{2}$, 뒷면이 나올 확률은 $\frac{1}{2}$이다.

또 점 P의 좌표가 $(4,\ 10)$일 때, 시행이 멈추었으므로 동전을 던지는 시행은 총 14회이고, 이 중 앞면이 4회, 뒷면이 10회 나왔음을 알 수 있다.

그런데 x좌표 또는 y좌표가 10이 되면 시행을 멈추므로 뒷면이 먼저 10회가 나오고 앞면이 그 뒤에 나오는 경우는 배제해야 한다.

즉, 13회까지의 시행에서는 앞면이 4회, 뒷면이 9회 나오고, 마지막 14회의 시행에서는 뒷면이 나와야 한다.

따라서 구하는 확률은

$$ {}_{13}C_4\left(\frac{1}{2}\right)^4\left(\frac{1}{2}\right)^9\times\frac{1}{2}=\frac{715}{2^{13}}\times\frac{1}{2}=\mathbf{\frac{715}{2^{14}}}\ \blacksquare $$

유제 Sub Note 029쪽

030-1 수직선 위의 원점에 점 Q가 있다. 한 개의 주사위를 던질 때, 나오는 눈의 수가 5 이상이면 점 Q를 양의 방향으로 1만큼 이동하고, 4 이하이면 점 Q를 음의 방향으로 1만큼 이동한다. 한 개의 주사위를 6번 던질 때, 점 Q가 원점에 있을 확률을 구하여라.

유제 Sub Note 029쪽

030-2 주사위 1개와 동전 1개가 있다. 주사위를 던질 때, 짝수의 눈이 나오면 동전을 4번, 홀수의 눈이 나오면 동전을 5번 던진다. 이때 동전의 앞면이 3번 나올 확률을 구하여라.

1. 다음 [ ] 안에 적절한 것을 채워 넣어라.

(1) 확률이 0이 아닌 사건 A가 일어났다고 가정할 때, 사건 B가 일어날 확률을 사건 A가 일어났을 때의 사건 B의 [ ]이라 하고, 이를 기호 [ ]로 나타낸다.

(2) 두 사건 A, B에 대하여 한 사건이 일어나는 것이 다른 사건이 일어날 확률에 영향을 줄 때, 두 사건 A, B는 서로 [ ]이라 하고, $\mathrm{P}(B|A)$[ ]$\mathrm{P}(B)$이다.

(3) 두 사건 A, B에 대하여 $\mathrm{P}(A|B)=\mathrm{P}(A)$일 때, 두 사건 A, B는 서로 [ ]이라 한다.

(4) 어떤 시행에서 사건 A가 일어날 확률이 $p\,(0<p<1)$일 때, 이 시행을 n번 반복하는 독립시행에서 사건 A가 r번 일어날 확률은 [ ]이다.

(단, $r=0,\ 1,\ 2,\ \cdots,\ n$)

2. 다음 문장이 참(true) 또는 거짓(false)인지 결정하고, 그 이유를 설명하거나 적절한 반례를 제시하여라.

(1) 확률이 0이 아닌 두 사건 A, B가 서로 배반사건이면 A, B는 서로 독립이 아니다.

(2) 확률이 0이 아닌 두 사건 A, B가 서로 종속이면 A, B는 서로 배반사건이다.

(3) 한 개의 동전을 3번 던질 때, 앞면이 2번 나올 확률은 $\frac{3}{8}$이다.

3. 다음 물음에 대한 답을 간단히 서술하여라.

확률이 0이 아닌 두 사건 A, B가 서로 독립이기 위한 필요충분조건은 $\mathrm{P}(A\cap B)=\mathrm{P}(A)\mathrm{P}(B)$임을 증명하여라.

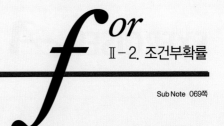

EXERCISES A

Sub Note 070쪽

조건부확률 **01** 지성이가 모의고사를 볼 때, 국어 영역과 수학 영역에서 모두 1등급이 나올 확률이 20 %이고, 국어 영역에서 1등급이 나올 확률이 40 %라 한다. 지성이가 국어 영역에서 1등급이 나왔을 때, 수학 영역도 1등급이 나올 확률은?

① $\frac{1}{6}$　② $\frac{1}{5}$　③ $\frac{1}{3}$　④ $\frac{1}{2}$　⑤ $\frac{2}{3}$

조건부확률 **02** 어떤 학급의 대표선거에 선화와 예진이를 포함하여 7명의 학생이 출마했다. 이 중에서 임의로 세 명의 학급대표를 뽑았더니 선화가 학급대표에 선출되었을 때, 예진이도 학급대표에 선출되었을 확률은?

① $\frac{2}{7}$　② $\frac{1}{3}$　③ $\frac{3}{8}$　④ $\frac{2}{5}$　⑤ $\frac{1}{2}$

확률의 곱셈정리 **03** 두 사건 A, B에 대하여 사건 B가 일어날 확률이 사건 A가 일어날 확률의 2배이고 $\frac{1}{\mathrm{P}(A)}-\frac{1}{\mathrm{P}(B)}=2$, $\mathrm{P}(B|A)=\frac{1}{20}$일 때, $\mathrm{P}(A\cap B)$를 구하여라.

확률의 곱셈정리 **04** 흰 공 n개, 파란 공 5개가 들어 있는 주머니에서 두 사람 A, B의 순서로 공을 임의로 한 개씩 꺼낼 때, 두 사람이 모두 파란 공을 꺼낼 확률은 $\frac{5}{33}$이다. 이때 n의 값을 구하여라. (단, 꺼낸 공은 다시 넣지 않는다.)

확률의 곱셈정리 **05** 서술형 어느 지역에서 비가 온 다음 날에 비가 올 확률은 0.8이고, 비가 오지 않은 다음 날에 비가 올 확률은 0.3이다. 이 지역에서 이번 주 화요일에 비가 왔을 때, 같은 주 목요일에 비가 올 확률을 구하여라.

확률의 곱셈정리와 조건부확률 **06**

K 프로 농구팀은 이번 시즌에 치르는 경기의 40%가 홈 경기이고, 홈 경기에서의 승률은 70%, 원정 경기에서의 승률은 50%라 한다. 이번 시즌의 어떤 경기에서 K 프로 농구팀이 승리했을 때, 그 경기가 홈 경기였을 확률을 구하여라.

독립사건의 확률 **07**

세 학생 A, B, C의 자유투 성공률이 각각 $\frac{1}{4}$, $\frac{1}{5}$, $\frac{1}{6}$이다. A, B, C가 각각 한 번씩 자유투를 할 때, 3명 중 2명만 성공할 확률을 구하여라.

독립사건의 확률 **08**

오른쪽 그림과 같은 회로에서 독립적으로 작동하는 세 스위치 A, B, C가 닫힐 확률이 각각 0.4, 0.5, 0.6일 때, 전구에 불이 꺼질 확률은?

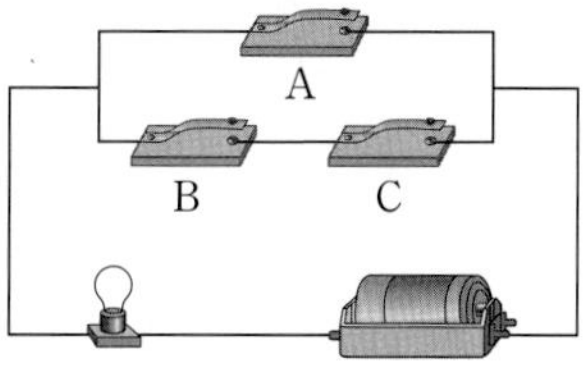

① 0.3 ② 0.36 ③ 0.42
④ 0.48 ⑤ 0.54

독립시행의 확률 **09**

태민이와 주호가 탁구 경기를 하는데 두 세트를 먼저 이기는 사람이 승리한다고 한다. 각 세트에서 태민이가 주호를 이길 확률이 $\frac{3}{5}$일 때, 태민이가 승리할 확률을 구하여라.

독립시행의 확률 **10**

흰 공 7개, 검은 공 3개가 들어 있는 주머니와 주사위 1개가 있다. 주머니에서 임의로 한 개의 공을 꺼낼 때, 흰 공을 꺼내면 주사위를 2번, 검은 공을 꺼내면 주사위를 3번 던진다. 이때 5 이상의 눈이 2번 나올 확률을 구하여라.

EXERCISES B

Sub Note 072쪽

01 다음 조건을 만족시키는 좌표평면 위의 점 (a, b) 중에서 임의로 서로 다른 두 점을 선택한다. 선택된 두 점의 y좌표가 같을 때, 이 두 점의 y좌표가 2일 확률은? [평가원 기출]

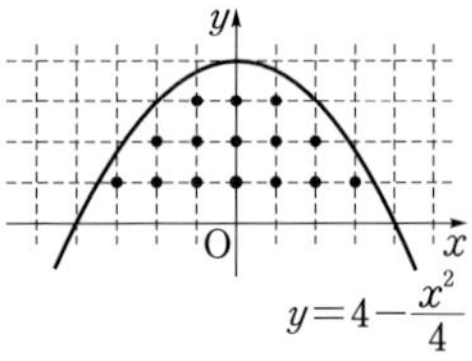

(가) a, b는 정수이다.
(나) $0<b<4-\frac{a^2}{4}$

① $\frac{4}{17}$　② $\frac{5}{17}$　③ $\frac{6}{17}$　④ $\frac{7}{17}$　⑤ $\frac{8}{17}$

02 어떤 사격 선수는 목표물을 명중시킨 뒤 다음번에도 목표물을 명중시킬 확률이 0.8이고, 목표물을 명중시키지 못한 뒤 다음번에도 목표물을 명중시키지 못할 확률이 0.4라 한다. 이 사격 선수가 첫 번째에 목표물을 명중시킬 확률이 0.5일 때, 세 번째에 목표물을 명중시킬 확률을 구하여라.

03 상자에 3장의 카드 A, B, C가 들어 있다. 카드 A는 양면에 모두 a가 적혀 있고, 카드 B는 한 면에는 a, 다른 면에는 b가 적혀 있고, 카드 C는 양면에 모두 b가 적혀 있을 때, 이 상자에서 임의로 한 장의 카드를 꺼내어 바닥에 놓았다. 바닥에 놓인 카드의 윗면에 b가 적혀 있을 때, 이 카드가 C일 확률을 구하여라.

04 어떤 의사가 암에 걸린 사람을 암에 걸렸다고 진단할 확률은 98 %이고, 암에 걸리지 않은 사람을 암에 걸리지 않았다고 진단할 확률은 92 %라 한다. 이 의사가 실제로 암에 걸린 사람 400명과 암에 걸리지 않은 사람 600명을 진찰하여 암에 걸렸는지 아닌지를 진단하였다. 이들 1000명 중 임의로 택한 한 명이 암에 걸렸다고 진단받았을 때, 그 사람이 실제로 암에 걸려 있을 확률을 구하여라.

05 한 개의 주사위를 던질 때, 소수의 눈이 나오는 사건을 A라 하자. 공사건과 전사건이 아닌 사건 B에 대하여 두 사건 A, B가 서로 독립이 되도록 하는 사건 B의 개수를 구하여라.

06

다음 그림은 A 지점에서 B 지점까지 이어지는 강에서 댐의 위치를 나타낸 것이다. 각 댐은 서로 독립적으로 작동하고, 각각의 댐이 열려서 강물이 흐를 확률은 $\frac{2}{3}$라 한다. 이 강의 A 지점에서 B 지점까지 강물이 흘렀을 때, 댐 P가 열려 있었을 확률을 구하여라.

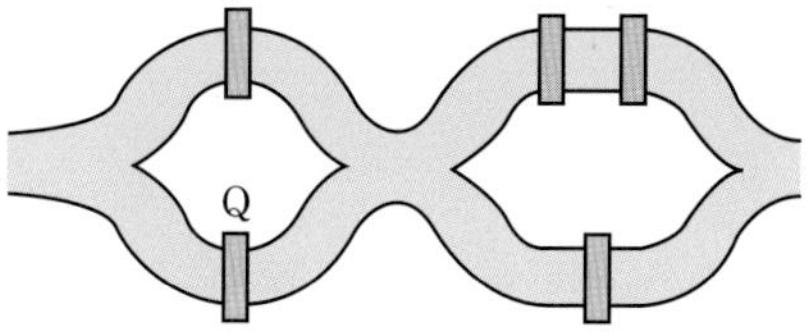

07

한 개의 주사위를 500번 던질 때, 3의 배수의 눈이 n번 나올 확률을 a_n이라 하자. a_n이 최대가 되도록 하는 n의 최솟값을 구하여라.

08

스타크래프트 프로게이머 A는 경기를 할 때, 선택한 종족에 따른 승률이 테란은 60 %, 저그는 20 %, 프로토스는 40 %라 한다. 프로게이머 A가 어느 대회에서 5경기를 할 때, 3경기 이상 이길 확률을 구하여라.

(단, 경기에서 각 종족이 선택될 확률은 모두 같다.)

09

서술형

오른쪽 그림과 같이 한 변의 길이가 1인 정삼각형 ABC가 있다. 주사위 한 개를 던져서 짝수의 눈이 나오면 2만큼, 홀수의 눈이 나오면 1만큼 화살표 방향으로 움직인다. 주사위를 8번 던졌을 때, 점 A에서 출발한 점 P가 다시 점 A로 돌아올 확률을 구하여라.

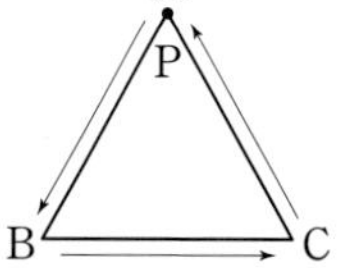

10

서로 다른 2개의 주사위를 동시에 던져 나온 눈의 수가 같으면 한 개의 동전을 4번 던지고, 나온 눈의 수가 다르면 한 개의 동전을 2번 던진다. 이 시행에서 동전의 앞면이 나온 횟수와 뒷면이 나온 횟수가 같을 때, 동전을 4번 던졌을 확률은? [평가원 기출]

① $\frac{3}{23}$ ② $\frac{5}{23}$ ③ $\frac{7}{23}$ ④ $\frac{9}{23}$ ⑤ $\frac{11}{23}$

내신 · 모의고사 대비 TEST 264쪽

Chapter Ⅱ Exercises

난이도 ■ : 중 ■■ : 중상 ■■■ : 상

SUMMA CUM LAUDE

Sub Note 076쪽

■□□

01 7개의 문자 e, r, u, m, e, n, b를 일렬로 나열할 때, 모음끼리 이웃할 확률을 구하여라.

■□□

02 1부터 9까지의 자연수가 각각 하나씩 적힌 9장의 카드 중에서 임의로 3장의 카드를 동시에 뽑을 때, 카드에 적힌 세 수의 합이 짝수일 확률을 구하여라.

■■□

03 방정식 $x+y+z=7$을 만족시키는 음이 아닌 정수 x, y, z의 모든 순서쌍 (x, y, z) 중에서 임의로 한 개를 선택한다. 선택한 순서쌍 (x, y, z)에 정수의 제곱인 수가 적어도 2개 있을 확률은?

① $\frac{1}{3}$ ② $\frac{2}{5}$ ③ $\frac{1}{2}$ ④ $\frac{2}{3}$ ⑤ $\frac{3}{4}$

■■■

04 집합 $\{1, 2, 3, 4, 5\}$의 부분집합 중에서 서로 같은 경우를 포함하여 2개의 부분집합을 임의로 선택할 때, 하나가 다른 하나를 포함할 확률을 $\frac{q}{p}$라 하자. 이때 $p-q$의 값을 구하여라. (단, p, q는 서로소인 자연수)

05

40 이하의 자연수 a에 대하여 이차방정식 $15x^2-8ax+a^2=0$이 정수해를 가질 확률을 구하여라.

06

1부터 9까지의 자연수가 각각 하나씩 적힌 9개의 공이 들어 있는 주머니에서 임의로 4개의 공을 동시에 꺼낼 때, 공에 적힌 수 중에서 가장 큰 수와 가장 작은 수의 합이 7 또는 8일 확률은?

① $\frac{10}{63}$　② $\frac{14}{63}$　③ $\frac{11}{42}$　④ $\frac{1}{3}$　⑤ $\frac{17}{42}$

07

다음 그림과 같이 1, 2, 3, 4의 숫자가 하나씩 적힌 카드가 각각 4장씩 총 16장 있다. 이 16장의 카드 중에서 임의로 3장의 카드를 선택할 때, 선택한 카드 중에서 같은 숫자가 적힌 카드가 2장 이상일 확률을 구하여라.

1	1	1	1	2	2	2	2	3	3	3	3	4	4	4	4

08

어느 반 학생 40명을 대상으로 축구와 농구를 좋아하는 학생을 조사하였더니 축구, 농구를 좋아하는 학생이 각각 24명, 16명이고, 축구와 농구를 모두 좋아하지 않는 학생이 8명이었다. 이 반 학생 중에서 임의로 택한 한 명이 축구를 좋아할 때, 그 학생이 농구를 좋아하지 않을 확률을 구하여라.

09

노란 구슬 3개, 빨간 구슬 2개가 들어 있는 주머니에서 임의로 한 개의 구슬을 꺼내어 거짓말을 할 확률이 30%인 사람에게 보여주었을 때, 그 사람이 노란 구슬이라 대답할 확률을 구하여라.

10

어떤 감정원이 진품을 진품으로 판정할 확률이 $\frac{9}{10}$, 모조품을 모조품으로 판정할 확률이 $\frac{3}{4}$이라 한다. 이 감정원이 진품 8개, 모조품 2개가 섞여 있는 상자에서 임의로 한 개를 뽑아 감정한 후 진품으로 판정하였을 때, 그것이 실제로 진품일 확률을 구하여라.

11

스페인, 프랑스, 독일이 축구 경기를 하는데 스페인이 프랑스를 이길 확률은 $\frac{2}{3}$이고, 프랑스가 독일을 이길 확률은 $\frac{1}{2}$이며, 독일이 스페인을 이길 확률은 $\frac{2}{5}$이다. 이 세 나라가 모두 서로 한 번씩 경기를 할 때, 2승을 하는 나라가 생길 확률을 구하여라.

(단, 비기는 경우는 없다.)

12

4개의 야구팀 A, B, C, D가 다음과 같은 방법으로 우승팀을 결정하기로 하였다.

(가) A팀과 B팀이 경기를 하고, C팀과 D팀이 경기를 한다.
(나) (가)에서 이긴 팀끼리 경기를 한다.
(다) (가)에서 진 팀끼리 경기를 한다.
(라) (나)에서 진 팀과 (다)에서 이긴 팀이 경기를 한다.
(마) (나)에서 이긴 팀과 (라)에서 이긴 팀이 경기를 한다.
(바) (마)에서 이긴 팀이 우승팀이 된다.

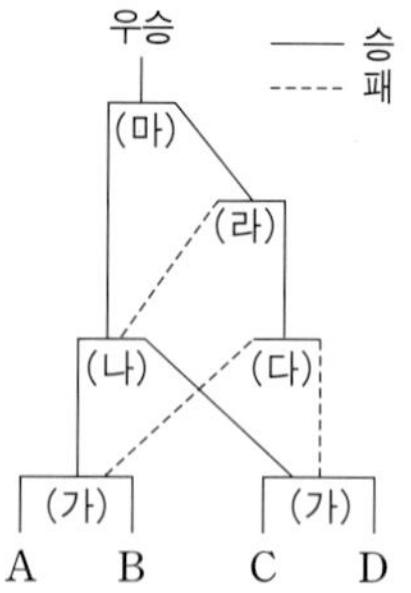

매 경기에서 각 팀이 이길 확률은 모두 $\frac{1}{2}$로 같다고 하자. A팀이 우승했을 때, A팀이 (가)에서 이겼을 확률은 $\frac{q}{p}$이다. 이때 $p+q$의 값을 구하여라.

(단, p, q는 서로소인 자연수) [교육청 기출]

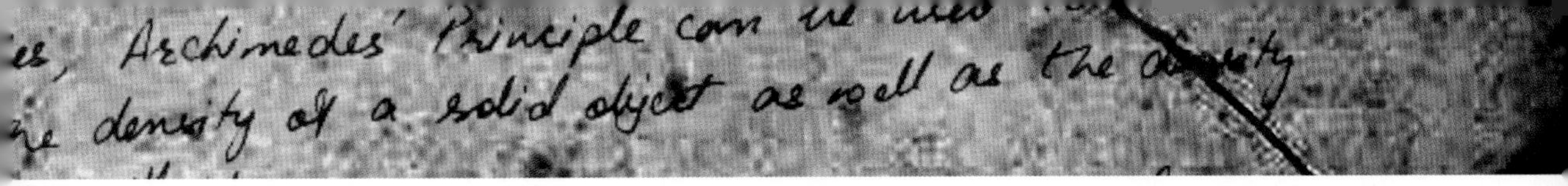

13 어떤 사람이 방에 모기향을 피우고 잔다고 한다. 모기 한 마리가 이 사람의 방에 들어 왔을 때, 다음 날 아침까지 사람을 물 확률은 $\frac{2}{3}$, 모기향에 죽지 않을 확률은 $\frac{1}{4}$이라 한다. 어느 날 밤 이 사람의 방에 5마리의 모기가 들어 왔을 때, 다음 날 아침에 이 사람이 모기에 물린 자국 3군데와 죽은 모기 2마리를 발견할 확률을 구하여라.

(단, 모기는 많아야 한 번 사람을 문다.)

14 좌표평면 위의 원점에 점 P가 있다. 한 개의 주사위를 던질 때, 나오는 눈의 수가 4 이하이면 점 P를 x축의 방향으로 2만큼, y축의 방향으로 -1만큼 평행이동하고, 눈의 수가 5 이상이면 점 P를 x축의 방향으로 -1만큼, y축의 방향으로 2만큼 평행이동한다. 이때 점 P가 점 $(6, 0)$에 도달할 확률은?

① $\frac{25}{81}$ ② $\frac{76}{243}$ ③ $\frac{80}{243}$ ④ $\frac{250}{729}$ ⑤ $\frac{254}{729}$

15 어느 질병에 대한 치료법으로 1단계 치료를 하고, 1단계 치료에 성공한 환자만 2단계 치료를 하여 2단계 치료까지 성공한 환자는 완치된 것으로 판단한다.
1단계 치료 결과와 2단계 치료 결과는 서로 독립이며, 1단계 치료와 2단계 치료에 성공할 확률은 각각 $\frac{1}{2}$과 $\frac{2}{3}$이다. 4명의 환자를 대상으로 이 치료법을 적용하였을 때, 완치된 것으로 판단될 환자가 2명일 확률은? [평가원 기출]

① $\frac{13}{54}$ ② $\frac{8}{27}$ ③ $\frac{19}{54}$ ④ $\frac{11}{27}$ ⑤ $\frac{25}{54}$

내신 · 모의고사 대비 TEST 276쪽

Chapter Ⅱ Advanced Lecture

SUMMA CUM LAUDE

TOPIC (1) 전확률 공식과 베이즈 정리

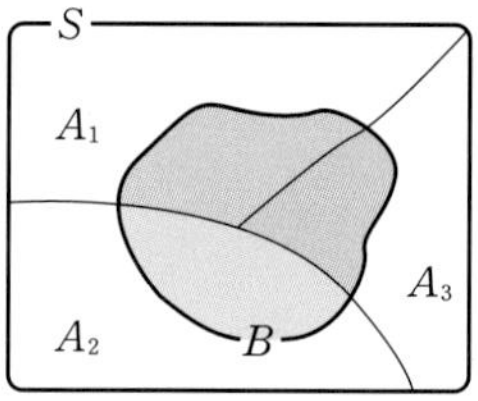

다음 두 조건을 만족시키는 공사건이 아닌 세 사건 A_1, A_2, A_3과 공사건이 아닌 사건 $B(\subset S)$의 관계는 보통 오른쪽 벤다이어그램과 같을 것이다.

(i) $A_i \cap A_j = \varnothing$ (단, i, $j=1$, 2, 3이고 $i \neq j$)

(ii) $A_1 \cup A_2 \cup A_3 = S$ (단, S는 표본공간)

이때 $B=(B\cap A_1)\cup(B\cap A_2)\cup(B\cap A_3)$으로 표현할 수 있고,
세 사건 $B\cap A_1$, $B\cap A_2$, $B\cap A_3$은 서로 배반사건이므로 확률의 덧셈정리에 의하여

$$\begin{aligned}\mathrm{P}(B)&=\mathrm{P}((B\cap A_1)\cup(B\cap A_2)\cup(B\cap A_3))\\&=\mathrm{P}(B\cap A_1)+\mathrm{P}(B\cap A_2)+\mathrm{P}(B\cap A_3)\end{aligned}$$

과 같이 구할 수 있다.
이 식을 확률의 곱셈정리를 이용하여 다시 표현하면 다음과 같다.

$$\mathrm{P}(B)=\mathrm{P}(A_1)\mathrm{P}(B|A_1)+\mathrm{P}(A_2)\mathrm{P}(B|A_2)+\mathrm{P}(A_3)\mathrm{P}(B|A_3)$$

전확률 공식(total probability)[1]이란 위와 같은 상황을 다음과 같이 일반화한 것이다.

[전제조건] 공사건이 아닌 n개의 사건 A_1, A_2, $\cdots$, A_n이 다음 두 조건을 만족시킨다고 하자.

(i) $A_i \cap A_j = \varnothing$ (단, i, $j=1$, 2, $\cdots$, n이고 $i \neq j$)

(ii) $A_1 \cup A_2 \cup \cdots \cup A_n = S$ (단, S는 표본공간)

[결론] 공사건이 아닌 사건 $B(\subset S)$가 일어날 확률 $\mathrm{P}(B)$는

$$\mathrm{P}(B)=\mathrm{P}(A_1)\mathrm{P}(B|A_1)+\mathrm{P}(A_2)\mathrm{P}(B|A_2)+\cdots+\mathrm{P}(A_n)\mathrm{P}(B|A_n)$$

전확률 공식은 조건부확률의 확장으로 (몇 개의 사건으로 나뉘어져 있어) 한 번에 직접 구하기 힘든 어떤 사건의 확률을 쉽게 구할 수 있게 해준다. 다음 문제를 통해 확인해 보자.

---

❶ $\mathrm{P}(B)=\mathrm{P}(A\cap B)+\mathrm{P}(A^C\cap B)$가 성립하는 이유도 전확률 공식에 근거할 수 있다.
오른쪽 벤다이어그램을 보면 쉽게 이해될 것이다.

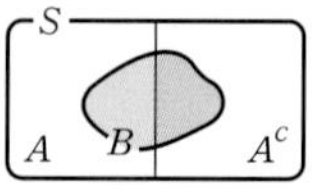

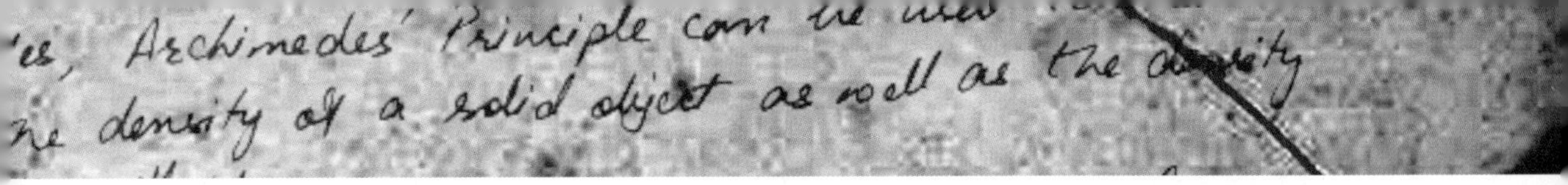

EXAMPLE *01* 독도 고등학교의 학생은 1학년 30%, 2학년 40%, 3학년 30%로 구성되어 있고, 각 학년에서 남학생의 비율은 1학년 50%, 2학년 45%, 3학년 60%라 할 때, 다음 물음에 답하여라.

(1) 전체 학생에서 남학생의 비율은 몇 %인지 구하여라.

(2) 학생 한 명을 임의로 택하였더니 남학생이었을 때, 그 학생이 1학년일 확률을 구하여라.

ANSWER (1) 전체 학생 중 한 명의 학생을 택하는 시행에서 다음 사건들을 정의하자.

A_i : i학년 학생인 사건 (단, $i=1, 2, 3$)　B : 남학생인 사건

이때 사건 A_i들은 전확률 공식의 전제조건을 만족시키고, 구하는 것은 $\mathrm{P}(B)$이므로

$$\begin{aligned}\mathrm{P}(B)&=\mathrm{P}(A_1)\mathrm{P}(B|A_1)+\mathrm{P}(A_2)\mathrm{P}(B|A_2)+\mathrm{P}(A_3)\mathrm{P}(B|A_3)\\&=0.3\times0.5+0.4\times0.45+0.3\times0.6=0.51\end{aligned}$$

따라서 전체 학생에서 남학생의 비율은 **51%**이다. ■

(2) 구하는 것은 $\mathrm{P}(A_1|B)$이므로

$$\mathrm{P}(A_1|B)=\frac{\mathrm{P}(B\cap A_1)}{\mathrm{P}(B)}=\frac{\mathrm{P}(A_1)\mathrm{P}(B|A_1)}{\mathrm{P}(B)}=\frac{0.3\times0.5}{0.51}=\frac{15}{51}=\mathbf{\frac{5}{17}}\ ■$$

[다른 풀이] (1) 전체 학생 수를 1로 생각하면 남학생 수는

$$1\times0.3\times0.5+1\times0.4\times0.45+1\times0.3\times0.6=0.51$$

이므로 남학생의 비율은 $\frac{(\text{남학생 수})}{(\text{전체 학생 수})}\times100=\frac{0.51}{1}\times100=51(\%)$이다.

Sub Note 081쪽

APPLICATION *01* A, B, C 세 주머니에 각각 '검은 공 2개, 흰 공 3개', '검은 공 1개, 흰 공 2개', '검은 공 2개, 흰 공 2개'가 들어 있다. 한 주머니를 임의로 선택하여 공을 1개 꺼낼 때, 다음 물음에 답하여라.

(1) 꺼낸 공이 검은 공일 확률을 구하여라.

(2) 검은 공을 꺼냈을 때, 이 공을 A 주머니에서 꺼냈을 확률을 구하여라.

한편 **EXAMPLE** *01*의 (2)에서와 같이 전확률 공식의 전제조건을 만족시키는 상황에서 사건 B가 일어났을 때의 사건 A_i의 조건부확률은 다음과 같이 구할 수 있다.

이를 베이즈 정리(bayes theorem)라 한다.

베이즈 정리

$$\mathrm{P}(A_i|B)=\frac{\mathrm{P}(B\cap A_i)}{\mathrm{P}(B)}=\frac{\mathrm{P}(A_i)\mathrm{P}(B|A_i)}{\mathrm{P}(A_1)\mathrm{P}(B|A_1)+\mathrm{P}(A_2)\mathrm{P}(B|A_2)+\cdots+\mathrm{P}(A_n)\mathrm{P}(B|A_n)}$$

(단, $i=1, 2, \cdots, n$)

01. 몬티홀 문제

조건부확률에 대한 문제로 자주 거론되는 것이 있는데, 그것은 바로 **몬티홀 문제**(Monty Hall problem)이다. 몬티홀 문제는 미국의 TV 게임 쇼 'Let's Make a Deal'에서 유래한 문제로 이 게임 쇼의 진행자의 이름을 따온 것이다.

> 한 문 뒤에는 자동차가, 두 문 뒤에는 염소가 있는 세 개의 문 중에서 하나를 선택하여 선택한 문 뒤에 자동차가 있으면 가질 수 있는 게임 쇼가 있다. 출연자가 한 문을 선택하면 게임 쇼 진행자는 나머지 두 문 중 염소가 있는 한 문을 열어 보여 주면서, 처음 선택한 문 대신 남아 있는 문으로 바꾸는 것은 어떻겠냐고 묻는다. 출연자가 자동차를 갖기 위해서는 처음 선택을 고수하는 것이 나을까? 아니면 바꾸는 것이 더 나을까?

언뜻 생각하기에는 염소가 있는 문 하나를 제외하면 자동차는 나머지 두 문 중 하나에 있을 것이므로 처음 선택을 고수하든 바꾸든 간에 자동차를 얻을 확률은 똑같이 $\frac{1}{2}$인 것으로 보인다.

하지만 그렇지 않다. 다음 표에서 볼 수 있듯이 출연자가 선택을 바꾸면 자동차를 얻을 확률은 $\frac{1}{3}$에서 $\frac{2}{3}$로 높아지게 된다.

	출연자가 처음 선택한 문	문	문	남아 있는 문으로 바꿀 때 자동차의 획득 여부
[경우 1]	자동차	염소	염소	×
[경우 2]	염소	자동차	염소	○
[경우 3]	염소	염소	자동차	○

이 단원 **Advanced Lecture**에서 배운 전확률 공식과 베이즈 정리를 이용하여 이를 보다 수학적으로 설명해 보자.

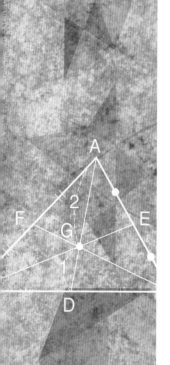

먼저 출연자가 처음 선택한 문을 Ⅰ, 나머지 두 문을 Ⅱ, Ⅲ이라 하고 세 문 뒤에 자동차가 있는 사건을 순서대로 A_1, A_2, A_3이라 하면 A_1, A_2, A_3은 전확률 공식의 전

제조건을 만족시킨다. 이때 사회자가 문 Ⅱ를 선택하는 사건을 B라 하면 베이즈 정리에 의하여 출연자가 처음 선택을 고수할 때 자동차를 얻게 될 확률은 다음과 같이 구할 수 있다.

$$\mathrm{P}(A_1|B)=\frac{\mathrm{P}(A_1)\mathrm{P}(B|A_1)}{\mathrm{P}(A_1)\mathrm{P}(B|A_1)+\mathrm{P}(A_2)\mathrm{P}(B|A_2)+\mathrm{P}(A_3)\mathrm{P}(B|A_3)}$$

여기서 $\mathrm{P}(A_1)=\mathrm{P}(A_2)=\mathrm{P}(A_3)=\frac{1}{3}$이고,

(i) $\mathrm{P}(B|A_1)=\frac{1}{2}$ ← 문 Ⅰ에 자동차가 있으면 사회자는 Ⅱ를 택하거나 Ⅲ을 택한다.

(ii) $\mathrm{P}(B|A_2)=0$ ← 문 Ⅱ에 자동차가 있으면 사회자는 Ⅱ를 절대 택할 수 없다.

(iii) $\mathrm{P}(B|A_3)=1$ ← 문 Ⅲ에 자동차가 있으면 사회자는 반드시 문 Ⅱ를 택한다.

이므로 이 값들을 위의 식에 대입하면

$$\mathrm{P}(A_1|B)=\frac{\frac{1}{3}\times\frac{1}{2}}{\frac{1}{3}\times\frac{1}{2}+\frac{1}{3}\times 0+\frac{1}{3}\times 1}=\frac{\frac{1}{3}\times\frac{1}{2}}{\frac{1}{2}}=\mathbf{\frac{1}{3}}$$

따라서 출연자가 처음 선택을 고수할 때 자동차를 얻게 될 확률은 $\frac{1}{3}$이고, 선택을 바꾸었을 때 자동차를 얻게 될 확률은 여사건의 확률에 의하여 $1-\frac{1}{3}=\frac{2}{3}$이다.

그러므로 출연자는 웬만하면 문 Ⅲ으로 선택을 바꾸는 것이 현명하겠다.

위에서처럼 조건부확률로 정확한 계산을 할 수도 있지만 직관적으로 생각해 볼 수도 있다. 이는 문의 수를 늘려서 생각하면 더 확실해진다.

전체 문이 100개이고 출연자가 그중 하나의 문을 선택한 후 진행자가 나머지 99개의 문 중에서 98개의 문을 열어 염소가 있음을 보여주었다고 하자. 현재 출연자는 98개의 문이 열렸을 때 자신의 선택을 바꿀지 말지 결정해야 한다.

직관적으로 생각하면 출연자가 처음 선택한 문에 자동차가 있을 확률은 $\frac{1}{100}$이고, 그렇지 않을 확률(나머지 99개의 문 중 하나에 자동차가 있을 확률)은 $\frac{99}{100}$이다.

그리고 진행자가 99개의 문 중에서 염소가 있는 98개의 문을 열었으므로 나머지 1개의 문에 자동차가 있을 확률도 $\frac{99}{100}$로 생각할 수 있다.

따라서 출연자가 선택을 바꾸면 자동차를 얻게 될 확률은 $\frac{99}{100}$가 된다.

몬티홀 문제에서 마지막에 선택을 바꾸는 것은 '처음에 자동차가 있는 문을 골랐다면 잘못된 선택' 이고 '처음에 염소가 있는 문을 골랐다면 잘된 선택' 으로 처음의 선택을 반전시키는 기능을 가진다. 즉, 마지막에 선택을 바꿨을 때

(자동차를 얻게 될 확률)=(처음에 염소가 있는 문을 선택할 확률)

로 만들어 주는 것이다.

Sub Note 081쪽

APPLICATION *01* 몬티홀 문제에서 문이 4개인 경우, 즉 4개의 문 중 1개의 문 뒤에는 자동차가 있고 나머지 3개의 문 뒤에는 염소가 있는 경우, 출연자가 하나의 문을 선택하고 사회자는 염소가 있는 2개의 문을 열어 보여 줄 때, 출연자는 문을 바꾸는 것이 유리하다. 그 이유를 확률을 이용하여 설명해 보아라.

한편 몬티홀 문제의 조건을 조금 바꾸면 또 다른 재미있는 상황을 만들어 낼 수 있다. 다음과 같은 문제가 주어졌다고 하자.

> 게임의 방 안에 있는 세 개의 문 뒤에는 각각 자동차(C), 자동차 열쇠(K), 염소(G)가 하나씩 있다. A, B 두 사람이 게임을 하는데 A는 자동차를, B는 자동차 열쇠를 찾아야 하고 A, B가 모두 원하는 것을 찾았을 때에만 상품을 받아갈 수 있다. A가 먼저 게임의 방에 들어가 세 개의 문 중 두 개를 차례로 열어 볼 수 있다. 만약 A가 자동차를 찾으면 모든 문을 다시 닫고 B가 게임의 방에 들어가 역시 세 개의 문 중 두 개를 차례로 열어 볼 수 있다. A, B가 게임의 방에 들어가기 전에 협의를 한다고 할 때, 상품을 받아갈 확률의 최댓값을 구하여라.
> (단, A가 게임의 방에서 나온 후에는 B와 협의할 수 없다.)

단순하게 보면 A가 자동차(C)가 있는 문을 열 확률이 $\frac{2}{3}$, B가 자동차 열쇠(K)가 있는 문을 열 확률이 $\frac{2}{3}$이므로 두 확률을 곱한 $\frac{4}{9}$가 상품을 받아갈 확률이라 생각할

수 있다. 하지만 A, B가 게임의 방에 들어가기 전에 협의를 할 수 있으므로 규칙을 위배하지 않으면서 상품을 받아갈 확률을 높일 수 있다. A, B가 협의를 통해 다음과 같은 전략을 사용한다고 하자.

A : 먼저 [문 1]을 열어 보고, 자동차(C)가 있으면 성공.
만약 [문 1] 뒤에 자동차 열쇠(K)가 있으면 [문 2]를 열고, 염소(G)가 있으면 [문 3]을 연다.
B : 먼저 [문 2]를 열어 보고, 자동차 열쇠(K)가 있으면 성공.
만약 [문 2] 뒤에 자동차(C)가 있으면 [문 1]을 열고, 염소(G)가 있으면 [문 3]을 연다.

	[문 1]	[문 2]	[문 3]	A	B	상품의 획득 여부
[경우 1]	C	G	K	[문 1] : C	[문 2] : G [문 3] : K	○
[경우 2]	C	K	G	[문 1] : C	[문 2] : K	○
[경우 3]	G	C	K	[문 1] : G [문 3] : K		×
[경우 4]	G	K	C	[문 1] : G [문 3] : C	[문 2] : K	○
[경우 5]	K	C	G	[문 1] : K [문 2] : C	[문 2] : C [문 1] : K	○
[경우 6]	K	G	C	[문 1] : K [문 2] : G		×

제시한 전략을 사용하면 위의 표에서 알 수 있듯이 상품을 받아갈 확률은 $\frac{4}{6}=\frac{2}{3}$이다. $\frac{2}{3}$라는 값은 한 사람이 원하는 것을 찾을 확률이므로 상품을 받아갈 확률은 당연히 $\frac{2}{3}$보다 클 수 없다. 즉, 위의 전략은 한 사람이 원하는 것을 찾으면 다른 사람도 반드시 원하는 것을 찾도록 한 것이다.

SUMMA CUM LAUDE
MATHEMATICS

위대한 사람은 단번에 그와 같이 높은 곳에 뛰어오른 것이 아니다.
동반자들이 밤에 단잠을 잘 때, 그는 일어나서 괴로움을 이기고 일에 몰두했던 것이다.
인생은 자고 쉬는 데 있는 것이 아니라 한 걸음 한 걸음 걸어 나아가는 데 있다.

– 브라우닝

CHAPTER Ⅲ
통계

숨마쿰라우데®
[확률과 통계]

INTRO to Chapter Ⅲ
통계

SUMMA CUM LAUDE

본 단원의 구성에 대하여...

Ⅲ. 통계	1. 확률분포	01 이산확률변수의 확률분포 02 이산확률변수의 기댓값과 표준편차 03 이항분포 04 연속확률변수의 확률분포 05 정규분포 • Review Quiz • EXERCISES
	2. 통계적 추정	01 모집단과 표본 02 모평균의 추정 • Review Quiz • EXERCISES
	• **대단원 연습문제** • **대단원 심화, 연계 학습** TOPIC (1) 체비세프의 부등식 TOPIC (2) 베르누이 시행 TOPIC (3) 정규분포와 중심극한정리 • **논술, 구술 자료** 01. 통계 용어 02. 통계의 허와 실	

보험은 18세기부터 이미 성행하기 시작하였다. 보험을 드는 사람은 당연히 불입액은 적으면서 사고가 났을 때는 많은 금액을 타는 보험을 원한다. 반면에 보험회사의 입장에서는 사고로 지출하는 돈보다 들어오는 불입액이 더 많기를 바란다. 불입액과 보험금의 기준을 정하는 데 통계가 사용되었고, 이를 출발로 하여 통계학은 발달하기 시작하였다.

통계의 발달

통계학을 뜻하는 영단어 'statistics'의 어원은 국가를 의미하는 라틴어 'status'이다. 이는 통계학이 과거에 국가와 밀접한 관계가 있었음을 나타낸다. 국가와 밀접하다는 것은 당시 지배 세력의 정책에 도움을 주었다는 것으로 볼 수 있다. 즉, 군주는 세금을 거두기 위해서 영토에 거주하는 사람이 몇 명인지, 땅값을 산출하기 위해서 농지는 몇 평인지 정리된 자료가 필요하였다.

19세기 이전까지는 (통계 조사가 힘들 정도의) 인구 증가나 경제 성장이 크지 않았기 때문에 통계적 조사를 몇몇 교회 등에서 전담하여 맡아왔고, 통계 자료 역시 출생, 혼인, 사망 등의 기초적인 수량 기록이거나 간단한 무역 활동 기록 정도로 미미하였다.
그러다가 19세기 이후, 급격한 사회 변화로 인해 국가 차원에서의 통계 조사가 필요하게 되었다. 유럽 국가들은 여러 사회 정책을 세우기 위한 보다 과학적인 근거를 마련하기 위해서 인구 조사를 실시하였다.

당시 유럽 통계를 대표하는 인물로는 벨기에의 수학자이자 통계학자인 케틀레(Adolphe Quetelet; 1796~1874)가 있다. 그는 천문학 등에서만 쓰이던 확률이론을 사회 데이터에도 적용하려 했고, 인구통계와 범죄통계를 연구하여 도덕현상이나 범죄현상과 같이 무질서해 보이는 사회현상에도 일종의 규칙성이 존재함을 밝혔다. 그는 통계 자료를 연구한 결과, 매년 어느 국가의 범죄율, 자살률 등이 마치 물리학 법칙을 따르듯 일정하다는 사실로부터 통계를 이용하면 사회의 법칙을 찾을 수 있다고 생각하였다.

한편 자료를 근거로 하여 설정된 통계적 모형의 타당성을 검토하는 것을 통계적 추론이라 한다. 고전적 통계학이 자료의 효율적 집약에 그쳤다면, 현대 통계학에서는 통계적 추론을 통해 자료의 타당성을 검토하고 통계적 모형을 설정하는 데 그 목적을 두고 있다.

20세기 영국의 통계학자이자 유전학자인 피셔(Ronald Aylmer Fisher; 1890~1962)는 학문으로써의 통계를 눈부시게 발전시켰다. 현대 통계학의 근간을 마련했다는 평가를 받기도 하는 그는 모집단과 표본을 구별하고 표본을 통해 모집단의 정보를 추정하는 방법을 만들어냈다. 어떠한 통계의 유의미성을 판단할 때 가장 많이 사용하는 수치인 '95%'와 '1.96'은 1925년에 출간된 그의 저서 「Statistical Methods for Research Workers」에서 자주 언급되었으며 지금까지 사용되고 있다.
피셔의 업적은 고등 수학의 수준을 넘어 대학 수준의 통계학에서 더 빛을 발하기 때문에 관심 있는 학생은 이번 단원을 학습한 후 좀 더 심도 있게 탐구해 보도록 하자.

통계학이란?

"흡연이 폐암의 원인인가?"

"세 살 버릇 여든까지 가는가?"

"100 m^2당 수확량이 최대가 되려면 벼를 얼마만큼 심으면 되는가?"

인류의 지식의 진보는 질문에서 시작된다고 해도 과언이 아니다. 인간은 그 해답을 얻기 위하여 꾸준히 자료를 생성한다. 이때 예측하기 쉽지 않은 질문들에 답할 수 있는 자료는 지속적인 조사를 통해야만 얻을 수 있는 인간의 지적 노력의 산물일 수밖에 없다. 즉, 자료를 수집하고 정리하여 이로부터 미지의 사실에 대한 신빙성 있는 추론을 해야 하는데, 이를 목적으로 하는 학문이 통계학이다.

다시 말해 통계학은 주변에서 볼 수 있는 여러 현상들을 자료화하여 과학적으로 분석 · 추론함으로써 최적의 의사결정을 하고 미래를 예측할 수 있는 수단을 제공하는 학문이다. 자료를 통해 그 의미를 충분히 파악하고 제대로 해석할 수 있다면 그것은 정보가 되어 인간의 생활을 윤택하게 해줄 것이다.

통계, 이렇게 공부하자.

이 단원에서는 통계학의 기본적인 분석 방법을 공부한다.

고교 과정에서 통계를 배우는 주요한 목적은 자료를 통해 필요한 정보를 찾아내는 방법을 익히고, 자료로부터 어떠한 결론을 추론하여 의사결정을 할 수 있는 능력을 키우는 것이다.

이러한 능력을 키우기 위해서는 우선적으로

통계 용어에 대한 정확한 개념 이해가 필수이다.

평균, 분산과 같은 익숙한 용어도 나오지만 확률변수, 확률분포, 확률질량함수, 확률밀도함수 등이나 모집단, 표본집단, 모평균, 표본평균 등과 같이 서로 비슷비슷하여 헷갈리는 용어들도 많이 나온다.

용어에 대한 정확한 이해를 바탕으로 그 개념 사이에 어떠한 관계들이 있는지 숙지하도록 하자. 여러 자료들이 제시되는 만큼 계산이 번거로운 경우도 많으므로 힘들더라도 끝까지 계산하여 그 결과를 꼭 확인해 보는 자세를 갖도록 하자.

01 이산확률변수의 확률분포

SUMMA CUM LAUDE

ESSENTIAL LECTURE

1 확률변수와 확률분포

(1) 확률변수 : 어떤 시행에서 표본공간의 각 원소에 하나의 실수가 대응되는 함수를 확률변수라 한다.

(2) 확률분포 : 확률변수 X가 가질 수 있는 모든 값과 X가 그 값을 가질 확률의 대응 관계(함수)를 확률변수 X의 확률분포라 한다.

2 이산확률변수와 확률질량함수

(1) 이산확률변수 : 확률변수 X가 가질 수 있는 값들이 유한개이거나 무한히 많더라도 자연수와 같이 셀 수 있을 때, X를 이산확률변수라 한다.

(2) 확률질량함수 : 이산확률변수 X가 가질 수 있는 모든 값 $x_1,\ x_2,\ x_3,\ \cdots,\ x_n$에 이 값을 가질 확률 $p_1,\ p_2,\ p_3,\ \cdots,\ p_n$이 대응되는 관계를 나타내는 함수

$$\mathrm{P}(X=x_i)=p_i\ (i=1,\ 2,\ 3,\ \cdots,\ n)$$

를 이산확률변수 X의 확률질량함수라 한다.

(3) 확률질량함수의 성질

이산확률변수 X의 확률질량함수가 $\mathrm{P}(X=x_i)=p_i\,(i=1,\ 2,\ 3,\ \cdots,\ n)$일 때,

① $0\le p_i\le 1$

② $p_1+p_2+p_3+\cdots+p_n=1$

③ $\mathrm{P}(x_i\le X\le x_j)=p_i+p_{i+1}+p_{i+2}+\cdots+p_j$ (단, $j=1,\ 2,\ 3,\ \cdots,\ n$이고 $i\le j$)

1 확률변수와 확률분포

Ⅱ단원 확률에서는 특정 사건이 일어날 확률을 구하는 것이 목적이었다면, 이번 단원에서는

표본공간 안의 모든 사건들의 확률을 구하여, 그 분포를 해석해 봄으로써

다른 어떤 사건의 확률을 추정하는 것이 목적

이다. 이를 위해서는 특별한 도구가 필요한데, 그것이 바로 확률변수라는 것이다.

어떤 시행에서 표본공간은 (조건에 의하여) 서로 배반인 여러 개의 사건들로 분할할 수 있고, 분할된 각 사건들에 대하여 우리는 그 확률을 생각할 수 있다. 즉, 각 사건과 그 확률의 대응 관계(함수)를 생각할 수 있다.

예를 들어 한 개의 동전을 두 번 던지는 시행에서 표본공간을 조건 '앞면이 나온 횟수'로 분할하고, 분할된 각 사건과 그 확률의 대응 관계를 나타내면 다음 표와 같다.

(H : 앞면, T : 뒷면)

표본공간	(T, T)	(H, T), (T, H)	(H, H)
앞면이 나온 횟수	0	1	2
확률	$\frac{1}{4}$	$\frac{2}{4}=\frac{1}{2}$	$\frac{1}{4}$

이때 수 0, 1, 2에 주목하자. 이는 각 사건의 또 다른 이름으로 볼 수 있다. 즉, 앞면이 나온 횟수를 X로 놓으면, 각 사건을 $X=0$, $X=1$, $X=2$로 간단히 표현할 수 있다.

이렇게 어떤 시행에서 (조건에 의하여) 표본공간의 각 원소(근원사건)에 하나의 실수가 대응되는 함수를 **확률변수**(random variable)라 한다. 확률변수를 사용하면 표본공간을 수량화하여 여러 사건들의 확률을 수학적으로 동시에 다룰 수 있게 해 주는 장점이 있다.

이제부터는 확률변수 X[1]를 이용하여 어떤 사건을 $X=x$로 표현할 것이다. 따라서 '사건 $X=x$가 일어날 확률'이라는 말 대신에 '**X가 x를 가질 확률**'이라 말하고, 기호로

$\mathrm{P}(X=x)$ ⬅ 사건 A가 일어날 확률을 $\mathrm{P}(A)$로 쓰는 것과 같은 맥락!

와 같이 나타낸다.[2]

또 우리가 구하려고 하는 모든 사건들의 확률, 즉 확률변수 X가 가질 수 있는 모든 값과 X가 그 값을 가질 확률의 대응 관계(함수)를 X의 **확률분포**(probability distribution)라 한다.

이제 본격적으로 확률변수와 그 확률분포에 대하여 공부해 보자.

확률변수는 그 변수가 가지는 값들을 셀 수 있는지 없는지에 따라 이산확률변수와 연속확률변수로 나눌 수 있다. 먼저 이산확률변수에 대하여 알아보도록 하자.

❶ 확률변수는 주로 대문자 X, Y, Z로 나타내고 X, Y, Z가 가질 수 있는 값은 소문자 x, y, z로 나타낸다.

❷ 확률변수 X가 a 이상 b 이하의 값을 가질 확률은 $\mathrm{P}(a \le X \le b)$와 같이 나타낸다.

2 이산확률변수와 확률질량함수 (수능 고빈도 출제)

앞의 예에서 확률변수 X는 0, 1, 2로 3개의 값을 가질 수 있고, 또 X가 0, 1, 2를 가질 확률은 다음과 같이 각각 하나로 정해져 있다.

$$\mathrm{P}(X=0)=\frac{1}{4},\ \mathrm{P}(X=1)=\frac{1}{2},\ \mathrm{P}(X=2)=\frac{1}{4}$$

이와 같이 확률변수 X가 가질 수 있는 값들이 유한개이거나 무한히 많더라도 자연수와 같이 셀 수 있을 때, X를 **이산확률변수**(discrete random variable)라 한다. 또 일반적으로 이산확률변수 X가 가질 수 있는 모든 값 x_1, x_2, x_3, $\cdots$, x_n에 이 값을 가질 확률 p_1, p_2, p_3, $\cdots$, p_n이 대응되는 관계를 나타내는 함수

$$\mathbf{P}(X=x_i)=p_i\ (i=1,\ 2,\ 3,\ \cdots,\ n)$$

를 이산확률변수 X의 **확률질량함수**(probability mass function)라 한다.

앞의 예에서 확률변수 X의 확률질량함수는 다음과 같다.

$$\mathrm{P}(X=x)={}_2\mathrm{C}_x\left(\frac{1}{2}\right)^x\left(\frac{1}{2}\right)^{2-x}=\frac{{}_2\mathrm{C}_x}{4}\ (x=0,\ 1,\ 2)$$

한편 이산확률변수 X의 확률질량함수를 이용하여 확률분포를 표나 그래프로 만들면 X의 확률분포를 보다 쉽게 확인할 수 있다.

X	x_1	x_2	x_3	$\cdots$	x_n	합계
$\mathrm{P}(X=x)$	p_1	p_2	p_3	$\cdots$	p_n	1

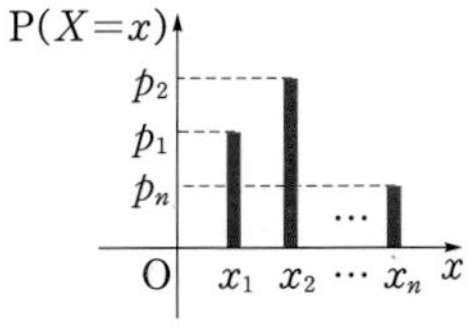

EXAMPLE 032 한 개의 동전을 세 번 던지는 시행에서 앞면이 나오는 횟수를 확률변수 X라 할 때, X의 확률분포를 표로 나타내어라.

ANSWER 확률변수 X가 가질 수 있는 값은 0, 1, 2, 3이고, 그 각각의 확률은

$$\mathrm{P}(X=0)=\frac{1}{8},\ \mathrm{P}(X=1)=\frac{3}{8},\ \mathrm{P}(X=2)=\frac{3}{8},\ \mathrm{P}(X=3)=\frac{1}{8}$$

따라서 X의 확률분포를 표로 나타내면 다음과 같다.

X	0	1	2	3	합계
$\mathrm{P}(X=x)$	$\frac{1}{8}$	$\frac{3}{8}$	$\frac{3}{8}$	$\frac{1}{8}$	1

■

[참고] 확률변수 X가 가질 수 있는 값을 셀 수 있으므로 X는 이산확률변수이고, X의 확률질량함수는 다음과 같다.

$$\mathrm{P}(X=x)=\frac{{}_3\mathrm{C}_x}{8}\ (x=0,\ 1,\ 2,\ 3)$$

이산확률변수 X의 확률질량함수 $P(X=x_i)=p_i\,(i=1, 2, 3, \cdots, n)$는 어떤 사건에 대한 확률을 나타내는 함수이므로 확률의 기본 성질에 의하여 다음을 만족시킨다.

확률질량함수의 성질

이산확률변수 X의 확률질량함수가 $P(X=x_i)=p_i\,(i=1, 2, 3, \cdots, n)$일 때,

① $0\le p_i\le 1$ ⬅ 확률은 0에서 1까지의 값을 갖는다.

② $p_1+p_2+p_3+\cdots+p_n=1$ ⬅ 확률의 총합은 1이다.

③ $P(x_i\le X\le x_j)=p_i+p_{i+1}+p_{i+2}+\cdots+p_j$ (단, $j=1, 2, 3, \cdots, n$이고 $i\le j$)

EXAMPLE 033 확률변수 X의 확률분포를 표로 나타내면 아래와 같을 때, 다음을 구하여라. (단, a는 상수이다.)

X	0	1	2	3	합계
$P(X=x)$	$\frac{1}{4}$	$\frac{1}{3}$	a	$\frac{1}{4}$	1

(1) a의 값　　(2) $P(1\le X\le 3)$

ANSWER (1) 확률의 총합은 1이므로

$$\frac{1}{4}+\frac{1}{3}+a+\frac{1}{4}=1 \qquad \therefore a=\mathbf{\frac{1}{6}}\ ■$$

(2) $P(1\le X\le 3)=P(X=1)+P(X=2)+P(X=3)=\frac{1}{3}+\frac{1}{6}+\frac{1}{4}=\mathbf{\frac{3}{4}}$ ■

[다른 풀이] $P(1\le X\le 3)=1-P(X=0)=1-\frac{1}{4}=\frac{3}{4}$

Sub Note 012쪽

APPLICATION 049 확률변수 X의 확률분포를 표로 나타내면 아래와 같을 때, 다음을 구하여라. (단, a는 상수이다.)

X	-1	0	1	2	합계
$P(X=x)$	$\frac{5}{12}$	$\frac{a}{12}$	$\frac{1}{2}$	a^2	1

(1) a의 값　　(2) $P(X\le 0)$　　(3) $P(X>1)$

기 본 예 제 **확률질량함수의 성질**

031 확률변수 X의 확률질량함수가 $\mathrm{P}(X=x)=kx^2\ (x=1,\ 2,\ 3)$일 때, 다음을 구하여라. (단, k는 상수이다.)

(1) k의 값　　(2) $\mathrm{P}(X\le 2)$

GUIDE 확률의 총합이 1이므로 $x=1,\ 2,\ 3$일 때의 확률을 모두 더하면 1이 된다.

SOLUTION

(1) 확률변수 X의 확률분포를 표로 나타내면 다음과 같다.

X	1	2	3	합계
$\mathrm{P}(X=x)$	k	$4k$	$9k$	1

이때 확률의 총합은 1이므로

$$k+4k+9k=1,\ 14k=1 \qquad \therefore\ k=\frac{1}{14}\ ■$$

(2) $\mathrm{P}(X\le 2)=\mathrm{P}(X=1)+\mathrm{P}(X=2)$

$$=\frac{1}{14}+\frac{4}{14}=\frac{5}{14}\ ■$$

Sub Note 030쪽

유제
031-1 확률변수 X의 확률질량함수가 $\mathrm{P}(X=x)=\dfrac{k}{2^x}\ (x=1,\ 2,\ 3,\ 4)$일 때, 다음을 구하여라. (단, k는 상수이다.)

(1) k의 값　　(2) $\mathrm{P}(X\ge 2)$

Sub Note 030쪽

유제
031-2 확률변수 X의 확률질량함수가

$$\mathrm{P}(X=x)=\begin{cases} k-\dfrac{x}{5} & (x=-1,\ 0) \\ \dfrac{k}{5}x & (x=1,\ 2,\ 3) \end{cases}$$

일 때, $\mathrm{P}(X^2-3X=0)$을 구하여라. (단, k는 상수이다.)

기 본 예 제 이산확률변수의 확률

032 남학생 4명, 여학생 3명으로 이루어진 동아리에서 대표 2명을 뽑을 때, 뽑힌 여학생의 수를 확률변수 X라 하자. 다음 물음에 답하여라.

(1) X의 확률질량함수를 구하고, X의 확률분포를 표로 나타내어라.

(2) 여학생이 1명 이하로 뽑힐 확률을 구하여라.

GUIDE 확률변수 X가 가질 수 있는 모든 값을 찾고, X의 확률질량함수를 구해 그 각각의 X의 값에 대한 확률을 구한다.

SOLUTION

(1) 확률변수 X가 가질 수 있는 값은 0, 1, 2이다.

7명 중 2명의 대표를 뽑는 경우의 수는 ${}_7\mathrm{C}_2$이고, 뽑힌 대표 중에서 여학생이 x명인 경우의 수는 ${}_3\mathrm{C}_x \times {}_4\mathrm{C}_{2-x}$이므로 X의 확률질량함수는

$$\mathbf{P}(\boldsymbol{X}=\boldsymbol{x})=\frac{{}_3\mathbf{C}_{\boldsymbol{x}} \times {}_4\mathbf{C}_{2-\boldsymbol{x}}}{{}_7\mathbf{C}_2}\ (\boldsymbol{x}=\mathbf{0},\ \mathbf{1},\ \mathbf{2})$$

확률변수 X가 0, 1, 2일 때의 확률은 각각

$$\mathrm{P}(X=0)=\frac{{}_3\mathrm{C}_0 \times {}_4\mathrm{C}_2}{{}_7\mathrm{C}_2}=\frac{2}{7},\ \mathrm{P}(X=1)=\frac{{}_3\mathrm{C}_1 \times {}_4\mathrm{C}_1}{{}_7\mathrm{C}_2}=\frac{4}{7},$$

$$\mathrm{P}(X=2)=\frac{{}_3\mathrm{C}_2 \times {}_4\mathrm{C}_0}{{}_7\mathrm{C}_2}=\frac{1}{7}$$

이므로 X의 확률분포를 표로 나타내면 다음과 같다.

X	0	1	2	합계
$\mathrm{P}(X=x)$	$\frac{2}{7}$	$\frac{4}{7}$	$\frac{1}{7}$	1

■

(2) 여학생이 1명 이하로 뽑힐 확률은 $\mathrm{P}(X\le 1)$이므로

$$\mathrm{P}(X\le 1)=\mathrm{P}(X=0)+\mathrm{P}(X=1)=\frac{2}{7}+\frac{4}{7}=\mathbf{\frac{6}{7}}$$ ■

유제 Sub Note 030쪽

032-1 빨간 구슬이 3개, 파란 구슬이 5개가 들어 있는 주머니에서 3개의 구슬을 동시에 꺼낼 때, 꺼낸 구슬 중 파란 구슬의 개수를 확률변수 X라 하자. 다음 물음에 답하여라.

(1) X의 확률질량함수를 구하여라.

(2) 파란 구슬이 2개 이하일 확률을 구하여라.

유제 Sub Note 031쪽

032-2 1부터 5까지의 자연수가 각각 하나씩 적혀 있는 5장의 카드 중에서 2장의 카드를 동시에 뽑을 때, 카드에 적힌 두 수 중 작은 수를 확률변수 X라 하자. 이때 $\mathrm{P}(X\le 2)$를 구하여라.

02 이산확률변수의 기댓값과 표준편차

SUMMA CUM LAUDE

ESSENTIAL LECTURE

1 이산확률변수의 기댓값(평균), 분산, 표준편차

이산확률변수 X의 확률질량함수가 $\mathrm{P}(X=x_i)=p_i(i=1, 2, 3, \cdots, n)$일 때,

(1) 기댓값(평균) : $\mathrm{E}(X)=x_1p_1+x_2p_2+x_3p_3+\cdots+x_np_n$

(2) 분산 : $\mathrm{V}(X)=\mathrm{E}((X-m)^2)=(x_1-m)^2p_1+(x_2-m)^2p_2+\cdots+(x_n-m)^2p_n$

$=\mathrm{E}(X^2)-\{\mathrm{E}(X)\}^2$ (단, $m=\mathrm{E}(X)$)

(3) 표준편차 : $\sigma(X)=\sqrt{\mathrm{V}(X)}$

2 확률변수 $aX+b$의 평균, 분산, 표준편차

확률변수 X와 두 상수 $a(a\neq0)$, b에 대하여

(1) 평균 : $\mathrm{E}(aX+b)=a\mathrm{E}(X)+b$

(2) 분산 : $\mathrm{V}(aX+b)=a^2\mathrm{V}(X)$

(3) 표준편차 : $\sigma(aX+b)=|a|\sigma(X)$

1 이산확률변수의 기댓값(평균), 분산, 표준편차 (수능 고빈도 출제)

이번 단원에서는 이산확률변수의 기댓값(평균)과 분산, 표준편차에 대하여 알아볼 것이다. 약간 낯설다는 느낌을 받을 수도 있으나 중학교 때 배운 평균, 분산, 표준편차를 조금 변형한다는 생각으로 접근하면 쉽게 이해할 수 있을 것이다.

변량	x_1	x_2	$\cdots$	x_n	합계
도수	f_1	f_2	$\cdots$	f_n	N

오른쪽 도수분포표에서 변량의 평균을 구해 보자. 즉,

$$(\text{평균})=\frac{\{(\text{변량})\times(\text{도수})\}\text{의 총합}}{(\text{도수})\text{의 총합}}$$

을 이용하여 평균을 구해 보면

$$\frac{x_1f_1+x_2f_2+\cdots+x_if_i+\cdots+x_nf_n}{N}$$

이고, 이 식은 다음과 같이 나타낼 수 있다.

$$x_1\times\frac{f_1}{N}+x_2\times\frac{f_2}{N}+\cdots+x_i\times\frac{f_i}{N}+\cdots+x_n\times\frac{f_n}{N} \quad \cdots\cdots ㉠$$

이때 각각의 상대도수 $\frac{f_i}{N}$는 $\frac{(x_i\text{가 나올 경우의 수})}{(\text{전체 경우의 수})}$로 볼 수 있으므로 어떤 시행에서 x_i가 나올 확률로 간주할 수 있다.

따라서 주어진 도수분포표에서 변량을 이산확률변수 X라 하고 $\frac{f_i}{N}=p_i$로 놓으면, 도수분포표는 오른쪽 표와 같은 X의 확률분포를 나타낸 표로 바꾸어 생각할 수 있다.[3]

X	x_1	x_2	$\cdots$	x_n	합계
$\mathrm{P}(X=x)$	p_1	p_2	$\cdots$	p_n	1

이를 이용하여 ㉠을 변형하면 변량의 평균은 다음과 같다.

$$㉠=x_1p_1+x_2p_2+\cdots+x_ip_i+\cdots+x_np_n$$

일반적으로 이산확률변수 X의 확률분포가 위의 표와 같을 때

$$\boldsymbol{x_1p_1+x_2p_2+\cdots+x_np_n}$$

을 확률변수 X의 기댓값[4](expectation) 또는 **평균**(mean)이라 하고, 기호로 $\mathbf{E}(\boldsymbol{X})$ 또는 $\boldsymbol{m}$[5]과 같이 나타낸다.

이번에는 이산확률변수의 분산과 표준편차에 대해 알아보자.

분산의 정의는 '**편차의 제곱의 평균**'이다. 따라서 확률변수 X의 기댓값이 m일 때, X가 가지는 값 x_i의 편차 x_i-m의 제곱의 평균은

$$\mathbf{E}((\boldsymbol{X-m})^2)=(\boldsymbol{x_1-m})^2\boldsymbol{p_1}+(\boldsymbol{x_2-m})^2\boldsymbol{p_2}+\cdots+(\boldsymbol{x_n-m})^2\boldsymbol{p_n}$$

이 된다. 이를 확률변수 X의 **분산**(variance)이라 하고, 기호로 $\mathbf{V}(\boldsymbol{X})$[5]와 같이 나타낸다.

그런데 평균의 정의와 확률질량함수의 성질

$$m=x_1p_1+x_2p_2+\cdots+x_np_n,\ p_1+p_2+\cdots+p_n=1$$

을 이용하면 확률변수 X의 분산 $\mathrm{V}(X)$를 다음과 같이 구할 수도 있다.

$$\begin{aligned}\mathbf{V}(\boldsymbol{X})&=\mathrm{E}((X-m)^2)\\&=(x_1-m)^2p_1+(x_2-m)^2p_2+\cdots+(x_n-m)^2p_n\\&=(x_1^2p_1+x_2^2p_2+\cdots+x_n^2p_n)-2m(\overbrace{x_1p_1+x_2p_2+\cdots+x_np_n}^{m})\\&\qquad+m^2(\underbrace{p_1+p_2+\cdots+p_n}_{1})\\&=(x_1^2p_1+x_2^2p_2+\cdots+x_n^2p_n)-2m\times m+m^2\times 1\\&=(x_1^2p_1+x_2^2p_2+\cdots+x_n^2p_n)-m^2\\&=\mathbf{E}(\boldsymbol{X}^2)-\{\mathbf{E}(\boldsymbol{X})\}^2\end{aligned}$$

자주 사용하는 공식이므로 유도 과정을 눈여겨 보고 결과를 반드시 기억해 두도록 하자.

---

❸ 도수분포표에서 각 변량의 도수를 전체 도수 N으로 나누면 상대도수의 분포표를 얻을 수 있고, 여기서 변량을 이산확률변수 X로 보면 X의 확률분포를 나타낸 표가 되는 것이다. 따라서 이산확률변수의 기댓값(평균), 분산, 표준편차는 결국 도수분포표에서 변량의 평균, 분산, 표준편차와 똑같은 의미이다.

❹ 기댓값이라는 용어는 보통 이산확률변수의 평균을 대신하는 말로 쓰인다.

또한 분산의 양의 제곱근, 즉 $\sqrt{V(X)}$를 확률변수 X의 **표준편차**(standard deviation)라 하고, 기호로 $\boldsymbol{\sigma(X)}$[5]와 같이 나타낸다.

이상을 정리하면 다음과 같다.

이산확률변수의 기댓값(평균), 분산, 표준편차

이산확률변수 X의 확률질량함수가 $P(X=x_i)=p_i\,(i=1, 2, 3, \cdots, n)$일 때,

(1) 기댓값(평균) : $E(X)=x_1p_1+x_2p_2+x_3p_3+\cdots+x_np_n$

(2) 분산 : $V(X)=E((X-m)^2)=(x_1-m)^2p_1+(x_2-m)^2p_2+\cdots+(x_n-m)^2p_n$

$=E(X^2)-\{E(X)\}^2$ (단, $m=E(X)$)

(3) 표준편차 : $\sigma(X)=\sqrt{V(X)}$

EXAMPLE 034 이산확률변수 X의 확률분포가 다음 표와 같을 때, 확률변수 X의 평균, 분산, 표준편차를 구하여라.

X	2	4	6	합계
$P(X=x)$	$\frac{1}{4}$	$\frac{1}{2}$	$\frac{1}{4}$	1

ANSWER $\mathbf{E(X)}=2\times\frac{1}{4}+4\times\frac{1}{2}+6\times\frac{1}{4}=\mathbf{4}$

$E(X^2)=2^2\times\frac{1}{4}+4^2\times\frac{1}{2}+6^2\times\frac{1}{4}=18$이므로

$\mathbf{V(X)}=E(X^2)-\{E(X)\}^2=18-4^2=\mathbf{2}$, $\boldsymbol{\sigma(X)}=\sqrt{V(X)}=\mathbf{\sqrt{2}}$ ■

[다른 풀이] $V(X)=(x_1-m)^2p_1+(x_2-m)^2p_2+\cdots+(x_n-m)^2p_n$을 이용하여 분산을 구해 보면 $V(X)=(2-4)^2\times\frac{1}{4}+(4-4)^2\times\frac{1}{2}+(6-4)^2\times\frac{1}{4}=2$

Sub Note 012쪽

APPLICATION 050 이산확률변수 X의 확률분포가 다음 표와 같을 때, 확률변수 X의 평균, 분산, 표준편차를 구하여라.

X	0	1	2	3	합계
$P(X=x)$	0.2	0.3	0.4	0.1	1

[5] E, m, V는 각각 기댓값, 평균, 분산을 나타내는 영문자의 첫 글자이고, σ(시그마)는 표준편차를 뜻하는 영문자의 첫 글자 s에 해당하는 그리스 문자이다.

2 확률변수 $aX+b$의 평균, 분산, 표준편차

앞 소단원에서 이산확률변수 X의 평균, 분산, 표준편차를 구하는 방법에 대하여 알아보았다. 하지만 우리의 관심은 X의 평균, 분산, 표준편차를 구하는 데서 끝나지 않는다.

X라는 하나의 확률변수가 있다면 X로부터 $2X+1$, $3X$ 등 여러 가지 확률변수를 생각해 낼 수 있는데, 사실 그러한 확률변수들의 평균, 분산, 표준편차도 X의 평균, 분산, 표준편차로부터 구할 수 있다.

대표적으로 확률변수 X의 평균, 분산, 표준편차로부터 확률변수 $aX+b$ (a, b는 상수, $a\neq0$)의 평균, 분산, 표준편차를 어떻게 구할 수 있는지 지금부터 알아보도록 하자.[6]

이산확률변수 X의 확률분포가 오른쪽 표와 같을 때, X의 일차식으로 표현된 새로운 확률변수

$Y=aX+b$ (a, b는 상수, $a\neq0$)

를 정의하고, Y의 확률분포에 대하여 생각해 보자.

X	x_1	x_2	$\cdots$	x_n	합계
$\mathrm{P}(X=x)$	p_1	p_2	$\cdots$	p_n	1

확률변수 X가 가지는 값 x_i($i=1, 2, \cdots, n$)에 대하여 $y_i=ax_i+b$라 하면 y_i는 x_i에 a배를 하고 b를 더했을 뿐, y_i가 일어날 확률은 x_i가 일어날 확률 p_i와 같다.

즉, $\mathrm{P}(X=x_i)=\mathrm{P}(Y=y_i)$이므로 확률변수 Y의 확률분포는 오른쪽 표와 같다.

Y	y_1	y_2	$\cdots$	y_n	합계
$\mathrm{P}(Y=y)$	p_1	p_2	$\cdots$	p_n	1

따라서 확률변수 Y의 평균, 분산, 표준편차를 구하면 다음과 같다.

$$\begin{aligned}\mathrm{E}(Y)&=\mathrm{E}(aX+b)\\&=(ax_1+b)p_1+(ax_2+b)p_2+(ax_3+b)p_3+\cdots+(ax_n+b)p_n\\&=a(x_1p_1+x_2p_2+x_3p_3+\cdots+x_np_n)+b(\underbrace{p_1+p_2+p_3+\cdots+p_n}_{1})\\&=a\mathrm{E}(X)+b\end{aligned}$$

여기서 $\mathrm{E}(Y)=a\mathrm{E}(X)+b=am+b$이므로

$$\begin{aligned}\mathrm{V}(Y)&=\mathrm{V}(aX+b)\\&=\{(ax_1+b)-(am+b)\}^2p_1+\{(ax_2+b)-(am+b)\}^2p_2+\cdots\\&\qquad+\{(ax_n+b)-(am+b)\}^2p_n\\&=a^2\{(x_1-m)^2p_1+(x_2-m)^2p_2+\cdots+(x_n-m)^2p_n\}\\&=a^2\mathrm{V}(X)\end{aligned}$$

$$\sigma(Y)=\sqrt{\mathrm{V}(Y)}=\sqrt{a^2\mathrm{V}(X)}=|a|\sigma(X)$$

---

[6] 이번 소단원에서 배울 확률변수 X의 평균, 분산, 표준편차의 성질은 이산확률변수 뿐만 아니라 일반적으로 모든 확률변수에 대해서 성립한다. 하지만 고등 과정에서는 주로 이산확률변수에서 다루므로 이산확률변수를 기반으로 하여 내용을 구성하였다.

이상을 정리하면 다음과 같다.

확률변수 $aX+b$의 평균, 분산, 표준편차

확률변수 X와 두 상수 $a\,(a\neq0)$, b에 대하여

(1) 평균 : $E(aX+b)=aE(X)+b$

(2) 분산 : $V(aX+b)=a^2V(X)$

(3) 표준편차 : $\sigma(aX+b)=|a|\sigma(X)$

위의 결과를 보면 상수 b가 $Y=aX+b$의 평균에만 영향을 미치고 분산과 표준편차에는 아무런 영향을 미치지 못하는 것을 알 수 있다. 이는 X와 Y의 확률분포를 그래프로 나타내 보면 쉽게 이해할 수 있다. $a=1$로 놓고 b의 값을 바꿔 가면서 Y의 확률분포를 그래프로 나타내 보면 이는 단지 X의 확률분포를 나타낸 그래프를 x축의 방향으로 b만큼 평행이동한 것임을 확인할 수 있다. 따라서 Y의 평균은 X의 평균에 b를 더한 것이 된다. 하지만 그래프의 모양은 변화가 없으므로 흩어진 정도를 나타내는 분산과 표준편차는 X와 Y가 서로 같게 된다. 즉, b는 분산과 표준편차를 변화시키지 않는다.❼

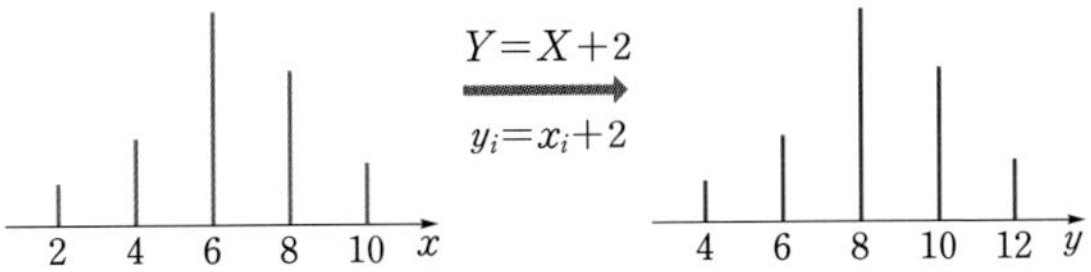

EXAMPLE 035 확률변수 X에 대하여 $E(X)=4$, $E(X^2)=25$일 때,
확률변수 $Y=3X-4$의 평균, 분산, 표준편차를 구하여라.

ANSWER $E(X)=4$, $V(X)=E(X^2)-\{E(X)\}^2=25-4^2=9$, $\sigma(X)=3$이므로

$\mathbf{E(Y)}=E(3X-4)=3E(X)-4=3\times4-4=\mathbf{8}$

$\mathbf{V(Y)}=V(3X-4)=3^2V(X)=9\times9=\mathbf{81}$

$\boldsymbol{\sigma(Y)}=\sigma(3X-4)=|3|\sigma(X)=3\times3=\mathbf{9}$ ■

Sub Note 012쪽

APPLICATION 051 확률변수 X의 평균이 -2, 분산이 9일 때, 다음을 구하여라.

(1) $E(3X+10)$ (2) $V(2X-5)$ (3) $\sigma(-5X+2)$

❼ 반면 상수 a는 평균, 분산, 표준편차에 모두 영향을 미친다. 확률변수에 a를 곱하면 X의 각 변량 x_i를 ax_i로 바꾸므로, 변량들의 크기와 함께 변량들 사이의 간격도 바꾼다. 즉, a의 값에 의하여 그래프의 모양이 바뀌므로 평균, 분산, 표준편차는 모두 바뀐다.

기 본 예 제 *이산확률변수의 평균, 분산, 표준편차(1)*

033 이산확률변수 X의 확률분포가 다음 표와 같고 X의 평균이 8일 때, X의 분산을 구하여라.

(단, a, b는 상수이다.)

X	3	6	9	12	합계
$\mathrm{P}(X=x)$	a	$\frac{1}{3}$	b	$\frac{2}{9}$	1

GUIDE 확률의 총합이 1이고 $\mathrm{E}(X)=8$임을 이용하여 먼저 a, b의 값을 구한다.

SOLUTION

확률의 총합이 1이므로

$$a+\frac{1}{3}+b+\frac{2}{9}=1 \qquad \therefore a+b=\frac{4}{9} \qquad \cdots\cdots ㉠$$

또 $\mathrm{E}(X)=8$이므로

$$3\times a+6\times\frac{1}{3}+9\times b+12\times\frac{2}{9}=8 \qquad \therefore 3a+9b=\frac{10}{3} \qquad \cdots\cdots ㉡$$

㉠, ㉡을 연립하여 풀면 $a=\frac{1}{9}$, $b=\frac{1}{3}$

$$\therefore \mathrm{V}(X)=\left(3^2\times\frac{1}{9}+6^2\times\frac{1}{3}+9^2\times\frac{1}{3}+12^2\times\frac{2}{9}\right)-8^2$$

$$=72-64=8$$ ■

유제

033-1 이산확률변수 X의 확률질량함수가 Sub Note 031쪽

$$\mathrm{P}(X=x)=\frac{x+1}{9}\ (x=1,\ 2,\ 3)$$

일 때, $\mathrm{E}(X)$와 $\sigma(X)$를 구하여라.

유제

033-2 이산확률변수 X의 확률분포가 다음 표와 같고 X의 평균이 $\frac{7}{4}$, 분산이 $\frac{27}{16}$일 때, 상수 a, b에 대하여 ab의 값을 구하여라. (단, $k>0$) Sub Note 031쪽

X	0	1	k	합계
$\mathrm{P}(X=x)$	a	b	$\frac{1}{2}$	1

기 본 예 제 *이산확률변수의 평균, 분산, 표준편차(2)*

034 1부터 100까지의 자연수가 각각 하나씩 적힌 카드가 100장 들어 있는 주머니에서 카드 한 장을 꺼낼 때, 카드에 적힌 수의 각 자리의 숫자에 3, 6, 9가 들어 있는 개수만큼 박수를 치는 놀이가 있다. 예를 들어 16이 적힌 카드를 꺼내면 박수를 한 번 치고, 39가 적힌 카드를 꺼내면 박수를 두 번 친다. 박수를 친 횟수를 확률변수 X라 할 때, X의 평균과 표준편차를 구하여라.

GUIDE X가 가질 수 있는 값과 그 각각에 대한 확률을 구하여 확률분포를 표로 나타낸다.

SOLUTION

1부터 100까지의 수 중에서 각 자리의 숫자에 3, 6, 9가 0개, 1개, 2개 들어 있는 수의 개수는 각각 49, 42, 9이다.

확률변수 X가 가질 수 있는 값은 0, 1, 2이고 그 각각의 확률은 $\frac{49}{100}$, $\frac{21}{50}$, $\frac{9}{100}$ 이므로 확률변수 X의 확률분포를 표로 나타내면 다음과 같다.

X	0	1	2	합계
$\mathrm{P}(X=x)$	$\frac{49}{100}$	$\frac{21}{50}$	$\frac{9}{100}$	1

$$\therefore \mathbf{E(X)}=0\times\frac{49}{100}+1\times\frac{21}{50}+2\times\frac{9}{100}=\mathbf{\frac{3}{5}}$$

$$\mathrm{V}(X)=\left(0^2\times\frac{49}{100}+1^2\times\frac{21}{50}+2^2\times\frac{9}{100}\right)-\left(\frac{3}{5}\right)^2$$

$$=\frac{39}{50}-\frac{9}{25}=\frac{21}{50}$$

$$\boldsymbol{\sigma(X)}=\sqrt{\mathrm{V}(X)}=\sqrt{\frac{21}{50}}=\mathbf{\frac{\sqrt{42}}{10}}\ \blacksquare$$

유제 Sub Note 031쪽

034-1 집합 $A=\{a, b, c\}$의 부분집합 중 임의로 하나를 택할 때, 택한 부분집합의 원소의 개수를 확률변수 X라 하자. 이때 $\mathrm{V}(X)$를 구하여라.

유제 Sub Note 032쪽

034-2 0, 0, 1, 1, 2의 수가 각각 하나씩 적혀 있는 5장의 카드 중에서 임의로 2장의 카드를 동시에 뽑을 때 카드에 적혀 있는 두 수의 곱을 확률변수 X라 하자. 이때 X의 평균과 분산을 구하여라.

기 본 예 제 *기댓값*

035 1부터 10까지의 자연수가 각각 하나씩 적힌 10장의 행운권을 10명에게 1장씩 나누어 주고 추첨을 하여 다음 표와 같이 상금을 주려고 한다. 행운권 한 장으로 받을 수 있는 상금을 확률변수 X라 할 때, X의 기댓값을 구하여라.

	1등	2등	3등	등외
상금(원)	10000	7000	3000	0
행운권 수(장)	1	1	2	6

GUIDE X의 기댓값(평균)을 구하려면 확률변수 X가 가질 수 있는 값과 그 각각에 대한 확률을 구해 표로 나타낸 후, 이를 이용하도록 한다.

SOLUTION

확률변수 X가 가질 수 있는 값은 10000, 7000, 3000, 0이고 그 각각의 확률은

$\frac{1}{10}$, $\frac{1}{10}$, $\frac{1}{5}$, $\frac{3}{5}$이다.

따라서 확률변수 X의 확률분포를 표로 나타내면

X	10000	7000	3000	0	합계
$\mathrm{P}(X=x)$	$\frac{1}{10}$	$\frac{1}{10}$	$\frac{1}{5}$	$\frac{3}{5}$	1

$$\therefore \mathrm{E}(X)=10000\times\frac{1}{10}+7000\times\frac{1}{10}+3000\times\frac{1}{5}+0\times\frac{3}{5}=2300$$

따라서 구하는 기댓값은 **2300원**이다. ■

유제

035-1 당첨금이 오른쪽 표와 같은 복권 100장이 있다. 복권 한 장으로 받을 수 있는 당첨금을 확률변수 X라 할 때, X의 기댓값을 구하여라.

Sub Note 032쪽

	1등	2등	등외
당첨금(원)	100000	10000	0
복권 수(장)	1	20	79

유제

Sub Note 032쪽

035-2 빨간 공 4개, 노란 공 5개가 들어 있는 주머니에서 임의로 2개의 공을 동시에 꺼낼 때, 빨간 공을 꺼내면 1개당 900원, 노란 공을 꺼내면 1개당 1800원의 상금을 받는 게임이 있다. 이 게임을 한 번 해서 받을 수 있는 상금의 기댓값을 구하여라.

기 본 예 제 **확률변수 $aX+b$의 평균, 분산, 표준편차**

036 확률변수 X의 확률분포가 다음 표와 같을 때, 확률변수 $Y=3X+1$의 평균과 표준편차를 구하여라. (단, a는 상수이다.)

X	1	2	3	4	합계
$\mathrm{P}(X=x)$	$\frac{1}{4}$	$2a$	$\frac{1}{4}$	a	1

GUIDE 먼저 $\mathrm{E}(X)$, $\mathrm{V}(X)$, $\sigma(X)$를 각각 구한 후 다음을 이용하여 확률변수 $aX+b$의 평균, 분산, 표준편차를 구한다.

$\mathrm{E}(aX+b)=a\mathrm{E}(X)+b$, $\mathrm{V}(aX+b)=a^2\mathrm{V}(X)$, $\sigma(aX+b)=|a|\sigma(X)$

SOLUTION

확률의 총합이 1이므로

$$\frac{1}{4}+2a+\frac{1}{4}+a=1,\ 3a=\frac{1}{2} \qquad \therefore a=\frac{1}{6}$$

$$\therefore \mathrm{E}(X)=1\times\frac{1}{4}+2\times\frac{1}{3}+3\times\frac{1}{4}+4\times\frac{1}{6}=\frac{7}{3}$$

$$\mathrm{V}(X)=\left(1^2\times\frac{1}{4}+2^2\times\frac{1}{3}+3^2\times\frac{1}{4}+4^2\times\frac{1}{6}\right)-\left(\frac{7}{3}\right)^2=\frac{19}{18}$$

$$\sigma(X)=\sqrt{\frac{19}{18}}=\frac{\sqrt{38}}{6}$$

$$\therefore \mathbf{E(Y)}=\mathrm{E}(3X+1)=3\mathrm{E}(X)+1=3\times\frac{7}{3}+1=\mathbf{8}$$

$$\boldsymbol{\sigma(Y)}=\sigma(3X+1)=|3|\sigma(X)=3\times\frac{\sqrt{38}}{6}=\boldsymbol{\frac{\sqrt{38}}{2}}\ \blacksquare$$

[참고] 확률변수 $Y=3X+1$의 확률분포가 다음 표와 같으므로 이를 이용하여 평균과 표준편차를 직접 구해도 된다. 그러나 Y의 값들이 커서 계산이 번거로우므로 위와 같이 해결하도록 하자.

Y	4	7	10	13	합계
$\mathrm{P}(Y=y)$	$\frac{1}{4}$	$\frac{1}{3}$	$\frac{1}{4}$	$\frac{1}{6}$	1

Sub Note 033쪽

유제

036-1 확률변수 X에 대하여 확률변수 $Y=\frac{1}{4}X+2$라 할 때, $\mathrm{E}(X)=24$, $\mathrm{E}(Y^2)=65$이다. 이때 $\mathrm{V}(X)$를 구하여라.

03 이항분포

SUMMA CUM LAUDE

ESSENTIAL LECTURE

1 이항분포

한 번의 시행에서 사건 A가 일어날 확률이 p일 때, n번의 독립시행에서 사건 A가 일어나는 횟수를 확률변수 X라 하면 확률변수 X의 확률질량함수는

$$\mathrm{P}(X=x)={}_n\mathrm{C}_x p^x q^{n-x}\ (x=0,\ 1,\ 2,\ \cdots,\ n,\ q=1-p)$$

이다. 이와 같은 확률변수 X의 확률분포를 이항분포라 하고, 기호로 $\mathrm{B}(n,\ p)$와 같이 나타내며 확률변수 X는 이항분포 $\mathrm{B}(n,\ p)$를 따른다고 한다.

2 이항분포의 평균, 분산, 표준편차

확률변수 X가 이항분포 $\mathrm{B}(n,\ p)$를 따를 때 (단, $q=1-p$)

(1) 평균 : $\mathrm{E}(X)=np$

(2) 분산 : $\mathrm{V}(X)=npq$

(3) 표준편차 : $\sigma(X)=\sqrt{npq}$

3 큰수의 법칙

어떤 시행에서 사건 A가 일어날 수학적 확률이 p일 때, n번의 독립시행에서 사건 A가 일어나는 횟수를 X라 하면 아무리 작은 양수 h를 택하여도 n을 충분히 크게 하면 확률 $\mathrm{P}\left(\left|\dfrac{X}{n}-p\right|<h\right)$는 1에 가까워진다.

1 이항분포

137쪽에서 배운 독립시행의 확률을 상기해 보자.

독립시행의 확률

어떤 시행에서 사건 A가 일어날 확률이 $p\,(0<p<1)$일 때, 이 시행을 n회 반복하는 독립시행에서 사건 A가 r회 일어날 확률은 다음과 같다.

$${}_n\mathrm{C}_r p^r q^{n-r}\ (r=0,\ 1,\ 2,\ \cdots,\ n,\ q=1-p)$$

이때 위의 내용에서 사건 A가 일어나는 횟수를 X로 놓으면 X는 $0,\ 1,\ 2,\ \cdots,\ n$의 값을 갖는 확률변수로 생각할 수 있다. 따라서 X의 확률질량함수는 (위의 표기를 조금 바꾸어)

$$\mathbf{P}(\boldsymbol{X=x})={}_n\mathbf{C}_x \boldsymbol{p^x q^{n-x}}\ (x=0,\ 1,\ 2,\ \cdots,\ n,\ q=1-p)$$

이 되고, X의 확률분포는 다음 표와 같다.[8]

X	0	1	2	$\cdots$	k	$\cdots$	n	합계
$\mathrm{P}(X=x)$	${}_n\mathrm{C}_0 q^n$	${}_n\mathrm{C}_1 p^1 q^{n-1}$	${}_n\mathrm{C}_2 p^2 q^{n-2}$	$\cdots$	${}_n\mathrm{C}_k p^k q^{n-k}$	$\cdots$	${}_n\mathrm{C}_n p^n$	1

이와 같은 확률변수 X의 확률분포를 **이항분포(binomial distribution)**라 하고, 기호로

$\mathrm{B}(n,\ p)$[9] ← 시행 횟수 n과 한 번의 시행에서 사건 A가 일어날 확률 p를 이용

와 같이 나타내며, 확률변수 X는 이항분포 $\mathrm{B}(n,\ p)$를 따른다고 한다.

EXAMPLE 036 흰 공 3개, 검은 공 1개가 들어 있는 주머니에서 공 한 개를 꺼내어 색을 확인하고 다시 주머니에 넣는 시행을 3번 반복하였을 때, 검은 공이 나오는 횟수를 확률변수 X라 하자. 다음 물음에 답하여라.

(1) X의 확률분포를 $\mathrm{B}(n,\ p)$의 꼴로 나타내어라.

(2) X의 확률질량함수를 구하여라.

(3) $\mathrm{P}(X=2)$를 구하여라.

ANSWER (1) 3회의 독립시행이고 한 번의 시행에서 검은 공이 나올 확률은 $\frac{1}{4}$이므로 확률변수 X는 이항분포 $\mathbf{B\left(3,\ \frac{1}{4}\right)}$을 따른다. ■

(2) 확률변수 X의 확률질량함수는

$$\mathbf{P(X=x)={}_3C_x\left(\frac{1}{4}\right)^x\left(\frac{3}{4}\right)^{3-x}\ (x=0,\ 1,\ 2,\ 3)}$$ ■

(3) $\mathrm{P}(X=2)={}_3\mathrm{C}_2\left(\frac{1}{4}\right)^2\left(\frac{3}{4}\right)^1=\mathbf{\frac{9}{64}}$ ■

Sub Note 012쪽

APPLICATION 052 한 개의 동전을 4번 던질 때, 앞면이 나오는 횟수를 확률변수 X라 하자. 다음 물음에 답하여라.

(1) X의 확률분포를 $\mathrm{B}(n,\ p)$의 꼴로 나타내어라.

(2) X의 확률질량함수를 구하여라.

(3) $\mathrm{P}(X=1)$을 구하여라.

[8] 위의 표를 가만히 보고 있자면 각 확률은 이항정리에 의하여 $(p+q)^n$을 전개한 다음 식의 우변의 각 항과 서로 같음을 알 수 있다.

$$(p+q)^n={}_n\mathrm{C}_0q^n+{}_n\mathrm{C}_1p^1q^{n-1}+{}_n\mathrm{C}_2p^2q^{n-2}+\cdots+{}_n\mathrm{C}_np^n$$

따라서 이 분포를 이항분포라 부르는 것이다.

한편 $p+q=1$이므로 각 확률의 합은 ${}_n\mathrm{C}_0q^n+{}_n\mathrm{C}_1p^1q^{n-1}+{}_n\mathrm{C}_2p^2q^{n-2}+\cdots+{}_n\mathrm{C}_np^n=(p+q)^n=1$임은 명백하다.

[9] $\mathrm{B}(n,\ p)$의 B는 이항분포를 나타내는 영문자의 첫 글자이다.

2 이항분포의 평균, 분산, 표준편차 (수능 고빈도 출제)

확률변수 X가 이항분포 $\mathrm{B}(n,\ p)$를 따를 때, X의 평균, 분산, 표준편차를 구해 보자.

이항분포를 따르는 확률변수도 이산확률변수의 한 종류이므로 앞에서 배운

$$\mathrm{E}(X)=x_1p_1+x_2p_2+x_3p_3+\cdots+x_np_n$$

$$\begin{aligned}\mathrm{V}(X)&=(x_1-m)^2p_1+(x_2-m)^2p_2+\cdots+(x_n-m)^2p_n\\&=\mathrm{E}(X^2)-\{\mathrm{E}(X)\}^2\ (\text{단, } m=\mathrm{E}(X))\end{aligned}$$

$$\sigma(X)=\sqrt{\mathrm{V}(X)}$$

를 이용하면 된다. 그런데 이항분포 $\mathrm{B}(n,\ p)$를 따르는 X의 확률질량함수가

$$\mathrm{P}(X=x)={}_n\mathrm{C}_x p^x q^{n-x}\ (x=0,\ 1,\ 2,\ \cdots,\ n,\ q=1-p)$$

으로 간단하지 않아 평균, 분산, 표준편차를 구하는 과정도 굉장히 복잡하다.(182쪽 **수학 공부법에 대한 저자들의 충고**에서 유도 과정을 따로 소개하도록 하겠다. 식이 복잡할 뿐 고등 과정을 뛰어넘지는 않는다.) 그러나 결과는 매우 간단하므로 결과를 문제에 잘 적용하는 것에 초점을 맞추도록 하자.

예를 들어 확률변수 X가 이항분포 $\mathrm{B}(3,\ p)$를 따를 때, X의 확률분포를 표로 나타내면 다음과 같다. (단, $q=1-p$)

X	0	1	2	3	합계
$\mathrm{P}(X=x)$	q^3	$3pq^2$	$3p^2q$	p^3	1

따라서 X의 평균, 분산, 표준편차는 다음과 같다.

$$\begin{aligned}\mathrm{E}(X)&=0\times q^3+1\times 3pq^2+2\times 3p^2q+3\times p^3\\&=3p(q^2+2pq+p^2)\\&=3p(q+p)^2\\&=3p \quad \leftarrow X\text{가 이항분포 } \mathrm{B}(n,\ p)\text{를 따르면 } \mathrm{E}(X)=np\end{aligned}$$

$$\begin{aligned}\mathrm{V}(X)&=0^2\times q^3+1^2\times 3pq^2+2^2\times 3p^2q+3^2\times p^3-(3p)^2\\&=3p(q^2+4pq+3p^2)-9p^2\\&=3p(q+3p)(q+p)-9p^2\\&=3pq \quad \leftarrow X\text{가 이항분포 } \mathrm{B}(n,\ p)\text{를 따르면 } \mathrm{V}(X)=npq\end{aligned}$$

$$\begin{aligned}\sigma(X)&=\sqrt{\mathrm{V}(X)}\\&=\sqrt{3pq} \quad \leftarrow X\text{가 이항분포 } \mathrm{B}(n,\ p)\text{를 따르면 } \sigma(X)=\sqrt{npq}\end{aligned}$$

일반적으로 이항분포 $B(n, p)$를 따르는 확률변수 X의 평균, 분산, 표준편차는 다음과 같다.

이항분포의 평균, 분산, 표준편차

확률변수 X가 이항분포 $B(n, p)$를 따를 때 (단, $q=1-p$)

(1) 평균 : $E(X)=np$

(2) 분산 : $V(X)=npq$

(3) 표준편차 : $\sigma(X)=\sqrt{npq}$

이렇게 이항분포에서는 독립시행의 횟수 n과 한 번의 시행에서 사건이 일어날 확률 p만 알면 확률변수 X의 평균, 분산, 표준편차를 모두 그것도 아주 쉽게 구할 수 있다.

Sub Note 013쪽

APPLICATION 053 확률변수 X가 다음 이항분포를 따를 때, X의 평균과 분산을 구하여라.

(1) $B\left(32, \frac{1}{4}\right)$ (2) $B\left(540, \frac{1}{6}\right)$

EXAMPLE 037 각 면에 1, 2, 3, 4의 숫자가 각각 하나씩 적혀 있는 정사면체 주사위가 있다. 이 주사위 한 개를 100번 던질 때, 바닥에 놓인 면에 적힌 숫자가 2가 되는 횟수를 확률변수 X라 하자. X의 평균과 표준편차를 구하여라.

ANSWER 100회의 독립시행이고 한 번의 시행에서 숫자 2가 나올 확률은 $\frac{1}{4}$이므로 확률변수 X는 이항분포 $B\left(100, \frac{1}{4}\right)$을 따른다.

$\therefore \mathbf{E(X)}=np=100\times\frac{1}{4}=\mathbf{25}$

$\boldsymbol{\sigma(X)}=\sqrt{npq}=\sqrt{100\times\frac{1}{4}\times\frac{3}{4}}=\mathbf{\frac{5\sqrt{3}}{2}}$ ■

Sub Note 013쪽

APPLICATION 054 어느 공장에서 생산되는 제품의 10%가 불량품이라 한다. 이 공장에서 생산한 300개의 제품에 포함된 불량품의 개수를 확률변수 X라 할 때, X의 평균과 표준편차를 구하여라.

확률변수 X가 이항분포 $\mathrm{B}(n,\ p)$를 따를 때, 확률질량함수

$\mathrm{P}(X=x)={}_n\mathrm{C}_x p^x q^{n-x}\ (x=0,\ 1,\ 2,\ \cdots,\ n,\ q=1-p)$

을 이용하여 X의 평균과 분산을 구해 보자. 조합의 성질과 이항정리, 수학 I의 Ⅲ단원 수열에서 배우는 $\sum$의 정의와 성질을 이용할 것이다.

(1) 평균은 확률변수의 각 값과 그에 대응하는 확률을 곱하여 더한 것이므로 179쪽에서 확률분포를 나타낸 표를 이용하여 평균을 구해 보면

$$\begin{aligned}\mathbf{E}(\boldsymbol{X})&=0\times{}_n\mathrm{C}_0q^n+1\times{}_n\mathrm{C}_1p^1q^{n-1}+2\times{}_n\mathrm{C}_2p^2q^{n-2}+\cdots+n\times{}_n\mathrm{C}_np^n\\&=\sum_{x=0}^{n}x\,{}_n\mathrm{C}_xp^xq^{n-x}=\sum_{x=1}^{n}\frac{x\cdot n!}{x!(n-x)!}p^xq^{n-x}\\&=\sum_{x=1}^{n}\frac{n!}{(x-1)!(n-x)!}p^xq^{n-x}=np\sum_{x=1}^{n}\frac{(n-1)!}{(x-1)!(n-x)!}p^{x-1}q^{n-x}\\&=np\sum_{x=1}^{n}{}_{n-1}\mathrm{C}_{x-1}p^{x-1}q^{(n-1)-(x-1)}=np\sum_{x=0}^{n-1}{}_{n-1}\mathrm{C}_xp^xq^{(n-1)-x}\\&=np(p+q)^{n-1}\\&=\boldsymbol{np}\ (\because\ p+q=1)\end{aligned}$$

(2) 분산 $\mathrm{V}(X)$를 구하기 위해 먼저 $\mathrm{E}(X^2)$을 $x^2=x(x-1)+x$를 이용하여 구해 보면

$$\begin{aligned}\mathrm{E}(X^2)&=0^2\times{}_n\mathrm{C}_0q^n+1^2\times{}_n\mathrm{C}_1p^1q^{n-1}+2^2\times{}_n\mathrm{C}_2p^2q^{n-2}+\cdots+n^2\times{}_n\mathrm{C}_np^n\\&=\sum_{x=0}^{n}x^2{}_n\mathrm{C}_xp^xq^{n-x}=\sum_{x=0}^{n}x(x-1){}_n\mathrm{C}_xp^xq^{n-x}+\sum_{x=0}^{n}x\,{}_n\mathrm{C}_xp^xq^{n-x}\\&=\sum_{x=2}^{n}\frac{n!}{(x-2)!(n-x)!}p^xq^{n-x}+\mathrm{E}(X)\\&=n(n-1)p^2\sum_{x=2}^{n}\frac{(n-2)!}{(x-2)!(n-x)!}p^{x-2}q^{(n-2)-(x-2)}+np\\&=n(n-1)p^2\sum_{x=2}^{n}{}_{n-2}\mathrm{C}_{x-2}p^{x-2}q^{(n-2)-(x-2)}+np\\&=n(n-1)p^2\sum_{x=0}^{n-2}{}_{n-2}\mathrm{C}_xp^xq^{(n-2)-x}+np\\&=n(n-1)p^2(p+q)^{n-2}+np\\&=n(n-1)p^2+np\ (\because\ p+q=1)\\&=n^2p^2+np(1-p)\end{aligned}$$

$$\begin{aligned}\therefore\ \mathbf{V}(\boldsymbol{X})&=\mathrm{E}(X^2)-\{\mathrm{E}(X)\}^2\\&=n^2p^2+np(1-p)-n^2p^2\\&=np(1-p)\\&=\boldsymbol{npq}\ (\because\ 1-p=q)\end{aligned}$$

3 큰수의 법칙

앞에서 배운 이항분포를 이용하면 Ⅱ단원 확률에서 언급했던 통계적 확률과 수학적 확률이 서로 일치한다는 사실을 확인할 수 있다. 지금부터 한 개의 주사위를 n번 던지는 시행에서 1의 눈이 나오는 횟수를 확률변수 X라 할 때 시행 횟수 n이 커짐에 따라 1의 눈이 나오는 횟수의 상대도수 $\frac{X}{n}$와 한 개의 주사위를 1번 던질 때 1의 눈이 나올 수학적 확률 $\frac{1}{6}$의 관계에 대하여 알아보고, 이 사실을 확인해 보도록 하자.

한 번의 시행에서 1의 눈이 나올 확률은 $\frac{1}{6}$이므로 확률변수 X는 이항분포 $\mathrm{B}\left(n,\ \frac{1}{6}\right)$을 따른다. 이때 X의 확률질량함수가

$$\mathrm{P}(X=x)={}_n\mathrm{C}_x\left(\frac{1}{6}\right)^x\left(\frac{5}{6}\right)^{n-x}\ (x=0,\ 1,\ 2,\ \cdots,\ n)$$

이므로 n의 값이 10, 20, 30, 40, 50일 때, 각 확률분포를 표와 그래프로 나타내면 다음과 같다.

x \ n	10	20	30	40	50
0	0.162	0.026	0.004	0.001	0.000
1	0.323	0.104	0.025	0.005	0.001
2	0.291	0.198	0.073	0.021	0.005
3	0.155	0.238	0.137	0.054	0.017
4	0.054	0.202	0.185	0.099	0.040
5	0.013	0.129	0.192	0.143	0.075
6	0.002	0.065	0.160	0.167	0.112
7	0.000	0.026	0.110	0.162	0.140
8	⋮	0.008	0.063	0.134	0.151
9		0.002	0.031	0.095	0.141
10		0.000	0.013	0.059	0.116
11		⋮	0.005	0.032	0.084
12			0.001	0.016	0.055
13			0.000	0.007	0.032
14			⋮	0.001	0.017
15				0.000	0.008
16				⋮	0.004
17					0.001
18					0.001
19					0.000

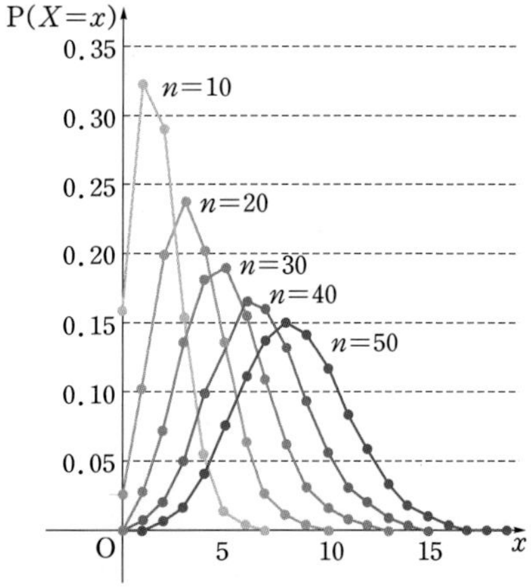

위의 표를 이용하여 상대도수 $\frac{X}{n}$와 수학적 확률 $\frac{1}{6}$의 차가 0.1 미만일 확률 $\mathrm{P}\left(\left|\frac{X}{n}-\frac{1}{6}\right|<0.1\right)$을 n의 값이 10, 30, 50일 때로 나누어 각각 구해 보면

(i) $n=10$일 때,

$$\mathrm{P}\left(\left|\frac{X}{10}-\frac{1}{6}\right|<0.1\right)=\mathrm{P}\left(-0.1<\frac{X}{10}-\frac{1}{6}<0.1\right)=\mathrm{P}\left(\frac{2}{3}<X<\frac{8}{3}\right)$$

$$=\mathrm{P}(X=1)+\mathrm{P}(X=2)=0.323+0.291=0.614$$

(ii) $n=30$일 때,

$$\mathrm{P}\left(\left|\frac{X}{30}-\frac{1}{6}\right|<0.1\right)=\mathrm{P}\left(-0.1<\frac{X}{30}-\frac{1}{6}<0.1\right)=\mathrm{P}(2<X<8)$$

$$=\mathrm{P}(X=3)+\mathrm{P}(X=4)+\cdots+\mathrm{P}(X=7)$$

$$=0.137+0.185+\cdots+0.110=0.784$$

(iii) $n=50$일 때,

$$\mathrm{P}\left(\left|\frac{X}{50}-\frac{1}{6}\right|<0.1\right)=\mathrm{P}\left(-0.1<\frac{X}{50}-\frac{1}{6}<0.1\right)=\mathrm{P}\left(\frac{10}{3}<X<\frac{40}{3}\right)$$

$$=\mathrm{P}(X=4)+\mathrm{P}(X=5)+\cdots+\mathrm{P}(X=13)$$

$$=0.040+0.075+\cdots+0.032=0.946$$

이렇게 상대도수 $\frac{X}{n}$와 수학적 확률 $\frac{1}{6}$의 차가 0.1 미만일 확률은 시행 횟수 n이 커질수록 1에 점점 가까워지게 된다. 여기서 0.1을 0.01, 0.001, …과 같은 임의의 작은 양수로 바꾸어도 같은 결과를 얻을 수 있다.

이것은 한 번의 시행에서 사건 A가 일어날 수학적 확률이 p일 때, n번의 독립시행에서 사건 A가 일어나는 횟수를 X라 하면 상대도수, 즉 통계적 확률 $\frac{X}{n}$는

<u>n의 값이 커질수록 p에 점점 가까워진다</u>

는 것을 뜻한다. 이것을 **큰수의 법칙**(law of large numbers)이라 한다.

큰수의 법칙

어떤 시행에서 사건 A가 일어날 수학적 확률이 p일 때, n번의 독립시행에서 사건 A가 일어나는 횟수를 X라 하면 아무리 작은 양수 h를 택하여도 n을 충분히 크게 하면 확률 $\mathrm{P}\left(\left|\frac{X}{n}-p\right|<h\right)$는 1에 가까워진다.

큰수의 법칙의 증명은 교과 과정을 뛰어넘는다. 그러나 설명을 원하는 학생을 위하여 **Advanced Lecture**에 좀 더 자세히 언급하였으니 참고하길 바란다.

큰수의 법칙에 의하여 우리는 자연 현상이나 사회 현상에서와 같이 수학적 확률을 직접 구하기 어려운 상황에서는 시행 횟수를 충분히 크게 하여 얻은 통계적 확률을 수학적 확률 대신 사용할 수 있다.

기본예제 *이항분포의 확률*

037 어느 교실에 남학생 3명, 여학생 2명으로 구성된 모둠이 10개 있다. 각 모둠에서 임의로 2명씩 선택할 때, 남학생들만 선택된 모둠의 수를 확률변수 X라 하자. $\mathrm{P}(1\le X<3)=\frac{a}{20}\times\left(\frac{7}{10}\right)^8$ 일 때, 상수 a의 값을 구하여라.

GUIDE 독립시행에서 사건이 일어나는 횟수를 확률변수 X라 하면 X는 이항분포 $\mathrm{B}(n,\ p)$를 따른다.

SOLUTION

10회의 독립시행이고 각 모둠에서 남학생들만 선택될 확률은 $\frac{{}_3\mathrm{C}_2}{{}_5\mathrm{C}_2}=\frac{3}{10}$ 이므로 확률변수 X는 이항분포 $\mathrm{B}\left(10,\ \frac{3}{10}\right)$을 따른다.

따라서 X의 확률질량함수는

$$\mathrm{P}(X=x)={}_{10}\mathrm{C}_x\left(\frac{3}{10}\right)^x\times\left(\frac{7}{10}\right)^{10-x}\ (x=0,\ 1,\ 2,\ \cdots,\ 10)$$

이므로

$$\begin{aligned}\mathrm{P}(1\le X<3)&=\mathrm{P}(X=1)+\mathrm{P}(X=2)\\&={}_{10}\mathrm{C}_1\frac{3}{10}\times\left(\frac{7}{10}\right)^9+{}_{10}\mathrm{C}_2\left(\frac{3}{10}\right)^2\times\left(\frac{7}{10}\right)^8\\&=10\times\frac{3}{10}\times\frac{7}{10}\times\left(\frac{7}{10}\right)^8+45\times\left(\frac{3}{10}\right)^2\times\left(\frac{7}{10}\right)^8\\&=\frac{21}{10}\times\left(\frac{7}{10}\right)^8+\frac{81}{20}\times\left(\frac{7}{10}\right)^8\\&=\frac{123}{20}\times\left(\frac{7}{10}\right)^8\end{aligned}$$

$\therefore\ a=\mathbf{123}$ ■

Sub Note 033쪽

유제 **037-1** 명중률이 $\frac{3}{4}$인 양궁 선수가 5발의 화살을 쏠 때, 과녁에 명중하는 화살의 수를 확률변수 X라 하자. 다음 물음에 답하여라.

(1) X의 확률질량함수를 구하여라.

(2) 화살이 1발 이상 명중할 확률을 구하여라.

Sub Note 033쪽

유제 **037-2** 어느 콘도에서 예약을 하였지만 실제로 투숙하지 않을 확률은 15%라 한다. 방이 20개인 이 콘도에서 같은 날 22개의 예약을 받았다고 할 때, 이날 실제로 콘도의 방이 부족하게 될 확률을 구하여라. (단, $0.85^{21}=0.033$, $0.85^{22}=0.028$로 계산한다.)

기 본 예 제 **이항분포의 평균, 분산, 표준편차(1)**

038

어느 대학의 심층면접에서는 수험생들이 한 명씩 면접장으로 들어와 수학 5문제, 화학 4문제, 물리 k문제가 들어 있는 상자 안에서 한 문제를 뽑아 면접을 본 후 다시 그 문제를 상자 속에 넣고 나간다고 한다. 수험생이 n명일 때 물리 문제를 뽑은 수험생의 수를 확률변수 X라 하자. 확률변수 X의 평균이 12, 분산이 9일 때, $n+k$의 값을 구하여라.

GUIDE 이항분포의 평균과 분산을 구하는 식을 이용하여 k, n에 대한 연립방정식을 만든다.

SOLUTION

상자 안에서 한 문제를 뽑을 때, 물리 문제를 뽑을 확률은 $\frac{k}{9+k}$이다.

따라서 확률변수 X는 이항분포 $\mathrm{B}\left(n,\ \frac{k}{9+k}\right)$를 따르고,

X의 평균이 12, 분산이 9이므로

$$\mathrm{E}(X)=n\times\frac{k}{9+k}=12 \quad \cdots\cdots ㉠$$

$$\mathrm{V}(X)=n\times\frac{k}{9+k}\times\frac{9}{9+k}=9 \quad \cdots\cdots ㉡$$

㉡÷㉠을 하면

$$\frac{9}{9+k}=\frac{3}{4} \qquad \therefore k=3$$

이를 ㉠에 대입하면 $n=48$

$\therefore n+k=48+3=$**51** ■

유제

038-1 Sub Note 033쪽

이항분포 $\mathrm{B}(n,\ p)$를 따르는 확률변수 X가 있다. X의 평균이 18, 표준편차가 3일 때, n, p의 값을 구하여라.

유제

038-2 Sub Note 033쪽

흰 공 4개와 검은 공 a개가 들어 있는 상자에서 공을 한 개 꺼내어 색을 확인하고 다시 상자에 넣는 시행을 b번 반복할 때, 검은 공이 나오는 횟수를 확률변수 X라 하자. 확률변수 X의 평균이 3, 표준편차가 $\sqrt{1.2}$일 때, $a+b$의 값을 구하여라.

기본 예제 *이항분포의 평균, 분산, 표준편차(2)*

039 (1) 한 개의 주사위를 10번 던질 때, 6의 약수의 눈이 나오는 횟수를 확률변수 X라 하자. 이때 $3X+1$의 평균과 분산을 구하여라.

(2) 확률변수 X의 확률질량함수가

$$P(X=x)={}_{40}C_x\left(\frac{1}{4}\right)^x\left(\frac{3}{4}\right)^{40-x}\ (x=0,\ 1,\ 2,\ \cdots,\ 40)$$

일 때, $E(2X-1)+V(2X+1)$의 값을 구하여라.

GUIDE 이항분포를 따르는 확률변수도 이산확률변수이므로 앞 소단원에서 배운 평균, 분산, 표준편차의 성질이 그대로 성립한다.

⇨ 확률변수 X와 두 상수 $a\,(a\neq0)$, b에 대하여

$$E(aX+b)=aE(X)+b,\ V(aX+b)=a^2V(X),\ \sigma(aX+b)=|a|\sigma(X)$$

SOLUTION

(1) 6의 약수는 1, 2, 3, 6으로 4개이므로 한 개의 주사위를 던질 때, 6의 약수의 눈이 나올 확률은 $\frac{2}{3}$이다. 즉, 확률변수 X는 이항분포 $B\left(10,\ \frac{2}{3}\right)$를 따르므로

$$E(X)=10\times\frac{2}{3}=\frac{20}{3},\ V(X)=10\times\frac{2}{3}\times\frac{1}{3}=\frac{20}{9}$$

$$\therefore \mathbf{E(3X+1)}=3E(X)+1=3\times\frac{20}{3}+1=\mathbf{21}$$

$$\mathbf{V(3X+1)}=3^2V(X)=9\times\frac{20}{9}=\mathbf{20}\ ■$$

(2) 확률변수 X는 이항분포 $B\left(40,\ \frac{1}{4}\right)$을 따르므로

$$E(X)=40\times\frac{1}{4}=10,\ V(X)=40\times\frac{1}{4}\times\frac{3}{4}=\frac{15}{2}$$

$$\therefore E(2X-1)+V(2X+1)=2E(X)-1+2^2V(X)$$

$$=2\times10-1+4\times\frac{15}{2}=\mathbf{49}\ ■$$

유제 **039-1** 한 개의 주사위를 n번 던질 때, 소수의 눈이 나오는 횟수를 확률변수 X라 하자. X의 평균이 8일 때, $3X+2$의 표준편차를 구하여라.

Sub Note 034쪽

04 연속확률변수의 확률분포

SUMMA CUM LAUDE

ESSENTIAL LECTURE

1 연속확률변수와 확률밀도함수

(1) 연속확률변수 : 어떤 범위에 속하는 모든 실수의 값을 가지는 확률변수를 연속확률변수라 한다.

(2) 확률밀도함수 : $\alpha \le X \le \beta$에서 모든 실수의 값을 가지는 연속확률변수 X에 대하여 $\alpha \le x \le \beta$에서 정의된 함수 $f(x)$가 다음 세 가지 성질을 만족시킬 때, 함수 $f(x)$를 연속확률변수 X의 확률밀도함수라 한다.

① $f(x) \ge 0$

② $y=f(x)$의 그래프와 x축 및 두 직선 $x=\alpha$, $x=\beta$로 둘러싸인 도형의 넓이는 1이다.

③ $\mathrm{P}(a \le X \le b)$는 $y=f(x)$의 그래프와 x축 및 두 직선 $x=a$, $x=b$로 둘러싸인 부분의 넓이와 같다. (단, $\alpha \le a \le b \le \beta$)

1 연속확률변수와 확률밀도함수

어느 산부인과에서 태어난 신생아 100명의 몸무게를 측정할 때 그 값을 X라 하면, X는

$$X=2.19\text{kg},\ 2.5\text{kg},\ 2.77\text{kg},\ 3.28\text{kg},\ 4.3\text{kg},\ \cdots$$

과 같이 어떤 범위 안의 모든 수를 가질 수 있다. 이와 같이 확률변수 X가 어떤 범위에 속하는 모든 실수의 값을 가질 때, X를 **연속확률변수**(continuous random variable)라 한다. 연속확률변수의 예로는 무게 말고도 길이, 시간, 온도 등이 있다.

이제 앞에서 측정한 신생아의 몸무게 자료를 이용하여 오른쪽과 같이 계급을 가지는 상대도수의 분포표를 만들고 [그림 1]과 같은 히스토그램[⑩]을 그릴 때, 조사 대상의 수를 한없이 늘리고 계급의 폭을 0에 가깝도록 줄여 가면 [그림 2]를 거쳐 [그림 3]과 같은 매끄러운 곡선이 될 것임을 짐작할 수 있다.

몸무게(kg)	상대도수
2.0 이상 ~ 2.5 미만	0.15
2.5 ~ 3.0	0.3
3.0 ~ 3.5	0.35
3.5 ~ 4.0	0.2
합계	1

⑩ 세로축을 $\dfrac{(\text{상대도수})}{(\text{계급의 크기})}$로 생각하는 것은, 히스토그램의 각 직사각형의 넓이가 그 구간에서의 상대도수(확률)가 되도록 하기 위함이다. 따라서 히스토그램의 직사각형의 총 넓이는 1이 된다.

$$(\text{계급의 크기}) \times \dfrac{(\text{상대도수})}{(\text{계급의 크기})} = (\text{상대도수})$$

연속확률변수 X에 대하여 이와 같은 과정으로 얻어진 곡선을 나타내는 함수 $f(x)$를, 연속확률변수 X의 **확률밀도함수**(probability density function)라 하고, 연속확률변수 X는 확률밀도함수가 $f(x)$인 확률분포를 따른다고 말한다.

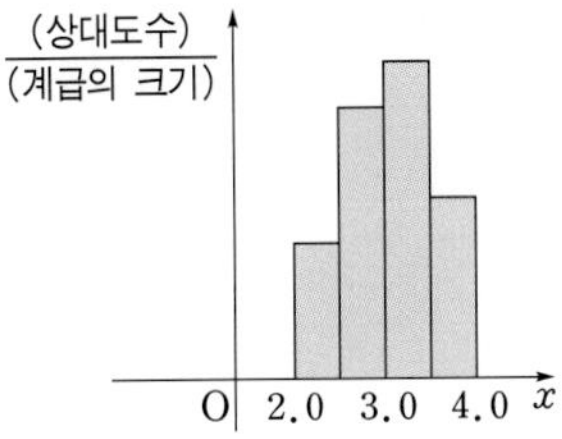

[그림 1]

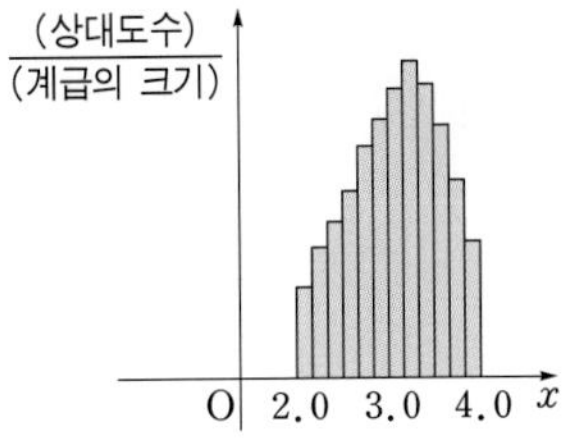

[그림 2]

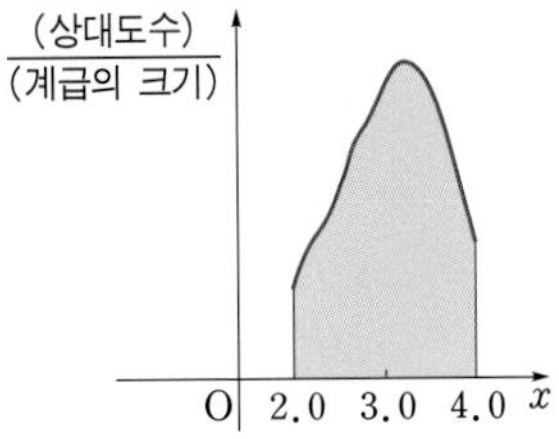

[그림 3]

확률밀도함수는 앞에서 배운 확률질량함수와 유사한 다음 세 가지 성질을 만족시킨다.

확률밀도함수의 성질

연속확률변수 X가 가지는 값이 $\alpha \le X \le \beta$에 속하는 모든 실수의 값이고, $\alpha \le x \le \beta$에서 정의된 확률밀도함수 $y=f(x)$에 대하여

① $f(x) \ge 0$

② $y=f(x)$의 그래프와 x축 및 두 직선 $x=\alpha$, $x=\beta$로 둘러싸인 도형의 넓이는 1이다.

③ $\mathrm{P}(a \le X \le b)$는 $y=f(x)$의 그래프와 x축 및 두 직선 $x=a$, $x=b$로 둘러싸인 부분의 넓이와 같다.[11] (단, $\alpha \le a \le b \le \beta$)

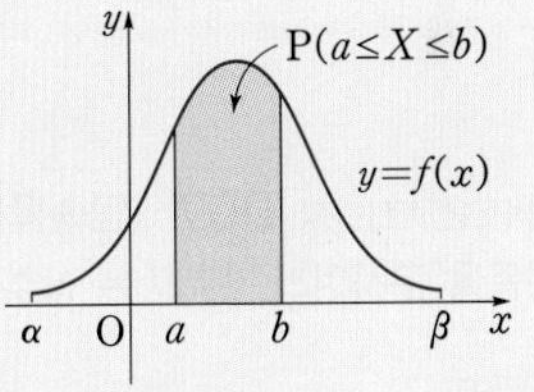

한편 연속확률변수 X가 하나의 값 a를 가질 확률은 $\mathrm{P}(X=a)=0$이다.

따라서 연속확률변수 X에 대하여 다음 등식이 성립한다.

$$\mathrm{P}(a \le X \le b)=\mathrm{P}(a < X \le b)=\mathrm{P}(a \le X < b)=\mathrm{P}(a < X < b)$$

Sub Note 013쪽

APPLICATION **055** 연속확률변수 X의 확률밀도함수가 $f(x)=\frac{1}{3}$ $(0 \le x \le 3)$일 때, $\mathrm{P}(X \ge 2)$를 구하여라.

EXAMPLE 038 연속확률변수 X의 확률밀도함수가 $f(x)=kx$ $(0 \le x \le 3)$일 때, 다음을 구하여라. (단, k는 상수이다.)

(1) k의 값

(2) $\mathrm{P}(1 \le X \le 2)$

⑪ 곡선이 얻어진 과정을 생각해 보면 $a \le x \le b$에서 곡선과 x축 사이의 넓이로 확률이 정의되는 것은 당연하다. 한편 $f(a)$는 $x=a$에서의 확률이 아니고 단지 $x=a$에서의 함숫값이다.

ANSWER (1) 함수 $y=f(x)$의 그래프와 x축 및 직선 $x=3$으로 둘러싸인 도형의 넓이는 1이므로

$\frac{1}{2}\times3\times3k=1$ $\therefore k=\mathbf{\frac{2}{9}}$ ■

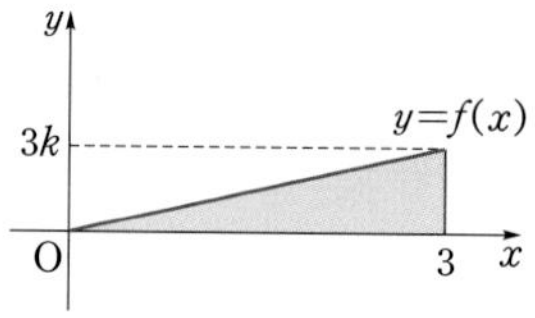

(2) $\mathrm{P}(1\le X\le2)$는 오른쪽 그림의 색칠한 도형의 넓이와 같으므로

$\mathrm{P}(1\le X\le2)=\frac{1}{2}\times\left(\frac{2}{9}+\frac{4}{9}\right)\times1=\mathbf{\frac{1}{3}}$ ■

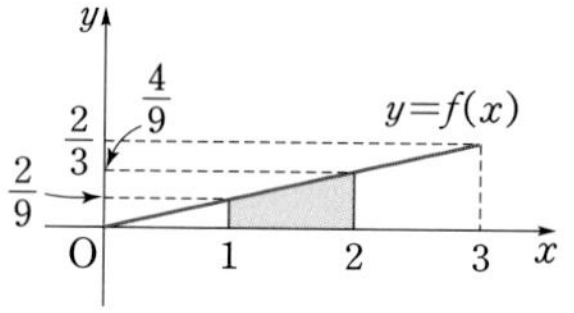

Sub Note 013쪽

APPLICATION 056 $0\le x\le4$에서 정의된 연속확률변수 X의 확률밀도함수 $f(x)$의 그래프가 오른쪽 그림과 같을 때, $\mathrm{P}(1\le X\le4)$를 구하여라.

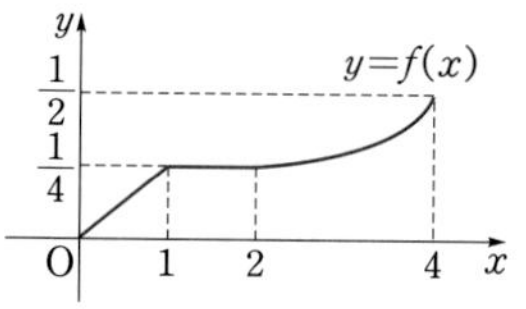

Sub Note 013쪽

APPLICATION 057 연속확률변수 X의 확률밀도함수가 $f(x)=k(1-x)\,(0\le x\le1)$일 때, 다음을 구하여라. (단, k는 상수이다.)

(1) k의 값 (2) $\mathrm{P}\left(0\le X\le\frac{1}{3}\right)$

수학 공부법에 대한 저자들의 충고 – 연속확률변수의 확률분포와 정적분

연속확률변수 X가 a 이상 b 이하의 값을 가질 확률 $\mathrm{P}(a\le X\le b)$는 확률밀도함수 $f(x)$의 그래프와 x축 및 두 직선 $x=a$, $x=b$로 둘러싸인 도형의 넓이와 같으므로 확률밀도함수의 성질을 수학 Ⅱ의 Ⅲ 단원 다항함수의 적분법에서 배우는 정적분을 이용하여 다시 나타내면 다음과 같다.

연속확률변수 X가 닫힌구간 $[\alpha, \beta]$에 속하는 모든 실수의 값을 가질 때, X의 확률밀도함수가 $f(x)$이면

① $f(x)\ge0$

② $\int_{\alpha}^{\beta}f(x)\,dx=1$

③ $\mathrm{P}(a\le X\le b)=\int_{a}^{b}f(x)\,dx$ (단, $\alpha\le a\le b\le\beta$)

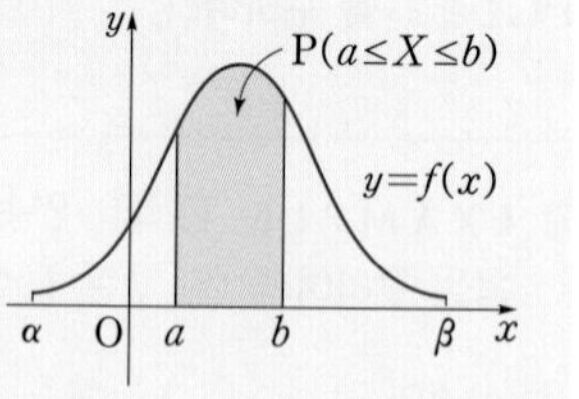

예) 연속확률변수 X의 확률밀도함수가 $f(x)=4x^3$ $(0\le x\le1)$일 때, $\mathrm{P}\left(0\le X\le\frac{1}{2}\right)$을 구하면

$$\mathrm{P}\left(0\le X\le\frac{1}{2}\right)=\int_0^{\frac{1}{2}}4x^3\,dx=\left[x^4\right]_0^{\frac{1}{2}}=\frac{1}{16}$$

기 본 예 제 *연속확률변수의 확률*

040 연속확률변수 X의 확률밀도함수가 $f(x)=\begin{cases} -x & (-1\le x\le 0) \\ kx & (0\le x\le 2) \end{cases}$ 일 때, 다음을 구하여라.

(단, k는 상수이다.)

(1) k의 값 (2) $\mathrm{P}(-1\le X\le 1)$

GUIDE 확률밀도함수가 복잡해 보여도 주어진 범위에서 확률밀도함수의 그래프와 x축 사이의 넓이가 1임을 이용하면 k의 값을 알 수 있다.

SOLUTION

(1) 함수 $y=f(x)$의 그래프와 x축 및 두 직선 $x=-1$, $x=2$로 둘러싸인 도형의 넓이가 1이므로

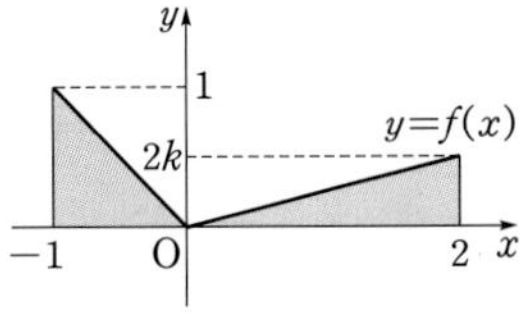

$$\frac{1}{2}\times1\times1+\frac{1}{2}\times2\times2k=1$$

$$\frac{1}{2}+2k=1 \qquad \therefore k=\mathbf{\frac{1}{4}}$$ ■

(2) $f(x)=\begin{cases} -x & (-1\le x\le 0) \\ \frac{1}{4}x & (0\le x\le 2) \end{cases}$ 이므로

$\mathrm{P}(-1\le X\le 1)$은 오른쪽 그림의 색칠한 부분의 넓이와 같다. 즉,

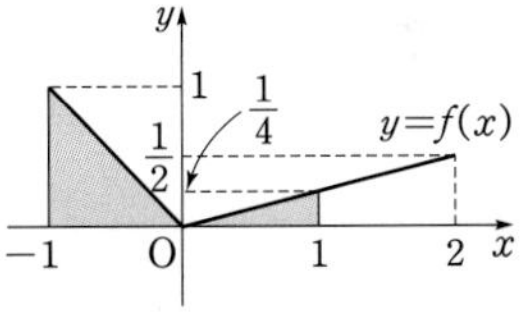

$$\mathrm{P}(-1\le X\le 1)$$
$$=\mathrm{P}(-1\le X\le 0)+\mathrm{P}(0\le X\le 1)$$
$$=\frac{1}{2}\times1\times1+\frac{1}{2}\times1\times\frac{1}{4}=\mathbf{\frac{5}{8}}$$ ■

Sub Note 034쪽

유제
040-1 연속확률변수 X의 확률밀도함수가 $f(x)=\begin{cases} ax & (0\le x\le 3) \\ 3a & (3\le x\le 5) \end{cases}$ 일 때, 다음을 구하여라.

(단, a는 상수이다.)

(1) a의 값 (2) $\mathrm{P}\left(\frac{1}{2}\le X\le 4\right)$

05 정규분포

SUMMA CUM LAUDE

ESSENTIAL LECTURE

1 정규분포

(1) 정규분포 : 실수 전체의 집합에서 정의된 연속확률변수 X의 확률밀도함수 $f(x)$가

$$f(x)=\frac{1}{\sqrt{2\pi}\,\sigma}e^{-\frac{(x-m)^2}{2\sigma^2}}$$ ⑫

으로 주어질 때, X의 확률분포를 정규분포라 하고, 확률밀도함수 $f(x)$의 그래프를 정규분포곡선이라 한다. 이때 m, $\sigma\,(\sigma>0)$는 각각 X의 평균과 표준편차를 나타내는 상수이다.

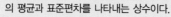

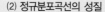

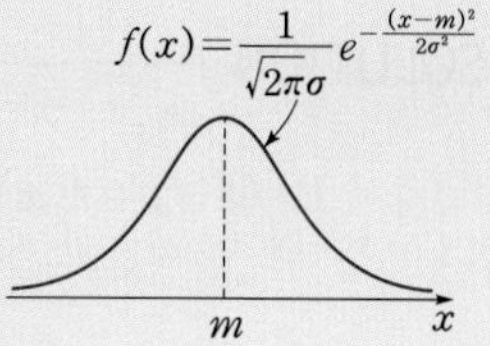

평균과 분산이 각각 m, σ^2인 정규분포를 기호로 $\mathrm{N}(m,\ \sigma^2)$으로 나타낸다.

(2) 정규분포곡선의 성질

① 직선 $x=m$에 대하여 대칭인 종 모양의 곡선이다.

② $x=m$일 때 최댓값은 $\frac{1}{\sqrt{2\pi}\,\sigma}$이다.

③ x축을 점근선으로 하고, 곡선과 x축 사이의 넓이는 1이다.

④ σ의 값이 일정할 때, m의 값에 따라 대칭축의 위치는 바뀌지만 곡선의 모양은 변하지 않는다.

⑤ m의 값이 일정할 때, σ의 값이 커지면 곡선은 가운데 부분이 낮아지면서 양쪽으로 퍼지고, σ의 값이 작아지면 곡선은 가운데 부분이 높아지면서 폭이 좁아진다.

2 표준정규분포

평균이 0, 분산이 1인 정규분포를 표준정규분포라 하고, 기호로 $\mathrm{N}(0,\ 1)$과 같이 나타낸다.

3 정규분포의 표준화

확률변수 X가 정규분포 $\mathrm{N}(m,\ \sigma^2)$을 따를 때

(1) 확률변수 $Z=\frac{X-m}{\sigma}$은 표준정규분포 $\mathrm{N}(0,\ 1)$을 따른다.

(2) $\mathrm{P}(a\le X\le b)=\mathrm{P}\left(\frac{a-m}{\sigma}\le Z\le\frac{b-m}{\sigma}\right)$

4 이항분포와 정규분포의 관계

확률변수 X가 이항분포 $\mathrm{B}(n,\ p)$를 따를 때, n이 충분히 크면 X는 근사적으로 정규분포 $\mathrm{N}(np,\ npq)$를 따른다. (단, $q=1-p$)

⑫ 확률밀도함수의 식을 보고 벌써부터 정규분포가 굉장히 어려울 것이라는 생각을 가질 수도 있다. 하지만 걱정할 필요 없다. 정규분포에서 중요한 것은 함수 자체가 아닌 그래프의 개형이다.

1 정규분포

신생아의 체중, 시험 점수, 강수량 등과 같이 사회 현상이나 자연 현상을 관찰하여 얻은 자료의 상대도수를 계급의 크기를 작게 하여 히스토그램으로 나타내면, 자료의 개수가 커질수록 오른쪽 그림과 같이 좌우 대칭인 종 모양의 곡선에 가까워진다.

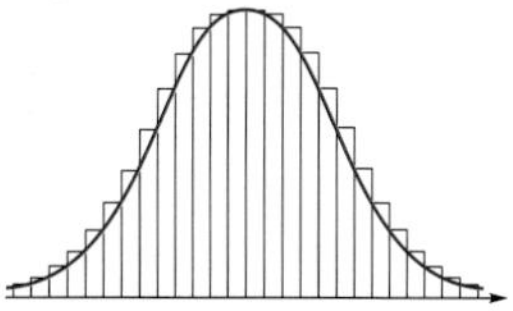

이와 같은 곡선 중 실수 전체의 집합에서 정의된 연속확률변수 X의 확률밀도함수 $f(x)$가 두 상수 m, σ $(\sigma>0)$에 대하여

$$f(x)=\frac{1}{\sqrt{2\pi}\sigma}e^{-\frac{(x-m)^2}{2\sigma^2}}$$

으로 주어질 때, X의 확률분포를 **정규분포**(normal distribution)라 하고, 확률밀도함수 $f(x)$의 그래프를 **정규분포곡선**(normal distribution curve)이라 한다.

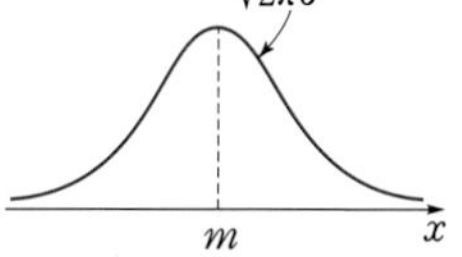

이때 e는 2.718281⋯인 무리수이고, m, σ $(\sigma>0)$는 각각 연속확률변수 X의 평균과 표준편차이다. 확률밀도함수의 식이 m, σ에 따라서만 달라지므로 평균과 분산이 각각 m, σ^2인 정규분포를 기호로

$$\mathrm{N}(m,\ \sigma^2)$$

과 같이 나타내고, 연속확률변수 X는 정규분포 $\mathrm{N}(m,\ \sigma^2)$을 따른다고 한다.

앞에서도 언급했듯이 연속확률변수 X가 정규분포 $\mathrm{N}(m,\ \sigma^2)$을 따를 때, 이 정규분포곡선 $y=f(x)$는 위의 그림과 같이 직선 $x=m$에 대하여 대칭인 종 모양의 곡선이 된다. 이때 $f(x)$의 최댓값은 $x=m$에서 $\frac{1}{\sqrt{2\pi}\sigma}$이다.

또한 확률밀도함수의 성질에 의하여 다음이 성립함은 자명하다.

(i) $f(x)\ge 0$ ⟶ 곡선은 항상 x축보다 위에 있다. ⟶ x축을 점근선으로 한다.

(ii) 정규분포곡선과 x축 사이의 넓이는 1이다.

(iii) $\mathrm{P}(a\le X\le b)$는 x축, 직선 $x=a$, $x=b$, 정규분포곡선으로 둘러싸인 부분의 넓이와 같다.

한편 평균 m과 표준편차 σ의 값에 따라 정규분포곡선의 모양은 조금씩 달라진다.

(1) σ의 값이 일정하고 m의 값이 변할 때

오른쪽 그림과 같이 m의 값이 클수록 대칭축의 위치가 오른쪽으로 평행이동하면서 곡선도 같이 이동하지만 곡선의 모양은 변하지 않는다.

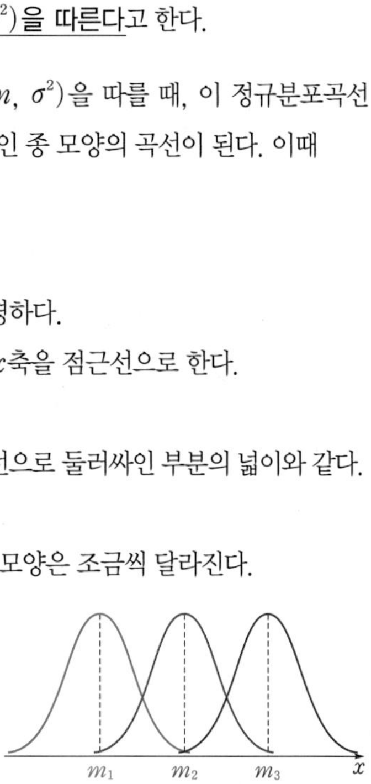

σ의 값이 일정할 때, $m_1<m_2<m_3$인 경우

(2) **m의 값이 일정하고 σ의 값이 변할 때**

오른쪽 그림과 같이 σ의 값이 클수록 평균에서 떨어져 있는 변수가 많아 곡선의 가운데 부분은 낮아지면서 양쪽으로 퍼지고, σ의 값이 작을수록 평균 쪽으로 변수가 많이 몰려 있어 곡선의 가운데 부분이 높아지면서 폭이 좁아진다는 것을 알 수 있다.

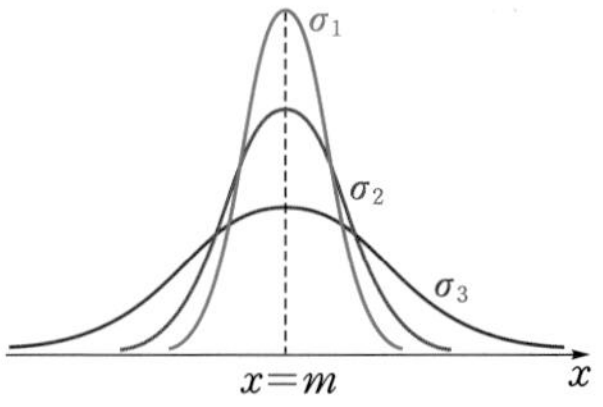

m의 값이 일정할 때, $\sigma_1<\sigma_2<\sigma_3$인 경우

지금까지 언급한 정규분포 $\mathrm{N}(m,\ \sigma^2)$을 따르는 확률변수 X의 정규분포곡선의 성질을 정리하면 다음과 같다.

정규분포곡선의 성질

① 직선 $x=m$에 대하여 대칭인 종 모양의 곡선이다.

② $x=m$일 때 최댓값은 $\dfrac{1}{\sqrt{2\pi}\sigma}$이다.

③ x축을 점근선으로 하고, 곡선과 x축 사이의 넓이는 1이다.

④ σ의 값이 일정할 때, m의 값에 따라 대칭축의 위치는 바뀌지만 곡선의 모양은 변하지 않는다.

⑤ m의 값이 일정할 때, σ의 값이 커지면 곡선은 가운데 부분이 낮아지면서 양쪽으로 퍼지고, σ의 값이 작아지면 곡선은 가운데 부분이 높아지면서 폭이 좁아진다.

EXAMPLE 039 확률변수 X가 정규분포 $\mathrm{N}(m,\ \sigma^2)$을 따를 때, 보기에서 옳은 것만을 있는 대로 골라라. (단, a는 상수이다.)

보기

ㄱ. $\mathrm{P}(X\leq m)=0.5$

ㄴ. $\mathrm{P}(m-\sigma\leq X\leq m+\sigma)=2\mathrm{P}(m\leq X\leq m+\sigma)$

ㄷ. $a>m$일 때, $\mathrm{P}(X\geq a)=0.5-\mathrm{P}(m\leq X\leq a)$

ANSWER ㄱ. 정규분포곡선은 직선 $x=m$에 대하여 대칭이고 정규분포곡선과 x축 사이의 넓이가 1이므로 $\mathrm{P}(X\leq m)=0.5$ (참)

ㄴ. $\mathrm{P}(m-\sigma\leq X\leq m+\sigma)$

$=\mathrm{P}(m-\sigma\leq X\leq m)+\mathrm{P}(m\leq X\leq m+\sigma)$

$=2\mathrm{P}(m\leq X\leq m+\sigma)$ (참)

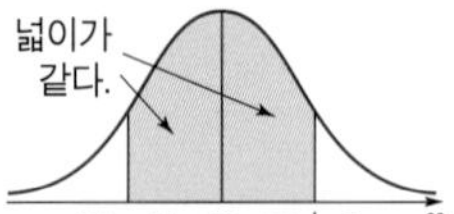

ㄷ. $a>m$일 때, 확률 $\mathrm{P}(X\geq a)$는 오른쪽 그림에서 색칠한 부분의 넓이와 같으므로

$\mathrm{P}(X\geq a)=0.5-\mathrm{P}(m\leq X\leq a)$ (참)

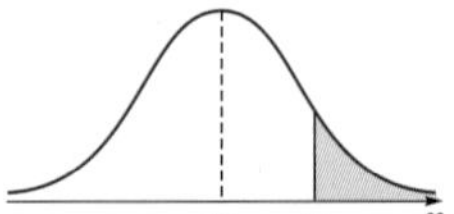

따라서 ㄱ, ㄴ, ㄷ 모두 옳다. ■

EXAMPLE 039에서 ㄴ, ㄷ에 대한 이해는 확실히 하고 넘어가도록 하자. 앞으로 정규분포에서의 확률은 ㄴ, ㄷ과 같은 성질을 이용하여 계산하기 때문이다.

Sub Note 013쪽

APPLICATION **058** 정규분포 $N(m, \sigma^2)$을 따르는 확률변수 X에 대하여 $P(X \le 29) = P(X \ge 37)$일 때, m의 값을 구하여라.

Sub Note 014쪽

APPLICATION **059** A, B, C 세 고등학교의 2학년 학생 수는 각각 500명이다. 세 학교 2학년 학생의 수학 성적은 정규분포를 따르고, 각각의 정규분포곡선은 오른쪽 그림과 같을 때, 보기에서 옳은 것만을 있는 대로 골라라.

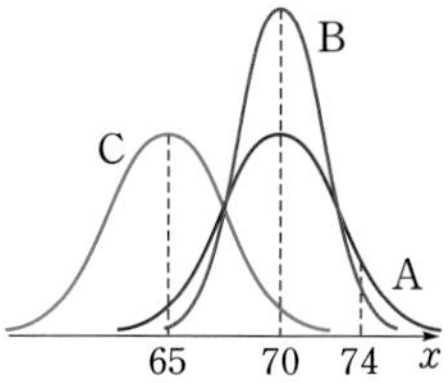

보기
ㄱ. 성적이 74점 이상인 학생들은 B 고등학교보다 A 고등학교에 더 많다.
ㄴ. B 고등학교 학생들은 평균적으로 A 고등학교 학생들보다 성적이 더 우수하다.
ㄷ. C 고등학교 학생들보다 B 고등학교 학생들의 성적이 더 고른 편이다.

2 표준정규분포

평균이 0, 분산이 1인 정규분포를 **표준정규분포**(standard normal distribution)라 하고, 기호로 $\mathbf{N(0, 1)}$과 같이 나타낸다.

확률변수 Z가 표준정규분포 $N(0, 1)$을 따를 때, Z의 확률밀도함수는

$$f(z) = \frac{1}{\sqrt{2\pi}} e^{-\frac{z^2}{2}} \ (z\text{는 모든 실수})$$

이고, 그 그래프는 오른쪽 그림과 같다.

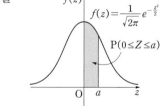

이때 양수 a에 대하여 확률 $P(0 \le Z \le a)$는 범위 $0 \le Z \le a$에서 곡선과 z축 사이의 넓이를 뜻한다. 이 넓이를 구하려면 매우 복잡한 과정을 거쳐야 하지만 다행히도 수학자들이 이미 a의 값에 따라 확률을 모두 계산하여 '**표준정규분포표**'라는 표로 정리해 두었으므로 우리는 복잡한 계산 없이 표준정규분포표에서 확률을 찾아 사용하기만 하면 된다. (284쪽 참고)

예를 들어 확률 $P(0 \le Z \le 1.76)$은 오른쪽과 같이 표준정규분포표에서

왼쪽에 있는 세로의 수에서 1.7을 찾고,

위쪽에 있는 가로의 수에서 0.06을 찾으면

행과 열이 만나는 곳의 수인 0.4608이 된다.

z	0.00	⋯	0.06	⋯
⋮			↓	
1.7	→	→	0.4608	
⋮				

표준정규분포표에는 확률변수 Z가 양수인 경우만 나와 있지만 표준정규분포곡선이 직선 $z=0$에 대하여 좌우 대칭이므로 다음과 같은 확률도 변형하여 쉽게 구할 수 있다.

$0 < a \le b$일 때

① $P(Z \ge 0) = P(Z \le 0) = 0.5$

② $P(0 \le Z \le a) = P(-a \le Z \le 0)$

③ $P(a \le Z \le b) = P(0 \le Z \le b) - P(0 \le Z \le a)$

④ $P(-a \le Z \le b) = P(-a \le Z \le 0) + P(0 \le Z \le b)$
$= P(0 \le Z \le a) + P(0 \le Z \le b)$

⑤ $P(Z \ge a) = P(Z \ge 0) - P(0 \le Z \le a) = 0.5 - P(0 \le Z \le a)$

⑥ $P(Z \le a) = P(Z \le 0) + P(0 \le Z \le a) = 0.5 + P(0 \le Z \le a)$

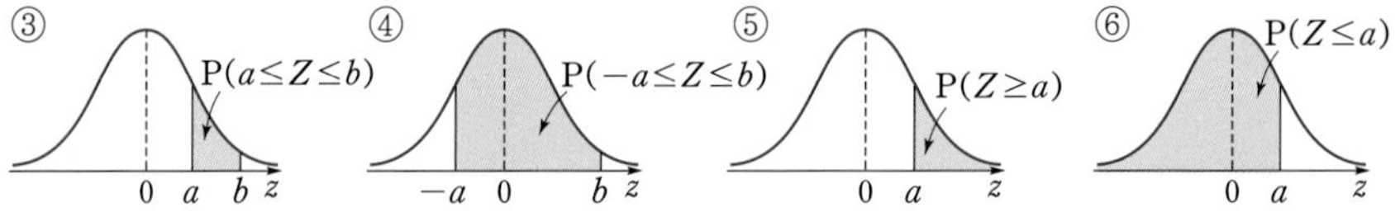

EXAMPLE 040 확률변수 Z가 표준정규분포 $N(0,\ 1)$을 따를 때, 오른쪽 표준정규분포표를 이용하여 다음을 구하여라.

(1) $P(0.5 \le Z \le 2)$　　　(2) $P(-1 \le Z \le 1.5)$

(참고 : 보통은 필요한 것만 모아 오른쪽과 같이 훨씬 쉬운 형태로 표준정규분포표가 주어진다.)

z	$P(0 \le Z \le z)$
0.5	0.1915
1.0	0.3413
1.5	0.4332
2.0	0.4772

ANSWER (1) $P(0.5 \le Z \le 2) = P(0 \le Z \le 2) - P(0 \le Z \le 0.5)$
$= 0.4772 - 0.1915 = \mathbf{0.2857}$ ■

(2) $P(-1 \le Z \le 1.5) = P(-1 \le Z \le 0) + P(0 \le Z \le 1.5)$
$= P(0 \le Z \le 1) + P(0 \le Z \le 1.5) = 0.3413 + 0.4332 = \mathbf{0.7745}$ ■

Sub Note 014쪽

APPLICATION 060 확률변수 Z가 표준정규분포 $\mathrm{N}(0,\ 1)$을 따를 때, 오른쪽 표준정규분포표를 이용하여 다음을 구하여라.

(1) $\mathrm{P}(-1.28 \le Z \le 1.96)$ (2) $\mathrm{P}(Z \ge 1.28)$

(3) $\mathrm{P}(|Z| \le 2.58)$ (4) $\mathrm{P}(Z \ge -1.96)$

z	$\mathrm{P}(0 \le Z \le z)$
1.28	0.3997
1.96	0.4750
2.58	0.4951

3 정규분포의 표준화 (수능 고빈도 출제)

지금부터 정규분포와 표준정규분포의 관계에 대하여 알아보자.

정규분포 $\mathrm{N}(m,\ \sigma^2)$을 따르는 확률변수 X에 대하여 확률변수 Z를

$$\boldsymbol{Z=\frac{X-m}{\sigma}}$$

으로 놓으면 확률변수 Z의 평균과 분산은 다음과 같다.

$$\mathrm{E}(Z)=\mathrm{E}\left(\frac{X-m}{\sigma}\right)=\mathrm{E}\left(\frac{1}{\sigma}X-\frac{m}{\sigma}\right)$$

$$=\frac{1}{\sigma}\mathrm{E}(X)-\frac{m}{\sigma}=\frac{m}{\sigma}-\frac{m}{\sigma}=0 \quad \leftarrow \mathrm{E}(aX+b)=a\mathrm{E}(X)+b$$

$$\mathrm{V}(Z)=\mathrm{V}\left(\frac{X-m}{\sigma}\right)=\mathrm{V}\left(\frac{1}{\sigma}X-\frac{m}{\sigma}\right)$$

$$=\frac{1}{\sigma^2}\mathrm{V}(X)=\frac{\sigma^2}{\sigma^2}=1 \quad \leftarrow \mathrm{V}(aX+b)=a^2\mathrm{V}(X)$$

따라서 확률변수 Z는 표준정규분포 $\mathrm{N}(0,\ 1)$을 따르게 된다.

이와 같이 정규분포 $\mathrm{N}(m,\ \sigma^2)$을 따르는 확률변수 X를 표준정규분포 $\mathrm{N}(0,\ 1)$을 따르는 확률변수 Z로 바꾸는 것을 확률변수 X의 **표준화**(standardization)라 한다.

정규분포 $\mathrm{N}(m,\ \sigma^2)$을 따르는 확률변수 X를 표준정규분포 $\mathrm{N}(0,\ 1)$을 따르는 확률변수 Z로 표준화하면 우리는 어떠한 정규분포에서든 표준정규분포표를 이용하여 편리하게 확률 $\mathrm{P}(a \le X \le b)$를 계산할 수 있게 된다.

$$\boldsymbol{\mathrm{P}(a \le X \le b)}=\mathrm{P}\left(\frac{a-m}{\sigma} \le \frac{X-m}{\sigma} \le \frac{b-m}{\sigma}\right)$$

$$\boldsymbol{=\mathrm{P}\left(\frac{a-m}{\sigma} \le Z \le \frac{b-m}{\sigma}\right)}$$

이상을 정리하면 다음과 같다.

정규분포의 표준화

확률변수 X가 정규분포 $\mathrm{N}(m,\ \sigma^2)$을 따를 때

① 확률변수 $Z=\dfrac{X-m}{\sigma}$은 표준정규분포 $\mathrm{N}(0,\ 1)$을 따른다.

② $\mathrm{P}(a\le X\le b)=\mathrm{P}\left(\dfrac{a-m}{\sigma}\le Z\le \dfrac{b-m}{\sigma}\right)$

정규분포 $\mathrm{N}(m,\ \sigma^2)$ 표준정규분포 $\mathrm{N}(0,\ 1)$

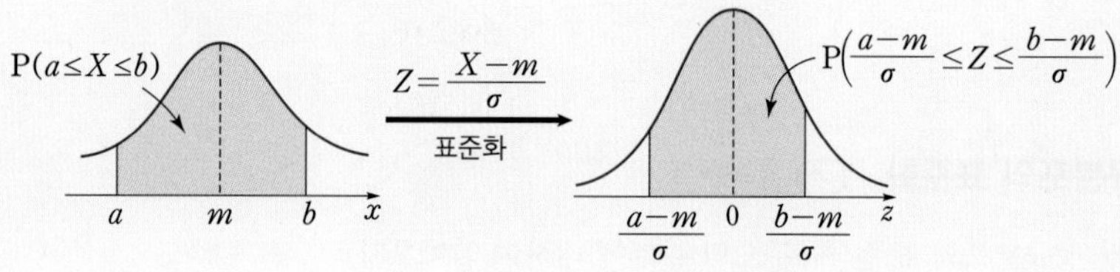

EXAMPLE 041 확률변수 X가 정규분포 $\mathrm{N}(10,\ 2^2)$을 따를 때, 오른쪽 표준정규분포표를 이용하여 다음을 구하여라.

(1) $\mathrm{P}(12\le X\le 14)$　　(2) $\mathrm{P}(6\le X\le 12)$

(3) $\mathrm{P}(X\ge 8)$　　(4) $\mathrm{P}(X\ge 16)$

z	$\mathrm{P}(0\le Z\le z)$
1.0	0.3413
2.0	0.4772
3.0	0.4987

ANSWER　$Z=\dfrac{X-10}{2}$으로 놓으면 확률변수 Z는 표준정규분포 $\mathrm{N}(0,\ 1)$을 따른다.

(1) $\mathrm{P}(12\le X\le 14)=\mathrm{P}\left(\dfrac{12-10}{2}\le \dfrac{X-10}{2}\le \dfrac{14-10}{2}\right)$

$=\mathrm{P}(1\le Z\le 2)=\mathrm{P}(0\le Z\le 2)-\mathrm{P}(0\le Z\le 1)$

$=0.4772-0.3413=\mathbf{0.1359}$ ■

(2) $\mathrm{P}(6\le X\le 12)=\mathrm{P}\left(\dfrac{6-10}{2}\le \dfrac{X-10}{2}\le \dfrac{12-10}{2}\right)=\mathrm{P}(-2\le Z\le 1)$

$=\mathrm{P}(-2\le Z\le 0)+\mathrm{P}(0\le Z\le 1)$

$=\mathrm{P}(0\le Z\le 2)+\mathrm{P}(0\le Z\le 1)=0.4772+0.3413=\mathbf{0.8185}$ ■

(3) $\mathrm{P}(X\ge 8)=\mathrm{P}\left(\dfrac{X-10}{2}\ge \dfrac{8-10}{2}\right)=\mathrm{P}(Z\ge -1)=\mathrm{P}(-1\le Z\le 0)+\mathrm{P}(Z\ge 0)$

$=\mathrm{P}(0\le Z\le 1)+0.5=0.3413+0.5=\mathbf{0.8413}$ ■

(4) $\mathrm{P}(X\ge 16)=\mathrm{P}\left(\dfrac{X-10}{2}\ge \dfrac{16-10}{2}\right)=\mathrm{P}(Z\ge 3)=\mathrm{P}(Z\ge 0)-\mathrm{P}(0\le Z\le 3)$

$=0.5-0.4987=\mathbf{0.0013}$ ■

Sub Note 014쪽

APPLICATION 061 확률변수 X가 정규분포 $\mathrm{N}(100,\ 4^2)$을 따를 때, 확률

$\mathrm{P}(X \geq k)=0.1587$

을 만족시키는 상수 k의 값을 구하여라.

(단, Z가 표준정규분포를 따르는 확률변수일 때, $\mathrm{P}(0 \leq Z \leq 1)=0.3413$으로 계산한다.)

이처럼 표준화하면 표준정규분포표를 이용할 수 있어 계산할 때 편리할 뿐만 아니라

분포 상태가 서로 다른 변량끼리도 비교가 가능하게 해준다.

예를 들어 어떤 학급에서 모든 학생들을 대상으로 영어 시험과 수학 시험을 치른 후 학생들의 영어 점수와 수학 점수를 각각 확률변수가 X_1, X_2라 하여 그 성적을 조사하였더니 두 확률변수 X_1, X_2가 각각 정규분포 $\mathrm{N}(70,\ 5^2)$, $\mathrm{N}(50,\ 2^2)$을 따른다고 하자.
이 학급에 영어 점수가 80점, 수학 점수가 60점인 학생이 있다고 하자. 점수만 비교하면 이 학생은 수학보다 영어를 잘 하는 것 같기도 하고, 영어 점수와 수학 점수 모두 학급 평균보다 10점씩 더 얻었으므로 비슷한 것 같기도 하다. 그러나 $Z_1=\dfrac{X_1-70}{5}$, $Z_2=\dfrac{X_2-50}{2}$으로 표준화시켜 보면 다음과 같이 바뀐다.

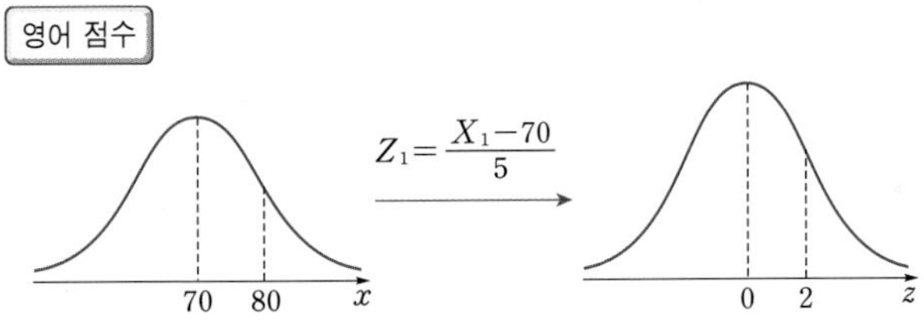

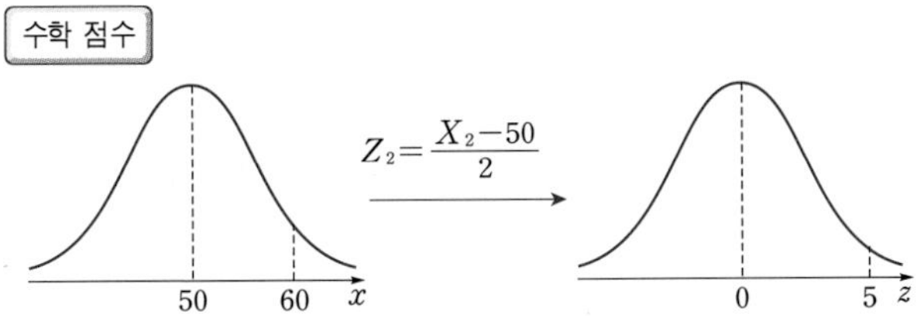

즉, 표준화를 통하여 Z_1과 Z_2 모두 표준정규분포 $\mathrm{N}(0,\ 1)$을 따르게 하면 이 학생의 영어 점수는 $Z_1=2$, 수학 점수는 $Z_2=5$가 되므로 수학 성적이 영어 성적보다 더 뛰어남을 한눈에 알 수 있다.

Sub Note 014쪽

APPLICATION 062 오른쪽 표는 이룸이의 국어, 영어, 수학 점수와 이룸이네 반 전체 학생의 평균과 표준편차를 나타낸 것이다. 과목별로 이룸이의 성적과 반 전체 학생의 성적을 비교할 때, 이룸이의 성적이 상대적으로 좋은 과목부터 순서대로 나열하여라. (단, 이룸이네 반 전체 학생의 국어, 영어, 수학 시험 성적은 각각 정규분포를 따른다.)

(단위 : 점)

구분 \ 과목	국어	영어	수학
이룸이의 성적	74	86	93
반 평균	64	76	72
반 표준편차	10	5	14

수학 공부법에 대한 저자들의 충고 – 일반 정규분포에서의 확률

확률변수 X가 정규분포 $\mathrm{N}(m,\ \sigma^2)$을 따를 때, $Z=\frac{X-m}{\sigma}$은 표준정규분포 $\mathrm{N}(0,\ 1)$을 따르므로 다음이 성립함을 알 수 있다.

$$\mathrm{P}(m-\sigma\le X\le m+\sigma)=\mathrm{P}(-1\le Z\le 1)=2\mathrm{P}(0\le Z\le 1)$$
$$=2\times 0.3413=0.6826\ (\text{약 }68.3\%)$$

같은 방법으로 하면

$$\mathrm{P}(m-2\sigma\le X\le m+2\sigma)=\mathrm{P}(-2\le Z\le 2)=2\mathrm{P}(0\le Z\le 2)$$
$$=2\times 0.4772=0.9544\ (\text{약 }95.4\%)$$
$$\mathrm{P}(m-3\sigma\le X\le m+3\sigma)=\mathrm{P}(-3\le Z\le 3)=2\mathrm{P}(0\le Z\le 3)$$
$$=2\times 0.4987=0.9974\ (\text{약 }99.7\%)$$

도 성립함을 알 수 있다.

이것은 오른쪽 그림과 같이 자료 전체의

약 68.3%는 $m-\sigma\le x\le m+\sigma$에
약 95.4%는 $m-2\sigma\le x\le m+2\sigma$에
약 99.7%는 $m-3\sigma\le x\le m+3\sigma$에

분포되어 있음을 뜻하므로 다음 예와 같은 방법으로 확률을 구하기도 한다. 물론 이 방법으로 구할 수 있는 확률은 몇몇으로 한정되어 있다.

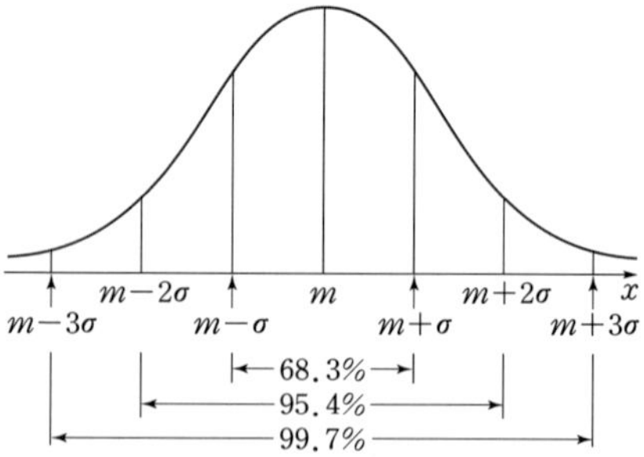

예 확률변수 X가 정규분포 $\mathrm{N}(70,\ 3^2)$을 따를 때, $\mathrm{P}(64\le X\le 76)$에서

$64=70-2\times 3=m-2\sigma$

$76=70+2\times 3=m+2\sigma$

이므로 확률은 다음과 같이 구할 수 있다.

$$\mathrm{P}(64\le X\le 76)=\mathrm{P}(m-2\sigma\le X\le m+2\sigma)=0.954$$

4 이항분포와 정규분포의 관계

한 개의 주사위를 n번 던져서 1의 눈이 나오는 횟수를 확률변수 X라 하면 X는 이항분포 $\mathrm{B}\left(n,\ \frac{1}{6}\right)$을 따른다.

이때 $n=10,\ 30,\ 50$일 때의 확률

$$\mathrm{P}(X=x)={}_n\mathrm{C}_x\left(\frac{1}{6}\right)^x\left(\frac{5}{6}\right)^{n-x}\ (x=0,\ 1,\ 2,\ \cdots,\ n)$$

을 계산하여 그래프로 나타내면 다음 그림과 같이 n의 값이 커질수록 정규분포곡선에 점점 가까워짐을 알 수 있다.

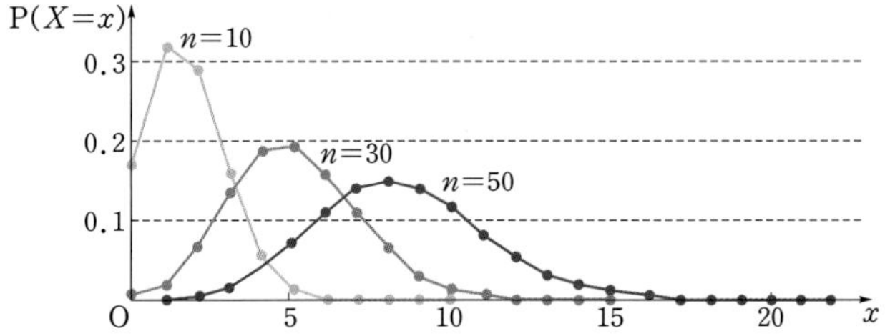

일반적으로 확률변수 X가 이항분포 $\mathrm{B}(n,\ p)$를 따를 때, n이 충분히 크면 X는 근사적으로 평균이 np이고 분산이 npq인 정규분포 $\mathrm{N}(np,\ npq)$를 따른다.[13] (단, $q=1-p$)

따라서 n이 충분히 크면 다음과 같이 이항분포를 정규분포에 근사시킨 후 이 정규분포를 표준정규분포로 바꾸면 이항분포에서의 확률을 보다 쉽게 구할 수 있게 된다.

$\mathrm{B}(n,\ p)$ →(n이 충분히 클 때) $\mathrm{N}(np,\ npq)$ →(표준화) $\mathrm{N}(0,\ 1)$

이상을 정리하면 다음과 같다.

이항분포와 정규분포의 관계

확률변수 X가 이항분포 $\mathrm{B}(n,\ p)$를 따를 때, n이 충분히 크면[14] X는 근사적으로 정규분포 $\mathrm{N}(np,\ npq)$를 따른다. (단, $q=1-p$)

---

⑬ 드무아브르-라플라스 정리(De Moivre-Laplace Theorem)

⑭ n이 충분히 크다는 것은 $np\geq5,\ nq\geq5$일 때를 말한다.

EXAMPLE 042 확률변수 X가 이항분포 $B\left(48, \frac{1}{4}\right)$을 따를 때, $P(9 \le X \le 15)$를 구하여라. (단, Z가 표준정규분포를 따르는 확률변수일 때, $P(0 \le Z \le 1) = 0.3413$으로 계산한다.)

ANSWER 확률변수 X는 이항분포 $B\left(48, \frac{1}{4}\right)$을 따르므로

$$E(X) = 48 \times \frac{1}{4} = 12,\ \sigma(X) = \sqrt{48 \times \frac{1}{4} \times \frac{3}{4}} = 3$$

이때 48은 충분히 큰 수이므로 확률변수 X는 근사적으로 정규분포 $N(12, 3^2)$을 따른다.

따라서 $Z = \frac{X-12}{3}$로 놓으면 확률변수 Z는 표준정규분포 $N(0, 1)$을 따르므로

$$P(9 \le X \le 15) = P\left(\frac{9-12}{3} \le Z \le \frac{15-12}{3}\right)$$
$$= P(-1 \le Z \le 1) = 2P(0 \le Z \le 1)$$
$$= 2 \times 0.3413 = \mathbf{0.6826}\ ■$$

Sub Note 014쪽

APPLICATION 063 확률변수 X가 이항분포 $B\left(450, \frac{2}{3}\right)$를 따를 때, $P(280 \le X \le 300)$을 구하여라. (단, Z가 표준정규분포를 따르는 확률변수일 때, $P(0 \le Z \le 2) = 0.4772$로 계산한다.)

수학 공부법에 대한 저자들의 충고 – 용어들의 관계

이산확률변수의 분포 중 대표적인 분포가 이항분포이고, 연속확률변수의 분포 중 대표적인 분포가 정규분포이다.

그런데 확률변수 X가 이항분포를 따를 때, 시행 횟수 n이 충분히 크면 큰수의 법칙에 의하여 확률변수 X는 정규분포를 따른다.

이를 표로 정리하면 다음과 같다.

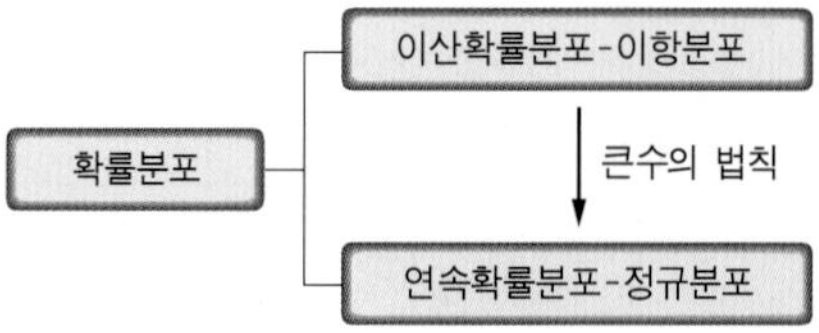

기 본 예 제 *정규분포의 활용(1)*

041 어느 공항에서 처리되는 각 수하물의 무게는 평균이 18kg, 표준편차가 2kg인 정규분포를 따른다고 한다. 오른쪽 표준정규분포표를 이용하여 무게가 16kg 이상 22kg 이하인 수하물은 전체의 몇 %인지 구하여라.

z	$\mathrm{P}(0\le Z\le z)$
0.5	0.1915
1.0	0.3413
1.5	0.4332
2.0	0.4772

GUIDE 확률변수 X를 정한 후 X를 $Z=\dfrac{X-m}{\sigma}$으로 표준화하여 X가 주어진 범위에 포함될 확률을 구한다.

SOLUTION

수하물의 무게를 확률변수 X라 하면 X는 정규분포 $\mathrm{N}(18,\ 2^2)$을 따르므로

$Z=\dfrac{X-18}{2}$로 놓으면 확률변수 Z는 표준정규분포 $\mathrm{N}(0,\ 1)$을 따른다.

$$\begin{aligned}\therefore \mathrm{P}(16\le X\le 22)&=\mathrm{P}\left(\frac{16-18}{2}\le Z\le \frac{22-18}{2}\right)\\&=\mathrm{P}(-1\le Z\le 2)\\&=\mathrm{P}(-1\le Z\le 0)+\mathrm{P}(0\le Z\le 2)\\&=\mathrm{P}(0\le Z\le 1)+\mathrm{P}(0\le Z\le 2)\\&=0.3413+0.4772=0.8185\end{aligned}$$

따라서 무게가 16kg 이상 22kg 이하인 수하물은 전체의 **81.85%**이다. ■

유제 Sub Note 034쪽

041-1 어느 쌀 모으기 행사에 참여한 학생들이 기부한 쌀의 무게는 평균이 1.5kg, 표준편차가 0.2kg인 정규분포를 따른다고 한다. **기본 예제 041**의 표준정규분포표를 이용하여 무게가 1.8kg 이하의 쌀을 기부한 학생은 전체의 몇 %인지 구하여라.

유제 Sub Note 034쪽

041-2 어느 고등학교 학생 400명의 키는 평균이 165cm, 표준편차가 4cm인 정규분포를 따른다고 한다. 이때 키가 169cm 이상 173cm 이하인 학생은 몇 명인지 구하여라. (단, Z가 표준정규분포를 따르는 확률변수일 때, $\mathrm{P}(0\le Z\le 1)=0.34$, $\mathrm{P}(0\le Z\le 2)=0.48$로 계산한다.)

기 본 예 제 *정규분포의 활용(2)*

042 어느 회사에서 신입 사원 60명을 모집하는데 500명이 지원했다고 한다. 지원자 500명의 입사 시험 점수는 평균이 74점이고 표준편차가 10점인 정규분포를 따른다고 할 때, 오른쪽 표준정규분포표를 이용하여 이 회사에 입사하기 위한 최저 점수를 구하여라.

z	$\mathrm{P}(0\le Z\le z)$
1.1	0.36
1.2	0.38
1.3	0.40

GUIDE 500명 중 60명은 $\frac{60}{500}=0.12$이므로 $\mathrm{P}(X\ge a)=0.12$를 만족시키는 a의 값을 구하면 된다.

SOLUTION

지원자의 시험 점수를 확률변수 X라 하면 X는 정규분포 $\mathrm{N}(74,\ 10^2)$을 따르므로

$Z=\frac{X-74}{10}$로 놓으면 확률변수 Z는 표준정규분포 $\mathrm{N}(0,\ 1)$을 따른다.

입사할 확률이 $\frac{60}{500}=0.12$이므로 입사하기 위한 최저 점수를 a점이라 하면

$$\mathrm{P}(X\ge a)=0.12$$

이어야 한다. 즉,

$$\mathrm{P}\left(Z\ge\frac{a-74}{10}\right)=0.12$$

$$0.5-\mathrm{P}\left(0\le Z\le\frac{a-74}{10}\right)=0.12$$

$$\therefore\ \mathrm{P}\left(0\le Z\le\frac{a-74}{10}\right)=0.38$$

주어진 표준정규분포표에서 $\mathrm{P}(0\le Z\le 1.2)=0.38$이므로

$$\frac{a-74}{10}=1.2 \qquad \therefore\ a=86$$

따라서 이 회사에 입사하기 위한 최저 점수는 **86점**이다. ■

유제 Sub Note 034쪽

042-1 어느 대학교에서 통계학 강의를 수강하는 학생들의 점수는 평균이 70점, 표준편차가 5점인 정규분포를 따른다고 한다. 성적이 상위 10% 이내인 학생에게 A학점을 준다고 할 때, 위의 **기본 예제 042**에 주어진 표준정규분포표를 이용하여 A학점을 받은 학생의 최저 점수를 구하여라.

기본 예제 *이항분포와 정규분포의 관계 활용(1)*

043 한 번의 타석에서 안타를 칠 확률이 0.4인 야구 선수가 150번의 타석에서 72개 이상의 안타를 칠 확률을 오른쪽 표준정규분포표를 이용하여 구하여라.

z	$\mathrm{P}(0\le Z\le z)$
0.5	0.1915
1.0	0.3413
1.5	0.4332
2.0	0.4772

GUIDE 이항분포 $\mathrm{B}(n,\ p)$를 따르는 확률변수 X에 대하여 n이 충분히 크면 X는 근사적으로 정규분포 $\mathrm{N}(np,\ npq)$를 따름을 이용하자. (단, $q=1-p$)

SOLUTION

안타 수를 확률변수 X라 하면 한 번의 타석에서 안타를 칠 확률이 $0.4=\frac{2}{5}$이므로

X는 이항분포 $\mathrm{B}\left(150,\ \frac{2}{5}\right)$를 따른다.

$$\therefore \mathrm{E}(X)=150\times\frac{2}{5}=60,\ \sigma(X)=\sqrt{150\times\frac{2}{5}\times\frac{3}{5}}=6$$

이때 150은 충분히 큰 수이므로 확률변수 X는 근사적으로 정규분포 $\mathrm{N}(60,\ 6^2)$을 따른다.

따라서 $Z=\frac{X-60}{6}$으로 놓으면 확률변수 Z는 표준정규분포 $\mathrm{N}(0,\ 1)$을 따르므로

$$\mathrm{P}(X\ge 72)=\mathrm{P}\left(Z\ge\frac{72-60}{6}\right)=\mathrm{P}(Z\ge 2)=0.5-\mathrm{P}(0\le Z\le 2)$$

$$=0.5-0.4772=\mathbf{0.0228}\ ■$$

유제 Sub Note 035쪽

043-1 한 개의 주사위를 450회 던졌을 때, 2 이하의 눈의 수가 140회 이상 165회 이하 나올 확률을 위의 **기본 예제 043**에 주어진 표준정규분포표를 이용하여 구하여라.

유제 Sub Note 035쪽

043-2 각 면에 1, 2, 3, 4의 숫자가 각각 하나씩 적힌 정사면체 모양의 주사위 2개를 동시에 던지는 시행이 있다. 이 시행을 1200회 할 때, 바닥에 놓인 면에 적힌 두 수의 곱이 홀수인 횟수가 270회 이상 285회 이하일 확률을 위의 **기본 예제 043**에 주어진 표준정규분포표를 이용하여 구하여라.

기본 예제 044 이항분포와 정규분포의 관계 활용(2)

주머니 속에 흰 공이 1개, 검은 공이 4개 들어 있다. 이 주머니에서 공 1개를 꺼내어 색을 확인한 후 다시 주머니에 넣는 시행을 100번 반복할 때, 흰 공이 a번 이하로 나올 확률이 0.69라 한다. 이때 오른쪽 표준정규분포표를 이용하여 상수 a의 값을 구하여라.

z	$\mathrm{P}(0\le Z\le z)$
0.5	0.19
1.0	0.34
1.5	0.43
2.0	0.48

GUIDE **기본 예제 043**과 마찬가지로 시행 횟수가 충분히 큰 이항분포는 근사적으로 정규분포를 따름을 이용하여 a의 값을 구한다.

SOLUTION

한 번 시행했을 때 흰 공이 나올 확률이 $\frac{1}{5}$이므로 흰 공이 나오는 횟수를 확률변수 X라 하면 X는 이항분포 $\mathrm{B}\left(100, \frac{1}{5}\right)$을 따른다.

$$\therefore \mathrm{E}(X)=100\times\frac{1}{5}=20,\ \sigma(X)=\sqrt{100\times\frac{1}{5}\times\frac{4}{5}}=4$$

이때 100은 충분히 큰 수이므로 확률변수 X는 근사적으로 정규분포 $\mathrm{N}(20,\ 4^2)$을 따른다.

따라서 $Z=\frac{X-20}{4}$으로 놓으면 확률변수 Z는 표준정규분포 $\mathrm{N}(0,\ 1)$을 따르므로 $\mathrm{P}(X\le a)=0.69$에서

$$\mathrm{P}\left(Z\le\frac{a-20}{4}\right)=0.69,\ 0.5+\mathrm{P}\left(0\le Z\le\frac{a-20}{4}\right)=0.69$$

$$\therefore \mathrm{P}\left(0\le Z\le\frac{a-20}{4}\right)=0.19$$

주어진 표준정규분포표에서 $\mathrm{P}(0\le Z\le 0.5)=0.19$이므로

$$\frac{a-20}{4}=0.5 \qquad \therefore a=\mathbf{22}$$ ■

유제 Sub Note 035쪽

044-1 어느 공장에서 생산되는 파이프의 4%가 불량품이라 한다. 이 파이프를 3750개 생산할 때, 불량품이 a개 이상일 확률이 0.16이라 한다. 이때 위의 **기본 예제 044**에 주어진 표준정규분포표를 이용하여 상수 a의 값을 구하여라.

Review Quiz

SUMMA CUM LAUDE

Sub Note 082쪽

1. 다음 [ ] 안에 적절한 것을 채워 넣어라.

(1) 어떤 시행에서 표본공간의 각 원소에 하나의 실수가 대응되는 함수를 [ ] 라 한다.

(2) 확률변수 X가 가질 수 있는 값들이 유한개이거나 무한히 많더라도 자연수와 같이 셀 수 있을 때, X를 [ ]라 한다.

(3) 한 번의 시행에서 사건 A가 일어날 확률이 p인 경우, n번의 독립시행 중 사건 A가 일어나는 횟수를 확률변수 X라 할 때, X의 확률분포를 [ ]라 하고, 기호로 [ ]와 같이 나타낸다.

(4) 확률변수 X가 어떤 범위에 속하는 모든 실수의 값을 가질 때, X를 [ ] 라 한다.

(5) 실수 전체의 집합에서 정의된 연속확률변수 X의 확률밀도함수 $f(x)$가 X의 평균과 표준편차를 나타내는 두 상수 m, $\sigma(\sigma>0)$에 대하여 $f(x)=\frac{1}{\sqrt{2\pi}\sigma}e^{-\frac{(x-m)^2}{2\sigma^2}}$으로 주어질 때, X의 확률분포를 [ ]라 하고, 기호로 [ ]과 같이 나타낸다.

2. 다음 문장이 참(true) 또는 거짓(false)인지 결정하고, 그 이유를 설명하거나 적절한 반례를 제시하여라.

(1) 확률변수 $2X$의 평균과 분산은 확률변수 X의 평균과 분산의 2배이다.

(2) $\alpha \le X \le \beta$의 모든 실수의 값을 가지는 연속확률변수 X에 대하여 $\alpha \le a \le b \le \beta$일 때, $\mathrm{P}(a \le X \le b)=\mathrm{P}(a<X<b)$이다.

(3) 확률변수 X가 정규분포 $\mathrm{N}(m, \sigma^2)$을 따를 때, 정규분포곡선의 모양은 m의 값이 일정하면 σ의 값이 클수록 곡선의 가운데 부분이 높아지면서 폭이 좁아진다.

3. 다음 물음에 대한 답을 간단히 서술하여라.

(1) 정규분포곡선과 x축 사이의 넓이가 항상 1인 이유를 설명하여라.

(2) 정규분포에서 확률을 계산할 때, 표준화를 하는 이유에 대하여 설명하여라.

EXERCISES A

Sub Note 083쪽

이산확률변수 **01**

확률변수 X의 확률질량함수가

$$P(X=x)=\frac{k}{\sqrt{x}+\sqrt{x+1}}\ (x=0,\ 1,\ 2,\ \cdots,\ 24)$$

일 때, $P(X=4)+P(X=5)+\cdots+P(X=15)$의 값을 구하여라.

(단, k는 상수이다.)

이산확률변수의 평균 **02**

오른쪽 그림과 같이 숫자 1, 2, 3이 각각 하나씩 적혀 있는 흰 공 3개와 검은 공 3개가 들어 있는 주머니가 있다. 이 주머니에서 임의로 2개의 공을 동시에 꺼낼 때, 꺼낸 공에 적혀 있는 숫자의 최솟값을 확률변수 X라 하자. 이때 X의 평균을 구하여라.

이산확률변수의 평균, 분산 **03**

확률변수 X는 1, 2, 3, 4의 값을 가지고

$$P(X^2-4X+3=0)=\frac{7}{10},$$

$$P(X=2)=2P(X=3),\ P(X=4)=2P(X=2)$$

이다. $E(5X+3)=a$, $V(10X+1)=b$라 할 때, $a+b$의 값을 구하여라.

이산확률변수의 표준편차 **04**

세 자료

A : 1, 3, 5, $\cdots$, 49

B : 21, 23, 25, $\cdots$, 69

C : 3, 9, 15, $\cdots$, 147

의 표준편차를 순서대로 σ_a, σ_b, σ_c라 할 때, 이 세 수의 대소 관계로 옳은 것은?

① $\sigma_a<\sigma_b<\sigma_c$　② $\sigma_a=\sigma_b<\sigma_c$　③ $\sigma_c<\sigma_a=\sigma_b$

④ $\sigma_a<\sigma_c<\sigma_b$　⑤ $\sigma_a=\sigma_c<\sigma_b$

이항분포 **05**

자유투 성공률이 $\frac{4}{5}$인 농구 선수가 공을 4번 던질 때, 자유투를 성공한 횟수를 확률변수 X라 하자. $P(X\geq 3)$을 구하여라.

이항분포의 평균 **06** 확률변수 X가 이항분포 $B\left(n, \frac{1}{3}\right)$을 따르고 $E(2X+5)=13$일 때, n의 값은?

① 6 ② 9 ③ 12 ④ 15 ⑤ 18

이항분포의 분산 **07** 확률변수 X는 이항분포 $B(8, p)$를 따르고, 확률변수 Y는 이항분포 $B(8, 2p)$를 따른다고 한다. $V(X)=V(Y)$일 때, $\frac{P(Y=3)}{P(X=3)}$의 값을 구하여라. $\left(단, 0<p<\frac{1}{2}\right)$

연속확률변수의 확률 **08** 서술형

연속확률변수 X가 가지는 값의 범위는 $0\le X\le 10$이고, X의 확률밀도함수 $y=f(x)$의 그래프는 오른쪽 그림과 같다. $P(0\le X\le a)=\frac{2}{5}$일 때, 두 상수 a, b의 의 합 $a+b$의 값을 구하여라.

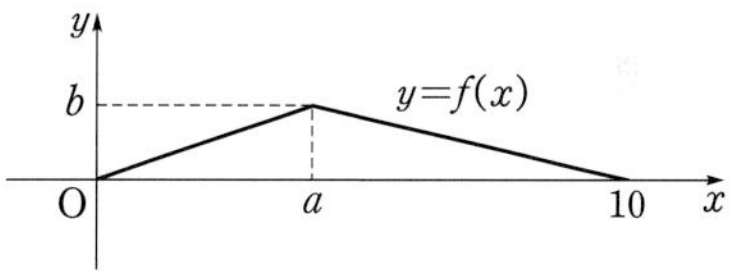

연속확률변수의 확률 **09** 어느 버스터미널에 30분 간격으로 출발하는 버스가 있다고 한다. 임의의 시각에 이 버스터미널에 갈 때, 버스를 타기 위해 기다리는 시간을 확률변수 X라 하자. 이때 확률변수 X의 확률밀도함수와 버스를 20분 이상 기다릴 확률을 차례로 구하여라.

정규분포곡선의 성질 **10** 2021학년도 수학능력시험 모의 평가를 치른 결과 한국사, 동아시아사, 세계사의 점수는 각각 정규분포 $N(m_1, \sigma_1^2)$, $N(m_2, \sigma_2^2)$, $N(m_3, \sigma_3^2)$을 따르고, 각각의 정규분포곡선은 오른쪽 그림과 같다고 할 때, 다음 중 옳지 않은 것은?

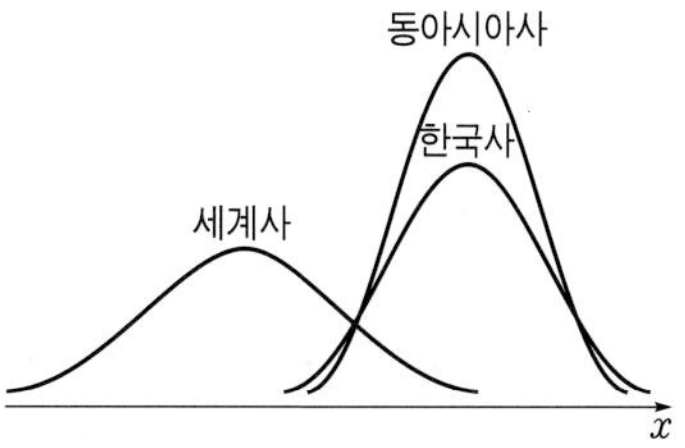

① $m_1>m_3$ ② $m_2>m_3$ ③ $m_1=m_2$
④ $\sigma_1>\sigma_2$ ⑤ $\sigma_2>\sigma_3$

정규분포 **11** 어느 서비스센터에서 휴대 전화를 수리하는 데 걸리는 시간은 평균이 30분, 표준편차가 5분인 정규분포를 따른다고 한다. 어떤 사람이 휴대 전화 수리를 맡기고 35분 후에 다시 휴대 전화를 찾으러 갔을 때, 휴대 전화가 고쳐져 있을 확률을 구하여라. (단, Z가 표준정규분포를 따르는 확률변수일 때, $\mathrm{P}(0 \le Z \le 1)=0.3413$으로 계산한다.)

정규분포 **12** 어느 과자 공장에서 과자 한 봉지의 무게는 평균이 mg, 표준편차가 σg인 정규분포를 따르고, 무게가 100g 이하인 과자는 불량으로 판정한다. 공장의 능력을 평가하는 지수인 F를 $F=\dfrac{m-100}{5\sigma}$으로 정의할 때, 이 과자 공장의 지수 $F=0.5$이다. 이 공장에서 생산하는 과자 중에서 임의로 하나를 택할 때, 불량품일 확률을 구하여라.
(단, Z가 표준정규분포를 따르는 확률변수일 때, $\mathrm{P}(0 \le Z \le 2.5)=0.4938$로 계산한다.)

정규분포 **13** 확률변수 X가 정규분포 $\mathrm{N}(100,\ 10^2)$을 따른다고 할 때, $\mathrm{P}(X \ge 115-k) \ge 0.9$를 만족시키기 위한 자연수 k의 최솟값을 구하여라. (단, Z가 표준정규분포를 따르는 확률변수일 때, $\mathrm{P}(0 \le Z \le 1.28)=0.4$, $\mathrm{P}(0 \le Z \le 1.65)=0.45$로 계산한다.)

이항분포와 정규분포의 관계 **14** 동전 한 개를 n번 던졌을 때 뒷면이 k번 이상 나올 확률을 $\mathrm{P}(n,\ k)$라 하자.

$\mathrm{P}(64,\ 36)=p_1$, $\mathrm{P}(256,\ 152)=p_2$, $\mathrm{P}(324,\ 180)=p_3$

이라 할 때, 다음 중 옳은 것은?

① $p_1>p_2>p_3$　② $p_1>p_3>p_2$　③ $p_2>p_1>p_3$
④ $p_1>p_2=p_3$　⑤ $p_3=p_2>p_1$

이항분포와 정규분포의 관계 **15** 100원짜리 동전 100개를 던져서 앞면이 나온 동전은 모두 주형이가 가지고, 뒷면이 나온 동전은 모두 정안이가 가진다고 한다. 주형이가 가지는 금액과 정안이가 가지는 금액의 차이가 1000원 이하일 확률을 구하여라.

z	$\mathrm{P}(0 \le Z \le z)$
1.0	0.34
1.5	0.43
2.0	0.48

EXERCISES B

Sub Note 087쪽

01 이산확률변수 X의 확률분포를 표로 나타내면 다음과 같다. $\mathrm{P}(2\le X\le 3)\ge\frac{1}{4}$일 때 상수 a, b에 대하여 ab의 값을 구하여라.

X	1	2	3	4	5	합계
$\mathrm{P}(X=x)$	$\frac{1}{16a}$	b	$\frac{1}{8}$	a	$\frac{1}{4}$	1

02 두 이산확률변수 X와 Y가 가지는 값이 각각 1, 2, 3, 4, 5, 6으로 같고

$$\mathrm{P}(Y=k)=\frac{1}{2}\mathrm{P}(X=k)+\frac{1}{a}\ (k=1,\ 2,\ 3,\ 4,\ 5,\ 6)$$

이다. $\mathrm{E}(X)=4$일 때, $a\mathrm{E}(Y)$의 값을 구하여라. (단, a는 상수이다.)

03 원점에서 출발하여 수직선 위를 움직이는 점 P가 있다. 주사위 한 개를 던져서 짝수가 나오면 양의 방향으로 2만큼, 홀수가 나오면 음의 방향으로 1만큼 점 P를 이동시킨다. 주사위를 20번 던진 후 점 P의 좌표를 확률변수 X라 할 때, $\mathrm{E}(X)$를 구하여라.

04 1 이상 5 이하의 모든 실수 값을 가지는 연속확률변수 X에 대하여

$$\mathrm{P}(1\le X\le x)=a(x-b)\ (1\le x\le 5)$$

가 성립할 때, $\mathrm{P}(1\le X\le a+b)$의 값을 구하여라. (단, a, b는 상수이다.)

05

연속확률변수 X의 확률밀도함수가 $f(x)=a(3x+a)$ $(0\leq x\leq 1)$일 때, t에 대한 이차방정식 $t^2+4Xt+1=0$이 실근을 가질 확률은? (단, $a>0$)

① $\frac{9}{16}$ ② $\frac{5}{8}$ ③ $\frac{11}{16}$ ④ $\frac{3}{4}$ ⑤ $\frac{13}{16}$

06

다음 그림은 각각 정규분포 $\mathrm{N}(20,\ 2^2)$, $\mathrm{N}(m,\ \sigma^2)$을 따르는 확률변수 X, Y의 확률밀도함수 $f(x)$, $g(x)$의 그래프를 나타낸 것이고, $Y=2X-16$이 성립한다. 두 곡선과 직선 $x=16$으로 둘러싸인 도형의 넓이를 S_1, 두 곡선과 직선 $x=m$으로 둘러싸인 도형의 넓이를 S_2라 할 때, S_1-S_2의 값은? (단, Z가 표준정규분포를 따르는 확률변수일 때, $\mathrm{P}(0\leq Z\leq 2)=0.4772$로 계산한다.)

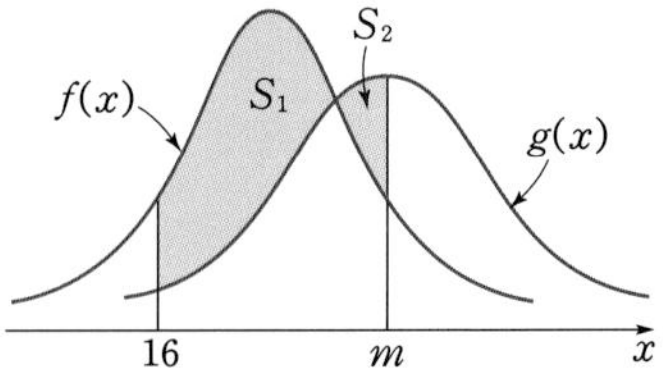

① 0.3772 ② 0.4772 ③ 0.5 ④ 0.5228 ⑤ 0.6228

07

확률변수 X가 정규분포 $\mathrm{N}(m,\ \sigma^2)$을 따르고 $\mathrm{P}(X\leq 2)=\mathrm{P}(2\leq X\leq 111)=0.4$일 때, $m+\sigma$의 값은? (단, Z가 표준정규분포를 따르는 확률변수일 때, $\mathrm{P}(0\leq Z\leq 0.25)=0.1$, $\mathrm{P}(0\leq Z\leq 0.84)=0.3$으로 계산한다.)

① 115 ② 118 ③ 121 ④ 124 ⑤ 127

08 서술형

어느 자격증 시험에 응시한 전체 응시자의 점수는 평균이 300점, 표준편차가 50점인 정규분포를 따르고, 이 중 숨마쿰도시에 거주하고 있는 1000명의 응시자의 점수는 평균이 345점, 표준편차가 30점인 정규분포를 따른다고 한다. 상위 6.7% 이내에 드는 응시자가 합격한다고 할 때, 오른쪽 표준정규분포표를 이용하여 숨마쿰도시에 거주하는 응시자 중 합격자 수를 구하여라.

z	$\mathrm{P}(0\le Z\le z)$
1.0	0.341
1.5	0.433
2.0	0.477

09

한 개의 주사위를 720번 던져 3의 눈이 나온 횟수를 확률변수 X라 할 때, 오른쪽 표준정규분포표를 이용하여 $\mathrm{P}\left(\left|\frac{X}{720}-\frac{1}{6}\right|\le 0.025\right)$를 구하여라.

z	$\mathrm{P}(0\le Z\le z)$
1.8	0.4641
2.0	0.4772
2.2	0.4861

10

확률변수 X의 확률질량함수가

$$\mathrm{P}(X=x)={}_{36}\mathrm{C}_x\left(\frac{1}{6}\right)^x\left(\frac{5}{6}\right)^{36-x}\ (\text{단, } x=0,\ 1,\ 2,\ \cdots,\ 36)$$

일 때, 보기에서 옳은 것만을 있는 대로 고른 것은?

보기
ㄱ. $\mathrm{V}(X)=5$
ㄴ. $\mathrm{P}(X=x)$가 최대일 때의 x의 값은 5이다.
ㄷ. 표준정규분포를 따르는 확률변수 Z에 대하여
$\mathrm{P}(1\le X\le 7)=\mathrm{P}(-\sqrt{5}\le Z\le\sqrt{5})$

① ㄱ ② ㄱ, ㄴ ③ ㄱ, ㄷ
④ ㄴ, ㄷ ⑤ ㄱ, ㄴ, ㄷ

내신 · 모의고사 대비 TEST 266쪽

01 모집단과 표본

SUMMA CUM LAUDE

ESSENTIAL LECTURE

1 모집단과 표본

(1) 모집단 : 알고자 하는 조사 대상 전체

(2) 표본 : 조사하기 위하여 뽑은 모집단의 일부분

(3) 전수조사 : 모집단 전체를 조사하는 것

(4) 표본조사 : 일부분만 택하여 조사하는 것

(5) 모집단의 크기 : 모집단에 포함되어 있는 자료의 개수

(6) 표본의 크기 : 표본에 포함되어 있는 자료의 개수

(7) 임의추출 : 모집단에 속하는 각 대상을 같은 확률로 추출하는 방법

(8) 임의표본 : 임의추출한 표본

(9) 복원추출 : 추출한 자료를 다시 넣고 다음 자료를 추출하는 방법

(10) 비복원추출 : 추출한 자료를 다시 넣지 않고 다음 자료를 추출하는 방법

2 모평균과 표본평균

(1) 모평균과 표본평균

① 모집단에서 조사의 대상이 되는 특성을 나타내는 확률변수를 X라 할 때, X의 평균, 분산, 표준편차를 각각 모평균, 모분산, 모표준편차라 하며, 기호로 각각 m, σ^2, σ와 같이 나타낸다.

② 모집단에서 크기가 n인 표본 X_1, X_2, $\cdots$, X_n을 임의추출할 때, 이들의 평균, 분산, 표준편차를 각각 표본평균, 표본분산, 표본표준편차라 하고, 기호로 각각 $\overline{X}$, S^2, S와 같이 나타낸다.

$$\overline{X}=\frac{1}{n}(X_1+X_2+\cdots+X_n)$$

$$S^2=\frac{1}{n-1}\{(X_1-\overline{X})^2+(X_2-\overline{X})^2+\cdots+(X_n-\overline{X})^2,\ S=\sqrt{S^2}$$

(2) 표본평균의 평균, 분산, 표준편차

모평균이 m, 모표준편차가 σ인 모집단에서 임의추출한 크기가 n인 표본의 표본평균 $\overline{X}$에 대하여

$$\mathrm{E}(\overline{X})=m,\ \mathrm{V}(\overline{X})=\frac{\sigma^2}{n},\ \sigma(\overline{X})=\frac{\sigma}{\sqrt{n}}$$

(3) 표본평균의 분포

모평균이 m, 모표준편차가 σ인 모집단에서 임의추출한 크기가 n인 표본의 표본평균 $\overline{X}$에 대하여

① 모집단이 정규분포를 따르면 $\overline{X}$는 n의 크기에 관계없이 정규분포 $\mathrm{N}\left(m,\ \frac{\sigma^2}{n}\right)$을 따른다.

② 모집단이 정규분포를 따르지 않아도 n이 충분히 크면 $\overline{X}$는 근사적으로 정규분포 $\mathrm{N}\left(m,\ \frac{\sigma^2}{n}\right)$을 따른다.

1 모집단과 표본

우리는 일상 생활에서 통계 자료들을 많이 접하고 있다. 가장 흔하게 접하는 자료 중 하나가 TV뉴스에서 소개되는 여론 조사 결과일 것이다. 이러한 여론 조사의 경우 모든 국민들을 대상으로 한다면 국민의 뜻을 가장 정확하게 알 수 있을 것이다. 그러나 그렇게 할 경우 시간과 비용 상의 문제가 있기 때문에 국민 중 일부를 표본으로 뽑아 여론 조사를 실시하고 그 조사 결과를 통해 국민 전체의 의견을 추측한다.

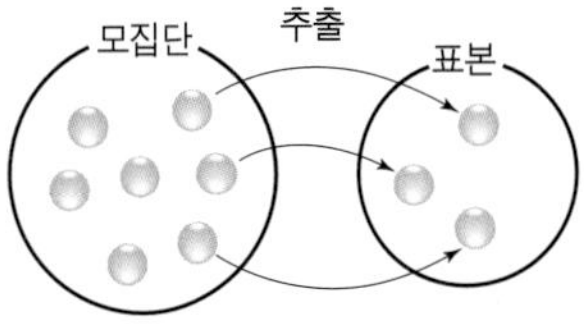

일반적으로 통계 조사에서 알고자 하는 조사 대상 전체를 **모집단**(population)이라 하고, 조사하기 위하여 뽑은 모집단의 일부분을 **표본**(sample)이라고 한다.
또 모집단 전체를 조사하는 것을 **전수조사**(total inspection)라 하고, 일부분만 택하여 조사하는 것을 **표본조사**(sample survey)라 한다.
이때 모집단과 표본에 포함되어 있는 자료의 개수를 각각 **모집단의 크기**, **표본의 크기**라 하며, 표본을 뽑는 것을 **추출**(sampling)이라 한다.

예를 들어 우리나라 전체 인구의 동향을 파악하기 위하여 5년마다 국민 전체를 대상으로 실시하는 인구 조사는 전수조사이고, 공장에서 생산되는 전구의 일부를 뽑아서 수명을 조사하는 것은 표본조사이다. 이때 생산되는 10000개의 전구 중 10개를 뽑아 수명을 조사한다면 모집단의 크기는 10000이고 표본의 크기는 10이다.

표본조사의 목적은 모집단에서 추출한 표본에서 얻은 정보를 분석하여 모집단의 성질을 추측하는 데 있다. 그래서 모집단의 특징이 잘 반영되도록 표본을 추출해야 한다. 이를 위해서는 추출되는 표본이 모집단의 어느 한 부분에 편중되지 않고 모집단의 각 대상이 같은 확률로 추출되어야 한다.
이와 같은 추출법을 **임의추출**(random sampling)이라 하고, 임의추출된 표본을 **임의표본**(random sample)이라 한다. 표본을 임의추출하는 방법으로는 보통 제비뽑기나 난수 주사위[1], 난수표, 공학용 계산기, 컴퓨터 소프트웨어 등이 있다.

한편 크기가 N인 모집단에서 크기가 $n(n \leq N)$인 표본을 추출하는 데, 한 개의 자료를 추출한 후 다시 넣고 그 다음 자료를 추출하는 방법을 **복원추출**이라 하고, 추출한 것을 다시 넣지 않고 다음 자료를 추출하거나 동시에 n개를 추출하는 방법을 **비복원추출**이라고 한다.[2]

---

❶ 난수(亂數)란, 특정한 배열 순서나 규칙을 가지지 않는 연속적인 임의의 수를 뜻하는 것으로, 난수 주사위는 정이십면체의 각 면에 0부터 9까지의 숫자를 각각 2번씩 적은 것이다.
❷ 모집단의 크기가 충분히 크면 비복원추출을 복원추출로 볼 수 있다.

이상의 용어를 다시 한번 정리해 보자.

(1) 모집단 : 알고자 하는 조사 대상 전체
(2) 표본 : 조사하기 위하여 뽑은 모집단의 일부분
(3) 전수조사 : 모집단 전체를 조사하는 것
(4) 표본조사 : 일부분만 택하여 조사하는 것
(5) 모집단의 크기 : 모집단에 포함되어 있는 자료의 개수
(6) 표본의 크기 : 표본에 포함되어 있는 자료의 개수
(7) 임의추출 : 모집단에 속하는 각 대상을 같은 확률로 추출하는 방법
(8) 임의표본 : 임의추출한 표본
(9) 복원추출 : 추출한 자료를 다시 넣고 다음 자료를 추출하는 방법
(10) 비복원추출 : 추출한 자료를 다시 넣지 않고 다음 자료를 추출하는 방법

Sub Note 015쪽

APPLICATION 064 다음 보기의 통계 조사 중 전수조사보다 표본조사가 더 적합한 것을 있는 대로 골라라.

보기
ㄱ. TV프로그램 시청률
ㄴ. 휴대 전화 배터리의 충격 안전도
ㄷ. 학교 신체검사에서 학생들의 청력 검사
ㄹ. 우리나라 고등학생의 한 달 평균 독서량

Sub Note 015쪽

APPLICATION 065 1, 2, 3, 4, 5, 6의 숫자가 각각 하나씩 적힌 6장의 카드를 모집단으로 하여 크기가 2인 표본을 추출할 때, 다음 각 경우에 가능한 표본의 수를 구하여라.

(1) 복원추출하는 경우

(2) 비복원추출로 연이어 꺼내는 경우

2 모평균과 표본평균 (수능 고빈도 출제)

(1) 모평균과 표본평균

모집단에서 조사의 대상이 되는 특성을 나타내는 확률변수를 X라 할 때, X의 평균, 분산, 표준편차를 각각 **모평균**(population mean), **모분산**(population variance), **모표준편차**(population standard deviation)라 하며, 기호로 각각 $\boldsymbol{m}$, $\boldsymbol{\sigma^2}$, $\boldsymbol{\sigma}$와 같이 나타낸다.

한편 모집단에서 크기가 n인 표본 X_1, X_2, $\cdots$, X_n을 임의추출할 때, 이들의 평균, 분산, 표준편차를 각각 **표본평균**(sample mean), **표본분산**(sample variance), **표본표준편차**(sample standard deviation)라 하고, 기호로 각각 $\boldsymbol{\overline{X}}$, $\boldsymbol{S^2}$, $\boldsymbol{S}$와 같이 나타낸다.

이때 $\overline{X}$, S^2, S는 다음과 같이 구한다.

$$\overline{X}=\frac{1}{n}(X_1+X_2+\cdots+X_n)$$

$$S^2=\frac{1}{n-1}\{(X_1-\overline{X})^2+(X_2-\overline{X})^2+\cdots+(X_n-\overline{X})^2\}$$ ❸

$$S=\sqrt{S^2}$$

EXAMPLE 043 1, 2, 3, 4의 숫자가 각각 하나씩 적힌 4개의 공 중에서 한 개의 공을 임의추출할 때, 공에 적힌 숫자를 확률변수 X라 하자. 다음과 같은 표본을 임의추출할 때, 표본평균, 표본분산, 표본표준편차를 구하여라.

(1) 표본이 1, 2, 3일 때 (2) 표본이 1, 4, 4일 때

ANSWER (1) $\overline{X}=\frac{1}{3}\times(1+2+3)=\mathbf{2}$,

$S^2=\frac{1}{3-1}\{(1-2)^2+(2-2)^2+(3-2)^2\}=\mathbf{1}$, $S=\mathbf{1}$ ■

(2) $\overline{X}=\frac{1}{3}\times(1+4+4)=\mathbf{3}$,

$S^2=\frac{1}{3-1}\{(1-3)^2+(4-3)^2+(4-3)^2\}=\mathbf{3}$, $S=\sqrt{\mathbf{3}}$ ■

위의 **EXAMPLE 043**에서 표본평균, 표본분산, 표본표준편차는 표본에 따라 그 값이 달라짐을 알 수 있다.

모집단에서 크기가 같은 표본을 임의추출할 때, 모집단은 변하지 않기 때문에 모평균 m은 고정된 상수이지만

표본평균 $\overline{X}$는 추출된 표본에 따라 다른 값을 가질 수 있는 확률변수이다.

따라서 $\overline{X}$의 확률분포, 평균, 분산, 표준편차를 구할 수 있다.

(2) 표본평균의 평균, 분산, 표준편차

모집단의 평균, 분산, 표준편차와 표본평균의 평균, 분산, 표준편차의 관계에 대하여 알아보자.

예를 들어 모집단 {1, 2, 3, 4}에서 하나의 숫자를 가지는 확률변수를 X라 할 때, 모집단의 확률분포는 다음 표와 같다.

❸ 모분산과 달리 편차의 제곱의 합을 $n-1$로 나누는 이유는 표본분산과 모분산의 차이를 줄이기 위해서이다.

X	1	2	3	4	합계
$\mathrm{P}(X=x)$	$\frac{1}{4}$	$\frac{1}{4}$	$\frac{1}{4}$	$\frac{1}{4}$	1

이때 모평균 m과 모분산 σ^2, 모표준편차 σ를 구해 보면

$$m=1\times\frac{1}{4}+2\times\frac{1}{4}+3\times\frac{1}{4}+4\times\frac{1}{4}=\frac{5}{2}$$

$$\sigma^2=\left(1^2\times\frac{1}{4}+2^2\times\frac{1}{4}+3^2\times\frac{1}{4}+4^2\times\frac{1}{4}\right)-\left(\frac{5}{2}\right)^2=\frac{5}{4}$$

$$\sigma=\sqrt{\frac{5}{4}}=\frac{\sqrt{5}}{2}$$

한편 이 모집단에서 임의추출한 크기가 2인 표본을 X_1, X_2라 하면 표본평균 $\overline{X}=\frac{X_1+X_2}{2}$는 오른쪽 표에서의 값들을 가질 수 있는 확률변수이다.

X_1 \ X_2	1	2	3	4
1	1	1.5	2	2.5
2	1.5	2	2.5	3
3	2	2.5	3	3.5
4	2.5	3	3.5	4

표본평균 $\overline{X}$의 값

따라서 (크기가 2인) 표본평균 $\overline{X}$의 확률분포를 표로 나타내면 다음과 같다.

$\overline{X}$	1	1.5	2	2.5	3	3.5	4	합계
$\mathrm{P}(\overline{X}=\overline{x})$	$\frac{1}{16}$	$\frac{2}{16}$	$\frac{3}{16}$	$\frac{4}{16}$	$\frac{3}{16}$	$\frac{2}{16}$	$\frac{1}{16}$	1

이때 표본평균 $\overline{X}$의 평균, 분산, 표준편차를 구해 보면

$$\mathrm{E}(\overline{X})=1\times\frac{1}{16}+1.5\times\frac{2}{16}+2\times\frac{3}{16}+\cdots+4\times\frac{1}{16}=\frac{5}{2}$$

$$\mathrm{V}(\overline{X})=\left(1^2\times\frac{1}{16}+1.5^2\times\frac{2}{16}+\cdots+4^2\times\frac{1}{16}\right)-\left(\frac{5}{2}\right)^2=\frac{5}{8}=\frac{5}{4}\times\frac{1}{2}$$

$$\sigma(\overline{X})=\sqrt{\frac{5}{8}}=\frac{\sqrt{10}}{4}$$

이제 구한 모평균, 모분산, 모표준편차와 크기가 $n=2$인 표본의 표본평균 $\overline{X}$의 평균, 분산, 표준편차를 각각 비교해 보면

표본평균 $\overline{X}$의 평균은 모평균과 같고,

표본평균 $\overline{X}$의 분산은 모분산을 표본의 크기 n으로 나눈 것과 같다.

$$\mathrm{E}(\overline{X})=\frac{5}{2}=m$$

$$\mathrm{V}(\overline{X})=\frac{5}{8}=\frac{5}{4}\times\frac{1}{2}=\frac{\sigma^2}{n}$$

$$\sigma(\overline{X})=\frac{\sqrt{10}}{4}=\frac{\sqrt{5}}{2}\times\frac{1}{\sqrt{2}}=\frac{\sigma}{\sqrt{n}}$$

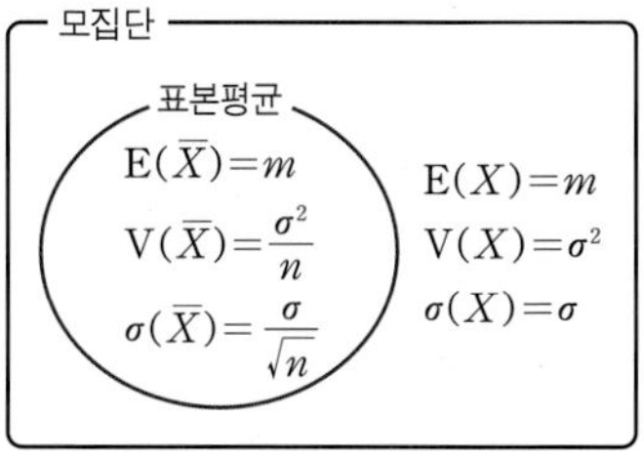

표본평균의 평균, 분산, 표준편차

모평균이 m, 모표준편차가 σ인 모집단에서 임의추출한 크기가 n인 표본의 표본평균 $\overline{X}$에 대하여

$$\mathrm{E}(\overline{X})=m,\ \mathrm{V}(\overline{X})=\frac{\sigma^2}{n},\ \sigma(\overline{X})=\frac{\sigma}{\sqrt{n}}$$ ❹

사실 표본평균 자체는 표본을 뽑을 때마다 다르게 나타날 수 있지만 표본평균의 평균은 모집단에서 뽑아내는 표본의 모든 경우의 수를 고려하게 되므로 모평균과 같을 수밖에 없다.

또 표본의 크기 n이 커질수록 표본평균의 분산이 작아지는데, 이는 표본의 크기가 커질수록 모평균의 값에 가까운 표본평균이 많이 나오게 되어 표본평균을 확률변수로 하는 분포에서 흩어진 정도가 점차 줄어들기 때문이다.

EXAMPLE 044 모집단의 확률변수 X의 확률분포를 표로 나타내면 다음과 같다. 이 모집단에서 크기가 9인 표본을 임의추출할 때, 표본평균 $\overline{X}$의 평균과 표준편차를 구하여라.

X	1	2	3	4	합계
$\mathrm{P}(X=x)$	$\frac{4}{10}$	$\frac{3}{10}$	$\frac{2}{10}$	$\frac{1}{10}$	1

ANSWER 주어진 X의 확률분포를 이용하여 모평균 m과 모표준편차 σ를 먼저 구한다.

$$m=1\times\frac{4}{10}+2\times\frac{3}{10}+3\times\frac{2}{10}+4\times\frac{1}{10}=2$$

$$\sigma^2=\left(1^2\times\frac{4}{10}+2^2\times\frac{3}{10}+3^2\times\frac{2}{10}+4^2\times\frac{1}{10}\right)-2^2=5-4=1$$

$$\sigma=1$$

이때 표본의 크기가 9이므로 표본평균 $\overline{X}$의 평균과 표준편차는

$$\mathbf{E}(\overline{X})=m=\mathbf{2},\ \sigma(\overline{X})=\frac{\sigma}{\sqrt{n}}=\frac{1}{\sqrt{9}}=\mathbf{\frac{1}{3}}$$ ■

❹ 표본평균의 분산, 표준편차인 $\mathrm{V}(\overline{X})$, $\sigma(\overline{X})$와 표본분산, 표본표준편차인 S^2, S를 혼동하지 않도록 주의한다.

Sub Note 015쪽

APPLICATION 066 모집단의 확률변수 X의 확률분포를 표로 나타내면 다음과 같다. 이 모집단에서 크기가 4인 표본을 임의추출할 때, 표본평균 $\overline{X}$의 평균과 분산을 구하여라.

(단, a는 상수이다.)

X	1	3	5	합계
$\mathrm{P}(X=x)$	$3a$	$2a$	a	1

(3) 표본평균의 분포

앞에서 예로 다룬 모집단의 확률분포를 나타낸 그래프와 표본의 크기가 $n=2$일 때의 표본평균의 확률분포를 나타낸 그래프, 또 $n=3$일 때의 표본평균의 확률분포를 구한 후 그 그래프를 그려 보면 다음 그림과 같다.

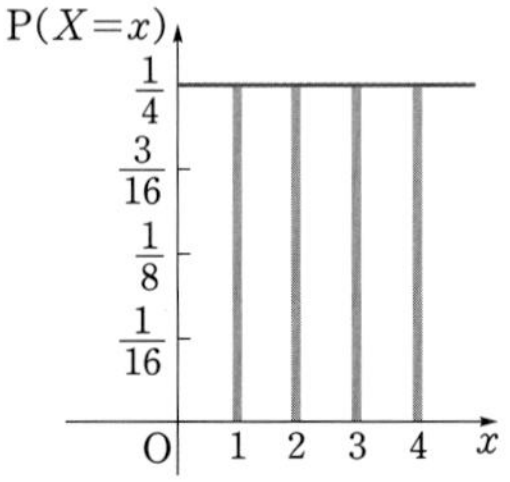

모집단의 확률분포를 나타낸 그래프

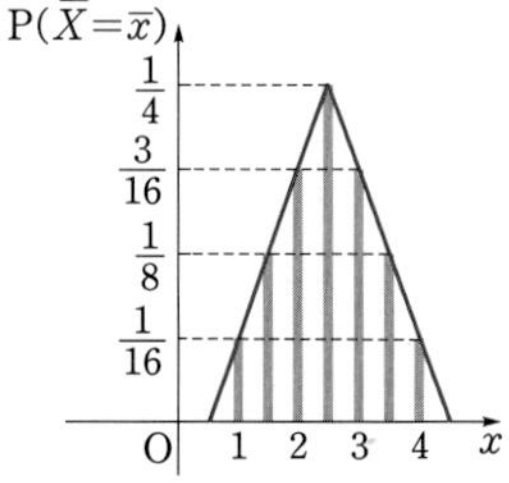

$n=2$일 때의 $\overline{X}$의 확률분포를 나타낸 그래프

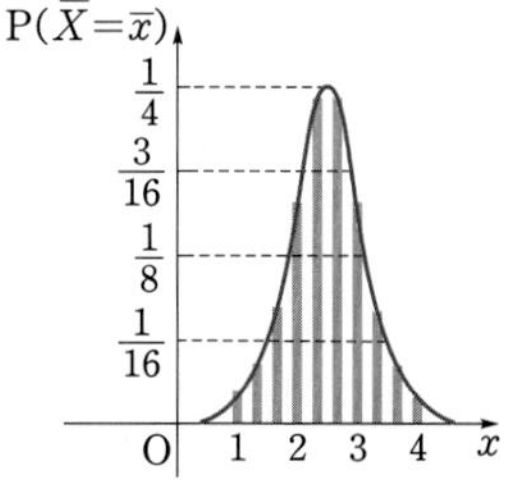

$n=3$일 때의 $\overline{X}$의 확률분포를 나타낸 그래프

사실 표본의 크기 n을 크게 하면 할수록 표본평균의 확률분포를 나타낸 그래프는 점점 더 정규분포곡선 모양으로 가까워지게 된다. 일반적으로 모평균이 m, 모표준편차가 σ인 모집단에서 크기가 n인 표본을 임의추출할 때, 표본평균 $\overline{X}$에 대하여 다음이 성립한다.

(1) 모집단이 정규분포를 따를 때	(2) 모집단이 정규분포를 따르지 않을 때
n의 크기에 관계없이 $\overline{X}$는 정규분포 $\mathrm{N}\left(m, \frac{\sigma^2}{n}\right)$을 따른다.	n이 충분히 크면 $\overline{X}$는 근사적으로 정규분포 $\mathrm{N}\left(m, \frac{\sigma^2}{n}\right)$을 따른다.

이상을 정리하면 다음과 같다.

표본평균의 분포

모평균이 m, 모표준편차가 σ인 모집단에서 임의추출한 크기가 n인 표본의 표본평균 $\overline{X}$에 대하여

① 모집단이 정규분포를 따르면 $\overline{X}$는 n의 크기에 관계없이 정규분포 $\mathrm{N}\left(m, \frac{\sigma^2}{n}\right)$을 따른다.

② 모집단이 정규분포를 따르지 않아도 n이 충분히 크면 $\overline{X}$는 근사적으로 정규분포 $\mathrm{N}\left(m, \frac{\sigma^2}{n}\right)$을 따른다.[5]

EXAMPLE 045 정규분포 $N(20,\ 8^2)$을 따르는 모집단에서 임의추출한 크기가 49인 표본의 표본평균을 $\overline{X}$라 할 때, 다음을 구하여라. (단, Z가 표준정규분포를 따르는 확률변수일 때, $P(0\le Z\le 1.75)=0.46$으로 계산한다.)

(1) 표본평균 $\overline{X}$의 평균과 분산

(2) $P(\overline{X}\ge 22)$

ANSWER (1) 모평균 $m=20$, 모표준편차 $\sigma=8$, 표본의 크기 $n=49$이므로

$$\mathbf{E(\overline{X})}=m=\mathbf{20},\ \mathbf{V(\overline{X})}=\frac{\sigma^2}{n}=\frac{8^2}{49}=\mathbf{\frac{64}{49}}\ ■$$

(2) 표본의 크기가 49이므로 표본평균 $\overline{X}$는 정규분포 $N\left(20,\ \frac{8^2}{49}\right)$, 즉 $N\left(20,\ \left(\frac{8}{7}\right)^2\right)$을 따른다.

따라서 $Z=\dfrac{\overline{X}-20}{\frac{8}{7}}$으로 놓으면 확률변수 Z는 표준정규분포 $N(0,\ 1)$을 따른다.

$$\therefore P(\overline{X}\ge 22)=P\left(Z\ge\frac{22-20}{\frac{8}{7}}\right)=P(Z\ge 1.75)$$

$$=0.5-P(0\le Z\le 1.75)$$

$$=0.5-0.46=\mathbf{0.04}\ ■$$

Sub Note 015쪽

APPLICATION 067 정규분포 $N(80,\ 5^2)$을 따르는 모집단에서 임의추출한 크기가 36인 표본의 표본평균을 $\overline{X}$라 할 때, 다음 물음에 답하여라. (단, Z가 표준정규분포를 따르는 확률변수일 때, $P(0\le Z\le 1.2)=0.3849$, $P(0\le Z\le 2.4)=0.4918$로 계산한다.)

(1) 표본평균 $\overline{X}$는 어떤 분포를 따르는지 구하여라.

(2) $P(78\le\overline{X}\le 81)$을 구하여라.

---

❺ 중심극한정리라고 부르며, 보통 n이 30 이상이면 충분히 큰 표본으로 간주한다. 이렇게 표본이 충분히 크면 표본평균의 확률분포를 정규분포로 생각할 수 있으므로 정규분포의 표준화를 통하여 확률을 구한다. 중심극한정리에 대해서 **Advanced Lecture**에 간략히 소개해 놓았다.

기본예제 **표본평균의 평균, 분산, 표준편차**

045 1, 3, 5의 숫자가 각각 하나씩 적힌 공이 1개, 3개, 5개가 들어 있는 주머니에서 4개의 공을 복원추출할 때, 공에 적힌 숫자의 평균을 $\overline{X}$라 하자. 이때 $E(\overline{X})$, $V(\overline{X})$를 구하여라.

GUIDE 모평균을 m, 모분산을 σ^2이라 하면 크기가 n인 표본의 표본평균 $\overline{X}$의 평균과 분산은

$$E(\overline{X})=m,\ V(\overline{X})=\frac{\sigma^2}{n}$$

SOLUTION

공에 적힌 숫자를 확률변수 X라 하고 X의 확률분포를 표로 나타내면 다음과 같다.

X	1	3	5	합계
$P(X=x)$	$\frac{1}{9}$	$\frac{1}{3}$	$\frac{5}{9}$	1

$$\therefore E(X)=1\times\frac{1}{9}+3\times\frac{1}{3}+5\times\frac{5}{9}=\frac{35}{9}$$

$$V(X)=\left(1^2\times\frac{1}{9}+3^2\times\frac{1}{3}+5^2\times\frac{5}{9}\right)-\left(\frac{35}{9}\right)^2$$

$$=17-\frac{1225}{81}=\frac{152}{81}$$

이때 표본의 크기가 4이므로

$$\mathbf{E(\overline{X})=\frac{35}{9}},\ \mathbf{V(\overline{X})}=\frac{152}{81}\times\frac{1}{4}=\mathbf{\frac{38}{81}}\ ■$$

유제 Sub Note 036쪽

045-① 2, 2, 3, 3, 3, 5의 숫자가 각각 하나씩 적힌 6개의 공이 들어 있는 상자에서 3개의 공을 복원추출할 때, 공에 적힌 숫자의 평균을 $\overline{X}$라 하자. 이때 $V(3\overline{X}+2)$를 구하여라.

유제 Sub Note 036쪽

045-② 2, 4, 6, 8의 숫자가 각각 하나씩 적힌 4개의 카드가 들어 있는 상자에서 n개의 카드를 복원추출할 때, 카드에 적힌 숫자의 평균을 $\overline{X}$라 하자. $\overline{X}$의 표준편차가 $\frac{\sqrt{5}}{3}$일 때, n의 값을 구하여라.

기 본 예 제 *표본평균의 확률(1)*

046 어느 공장에서 생산하는 건전지의 수명은 평균이 200시간이고 표준편차가 10시간인 정규분포를 따른다고 한다. 이 공장에서 생산한 건전지 중에서 25개를 임의추출할 때, 표본평균 $\overline{X}$에 대하여 오른쪽 표준정규분포표를 이용하여 $P(199 \le \overline{X} \le 201)$을 구하여라.

z	$P(0 \le Z \le z)$
0.5	0.1915
1.0	0.3413
1.5	0.4332
2.0	0.4772

GUIDE 모집단이 정규분포 $N(m, \sigma^2)$을 따를 때, 크기가 n인 표본의 표본평균 $\overline{X}$는 정규분포 $N\left(m, \frac{\sigma^2}{n}\right)$을 따르므로 $Z=\frac{\overline{X}-m}{\frac{\sigma}{\sqrt{n}}}$으로 놓으면 Z는 표준정규분포 $N(0, 1)$을 따른다.

SOLUTION

모집단이 정규분포 $N(200, 10^2)$을 따르고 표본의 크기가 25이므로 표본평균 $\overline{X}$는 정규분포 $N\left(200, \frac{10^2}{25}\right)$, 즉 $N(200, 2^2)$을 따른다.

따라서 $Z=\frac{\overline{X}-200}{2}$으로 놓으면 확률변수 Z는 표준정규분포 $N(0, 1)$을 따르므로

$$P(199 \le \overline{X} \le 201) = P\left(\frac{199-200}{2} \le Z \le \frac{201-200}{2}\right)$$
$$= P(-0.5 \le Z \le 0.5) = 2P(0 \le Z \le 0.5)$$
$$= 2 \times 0.1915 = \mathbf{0.383}\ ■$$

유제 Sub Note 037쪽

046-1 어느 공장에서 생산하는 화장품 1개의 내용량은 평균이 201.2g이고 표준편차가 1.8g인 정규분포를 따른다고 한다. 이 공장에서 생산한 화장품 중 임의추출한 9개의 화장품 내용량의 표본평균이 202.4g 이상일 확률을 위의 **기본 예제 046**에서 주어진 표준정규분포표를 이용하여 구하여라.

유제 Sub Note 037쪽

046-2 어느 도시에서 공용 자전거의 1회 이용 시간은 평균이 60분, 표준편차가 10분인 정규분포를 따른다고 한다. 공용 자전거를 이용한 25회를 임의추출하여 조사할 때, 25회 이용 시간의 총합이 1450분 이상일 확률을 위의 **기본 예제 046**에서 주어진 표준정규분포표를 이용하여 구하여라.

기 본 예 제 *표본평균의 확률(2)*

047 대중교통을 이용하여 출근하는 어느 지역 직장인의 월 교통비는 평균이 8이고 표준편차가 1.2인 정규분포를 따른다고 한다. 대중교통을 이용하여 출근하는 이 지역 직장인 중 n명을 임의추출할 때, 표본평균 $\overline{X}$에 대하여

$$P(7.76 \le \overline{X} \le 8.24) = 0.6826$$

이다. 오른쪽 표준정규분포표를 이용하여 n의 값을 구하여라.

(단, 교통비의 단위는 만 원이다.)

z	$P(0 \le Z \le z)$
0.5	0.1915
1.0	0.3413
1.5	0.4332
2.0	0.4772

GUIDE 표본평균 $\overline{X}$가 정규분포 $N\left(m, \frac{\sigma^2}{n}\right)$을 따를 때, $Z = \frac{\overline{X}-m}{\frac{\sigma}{\sqrt{n}}}$임을 이용하여 주어진 확률과 표준정규분포표를 이용하여 미지수의 값을 구한다.

SOLUTION

모집단이 정규분포 $N(8, 1.2^2)$을 따르고 표본의 크기가 n이므로 표본평균 $\overline{X}$는 정규분포 $N\left(8, \frac{1.2^2}{n}\right)$, 즉 $N\left(8, \left(\frac{1.2}{\sqrt{n}}\right)^2\right)$을 따른다.

따라서 $Z = \frac{\overline{X}-8}{\frac{1.2}{\sqrt{n}}}$로 놓으면 확률변수 Z는 표준정규분포 $N(0, 1)$을 따르므로

$P(7.76 \le \overline{X} \le 8.24) = 0.6826$에서 $P\left(\frac{7.76-8}{\frac{1.2}{\sqrt{n}}} \le Z \le \frac{8.24-8}{\frac{1.2}{\sqrt{n}}}\right) = 0.6826$

$$P\left(-\frac{\sqrt{n}}{5} \le Z \le \frac{\sqrt{n}}{5}\right) = 0.6826,\ 2P\left(0 \le Z \le \frac{\sqrt{n}}{5}\right) = 0.6826$$

$$\therefore P\left(0 \le Z \le \frac{\sqrt{n}}{5}\right) = 0.3413$$

이때 $P(0 \le Z \le 1) = 0.3413$이므로 $\frac{\sqrt{n}}{5} = 1$ $\therefore n = \mathbf{25}$ ■

유제 Sub Note 037쪽

047-1 어느 음료수 회사가 생산하는 음료수 1병의 용량은 평균이 m이고 표준편차가 12인 정규분포를 따른다고 한다. 이 회사가 생산한 음료수 중에서 임의로 추출한 36병의 용량의 표본평균이 1500 이상일 확률이 0.9332일 때, 위의 **기본 예제 047**에서 주어진 표준정규분포표를 이용하여 m의 값을 구하여라. (단, 용량의 단위는 mL이다.)

02 모평균의 추정

SUMMA CUM LAUDE

ESSENTIAL LECTURE

1 모평균의 추정

(1) 추정 : 표본에서 얻은 정보를 이용하여 모평균, 모표준편차와 같은 모집단의 특성을 나타내는 값을 추측하는 것

(2) 모평균의 신뢰구간

정규분포 $\mathrm{N}(m, \sigma^2)$을 따르는 모집단에서 크기가 n인 표본을 임의추출하여 구한 표본평균 $\overline{X}$의 값이 $\overline{x}$일 때, 모평균 m의 신뢰구간은 다음과 같다.

① 신뢰도 95 %의 신뢰구간 : $\overline{x}-1.96\frac{\sigma}{\sqrt{n}} \le m \le \overline{x}+1.96\frac{\sigma}{\sqrt{n}}$

② 신뢰도 99 %의 신뢰구간 : $\overline{x}-2.58\frac{\sigma}{\sqrt{n}} \le m \le \overline{x}+2.58\frac{\sigma}{\sqrt{n}}$

단, 모표준편차 σ가 주어지지 않은 경우에는 표본표준편차 S의 값 s를 이용할 수 있다.

(3) 모평균의 신뢰구간의 길이

(2)에서 얻은 신뢰구간으로부터 모평균 m의 신뢰구간의 길이는 다음과 같다.

① 신뢰도 95 %의 신뢰구간의 길이 : $2\times1.96\frac{\sigma}{\sqrt{n}}$

② 신뢰도 99 %의 신뢰구간의 길이 : $2\times2.58\frac{\sigma}{\sqrt{n}}$

1 모평균의 추정 (수능 고빈도 출제)

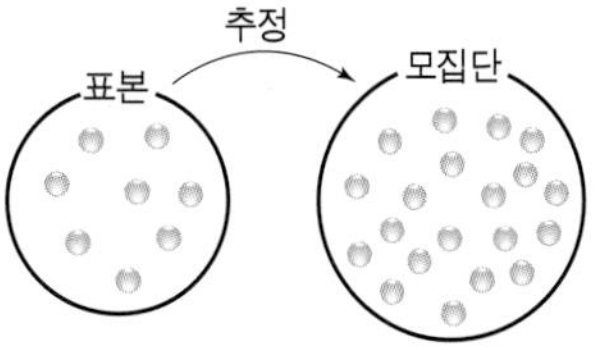

우리는 앞에서 모집단의 평균, 분산, 표준편차를 이용하여 표본평균의 평균, 분산, 표준편차와 확률분포를 구하는 것을 공부하였다. 여기서는 반대로 표본에서 얻은 자료를 가지고 모집단의 성질을 추측해 보려고 한다.

모집단에서 추출한 표본에서 얻은 자료를 이용하여 모평균, 모표준편차와 같은 모집단의 특성을 나타내는 값을 추측하는 것을 **추정**(estimation)이라 한다. 모집단을 전부 조사하는 것이 불가능한 경우가 많고, 가능하더라도 그 비용과 시간의 소요가 많아 표본으로 모집단의 속성을 추정하는 것이다.

추정하는 방법에는 그 값을 직접 추정하는 점추정, 그 값이 포함되어 있을 범위를 추정하는 구간추정이 있다. 여기서는 표본평균을 이용하여 모평균에 대한 구간추정하는 방법을 알아볼 것이다.

표본평균의 분포를 이용하여 모평균 m이 포함될 범위를 추정해 보자.
정규분포 $\mathrm{N}(m,\ \sigma^2)$을 따르는 모집단에서 크기가 n인 표본을 임의추출할 때,
표본평균 $\overline{X}$는 정규분포 $\mathrm{N}\left(m,\ \frac{\sigma^2}{n}\right)$을 따르므로 $Z=\frac{\overline{X}-m}{\frac{\sigma}{\sqrt{n}}}$으로 놓으면 확률변수 Z는 표준정규분포 $\mathrm{N}(0,\ 1)$을 따른다. 이때 표준정규분포표에서

$$\mathrm{P}(-1.96\le Z\le 1.96)=0.95$$

이므로

$$\mathrm{P}\left(-1.96\le \frac{\overline{X}-m}{\frac{\sigma}{\sqrt{n}}}\le 1.96\right)=0.95$$

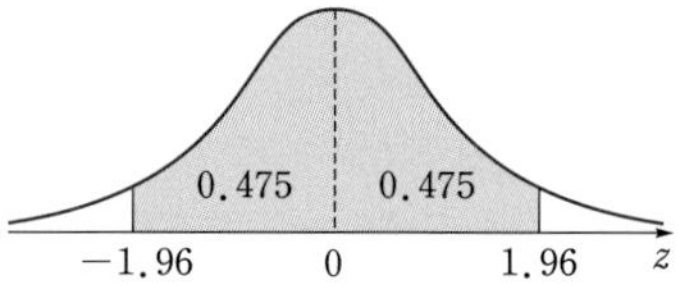

이고, 괄호 안을 m에 대한 범위가 되도록 정리하면

$$\mathrm{P}\left(-1.96\frac{\sigma}{\sqrt{n}}\le \overline{X}-m\le 1.96\frac{\sigma}{\sqrt{n}}\right)=0.95$$

$$\therefore \mathrm{P}\left(\overline{X}-1.96\frac{\sigma}{\sqrt{n}}\le m\le \overline{X}+1.96\frac{\sigma}{\sqrt{n}}\right)=0.95$$

이것은 모평균 m이 $\overline{X}-1.96\frac{\sigma}{\sqrt{n}}\le m\le \overline{X}+1.96\frac{\sigma}{\sqrt{n}}$에 포함될 확률이 0.95라는 뜻이다.

여기서 표본평균 $\overline{X}$의 값을 $\overline{x}$라 할 때, 다음과 같은 범위

$$\boldsymbol{\overline{x}-1.96\frac{\sigma}{\sqrt{n}}\le m\le \overline{x}+1.96\frac{\sigma}{\sqrt{n}}}$$

를 <u>모평균 m에 대한 신뢰도 95%의 신뢰구간</u>[6]이라 한다. 이때 신뢰도 95%의 신뢰구간의 길이는 $\boldsymbol{2\times 1.96\frac{\sigma}{\sqrt{n}}}$이고, 모평균 m과 표본평균의 $\overline{X}$의 차의 최댓값은 $1.96\frac{\sigma}{\sqrt{n}}$이다.

한편 $\mathrm{P}(-2.58\le Z\le 2.58)=0.99$이므로 모평균 m에 대한 신뢰도 99%의 신뢰구간은

$$\boldsymbol{\overline{x}-2.58\frac{\sigma}{\sqrt{n}}\le m\le \overline{x}+2.58\frac{\sigma}{\sqrt{n}}}$$

이고 신뢰도 99%의 신뢰구간의 길이는 $\boldsymbol{2\times 2.58\frac{\sigma}{\sqrt{n}}}$이다.

---

❻ 표본조사에 의하여 구한 표본평균의 분포로부터 모평균이 포함되어 있을 것으로 추정되는 범위를 얻을 때, 그 범위에 모평균이 포함될 확률을 신뢰도(confidence coefficient)라 하고, 그 범위를 신뢰구간(confidence interval)이라 한다.

표본평균 $\overline{X}$는 확률변수이므로 추출되는 표본에 따라 그 값이 다르게 되고, 이에 따라 신뢰구간도 다르게 나타난다. 이때 '모평균 m에 대한 신뢰도 95%의 신뢰구간'의 의미는, 오른쪽 그림과 같이 크기가 n인 표본을 여러 번 추출하여 신뢰구간을 만들 때, 이 신뢰구간 중 95%가 모평균 m을 포함할 것으로 기대된다는 뜻이다. 즉, 100개의 표본을 추출하여 신뢰구간을 만들 때, 그중에서 95개 정도는 모평균 m을 포함한다는 뜻이다.

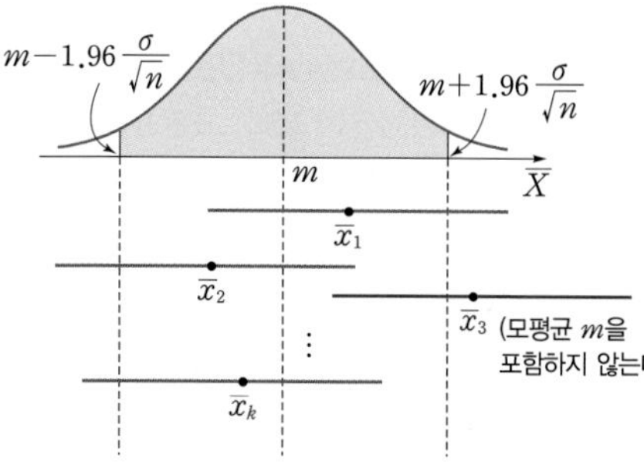

$\overline{x}_k$의 값에 따라 여러 가지 신뢰구간이 나타나며 신뢰구간 중에는 모평균 m을 포함하는 것도 있고, 포함하지 않는 것도 있을 수 있다.

한편 실제 문제에서는 모표준편차 σ의 값을 알 수 없는 경우가 있다. 이러한 경우 표본의 크기 n이 충분히 클 때($n\geq30$)에는 σ 대신 표본표준편차 S의 값 s를 이용하면 된다.

이상을 정리하면 다음과 같다.

모평균의 신뢰구간

정규분포 $\mathrm{N}(m,\ \sigma^2)$을 따르는 모집단에서 크기가 n인 표본을 임의추출하여 구한 표본평균 $\overline{X}$의 값이 $\overline{x}$일 때, 모평균 m의 신뢰구간은 다음과 같다.

① 신뢰도 95%의 신뢰구간 : $\overline{x}-1.96\frac{\sigma}{\sqrt{n}}\leq m\leq\overline{x}+1.96\frac{\sigma}{\sqrt{n}}$ 　　신뢰구간의 길이 : $2\times1.96\frac{\sigma}{\sqrt{n}}$

② 신뢰도 99%의 신뢰구간 : $\overline{x}-2.58\frac{\sigma}{\sqrt{n}}\leq m\leq\overline{x}+2.58\frac{\sigma}{\sqrt{n}}$ 　　신뢰구간의 길이 : $2\times2.58\frac{\sigma}{\sqrt{n}}$

단, 모표준편차 σ가 주어지지 않은 경우에는 표본표준편차 S의 값 s를 이용할 수 있다.

EXAMPLE 046 정규분포 $\mathrm{N}(m,\ 4^2)$을 따르는 모집단에서 크기가 64인 표본을 임의추출하였더니 표본평균이 70이었다. 모평균 m에 대하여 다음을 구하여라. (단, Z가 표준정규분포를 따르는 확률변수일 때, $\mathrm{P}(|Z|\leq1.96)=0.95$, $\mathrm{P}(|Z|\leq2.58)=0.99$로 계산한다.)

(1) 신뢰도 95%의 신뢰구간 　　(2) 신뢰도 99%의 신뢰구간

ANSWER 표본평균 $\overline{x}=70$, 모표준편차 $\sigma=4$, 표본의 크기 $n=64$이므로

(1) 모평균 m에 대한 신뢰도 95%의 신뢰구간은

$$70-1.96\times\frac{4}{\sqrt{64}}\leq m\leq70+1.96\times\frac{4}{\sqrt{64}}$$ ⬅ $\overline{x}-1.96\frac{\sigma}{\sqrt{n}}\leq m\leq\overline{x}+1.96\frac{\sigma}{\sqrt{n}}$

$\therefore$ **$69.02\leq m\leq70.98$** ■

(2) 모평균 m에 대한 신뢰도 99%의 신뢰구간은

$$70-2.58\times\frac{4}{\sqrt{64}}\leq m\leq70+2.58\times\frac{4}{\sqrt{64}}$$ ⬅ $\overline{x}-2.58\frac{\sigma}{\sqrt{n}}\leq m\leq\overline{x}+2.58\frac{\sigma}{\sqrt{n}}$

$\therefore$ **$68.71\leq m\leq71.29$** ■

Sub Note 015쪽

APPLICATION 068 정규분포를 따르는 모집단에서 크기가 81인 표본을 임의추출하였더니 표본평균이 250, 표본표준편차가 27이었다. 모평균 m에 대하여 다음을 구하여라. (단, Z가 표준정규분포를 따르는 확률변수일 때, $\mathrm{P}(|Z|\le 1.96)=0.95$, $\mathrm{P}(|Z|\le 2.58)=0.99$로 계산한다.)

(1) 신뢰도 95%의 신뢰구간 (2) 신뢰도 99%의 신뢰구간

Sub Note 016쪽

APPLICATION 069 정규분포 $\mathrm{N}(m,\ 20^2)$을 따르는 모집단에서 크기가 100인 표본을 임의추출할 때, 신뢰도 95%로 추정한 모평균의 신뢰구간의 길이를 구하여라. (단, Z가 표준정규분포를 따르는 확률변수일 때, $\mathrm{P}(|Z|\le 1.96)=0.95$로 계산한다.)

모평균 m에 대한 신뢰도 α%의 신뢰구간의 길이는 다음과 같이 일반화하여 생각할 수 있다.

$\mathrm{P}(-k\le Z\le k)=\frac{\alpha}{100}$일 때, 신뢰도 α%의 신뢰구간이

$\overline{X}-k\frac{\sigma}{\sqrt{n}}\le m\le \overline{X}+k\frac{\sigma}{\sqrt{n}}$이므로 신뢰구간의 길이 l은 $l=2\times k\frac{\sigma}{\sqrt{n}}$ …… ㉠

㉠에서 표본의 크기 n이 일정할 때

신뢰도가 높아지면, 즉 k의 값이 커지면 신뢰구간의 길이는 길어지고, 신뢰도가 낮아지면, 즉 k의 값이 작아지면 신뢰구간의 길이는 짧아진다.

한편 신뢰도 α%가 일정할 때, 즉 k의 값이 일정할 때

표본의 크기 n이 커지면 신뢰구간의 길이는 짧아지고, 표본의 크기 n이 작아지면 신뢰구간의 길이는 길어진다.

동일한 신뢰도에서 모평균에 대한 보다 정확한 정보를 얻기 위해서는 표본의 크기 n을 늘려서 신뢰구간의 길이를 보다 짧게 만들어야 한다. 하지만 표본의 크기를 늘리는 것은 실제 상황에서는 시간과 비용이 많이 들기 때문에 한계가 있다.

Sub Note 016쪽

APPLICATION 070 정규분포 $\mathrm{N}(m,\ 4^2)$을 따르는 모집단에서 크기가 n인 표본을 임의추출하여 신뢰도 α%로 추정한 모평균의 신뢰구간의 길이를 l이라 하자. 신뢰도를 바꾸지 않고 다시 추정한 모평균의 신뢰구간의 길이가 $\frac{l}{2}$이라 할 때, 표본의 크기를 구하여라.

기 본 예 제 *모평균의 추정*

048 어느 고등학교 학생들의 키는 평균이 $m$cm이고, 표준편차가 3cm인 정규분포를 따른다고 한다. 이 고등학교에서 36명의 학생을 임의추출하여 키를 측정하였더니 평균이 175cm이었을 때, 모평균 m에 대하여 다음을 구하여라. (단, Z가 표준정규분포를 따르는 확률변수일 때, $\mathrm{P}(|Z|\le1.96)=0.95$, $\mathrm{P}(|Z|\le2.58)=0.99$로 계산한다.)

(1) 신뢰도 95%의 신뢰구간 (2) 신뢰도 99%의 신뢰구간

GUIDE 정규분포 $\mathrm{N}(m, \sigma^2)$을 따르는 모집단에서 크기가 n인 표본을 임의추출하여 구한 표본평균 $\overline{X}$의 값이 $\overline{x}$일 때, 모평균 m에 대한 신뢰도 95%와 99%의 신뢰구간은 각각 다음과 같다.

$$\overline{x}-1.96\frac{\sigma}{\sqrt{n}}\le m\le\overline{x}+1.96\frac{\sigma}{\sqrt{n}},\ \overline{x}-2.58\frac{\sigma}{\sqrt{n}}\le m\le\overline{x}+2.58\frac{\sigma}{\sqrt{n}}$$

SOLUTION

표본평균이 175, 모표준편차가 3, 표본의 크기가 36이므로

(1) 모평균 m에 대한 신뢰도 95%의 신뢰구간은

$$175-1.96\times\frac{3}{\sqrt{36}}\le m\le175+1.96\times\frac{3}{\sqrt{36}}$$

$\therefore$ **$174.02\le m\le175.98$** ■

(2) 모평균 m에 대한 신뢰도 99%의 신뢰구간은

$$175-2.58\times\frac{3}{\sqrt{36}}\le m\le175+2.58\times\frac{3}{\sqrt{36}}$$

$\therefore$ **$173.71\le m\le176.29$** ■

유제

048-1 Sub Note 037쪽

어느 논에서 자란 벼 이삭의 낱알 개수는 평균이 m인 정규분포를 따른다고 한다. 이 논에서 자란 벼 이삭 100개를 임의추출하여 이삭 1개당 낱알 수를 조사하였더니 평균이 80알, 표준편차가 20알이었을 때, 모평균 m에 대하여 다음을 구하여라. (단, Z가 표준정규분포를 따르는 확률변수일 때, $\mathrm{P}(|Z|\le1.96)=0.95$, $\mathrm{P}(|Z|\le2.58)=0.99$로 계산한다.)

(1) 신뢰도 95%의 신뢰구간 (2) 신뢰도 99%의 신뢰구간

유제

048-2 Sub Note 037쪽

어느 공장에서 생산된 부품의 수명은 표준편차가 3개월인 정규분포를 따른다고 한다. 이 공장에서 생산된 부품 중에서 100개를 임의추출하여 이 공장에서 생산되는 부품의 수명의 모평균을 신뢰도 99%로 추정할 때, 신뢰구간의 길이를 구하여라.

(단, Z가 표준정규분포를 따르는 확률변수일 때, $\mathrm{P}(|Z|\le2.58)=0.99$로 계산한다.)

기 본 예 제 *모평균의 추정－표본의 크기*

049 어느 회사에서 생산되는 비누의 무게는 표준편차가 11g인 정규분포를 따른다고 한다. 이 회사에서 생산된 비누 중 크기가 n인 표본을 임의추출하여 무게를 조사하였더니 평균이 50g이었다. 이 회사에서 생산된 비누의 무게의 모평균 m을 신뢰도 95%로 추정한 신뢰구간이 $48 \le m \le 52$일 때, n의 값을 구하여라.

(단, Z가 표준정규분포를 따르는 확률변수일 때, $\mathrm{P}(|Z| \le 2) = 0.95$로 계산한다.)

GUIDE 문제에서 $\mathrm{P}(|Z| \le 2) = 0.95$라 하였으므로 $\overline{x} - 2\frac{\sigma}{\sqrt{n}} \le m \le \overline{x} + 2\frac{\sigma}{\sqrt{n}}$에 주어진 $\overline{x}$, σ의 값을 각각 대입한 후 신뢰구간 $48 \le m \le 52$와 비교한다.

SOLUTION

표본평균이 50, 모표준편차가 11이므로 신뢰도 95%로 추정한 모평균 m의 신뢰구간은

$$50 - 2 \times \frac{11}{\sqrt{n}} \le m \le 50 + 2 \times \frac{11}{\sqrt{n}}$$

이때 $48 \le m \le 52$이므로

$$50 - 2 \times \frac{11}{\sqrt{n}} = 48, \sqrt{n} = 11 \qquad \therefore n = \mathbf{121}\ ■$$

[다른 풀이] 신뢰도 95%로 추정한 모평균의 신뢰구간의 길이가 $2 \times 2 \times \frac{11}{\sqrt{n}} = \frac{44}{\sqrt{n}}$이고 주어진 신뢰구간의 길이가 $52 - 48 = 4$이므로 $\frac{44}{\sqrt{n}} = 4 \qquad \therefore n = 121$

Summa's Advice

앞에서 신뢰도 95%의 신뢰구간이 $\overline{x} - 1.96\frac{\sigma}{\sqrt{n}} \le m \le \overline{x} + 1.96\frac{\sigma}{\sqrt{n}}$로 배웠지만 위 문제에서는 1.96 대신 2로 주어졌음에 주의하자. 당연히 문제에 제시된 조건을 이용하여 해결해야 한다.

유제 Sub Note 038쪽

049-1 어느 회사에서 생산되는 통조림의 무게는 표준편차가 10g인 정규분포를 따른다고 한다. 이 회사에서 생산되는 통조림의 무게의 평균을 신뢰도 99%로 추정할 때, 신뢰구간의 길이를 6 이하로 하기 위한 표본의 크기의 최솟값을 구하여라.

(단, Z가 표준정규분포를 따르는 확률변수일 때, $\mathrm{P}(|Z| \le 2.58) = 0.99$로 계산한다.)

유제 Sub Note 038쪽

049-2 정규분포 $\mathrm{N}(m, 10^2)$을 따르는 모집단에서 크기가 n인 표본을 임의추출하여 모평균 m을 신뢰도 95%로 추정할 때, 모평균과 표본평균의 차가 1 이하가 되도록 하는 n의 최솟값을 구하여라.

(단, Z가 표준정규분포를 따르는 확률변수일 때, $\mathrm{P}(|Z| \le 2) = 0.95$로 계산한다.)

기 본 예 제 *모평균의 추정-신뢰도 구하기*

050 표준편차가 20인 정규분포를 따르는 모집단에서 크기가 25인 표본을 임의추출하여 모평균 m을 신뢰도 $\alpha\%$로 추정한 신뢰구간이 $112.6 \le m \le 132.6$이다. 오른쪽 표준정규분포표를 이용하여 α의 값을 구하여라.

z	$\mathrm{P}(0 \le Z \le z)$
0.5	0.19
1.0	0.34
1.5	0.43
2.0	0.48
2.5	0.49

GUIDE $\mathrm{P}(|Z| \le k)=\dfrac{\alpha}{100}$일 때, 신뢰도 $\alpha\%$로 추정한 모평균의 신뢰구간의 길이는 $2 \times k\dfrac{\sigma}{\sqrt{n}}$이다.

SOLUTION

모표준편차가 20, 표본의 크기가 25이므로 $\mathrm{P}(|Z| \le k)=\dfrac{\alpha}{100}$라 하면 신뢰도 $\alpha\%$로 추정한 모평균의 신뢰구간의 길이는

$$2 \times k \times \frac{20}{\sqrt{25}}=8k$$

이때 주어진 신뢰구간이 $112.6 \le m \le 132.6$이므로

$$8k=132.6-112.6=20 \qquad \therefore\ k=2.5$$

따라서 $\mathrm{P}(|Z| \le 2.5)=\dfrac{\alpha}{100}$이고 표준정규분포표에서

$$\mathrm{P}(|Z| \le 2.5)=2\mathrm{P}(0 \le Z \le 2.5)=2 \times 0.49=0.98$$

이므로 $\alpha=\mathbf{98}$ ■

유제 **050-1** Sub Note 038쪽

정규분포 $\mathrm{N}(m,\ 6^2)$을 따르는 모집단에서 크기가 9인 표본을 임의추출하여 구한 표본평균의 값을 $\overline{x}$라 할 때, 모평균 m을 신뢰도 $\alpha\%$로 추정한 신뢰구간이 $\overline{x}-2.26 \le m \le \overline{x}+2.26$이다. 이때 α의 값을 구하여라.

(단, Z가 표준정규분포를 따르는 확률변수일 때, $\mathrm{P}(0 \le Z \le 1.13)=0.3708$로 계산한다.)

유제 **050-2** Sub Note 038쪽

어느 공장에서 생산되는 야구공의 무게는 표준편차가 3g인 정규분포를 따른다고 한다. 이 공장에서 생산된 야구공 중에서 225개를 임의추출하여 모평균을 신뢰도 96%로 추정했더니 신뢰구간의 길이가 l이었다. 동일한 표본을 이용하여 모평균을 신뢰도 $\alpha\%$로 추정한 신뢰구간의 길이가 $\dfrac{l}{4}$일 때, 위의 **기본 예제 050**에서 주어진 표준정규분포표를 이용하여 α의 값을 구하여라.

발전예제 **신뢰구간의 성질**

051 정규분포를 따르는 모집단에서 표본을 임의추출하여 모평균을 추정할 때, 모평균의 신뢰구간에 대한 설명으로 옳은 것만을 보기에서 있는 대로 골라라.

보기
ㄱ. 신뢰도를 낮추면서 표본의 크기를 크게 하면 신뢰구간의 길이는 짧아진다.
ㄴ. 신뢰도를 낮추면서 표본의 크기를 작게 하면 신뢰구간의 길이는 길어진다.
ㄷ. 신뢰구간의 길이는 모평균의 값과 관계없다.

GUIDE ① 표본의 크기가 일정할 때, 신뢰도가 높아질수록 신뢰구간의 길이는 길어진다.
② 신뢰도가 일정할 때, 표본의 크기가 커질수록 신뢰구간의 길이는 짧아진다.

SOLUTION

정규분포 $\mathrm{N}(m, \sigma^2)$을 따르는 모집단에서 크기가 n인 표본을 임의추출하여 신뢰도 α %로 추정한 모평균의 신뢰구간의 길이는

$$2\times k\frac{\sigma}{\sqrt{n}}\left(\text{단, } \mathrm{P}(|Z|\le k)=\frac{\alpha}{100}\right)$$

ㄱ. 신뢰도를 낮추면 k의 값이 작아지고, 표본의 크기를 크게 하면 $\sqrt{n}$의 값이 커지므로 $2\times k\frac{\sigma}{\sqrt{n}}$의 값은 작아진다. 즉, 신뢰구간의 길이는 짧아진다. (참)

ㄴ. 신뢰도를 낮추면 k의 값이 작아지고, 표본의 크기를 작게 하면 $\sqrt{n}$의 값이 작아지므로 신뢰구간의 길이가 반드시 길어진다고 할 수 없다. (거짓)

ㄷ. $2\times k\frac{\sigma}{\sqrt{n}}$의 값은 m의 값과 관계없다. (참)

따라서 옳은 것은 ㄱ, ㄷ이다. ■

유제 Sub Note 038쪽

051-1 정규분포 $\mathrm{N}(m, \sigma^2)$을 따르는 모집단에서 크기가 n인 표본을 임의추출하여 모평균 m을 신뢰도 α%로 추정하려고 한다. 다음 중 신뢰구간의 길이가 가장 긴 것은?

① $n=36$, $\alpha=95$ ② $n=36$, $\alpha=99$ ③ $n=81$, $\alpha=95$
④ $n=81$, $\alpha=99$ ⑤ $n=100$, $\alpha=95$

Review Quiz

for Ⅲ-2. 통계적 추정

SUMMA CUM LAUDE

Sub Note 090쪽

1. 다음 [ ] 안에 적절한 말을 채워 넣어라.

(1) 통계 조사에서 알고자 하는 조사 대상 전체를 [ ]이라 한다.

(2) 조사하기 위하여 뽑은 모집단의 일부분을 [ ]이라 한다.

(3) 조사 대상의 전체를 조사하는 것을 [ ]라 한다.

(4) 조사 대상의 일부만을 택하여 조사하는 것을 [ ]라 한다.

(5) 모집단의 평균, 분산, 표준편차를 각각 [ ], [ ], [ ]라 하고, 표본에서의 평균, 분산, 표준편차를 각각 [ ], [ ], [ ]라 한다.

(6) 표본에서 얻은 결과를 이용하여 모집단의 평균, 표준편차 등을 추측하는 것을 [ ]이라 한다.

2. 다음 문장이 참(true) 또는 거짓(false)인지 결정하고, 그 이유를 설명하거나 적절한 반례를 제시하여라.

(1) 모집단에서 임의추출한 표본의 크기가 작을수록 표본평균의 분산은 작아진다.

(2) 정규분포를 따르는 모집단에서 표본을 임의추출하여 모평균을 추정하는 경우, 표본의 크기가 일정할 때 신뢰도를 높이면 모평균에 대한 신뢰구간의 길이는 길어진다.

3. 다음 물음에 대한 답을 간단히 서술하여라.

(1) 표본조사를 위하여 모집단에서 표본을 추출할 때 주의할 점에 대하여 간단히 설명하여라.

(2) 모집단에서 크기가 n인 표본을 임의추출하여 그 표본평균 $\overline{X}$에 대하여 모평균 m을 추정할 때, 신뢰도와 신뢰구간의 의미에 대하여 간단히 설명하여라.

EXERCISES A

Sub Note 091쪽

표본평균의 평균, 분산, 표준편차

01 모집단 $\{1,\ 2,\ 3,\ 4,\ 5\}$에서 크기가 4인 표본을 복원추출할 때, 표본평균 $\overline{X}$의 평균과 분산을 구하여라.

표본평균의 평균, 분산, 표준편차

02 다음은 어느 모집단의 확률분포를 나타낸 표이다.

X	10	20	30	합계
$\mathrm{P}(X=x)$	$\frac{1}{2}$	a	$\frac{1}{2}-a$	1

이 모집단에서 크기가 n인 표본을 임의추출하여 구한 표본평균을 $\overline{X}$라 하자. $\overline{X}$의 평균이 18, 분산이 19일 때, n의 값을 구하여라. (단, a는 상수이다.)

표본평균의 확률

03 전국에서 한자 급수 시험 신청 접수를 받았는데, 응시자 수가 고사장 별로 평균 50명, 표준편차 3명인 정규분포를 따른다고 한다. 시험 당일 9개의 고사장을 표본으로 임의추출하여 응시자 수를 조사하는데 결시자가 없다고 할 때, 조사된 학생 수가 468명 이상일 확률을 구하여라.

(단, Z가 표준정규분포를 따르는 확률변수일 때, $\mathrm{P}(0\leq Z\leq 2)=0.48$로 계산한다.)

표본평균의 확률

04 모평균이 9, 모표준편차가 3인 모집단이 정규분포를 따른다고 한다. 이 모집단에서 크기가 81인 표본을 임의추출할 때, 표본평균 $\overline{X}$에 대하여 $\mathrm{P}(\overline{X}\leq k)=0.95$가 되게 하는 상수 k의 값을 구하여라.

(단, Z가 표준정규분포를 따르는 확률변수일 때, $\mathrm{P}(0\leq Z\leq 1.62)=0.45$로 계산한다.)

표본평균의 확률

05

현재 우리나라 야구 선수들의 타율은 표준편차가 0.064인 정규분포를 따른다고 한다. 임의로 16명을 뽑아 해외 원정 경기에 보내려고 할 때, 뽑힌 선수들의 평균 타율이 0.3 이상일 확률이 16%라 하면 현재 우리나라 야구 선수들의 평균 타율은?

(단, Z가 표준정규분포를 따르는 확률변수일 때, $\mathrm{P}(0 \le Z \le 1) = 0.34$로 계산한다.)

① 0.284　　② 0.285　　③ 0.286
④ 0.287　　⑤ 0.288

모평균의 추정

06

어느 학급의 학생들이 일주일 동안에 공부하는 시간은 표준편차가 6인 정규분포를 따른다고 한다. 이 학급의 학생들 중 9명을 임의로 뽑아 일주일 동안에 공부하는 시간을 조사하였더니

$50,\ 54,\ 55,\ 48,\ 55,\ 45,\ 55,\ 30,\ 49$

로 나타났다. 이 학급 학생들의 일주일 공부 시간의 모평균 m을 신뢰도 99%로 추정할 때, 신뢰구간을 구하여라. (단, 단위는 시간이고, Z가 표준정규분포를 따르는 확률변수일 때, $\mathrm{P}(|Z| \le 2.58) = 0.99$로 계산한다.)

모평균의 추정

07

어느 마을에서 수확하는 수박의 무게는 평균이 m kg, 표준편차가 1.4 kg인 정규분포를 따른다고 한다. 이 마을에서 수확한 수박 중에서 49개를 임의추출하여 얻은 표본평균을 이용하여, 이 마을에서 수확하는 수박의 무게의 평균 m에 대한 신뢰도 95%의 신뢰구간을 구하면 $a \le m \le 7.992$이다. a의 값은? (단, Z가 표준정규분포를 따르는 확률변수일 때, $\mathrm{P}(|Z| \le 1.96) = 0.95$로 계산한다.) [수능 기출]

① 7.198　　② 7.208　　③ 7.218
④ 7.228　　⑤ 7.238

모평균의 추정 **08**

어느 제약회사에서 비타민제를 생산하는데 한 정당 비타민 C 함유량은 평균이 $m$mg, 표준편차가 σmg인 정규분포를 따른다고 한다. 이 회사에서 생산한 비타민제 25정을 임의추출하여 얻은 비타민 C 함유량의 표본평균이 1050mg이었다. 모평균 m을 신뢰도 95%로 추정한 신뢰구간이 $1030.4 \le m \le a$일 때, $a+\sigma$의 값을 구하여라.
(단, Z가 표준정규분포를 따르는 확률변수일 때, $\mathrm{P}(|Z| \le 1.96) = 0.95$로 계산한다.)

모평균의 추정 **09** 서술형

어느 공장에서 직원 한 명이 하루 동안 생산하는 제품의 개수는 표준편차가 12인 정규분포를 따른다고 한다. 이 공장의 직원 중에서 36명을 임의추출하여 신뢰도 99%로 추정한 모평균에 대한 신뢰구간의 길이와 n명을 임의추출하여 신뢰도 95%로 추정한 모평균에 대한 신뢰구간의 길이가 같을 때, n의 값을 구하여라. (단, Z가 표준정규분포를 따르는 확률변수일 때, $\mathrm{P}(|Z| \le 2) = 0.95$, $\mathrm{P}(|Z| \le 3) = 0.99$로 계산한다.)

신뢰구간의 성질 **10**

다음 표는 두 도시 A, B의 고등학교 학생들의 몸무게를 조사하기 위하여 각 도시의 자료를 나타낸 것이다. 각 도시 고등학교 학생들의 몸무게의 분포는 정규분포를 따를 때, 다음 보기의 설명 중 옳은 것만을 있는 대로 골라라. (단, Z가 표준정규분포를 따르는 확률변수일 때, $\mathrm{P}(|Z| \le 1.96) = 0.95$, $\mathrm{P}(|Z| \le 2.58) = 0.99$로 계산한다.)

도시	표본의 크기	표본평균	모표준편차
A	100	70kg	3kg
B	400	73kg	4kg

보기

ㄱ. A도시의 분포가 B도시의 분포보다 더 고르다.
ㄴ. A도시의 모평균을 신뢰도 95%로 추정한 신뢰구간의 길이가 B도시의 모평균을 신뢰도 99%로 추정한 신뢰구간의 길이보다 짧다.
ㄷ. 신뢰도가 일정할 때, 표본의 크기를 크게 하면 신뢰구간의 길이는 짧아진다.

EXERCISES B

Sub Note 094쪽

01 다음은 어느 모집단의 확률분포를 나타낸 표이다.

X	-2	0	2	합계
$\mathrm{P}(X=x)$	a	b	$\frac{1}{4}$	1

이 모집단에서 크기가 2인 표본을 임의추출할 때, 표본평균을 $\overline{X}$라 하면 $\mathrm{P}(|\overline{X}|=1)=\frac{3}{8}$이다. 이때 상수 a, b에 대하여 $a-b$의 값을 구하여라.

02 주머니 속에 1의 숫자가 적힌 공 2개, 5의 숫자가 적힌 공 n개가 들어 있다. 이 주머니에서 임의로 1개의 공을 꺼내어 공에 적혀 있는 수를 확인한 후 다시 넣는다. 이와 같은 시행을 2번 반복하여 얻은 두 수의 평균을 $\overline{X}$라 하자. $\mathrm{P}(\overline{X}=1)=\frac{1}{25}$일 때, $\mathrm{V}(\overline{X})$를 구하여라.

03 어느 지역 학생들의 1일 인터넷 사용 시간 X는 평균이 m분, 표준편차가 30분인 정규분포를 따른다. 이 지역 학생들을 대상으로 9명을 임의추출하여 조사한 1일 인터넷 사용 시간의 표본평균을 $\overline{X}$라 하자. 함수 $G(k)$, $H(k)$를

$G(k)=\mathrm{P}(X\le m+30k)$

$H(k)=\mathrm{P}(\overline{X}\ge m-30k)$

라 할 때, 옳은 것만을 보기에서 있는 대로 고른 것은? [평가원 기출]

보기

ㄱ. $G(0)=H(0)$

ㄴ. $G(3)=H(1)$

ㄷ. $G(1)+H(-1)=1$

① ㄱ ② ㄷ ③ ㄱ, ㄴ ④ ㄴ, ㄷ ⑤ ㄱ, ㄴ, ㄷ

04

어느 떡집에서 생산하는 떡 한 조각의 무게는 평균이 50g, 표준편차가 4g인 정규분포를 따른다고 한다. 이 떡을 4조각씩 한 상자에 담은 무게가 192g 이상 212g 이하가 되어야 정품으로 판정한다. A, B 두 사람이 이 떡집에서 생산한 떡 한 상자를 각각 독립적으로 택하였을 때, 두 상자가 모두 정품일 확률을 오른쪽 표준정규분포표를 이용하여 구하여라. (단, 상자의 무게는 무시한다.)

z	$P(0\le Z\le z)$
0.5	0.19
1.0	0.34
1.5	0.43
2.0	0.48

05

서술형

정규분포 $N(50,\ 4^2)$을 따르는 모집단에서 크기가 16인 표본을 임의추출하여 구한 표본평균을 $\overline{X}$, 정규분포 $N(70,\ \sigma^2)$을 따르는 모집단에서 크기가 36인 표본을 임의추출하여 구한 표본평균을 $\overline{Y}$라 하자. $P(\overline{X}\le 51.5)+P(\overline{Y}\le 69)=1$일 때, 오른쪽 표준정규분포표를 이용하여 $P(\overline{Y}\ge 68.5)$를 구하여라.

z	$P(0\le Z\le z)$
1.75	0.4599
2.00	0.4772
2.25	0.4878
2.50	0.4938

06

어느 낚시터에서 낚시 대회를 개최하는데, 대회 규칙은 참가자 1인당 9마리의 물고기만 잡아서 무게의 합이 높은 16명에게 상금을 준다고 한다. 이 낚시터의 물고기 한 마리의 무게는 평균 1kg, 표준편차 0.1kg인 정규분포를 따른다고 한다. 이 낚시 대회에 참가자 A를 포함하여 100명의 사람이 참가하였고, 참가자 A가 5마리의 물고기를 잡았을 때까지의 물고기의 무게의 합이 5kg이었다고 하면 끝까지 대회를 진행했을 때 참가자 A가 상금을 받을 확률을 위의 표준정규분포표를 이용하여 구하여라.

z	$P(0\le Z\le z)$
1.0	0.34
1.5	0.43
2.0	0.48

07

어느 공장에서 생산하는 제품의 무게는 평균이 m, 표준편차가 $\frac{1}{2}$인 정규분포를 따른다고 한다. 이 공장에서 생산한 제품 중에서 25개를 임의추출하여 신뢰도 95%로 추정한 모평균 m에 대한 신뢰구간이 $a\le m\le b$일 때, $P(|Z|\le c)=0.95$를 만족시키는 c를 a, b로 나타낸 것은? (단, 확률변수 Z는 표준정규분포를 따른다.) [평가원 기출]

① $3(b-a)$　② $\frac{7}{2}(b-a)$　③ $4(b-a)$

④ $\frac{9}{2}(b-a)$　⑤ $5(b-a)$

08

어느 나라에서 작년에 운행된 택시의 연간 주행거리는 모평균이 m인 정규분포를 따른다고 한다. 이 나라에서 작년에 운행된 택시 중에서 9대를 임의추출하여 구한 연간 주행거리의 표본평균의 값이 $\overline{x}$이고, 이 결과를 이용하여 모평균 m에 대하여 신뢰도 99%로 추정한 신뢰구간이 $\overline{x}-c \le m \le \overline{x}+c$이었다. 이 나라에서 작년에 운행된 택시 중에서 임의로 1대를 선택할 때, 이 택시의 연간 주행거리가 $m+2c$ 이하일 확률을 위의 표준정규분포표를 이용하여 구하여라. (단, 주행거리의 단위는 km이다.)

z	$\mathrm{P}(0 \le Z \le z)$
0.86	0.305
1.72	0.457
2.58	0.495

09

정규분포 $\mathrm{N}(m, \sigma^2)$을 따르는 모집단에서 임의로 표본을 뽑는데, 크기가 n인 표본의 표본평균을 $\overline{X_n}$이라 하자. $\overline{X_{36}}$과 $\overline{X_{144}}$의 분포를 이용하여 모평균 m을 신뢰도 95%로 추정한 신뢰구간이 각각 $a \le m \le b$, $c \le m \le d$일 때, 보기에서 옳은 것만을 있는 대로 고른 것은? (단, k는 상수이다.)

보기

ㄱ. $\overline{X_{36}}$의 분산은 $\overline{X_{144}}$의 분산보다 크다.

ㄴ. $b-a>d-c$

ㄷ. $\mathrm{P}(\overline{X_{36}} \le m+2k) > \mathrm{P}(\overline{X_{144}} \le m+k)$

① ㄱ ② ㄴ ③ ㄱ, ㄴ
④ ㄴ, ㄷ ⑤ ㄱ, ㄴ, ㄷ

10

어느 건전지 회사에서 생산하는 건전지 중 표본을 임의추출하여 사용시간을 조사하였더니 평균이 8시간, 표준편차가 1시간이었다. 건전지의 사용시간은 정규분포를 따른다고 할 때, 신뢰도 99%로 추정한 모평균과 표본평균의 차가 12분 이하가 되도록 하려면 표본의 크기를 얼마 이상으로 해야 하는지 구하여라. (단, 표본의 크기는 충분히 크고, Z가 표준정규분포를 따르는 확률변수일 때, $\mathrm{P}(|Z| \le 2.58)=0.99$로 계산한다.)

내신 · 모의고사 대비 TEST 270쪽

Chapter Ⅲ Exercises

SUMMA CUM LAUDE

난이도 ■ : 중 ■■ : 중상 ■■■ : 상

Sub Note 098쪽

■□□
01

다음은 확률변수 X의 확률분포를 나타낸 표이다.

X	1	2	5	합계
$\mathrm{P}(X=x)$	p_1	p_2	p_3	1

$2p_2=p_1+p_3$일 때, 보기에서 옳은 것만을 있는 대로 골라라.

보기

ㄱ. $\mathrm{P}(X=2)=\frac{1}{3}$이다.

ㄴ. p_3-p_1의 최댓값은 $\frac{2}{3}$이다.

ㄷ. $\mathrm{E}(X)$의 최댓값은 4이다.

■□□
02

5개의 수 $1, \frac{1}{2}, \frac{1}{3}, \frac{1}{4}, \frac{1}{5}$ 중에서 임의로 1개의 수를 골라서 지운 후, 남은 4개의 수를 곱한 값을 확률변수 X라 하자. 이때 X의 평균과 표준편차를 구하여라.

■□□
03

다음과 같이 정의된 확률변수 X, Y, Z의 분산의 대소 관계를 바르게 나타낸 것은?

X : 집합 $\{1, 2, 3, \cdots, 100\}$에서 임의로 뽑은 두 수의 차
Y : 집합 $\{1, 3, 5, \cdots, 199\}$에서 임의로 뽑은 두 수의 차
Z : 집합 $\{2, 4, 6, \cdots, 200\}$에서 임의로 뽑은 두 수의 차

① $\mathrm{V}(X)<\mathrm{V}(Y)<\mathrm{V}(Z)$
② $\mathrm{V}(X)=\mathrm{V}(Y)=\mathrm{V}(Z)$
③ $\mathrm{V}(X)>\mathrm{V}(Y)=\mathrm{V}(Z)$
④ $\mathrm{V}(X)=\mathrm{V}(Y)<\mathrm{V}(Z)$
⑤ $\mathrm{V}(X)<\mathrm{V}(Y)=\mathrm{V}(Z)$

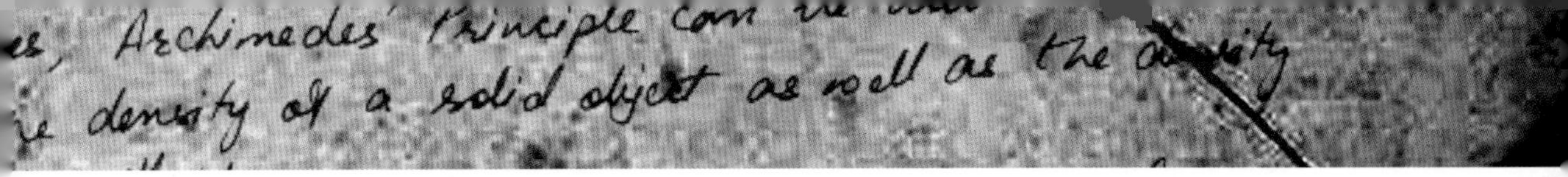

■■□

04

확률변수 X의 확률분포를 표로 나타내면 다음과 같다.

X	0.121	0.221	0.321	합계
$\mathrm{P}(X=x)$	a	b	$\frac{2}{3}$	1

다음은 $\mathrm{E}(X)=0.271$일 때, $\mathrm{V}(X)$를 구하는 과정이다.

> $Y=10X-2.21$이라 하자. 확률변수 Y의 확률분포를 표로 나타내면 다음과 같다.
>
> | Y | -1 | 0 | 1 | 합계 |
> |---|---|---|---|---|
> | $\mathrm{P}(Y=y)$ | a | b | $\frac{2}{3}$ | 1 |
>
> $\mathrm{E}(Y)=10\mathrm{E}(X)-2.21=0.5$이므로 $a=$ (가), $b=$ (나) 이고
>
> $\mathrm{V}(Y)=\frac{7}{12}$이다.
>
> 한편 $Y=10X-2.21$이므로 $\mathrm{V}(Y)=$ (다) $\times\mathrm{V}(X)$이다.
>
> 따라서 $\mathrm{V}(X)=\frac{1}{\text{(다)}}\times\frac{7}{12}$이다.

위의 (가), (나), (다)에 알맞은 수를 각각 p, q, r라 할 때, pqr의 값은?

(단, a, b는 상수이다.) [수능 기출]

① $\frac{13}{9}$ ② $\frac{16}{9}$ ③ $\frac{19}{9}$ ④ $\frac{22}{9}$ ⑤ $\frac{25}{9}$

■■□

05

다음은 확률변수 X의 확률분포를 나타낸 표이다.

X	2	4	8	16	합계
$\mathrm{P}(X=x)$	$\frac{{}_4\mathrm{C}_1}{k}$	$\frac{{}_4\mathrm{C}_2}{k}$	$\frac{{}_4\mathrm{C}_3}{k}$	$\frac{{}_4\mathrm{C}_4}{k}$	1

$\mathrm{E}(6X+1)$의 값을 구하여라. (단, k는 상수이다.)

■□□
06 이차함수 $y=f(x)$의 그래프는 오른쪽 그림과 같고, $f(0)=f(5)=0$이다. 한 개의 주사위를 던져 나온 눈의 수 m에 대하여 $f(m)$이 0보다 큰 사건을 A라 하자. 한 개의 주사위를 24회 던지는 독립시행에서 사건 A가 일어나는 횟수를 확률변수 X라 할 때, $\mathrm{E}(X)$를 구하여라.

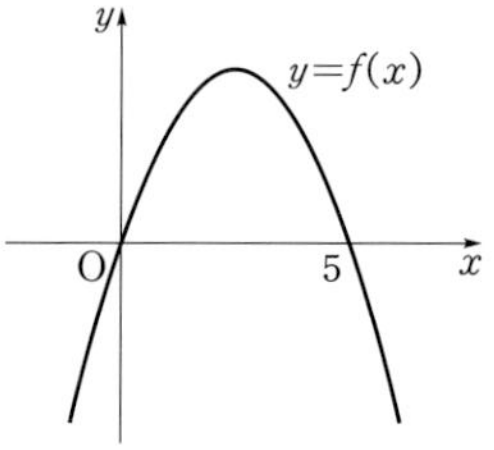

■□□
07 확률변수 X가 이항분포 $\mathrm{B}(n,\ p)$를 따르고 $\mathrm{E}(3X)=18$, $\mathrm{E}(3X^2)=120$일 때, n의 값을 구하여라.

■■□
08 1이 적힌 면이 2개, 2가 적힌 면이 4개인 정육면체 모양의 주사위를 던져서 나온 눈의 수에 따라 수직선 위의 원점에 있는 점 P를 다음과 같은 규칙으로 이동시키기로 하였다. 주사위를 9번 던졌을 때, 원점과 점 P 사이의 거리를 확률변수 X라 하자. 이때 $\mathrm{V}(X)$를 구하여라.

> (가) 1의 눈이 나오면 양의 방향으로 1만큼 점 P를 이동시킨다.
> (나) 2의 눈이 나오면 양의 방향으로 3만큼 점 P를 이동시킨다.

■■□
09 $-1\le x\le 1$에서 정의된 연속확률변수 X의 확률밀도함수 $f(x)$가 $f(-x)=f(x)$를 만족시킨다.

$$4\mathrm{P}\left(0\le X\le \frac{7}{10}\right)=3\mathrm{P}\left(\frac{3}{10}\le X\le 1\right),\ 2\mathrm{P}\left(0\le X\le \frac{3}{10}\right)=\mathrm{P}\left(\frac{7}{10}\le X\le 1\right)$$

일 때, $\mathrm{P}\left(-\frac{7}{10}\le X\le -\frac{3}{10}\right)$을 구하여라.

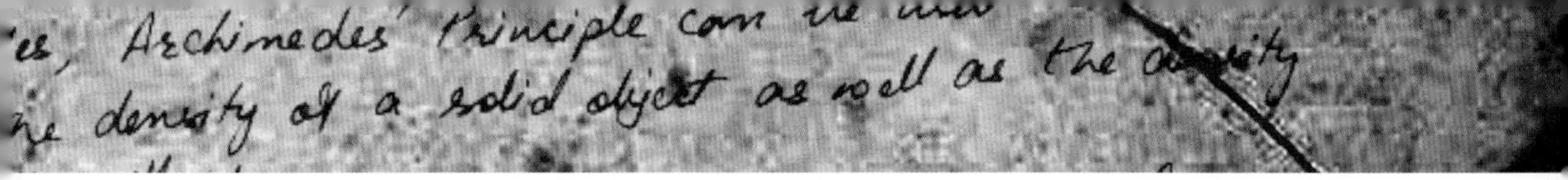

■■□

10

어느 회사 직원들의 어느 날의 출근 시간은 평균이 66.4분, 표준편차가 15분인 정규분포를 따른다고 한다. 이 날 출근 시간이 73분 이상인 직원들 중에서 40 %, 73분 미만인 직원들 중에서 20 %가 지하철을 이용하였고, 나머지 직원들은 다른 교통수단을 이용하였다. 이 날 출근한 이 회사 직원들 중 임의로 선택한 1명이 지하철을 이용하였을 확률을 구하여라. (단, Z가 표준정규분포를 따르는 확률변수일 때, $\mathrm{P}(0 \le Z \le 0.44) = 0.17$로 계산한다.) [수능 기출]

■■■

11

어느 제과점에는 매일 100명의 손님이 찾아오고, 이 중에서 절반이 식빵을 한 봉지씩 산다고 한다. 식빵이 부족한 날이 100일 중 하루 이하가 되기 위해서는 최소한 몇 봉지의 식빵을 준비해야 하는지 구하여라. (단, 오늘 만든 식빵은 다음 날에 팔지 못하고, Z가 표준정규분포를 따르는 확률변수일 때, $\mathrm{P}(0 \le Z \le 2.4) = 0.49$로 계산한다.)

■□□

12

주사위를 한 번 던져서 나오는 눈의 수를 확률변수 X라 하자. 주사위를 4번 던져서 나오는 눈의 수의 평균을 확률변수 $\overline{X}$라 할 때, $\mathrm{V}(X) - \mathrm{V}(\overline{X})$를 구하여라.

■■□

13

모평균이 75, 모표준편차가 5인 정규분포를 따르는 모집단에서 임의추출한 크기가 25인 표본의 표본평균을 $\overline{X}$라고 하자. 표준정규분포를 따르는 확률변수 Z에 대하여 양의 상수 c가 $\mathrm{P}(|Z| > c) = 0.06$을 만족시킬 때, 옳은 것만을 보기에서 있는 대로 고른 것은? [수능 기출]

보기

ㄱ. $\mathrm{P}(Z > a) = 0.05$인 상수 a에 대하여 $c > a$이다.

ㄴ. $\mathrm{P}(\overline{X} \le c + 75) = 0.97$

ㄷ. $\mathrm{P}(\overline{X} > b) = 0.01$인 상수 b에 대하여 $c < b - 75$이다.

① ㄱ ② ㄷ ③ ㄱ, ㄴ

④ ㄴ, ㄷ ⑤ ㄱ, ㄴ, ㄷ

■■□
14 한국 국가 대표 야구 선수인 정이룸 투수는 매 게임 출장할 때마다 (직구) : (변화구)를 16 : 9의 비율로 던진다. 이 투수의 직구의 속력은 평균이 150km/h, 표준편차가 8km/h인 정규분포를 따르고, 변화구의 속력은 평균이 145km/h, 표준편차가 6km/h인 정규분포를 따른다. 일본 대표팀과의 경기에서 정이룸 투수가 100개의 공을 던질 때, 직구의 평균 속력이 148km/h 이상 150km/h 이하일 확률과 변화구의 평균 속력이 146km/h 이상 147km/h 이하일 확률의 합을 위의 표준정규분포표를 이용하여 구하여라.

z	$P(0 \le Z \le z)$
1.0	0.3413
1.5	0.4332
2.0	0.4772
2.5	0.4938
3.0	0.4987

■■□
15 어느 약품 회사가 생산하는 약품 1병의 용량은 평균이 m, 표준편차가 10인 정규분포를 따른다고 한다. 이 회사가 생산한 약품 중에서 25병을 임의추출하여 구한 표본평균이 2000 이상일 확률이 0.9772일 때, 오른쪽 표준정규분포표를 이용하여 m의 값을 구하여라.

(단, 용량의 단위는 mL이다.)

z	$P(0 \le Z \le z)$
1.5	0.4332
2.0	0.4772
2.5	0.4938
3.0	0.4987

■■□
16 어느 학교의 입학 시험 응시자의 점수는 평균이 350점, 표준편차가 50점인 정규분포를 따른다고 한다. 입학 시험 응시자 중에서 임의추출한 100명의 점수의 평균을 $\overline{X}$라 할 때, 오른쪽 표준정규분포표를 이용하여 $P(345 \le \overline{X} \le k) = 0.7745$를 만족시키는 상수 k의 값을 구하여라.

z	$P(0 \le Z \le z)$
1.0	0.3413
1.5	0.4332
2.0	0.4772
2.5	0.4938

■□□

17 어느 회사에서 생산된 모니터의 수명은 정규분포를 따른다고 한다. 이 회사에서 생산된 모니터 중 100대를 임의추출하여 구한 표본평균의 값이 $\overline{x}$, 표본표준편차가 500시간이었다. 이 결과를 이용하여 이 회사에서 생산된 모니터의 수명의 평균 m을 신뢰도 95%로 추정한 신뢰구간이 $\overline{x}-c\leq m\leq\overline{x}+c$일 때, c의 값을 구하여라.

(단, Z가 표준정규분포를 따르는 확률변수일 때, $\mathrm{P}(|Z|\leq 1.96)=0.95$로 계산한다.)

■■□

18 어느 회사에서 생산하는 초콜릿 한 개의 무게는 평균이 m, 표준편차가 σ인 정규분포를 따른다고 한다. 이 회사에서 생산하는 초콜릿 중에서 임의추출한 크기가 49인 표본을 조사하였더니 초콜릿 무게의 표본평균의 값이 $\overline{x}$이었다. 이 결과를 이용하여 이 회사에서 생산하는 초콜릿 한 개의 무게의 평균 m에 대한 신뢰도 95 %의 신뢰구간을 구하면 $1.73\leq m\leq 1.87$이다. $\dfrac{\sigma}{\overline{x}}=k$일 때, $180k$의 값을 구하여라. (단, 무게의 단위는 g이고, Z가 표준정규분포를 따르는 확률변수일 때, $\mathrm{P}(|Z|\leq 1.96)=0.95$로 계산한다.) [평가원 기출]

■■■

19 어느 공장에서 생산되는 연필을 충분히 많은 수로 임의추출하여 그 길이를 조사하였더니 표준편차가 0.4이었다. 연필의 길이를 신뢰도 95%로 추정할 때 표본평균의 값 $\overline{x}$와 모평균 m의 차가 0.0196 이하가 되기 위한 표본의 크기 n의 최솟값을 구하여라.
(단, 길이의 단위는 cm이고, Z가 표준정규분포를 따르는 확률변수일 때, $\mathrm{P}(|Z|\leq 1.96)=0.95$로 계산한다.)

내신 · 모의고사 대비 TEST 280쪽

Chapter Ⅲ Advanced Lecture

SUMMA CUM LAUDE

TOPIC (1) 체비세프의 부등식

산포도로서 표준편차가 가장 많이 쓰인다. 표준편차가 작을수록 데이터의 중앙 집중도가 강하다고 할 수 있는데 그 집중도를 비율로 나타내는 정리가 체비세프의 정리이다. 체비세프의 정리는 체비세프의 부등식으로 많이 불린다.

체비세프의 부등식을 이용하면 어떤 확률변수의 확률분포의 모양은 정확히 모르더라도 평균과 표준편차만을 이용하여 분포의 모양을 대략적으로 추정할 수 있다.

체비세프의 부등식(Chebyshev's Inequality)

확률변수 X의 평균이 m, 표준편차가 σ이고 자료의 총수가 N일 때, 1보다 큰 임의의 양수 k에 대하여 $|X-m|<k\sigma$를 만족시키는 자료의 수는 $N\left(1-\frac{1}{k^2}\right)$개 이상이다.

즉, $\mathrm{P}(|X-m|<k\sigma)\geq 1-\frac{1}{k^2}$이다.

예 (1) $m-2\sigma<x_i<m+2\sigma$를 만족시키는 x_i는 적어도 전체의 $1-\frac{1}{2^2}=\frac{3}{4}$ 이상이다.

(2) $m-3\sigma<x_i<m+3\sigma$를 만족시키는 x_i는 적어도 전체의 $1-\frac{1}{3^2}=\frac{8}{9}$ 이상이다.

이 부등식은 한마디로 "어떤 분포에서든, 평균 m으로부터 표준편차 σ의 $\pm k$배$(k>1)$ 범위 밖에 있는 자료는 전체의 $\frac{1}{k^2}$배 이하이다."라는 것을 의미한다.

따라서 평균과 표준편차만으로도 (분포의 모양이 극단적이지만 않다면) 대략적인 분포의 모양을 추정 가능하다.

가령 X의 표준편차가 Y의 표준편차보다 작다면 전체의 $1-\frac{1}{k^2}$ 이상을 포함하는 X의 범위는 Y의 범위보다 좁게 나타날 것이다. 이는 X가 Y보다 평균 근방에의 집중도가 강하다는 것을 의미한다.

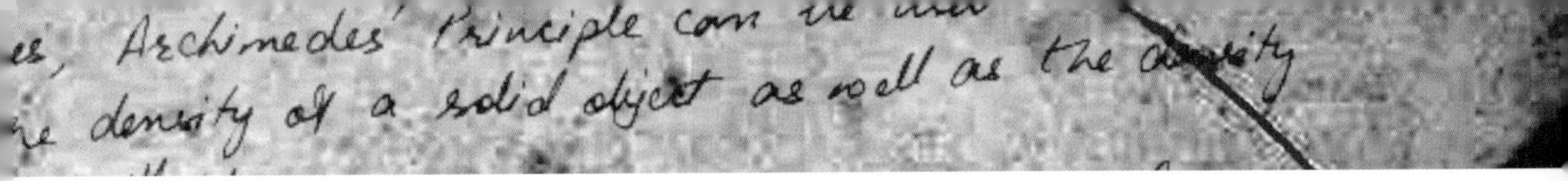

EXAMPLE *01* 어느 고등학교 3학년 학생들의 총 인원은 450명이다. 수학 영역 모의평가 결과 평균이 70점, 표준편차가 3점이었다. 61점 이상 79점 이하인 학생은 몇 명 이상인지 체비세프의 부등식을 이용하여 추정하여라.

ANSWER 평균이 70점이고, 표준편차가 3점이므로 61점과 79점은 평균으로부터 표준편차의 3배만큼 차이나는 점수들이다. 따라서 체비세프의 부등식에 의해 61점 이상 79점 이하인 학생은 $450\times\left(1-\frac{1}{3^2}\right)=\mathbf{400}$(명) 이상임을 추정할 수 있다. ■

Sub Note 104쪽

APPLICATION *01* 어느 항공사의 기록에 의하면 A, B 두 지점을 왕래하는 비행기들의 연착시간은 평균이 5.4분이고, 표준편차는 1.5분이라고 한다. 이 두 지점을 왕래하는 비행기 중 적어도 몇 %가 2.4분에서 8.4분 사이로 연착하는지 체비세프의 부등식을 이용하여 추정하여라.

이항분포에서의 큰수의 법칙의 증명 – 체비세프의 부등식을 이용한다.

시행횟수가 많으면 많을수록 통계적 확률이 수학적 확률에 수렴한다는 것이 큰수의 법칙이었다. 이를 확인할 수 있는 가장 간단한 경우가 이항분포이다.
큰수의 법칙을 이항분포에 적용시킨다면

'n회의 독립시행 중 사건 A가 일어난 횟수 X에 대한 상대도수(통계적 확률) $\frac{X}{n}$에서 n이 커지면 $\frac{X}{n}$는 사건 A가 일어날 수학적 확률 p에 수렴하게 된다.'

고 할 수 있을 것이다. 즉, 임의의 양수 h에 대하여

$$^{❶}\lim_{n\to\infty}\mathrm{P}\left(\left|\frac{X}{n}-p\right|<h\right)=1$$

이 성립한다는 것인데 이를 실험적으로 확인해 볼 수도 있지만 수학적으로도 정말 확실한 것인지에 대하여 의문을 갖는 학생들이 있을 것이다. 그래서 여기에서는 체비세프의 부등식을 이용하여 이를 수학적으로 설명하고자 한다.
사실 다음 설명은 고등학교 과정을 뛰어 넘지만 이해 못할 정도는 아니므로 한 번쯤은 읽어보도록 하자.(단, 기본적으로 수학 Ⅱ의 함수의 극한에 대해서는 학습되어 있어야 한다.)

❶ n이 한없이 커짐을 나타내는 기호이다.

어떤 시행에서 사건 A가 일어날 확률을 p라 하고 일어나지 않을 확률을 $q(=1-p)$라 할 때, n회의 독립시행에서 사건 A가 일어나는 횟수를 확률변수 X라 하면 X는 이항분포 $\mathrm{B}(n,\ p)$를 따르므로 $m=np$, $\sigma=\sqrt{npq}$이다.
이를 체비세프의 부등식에 대입하면

$$\mathrm{P}(|X-m|<k\sigma)\geq 1-\frac{1}{k^2} \iff \mathrm{P}(|X-np|<k\sqrt{npq})\geq 1-\frac{1}{k^2}$$

그런데 $|X-np|<k\sqrt{npq}$의 양변을 n으로 나누면 $\left|\frac{X}{n}-p\right|<k\sqrt{\frac{pq}{n}}$이므로

$$\mathrm{P}\left(\left|\frac{X}{n}-p\right|<k\sqrt{\frac{pq}{n}}\right)\geq 1-\frac{1}{k^2}$$

여기서 $h=k\sqrt{\frac{pq}{n}}$라 하면 $k=h\sqrt{\frac{n}{pq}}$이고, 확률은 1 이하의 값이므로

$$1\geq\mathrm{P}\left(\left|\frac{X}{n}-p\right|<h\right)\geq 1-\frac{pq}{h^2n}$$

이때 $\lim_{n\to\infty}\frac{pq}{h^2n}=0$이므로 함수의 극한에 대한 성질에 의하여

$$\lim_{n\to\infty}\mathrm{P}\left(\left|\frac{X}{n}-p\right|<h\right)=1 \ ■$$

TOPIC (2) 베르누이 시행

어떤 사건이 '일어난다'와 '일어나지 않는다'의 두 가지 결과만 가지는 경우를 베르누이 시행(Bernoulli trials)이라 한다. 주사위를 던져서 '3의 배수의 눈이 나온다', '3의 배수의 눈이 나오지 않는다'와 같은 경우나 입시를 치른 대학교에 '합격한다', '불합격한다'와 같은 경우가 그 예이다.

베르누이 시행의 특징은 다음과 같다.

(1) 시행의 결과가 단 두 가지이다. 이를 성공하는 경우(s)와 실패하는 경우(f)로 나누면 원소가 2개인 표본공간 $S=\{s,\ f\}$로 나타낼 수 있다.

(2) 성공할 확률은 $p=\mathrm{P}(s)$, 실패할 확률은 $q=\mathrm{P}(f)$로 나타내며, 이때 $0\leq p\leq 1$, $q=1-p$가 된다.

성공률이 p인 베르누이 시행이 n번 독립적으로 반복되었을 때, 성공 횟수를 확률변수 X라

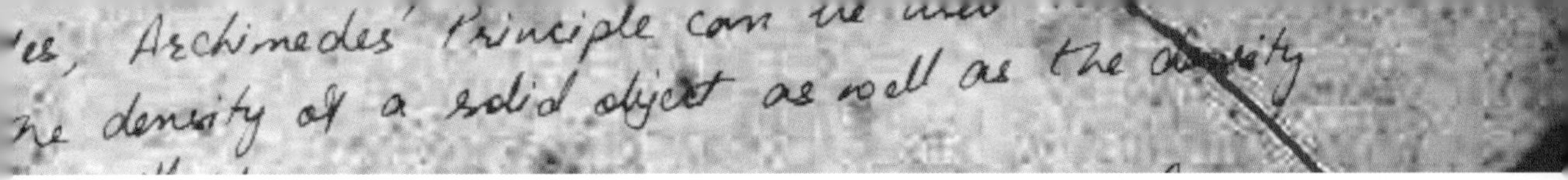

하면 X의 확률분포는 시행 횟수 n, 성공 확률 p인 이항분포가 됨은 명백하다. (이를 기호로 $X \sim \mathrm{B}(n,\ p)$와 같이 나타낸다.) 다만 이러한 이항분포에서는 두 가지 조건이 따른다.

첫째로 무한으로 시행할 수 있어야 하고, 둘째로 각 시행이 독립적이어야 한다.

이항분포를 얻을 때 n의 값이 정해져 비록 유한 횟수를 시행하게 되지만 동일한 확률 p로 무한번 시행할 수는 있어야 한다. 만약 무한으로 시행할 수 없거나 각 시행이 서로 독립적이지 않은 경우에는 이항분포로 나타낼 수 없다.

한편 베르누이 시행에 따라 실패에 0, 성공에 1이란 값을 대응시킨 확률변수를 베르누이의 확률변수라고 하며 다음과 같이 정리한다.

베르누이의 확률변수

베르누이 시행의 표본공간 $S=\{s,\ f\}$에서 $X(s)=1,\ X(f)=0$인 확률변수 X를 베르누이의 확률변수라고 부른다.

이때 베르누이의 확률변수의 분포를 베르누이 분포라고 하는데 베르누이 분포는 매우 단순하여 그 자체로서보다는 **반복해서 얻어지는 분포들을 유도하는 바탕**으로서의 의미를 지닌다.

X	0	1
$\mathrm{P}(X)$	$1-p$	p

그러면 지금부터 베르누이의 확률변수를 이용하여 이항분포 $\mathrm{B}(n,\ p)$의 평균과 분산이 $np,\ npq$임을 증명해 보도록 하자.

[증명] 오른쪽 베르누이 분포에서 평균과 분산을 구하면

Y	0	1
$\mathrm{P}(Y)$	$1-p$	p

$$\mathrm{E}(Y)=0\cdot(1-p)+1\cdot p=p$$

$$\mathrm{E}(Y^2)=0^2\cdot(1-p)+1^2\cdot p=p$$

$$\mathrm{V}(Y)=\mathrm{E}(Y^2)-\{\mathrm{E}(Y)\}^2=p-p^2=p(1-p)=pq \text{ (단, } q=1-p)$$

위의 베르누이 시행을 n번 독립적으로 반복할 때, 각 시행에서의 베르누이의 확률변수를 $Y_k(k=1,\ 2,\ 3,\ \cdots,\ n)$라 하고 성공 횟수를 확률변수 X라 하면

$$X=Y_1+Y_2+\cdots+Y_n$$

이 성립하고, X는 이항분포 $\mathrm{B}(n,\ p)$를 따른다.

$$\therefore\ \mathrm{E}(X)=\mathrm{E}(Y_1)+\mathrm{E}(Y_2)+\cdots+\mathrm{E}(Y_n)=p+p+\cdots+p=np$$

$$\mathrm{V}(X)=\mathrm{V}(Y_1)+\mathrm{V}(Y_2)+\cdots+\mathrm{V}(Y_n)=pq+pq+\cdots+pq=npq \ ■$$

TOPIC (3) 정규분포와 중심극한정리❷

일반적으로 모평균이 m, 모표준편차가 σ인 모집단에서 크기가 n인 표본을 임의추출할 때, 표본평균 $\overline{X}$에 대하여 다음이 성립함을 본문에서 배웠다.

(1) 모집단의 확률분포가 정규분포일 때	(2) 모집단의 확률분포가 정규분포가 아닐 때
n의 크기에 관계없이 $\overline{X}$는 정규분포 $N\left(m, \frac{\sigma^2}{n}\right)$을 따른다.	n이 충분히 크면 $\overline{X}$는 근사적으로 정규분포 $N\left(m, \frac{\sigma^2}{n}\right)$을 따른다.

이는 곧 표본의 크기(n)가 상당히 크면 임의의 모집단으로부터 추출한 표본의 평균이라도 그 분포가 근사적으로 평균이 m, 분산이 $\frac{\sigma^2}{n}$인 정규분포를 따르게 된다는 사실인데 이것이 다음과 같은 중심극한정리의 내용이다.

중심극한정리(Central Limit Theorem)

평균이 m이고, 분산이 σ^2인 모집단으로부터 크기가 n인 표본을 추출했을 때,

표본평균 $\overline{X}$의 분포는 표본의 크기 n이 커짐에 따라 평균이 m, 분산이 $\frac{\sigma^2}{n}$인 정규분포에 접근한다.

따라서 확률변수 $Z=\dfrac{\overline{X}-m}{\frac{\sigma}{\sqrt{n}}}$의 분포는 n이 상당히 클 때, 표준정규분포 $N(0, 1)$에 접근한다.

중심극한정리에서 주목할 점은 모집단의 분포가 연속적이든 이산적이든 비스듬하게 치우친 형태이든 간에

표본의 크기가 클 때, 표본평균 $\overline{X}$의 분포가 근사적으로 정규분포가 된다

는 사실이다. 이러한 점이 정규분포가 통계적 추론에서 중추적 역할을 하는 이유 중의 하나이다.

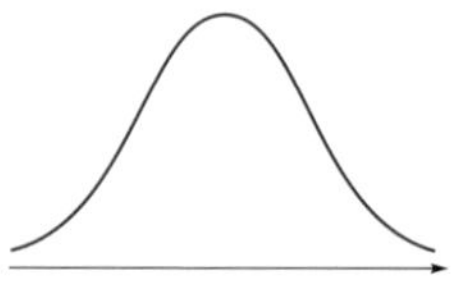

일반적으로 $n \geq 30$이면 모집단의 분포에 관계없이 $\overline{X}$에 대한 정규분포로의 근사는 매우 적합하지만 $n < 30$일 경우에는 모집단의 분포가 정규분포에 유사할 때에만 정규분포로의 근사가 적합하게 된다.

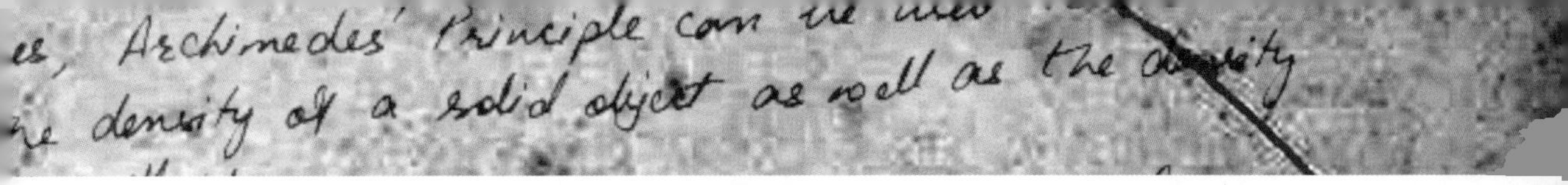

이항분포 $B(n, p)$는 n이 충분히 크면 정규분포 $N(np, np(1-p))$로 근사할 수 있다.

중심극한정리를 이용하여 본문에서 배운 이항분포를 정규분포로 근사할 수 있다는 것도 증명할 수 있다.

[증명] 모집단이 1과 0으로 이루어져 있고, 1이 나올 확률은 p, 0이 나올 확률은 $1-p$라 하자. 그러면 이 모집단의 모평균과 모분산은 각각 $m=p$, $\sigma^2=p(1-p)$이다.

이때 이 모집단에서 충분히 큰 수 n에 대하여 크기가 n인 표본을 임의추출할 때 표본평균을 $\overline{X}$라 하면 중심극한정리에 의해 $\dfrac{\overline{X}-p}{\sqrt{\dfrac{p(1-p)}{n}}}$는 근사적으로 표준정규분포 $N(0, 1)$을 따르게 된다.

그런데 $\dfrac{\overline{X}-p}{\sqrt{\dfrac{p(1-p)}{n}}}=\dfrac{n\overline{X}-np}{\sqrt{np(1-p)}}$에서 $n\overline{X}$는 n번의 시행 중 1이 나온 횟수와 같다. 즉, n번의 시행 중 1이 나온 횟수를 확률변수 X라 하면 $X=n\overline{X}$이므로

$\dfrac{X-np}{\sqrt{np(1-p)}}$도 근사적으로 표준정규분포 $N(0, 1)$을 따름을 알 수 있다.

다시 말해 확률변수 X는 근사적으로 정규분포 $N(np, np(1-p))$를 따른다고 할 수 있다.

그런데 X는 1이 나올 확률이 p인 독립시행을 n번 했을 때, 1이 나온 횟수와 같으므로 X는 이항분포 $B(n, p)$를 따름을 알 수 있다.[3]

따라서 이항분포 $B(n, p)$를 정규분포 $N(np, np(1-p))$로 근사할 수 있다. ■

[2] 「미니탭을 이용한 기초통계학의 이해」를 참조하였음을 밝힌다.

[3] 사실 같은 베르누이 분포를 따르는(1이 나올 확률이 p) 서로 독립인 확률변수 $X_1, X_2, \cdots, X_n$에 대해 $X_1+X_2+\cdots+X_n$은 이항분포 $B(n, p)$를 따른다.

01. 통계 용어

통계 자료에서 대푯값 중 하나로 평균과 비슷하지만 다른 개념인 **중앙값**(median)이 있다.

중앙값은 모집단의 특성값(모집단을 이루고 있는 단위들의 하나하나의 값)을 **크기순으로 나열했을 때 한가운데에 위치하는 값**을 말한다. 중앙값은 산술평균이 극단값에 의해 영향을 크게 받는 약점을 피하기 위해 고안되었다. 모집단이 이산적이면 중앙값은 모집단의 중심 위치를 나타내며, 연속적이면 확률밀도함수의 그래프와 x축 사이의 넓이를 이등분하는 점이 된다. 이산확률변수에서 변량의 개수 N이 홀수이면 크기순으로 나열할 때 $\frac{N+1}{2}$번째 값이 중앙값이고 N이 짝수이면 $\frac{N}{2}$번째와 $\frac{N}{2}+1$번째 값의 평균이 중앙값이 된다. 이러한 중앙값은 평균과 같을 수도 있지만 대부분 다르게 나타난다.

하지만 좌우 대칭인 정규분포의 경우에는 중앙값과 평균이 같은 값을 갖는다.

한편 모집단의 산포도를 나타내는 것으로 **평균절대편차**(MAD : Mean Absolute Deviation)라는 값이 있다. 평균절대편차는 각 특성값 c_i가 모집단의 평균 m으로부터 떨어진 거리인 절대편차의 평균으로 정의된다.

$$\text{MAD}=\frac{1}{N}(|c_1-m|+|c_2-m|+|c_3-m|+\cdots+|c_N-m|)$$

그런데 우리는 산포도를 나타내는 값으로 표준편차를 주로 사용하고 평균절대편차는 잘 쓰지 않는다. 정규분포에서 볼 수 있듯이, 대다수의 통계 수치는 평균에 몰려 있고 평균에서 멀어질수록 분포가 희박해진다. 즉, 특성값들은 골고루 분포하는 것이 아니고 한 곳에 집중적으로 분포하고 있기 때문에 평균절대편차로는 이러한 산포도를 효과적으로 나타낼 수 없다. 예를 들어 평균이 100일 경우 특성값 120과 140은 단순히 평균으로부터의 거리만 따진다면 20과 40의 차이, 즉 2배 값의 차이가 나겠지만 실제로는 120보다 140의 값이 2배 이상의 산포도를 보이는 값이라고 할 수 있다. 이는 정규분포표에서 확인할 수 있다. 그렇기 때문에 평균과의 차를 제곱하여 계산하는 분산과 표준편차가 대다수의 통계에서 이용되고 있는 것이다.

02. 통계의 허와 실

방대한 데이터를 그대로 방치하면 하나의 쓰레기와 같지만 데이터를 정리하여 자료로 요약하면 영향력을 가진 막강한 숫자로 작용하게 된다. 막강한 숫자로 이루어진 통계 자료는 객관성 있는 정보를 제공해 줌으로써 여러 가지 판단에 도움을 주는 이점이 있지만 자칫하면 거짓말을 정당화할 수 있는 수단으로 악용될 가능성이 많다.

> "숫자는 거짓말을 하지 않지만 거짓말쟁이는 그럴듯한 수치로 사람들을 현혹한다."

는 말이 있듯이 통계가 주는 이점에 반해 위험 요소도 참 많다. 이를 대변이라도 하듯이 일찍이 영국 총리를 지낸 벤저민 디즈레일리는

> "세상에는 세 가지 거짓말이 있다. 거짓말, 새빨간 거짓말, 그리고 통계."

라는 말을 했고, '통계라는 이름의 거짓말'이라는 책의 서문에는

> "통계는 신용을 잃었다."

는 말이 나온다.

이처럼 통계라는 것이 때에 따라 진실을 왜곡하기 위해 그 수치를 과장하거나 축소하여 거짓말의 도구가 되기 때문에 우리는 이제 통계로 주어진 정보를 접할 때 데이터를 올바르게 이해하는 방법뿐만 아니라 통계 속에 감춰진 나쁜 의도를 알아차리는 연습까지도 병행해야 한다.

아래에는 소위 통계의 오류라 불리는 몇 가지 사례를 소개하였다.

① 평균의 오류

모집단의 분포가 고르지 않은 이상, 평균을 모집단의 대푯값으로 정하는 것은 때에 따라 매우 위험하다. 이를 평균의 오류라 하는데 평균의 오류로 인해 극단적인 결말을 가져온 이야기가 있다.

전쟁을 치르는 지휘관이 강가에 다다랐다. 강을 건너기 위해 그 강의 평균 수심을 물었더니, 한 부하가 "강의 평균 수심은 1.4 m이고 병사들의 평균 키는 1.6 m입니다." 라고 답했다. 1.4와 1.6이라는 수치만 생각하고서 모든 병사가 강을 충분히 건널 수 있다고 판단한 지휘관은 부하들에게 행군을 명하게 된다. 하지만 안타깝게도 강 가운데의 수심은 평균보다 훨씬 깊었고, 그 곳에서 병사들이 모두 물에 빠져 죽고 말았다.

평균의 오류에 대한 또다른 예를 살펴보자.

어느 한 구단의 프로야구 선수들이 구단주와 갈등이 생겨서 파업을 한 일이 있었다. 구단주 측에서는 평균 연봉이 120만 달러나 되는 선수들이 파업을 했다는 식으로 발표했고, 선수들은 사회의 비난을 받을 처지가 되었다. 하지만 120만 달러에는 심각한 오류가 숨어 있었다. 당시 선수들은 30만 달러정도만 받는 경우가 대부분이었는데 몇몇 스타 선수들의 몸값이 턱없이 높다보니 평균 연봉이 120만 달러나 된 것이었다.

평균의 오류를 야기한 기사는 일상적인 기사에서도 비일비재하게 다뤄지고 있다.

'대기업 사원의 평균 연봉', '농어촌 가구당 평균 소득', '가구당 평균 사교육비' 등등 제목만 보아도 평균 수치가 어떻게 작용할지 짐작될 것이다.

② 편향된 통계 자료의 오류

1936년 미국 대통령 선거 때, '리터러리 다이제스트' 잡지사에서 여론 조사로 큰 실수를 저질렀다. 공화당의 랜던 후보와 민주당의 루스벨트 후보에 대해 실시한 설문이었는데 표본과 방법에 대해 100% 신뢰를 가지고서 랜던 후보가 당선될 것이라고 확신을 갖고 예언한 것이다.

그러나 실제 투표에서는 루스벨트가 압도적인 표 차이로 대통령에 당선되었고, 그 잡지사의 여론 조사는 왜곡의 가능성을 의심받게 되었다. 무엇이 문제였을까?
이에 대한 여러 사후 조사에서 밝혀진 바로는 여론 조사의 왜곡은 바로 표본추출에 있어서 객관적이지 못했다는 것이었다. 그 잡지사는 무작위의 전화 통화나 잡지 구독자의 설문을 통한 표본조사로 후보의 지지율을 조사하였는데 실제 1936년 당시에 전화를 소유하거나 잡지를 구독할 만한 사람들이란 특별한 층의 사람들이었던 것이다. 이 특별한 층의 사람들은 대부분이 공화당을 지지하였기에 결코 투표자 전체를 대표하는 표본은 될 수 없었던 것이다. 이를 통계에서는 '편향된 통계 자료의 오류'라고 한다.

편향된 통계 자료의 오류에 관한 또 다른 예로 다음 기사를 살펴보자.

"교통사고 원인 1위는 휴대 전화 사용"
운전 중 휴대 전화 사용이 교통사고의 가장 큰 원인인 것으로 나타났다.
혜민병원 관절센터팀은 최근 교통사고로 병원을 찾은 환자 326명을 대상으로 사고 원인을 조사한 결과 전체의 31%(101명)가 본인 또는 상대방(가해자)이 운전 중 휴대 전화를 사용하다가 사고를 낸 것으로 나타났다고 20일 밝혔다. (하략)

위의 기사의 가장 큰 오류는 혜민병원이라는 단 한 곳의 환자만 표본으로 잡고서 마치 전체를 대표한 듯하게 발표하였다는 것이다.
더구나 혜민병원 관절센터의 교통사고 환자들은 교통사고 원인을 조사하여 그 통계를 내는 데 매우 부적절한 표본이다. '관절센터'의 환자들이니만치 다른 진료(내과 등등)를 받는 교통사고 환자들이 배제되어 있을 것이며, 사고가 크게 나서 아예 사망한 사람들도 제외되어 있다. 그런데도 '운전 중 휴대 전화 사용이 교통사고의 가장 큰 원인'이라고 아무런 단서 없이 일반화를 꾀한 것이다.
비록 운전 중 휴대 전화 사용 자제에 대한 경각심을 불러일으키기에는 좋은 기사일지 몰라도 정확한 자료를 통해 정확한 정보를 전달해야 할 의무를 져버린 것이다.

SUMMA CUM LAUDE
MATHEMATICS

내신 · 모의고사 대비 TEST

숨마쿰라우데®
[확률과 통계]

정답은 → 본책의 해설지에서
해설은 → 당사 홈페이지에서
확인하실 수 있습니다.
www.erumenb.com

01 여러 가지 순열

Sub Note 105쪽

기본 Exercises

01 A, B를 포함한 6명의 학생이 원탁에 둘러앉아 회의를 하려고 한다. 다음을 구하여라.

(1) 6명의 학생이 원탁에 둘러앉는 경우의 수

(2) A와 B가 이웃하여 앉는 경우의 수

(3) A와 B가 마주 보고 앉는 경우의 수

02 8명의 학생이 그림과 같은 직사각형 모양의 탁자에 둘러앉는 경우의 수를 구하여라.

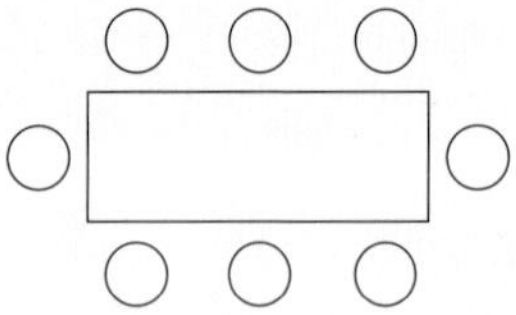

03 서로 다른 5통의 편지를 2개의 우체통에 넣는 경우의 수를 구하여라.

04 1, 2, 3, 4 네 개의 숫자로 중복을 허락하여 만들 수 있는 세 자리의 자연수 중 반드시 4가 포함되는 것의 개수는?

① 31 ② 33 ③ 35 ④ 37 ⑤ 39

05 1, 2, 3, 4, 5, 6, 7의 7개의 숫자를 일렬로 나열할 때, 숫자 1, 2, 3이 작은 순서대로 놓이는 경우의 수를 구하여라.

06 다음 그림과 같은 도로망이 있다. A지점에서 출발하여 C지점을 지나지 않고 B지점까지 가는 최단 경로의 수를 구하여라.

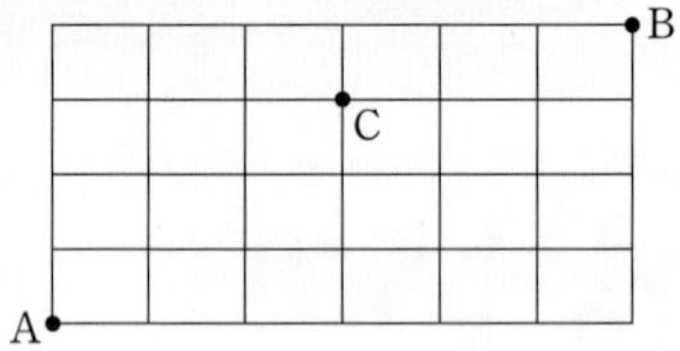

발전 ☑ Exercises

07 서로 다른 빨간 의자 2개, 파란 의자 2개, 노란 의자 3개가 있다. 원탁의 둘레에 의자를 놓는데, 빨간 의자는 서로 이웃하도록 놓고 파란 의자는 서로 이웃하지 않도록 놓는 경우의 수를 구하여라.

08 오른쪽 그림과 같이 서로 합동인 9개의 정사각형으로 이루어진 정사각형 모양의 판자가 있다. 각 영역을 서로 다른 9개의 색을 모두 이용하여 색칠하는 경우의 수는? (단, 판자는 고정되어 있지 않다.)

① $18\times7!$ ② $27\times7!$ ③ $36\times7!$
④ $45\times7!$ ⑤ $63\times7!$

09 각 면에 1부터 4까지의 숫자가 적혀 있는 정사면체를 던져 바닥에 닿는 면의 숫자를 읽는다고 하자. 이 정사면체를 첫 번째 던질 때 나오는 숫자를 a_1, 두 번째 던질 때 나오는 숫자를 a_2, 세 번째 던질 때 나오는 숫자를 a_3, 네 번째 던질 때 나오는 숫자를 a_4라 할 때, $a_1\times a_2\times a_3\times a_4$가 6의 배수가 되는 순서쌍 $(a_1,\ a_2,\ a_3,\ a_4)$의 개수를 구하여라.

10 집합 $X=\{1,\ 2,\ 3,\ 4,\ 5,\ 6\}$에 대하여 다음 세 조건을 만족시키는 함수 $f:X\rightarrow X$의 개수를 구하여라.

> (가) $f(4)$는 홀수이다.
> (나) $x<4$이면 $f(x)<f(4)$
> (다) $x>4$이면 $f(x)>f(4)$

11 4분 음표(♩) 또는 8분 음표(♪)만 사용하여 $\frac{4}{4}$ 박자의 한 마디를 구성하는 경우의 수를 구하여라.

(단, 조성이나 음정을 고려하지 않는다.)

12 다음 그림과 같은 도로망이 있다. A지점에서 B지점까지 가는 최단 경로의 수를 구하여라.

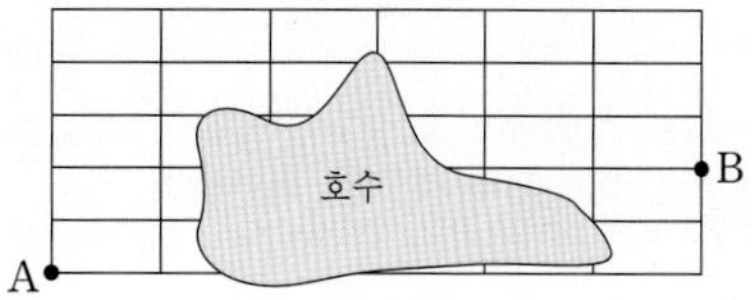

02 중복조합과 이항정리

S U M M A   C U M   L A U D E

Sub Note 105쪽

기본 ☑ Exercises

01 4명의 학생들에게 같은 종류의 빵 10개를 나누어 주려고 한다. 다음을 구하여라.

(1) 빵 10개를 나누어 주는 경우의 수

(2) 빵 10개를 한 학생에게 적어도 한 개씩 나누어 주는 경우의 수

02 방정식 $x+y+z=7$을 만족시키는 x, y, z에 대하여 다음을 구하여라.

(1) 음이 아닌 정수해의 개수

(2) 양의 정수해의 개수

03 방정식 $a+b+c=10$에서 $a\geq 0$, $b\geq 1$, $c\geq 3$을 만족시키는 정수해의 개수를 구하여라.

04 두 집합

$$X=\{1,\ 2,\ 3,\ 4\},\ Y=\{6,\ 7,\ 8,\ 9,\ 10\}$$

에 대하여 함수 $f: X \to Y$ 중 다음 조건을 만족시키는 함수 f의 개수는?

> (가) $f(3)=8$
> (나) X의 임의의 두 원소 x_1, x_2에 대하여 $x_1 < x_2$이면 $f(x_1) \leq f(x_2)$이다.

① 10 ② 15 ③ 18 ④ 20 ⑤ 24

05 $(1+ax)^9$의 전개식에서 x의 계수가 18일 때, x^3의 계수를 구하여라. (단, a는 상수이다.)

06 다음 부등식을 만족시키는 자연수 n의 값을 구하여라.

(1) $500 < {}_n\mathrm{C}_0 + {}_n\mathrm{C}_1 + {}_n\mathrm{C}_2 + \cdots + {}_n\mathrm{C}_n < 990$

(2) $1000 < {}_n\mathrm{C}_2 + {}_n\mathrm{C}_4 + {}_n\mathrm{C}_6 + \cdots < 2000$

발전 ☑ Exercises

07 같은 종류의 연필 8자루와 같은 종류의 지우개 6개를 A, B, C 세 사람에게 나누어 주려고 한다. 이때 세 사람이 연필과 지우개를 모두 한 개 이상씩 받도록 나누어 주는 경우의 수를 구하여라.

08 두 집합

$X=\{1, 2, 3, 4, 5, 6\}$,

$Y=\{1, 2, 3, 4, 5, 6, 7, 8\}$

에 대하여 $a\in X$, $b\in X$이고, $a<b$이면 $f(a)\leq f(b)$를 만족시키는 함수 $f: X\to Y$ 중에서 $f(1)f(4)=12$를 만족시키는 함수 f의 개수를 구하여라.

09 한 개의 주사위를 다섯 번 던질 때, k번째에 나타나는 눈의 수를 $a_k$$(k=1, 2, 3, 4, 5)$라 하자. 이때 다음을 만족시키는 경우의 수를 구하여라.

(1) $a_1\leq a_2\leq a_3\leq a_4\leq a_5$

(2) $a_1\leq a_2<a_3\leq a_4<a_5$

10 다음 다항식의 전개식에서 x^2의 계수는?

$$(1+x^2)+(1+x^2)^2+\cdots+(1+x^2)^{19}+(1+x^2)^{20}$$

① 205 ② 210 ③ 215
④ 220 ⑤ 225

11 $\left(x+\dfrac{1}{x^n}\right)^{12}$의 전개식에서 상수항이 존재하도록 하는 모든 자연수 n의 값의 합을 구하여라.

12 $3(x+a)^n$의 전개식에서 x^{n-2}의 계수와 $(x-3)(x+a)^n$의 전개식에서 x^{n-2}의 계수가 같게 되는 a, n의 모든 순서쌍 (a, n)에 대하여 an의 최댓값을 구하여라. (단, a는 자연수이고, n은 $n\geq 2$인 자연수이다.)

13 오늘은 월요일이다. 오늘로부터 15^{2019}일 후는 무슨 요일인가?

① 일요일 ② 월요일 ③ 화요일
④ 수요일 ⑤ 목요일

03 확률의 뜻과 활용

SUMMA CUM LAUDE

Sub Note 105쪽

기본 Exercises

01 한 개의 주사위를 3번 던져서 나오는 눈의 수를 차례로 a, b, c라 할 때, 이차방정식 $ax^2+bx+c=0$이 중근을 가질 확률을 구하여라.

02 3쌍의 커플이 파티에 초대되어 원탁에 둘러앉을 때, 3쌍 모두 커플끼리 이웃하여 앉을 확률은 $\frac{q}{p}$이다. 이때 $p+q$의 값을 구하여라. (단, p, q는 서로소인 자연수)

03 1부터 12까지의 자연수가 각각 하나씩 적힌 12장의 카드 중에서 임의로 4장의 카드를 동시에 뽑을 때, 카드에 적힌 가장 큰 수가 8일 확률은?

① $\frac{1}{99}$ ② $\frac{7}{99}$ ③ $\frac{14}{99}$
④ $\frac{7}{495}$ ⑤ $\frac{14}{495}$

04 두 사건 A, B는 서로 배반사건이고

$$\mathrm{P}(A\cup B)=\frac{3}{4},\ \frac{1}{5}\le \mathrm{P}(A)\le\frac{2}{5}$$

일 때, $\mathrm{P}(B)$의 최솟값을 구하여라.

05 1, 2, 3의 자연수가 각각 하나씩 적힌 3개의 공이 들어 있는 상자에서 임의로 1개의 공을 꺼내어 공에 적힌 수를 확인한 후 다시 넣는 시행을 3번 반복할 때, 꺼낸 공에 적힌 세 수의 합이 5이거나 세 수 중 가장 큰 수가 2일 확률은?

① $\frac{1}{27}$ ② $\frac{4}{27}$ ③ $\frac{7}{27}$
④ $\frac{10}{27}$ ⑤ $\frac{13}{27}$

06 먹이를 들고 있지 않은 개미가 오른쪽 그림과 같은 길을 통해서 집으로 돌아가려고 한다. 집으로 돌아가는 길 중 한 곳에 먹이가 있어서 이 곳을 지나가면 개미는 반드시 먹이를 들고 집으로 돌아간다. 개미는 집까지 최단 거리로 간다고 할 때, 개미가 집으로 먹이 없이 돌아갈 확률은?

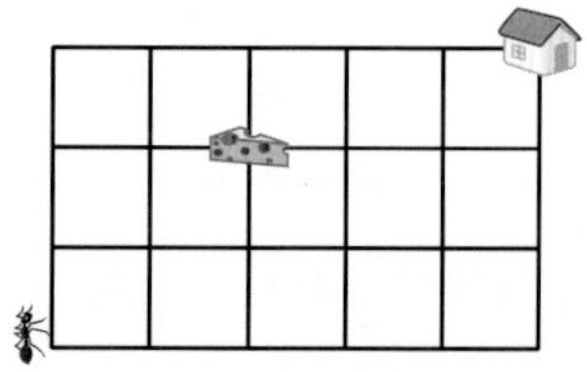

① $\frac{1}{7}$ ② $\frac{2}{7}$ ③ $\frac{3}{7}$
④ $\frac{4}{7}$ ⑤ $\frac{5}{7}$

발전 ☑ Exercises

07 $2^5 \times 3^4 \times 5^2$의 양의 약수 중에서 임의로 하나를 택할 때, 그 수가 어떤 양의 정수의 제곱일 확률은?

① $\frac{1}{6}$ ② $\frac{1}{5}$ ③ $\frac{1}{4}$
④ $\frac{1}{3}$ ⑤ $\frac{1}{2}$

08 1부터 8까지의 8개의 숫자 중 서로 다른 5개를 사용하여 다섯 자리 자연수를 만들 때, 일의 자리의 숫자가 1이 아니면서 동시에 각 자리의 숫자로 짝수와 홀수가 교대로 있을 확률은?

① $\frac{1}{40}$ ② $\frac{1}{20}$ ③ $\frac{3}{40}$
④ $\frac{1}{10}$ ⑤ $\frac{1}{8}$

09 숨마 고등학교의 급식은 월요일부터 금요일까지 점심 시간마다 제공되고, 한식 2번, 양식 3번으로 구성되며 한식, 양식 순서는 임의로 결정된다고 한다. 이때 한식이 2번 연속 나오거나 양식이 3번 연속 나올 확률을 구하여라.
(단, 월요일부터 금요일까지 급식의 구성은 모두 다르다.)

10 검은 바둑돌이 3개, 흰 바둑돌이 n개 들어 있는 주머니에서 임의로 2개의 바둑돌을 동시에 꺼낼 때, 검은 바둑돌과 흰 바둑돌이 각각 한 개씩 나올 확률이 $\frac{1}{2}$보다 작기 위한 자연수 n의 최솟값을 구하여라.

11 한 개의 주사위를 3번 던질 때, 나오는 눈의 수가 모두 홀수 또는 모두 짝수 또는 합이 8일 확률은 $\frac{q}{p}$이다. 이때 $p-q$의 값은? (단, p, q는 서로소인 자연수)

① 2 ② 3 ③ 4
④ 5 ⑤ 6

12 1부터 8까지의 자연수가 각각 하나씩 적힌 8장의 카드가 들어 있는 상자에서 임의로 3장의 카드를 동시에 꺼낼 때, 카드에 적힌 수 중 연속하는 자연수가 2개 이상일 확률을 구하여라.

04 조건부확률

Sub Note 105쪽

기본 Exercises

01 어느 수험생이 1차 시험에 합격할 확률이 $\frac{1}{4}$이고, 1차와 2차 시험에 모두 합격할 확률이 $\frac{1}{10}$이다. 이 수험생이 1차 시험에 합격했을 때, 2차 시험에도 합격할 확률을 구하여라.

02 주머니 A에는 흰 구슬이 3개, 검은 구슬이 2개 들어 있고, 주머니 B에는 흰 구슬이 2개, 검은 구슬이 4개 들어 있다. 주머니 A에서 임의로 한 개의 구슬을 꺼내어 주머니 B에 넣고 잘 섞은 후에 주머니 B에서 임의로 한 개의 구슬을 꺼낼 때, 그것이 흰 구슬일 확률을 구하여라.

03 서울 국제 호텔의 지난해 면세점 이용 고객의 기본 신상 정보를 분석한 결과, 내국인은 전체 고객의 60%이고 내국인 중 80%가 여성이며, 전체 고객 중 여성의 비율은 76%라 한다. 이때 외국인 중 여성 고객의 비율은?

① 30% ② 40% ③ 50%
④ 60% ⑤ 70%

04 어떤 공장에서 같은 제품을 두 기계 A, B에서 생산하는데 두 기계 A, B의 생산량은 각각 전체 제품의 70%, 30%이고, 불량품은 각각 3%, 4%라 한다. 이 공장에서 만들어진 제품 중에서 임의로 한 개를 선택하였더니 불량품이었을 때, 그 제품이 A 기계에서 생산된 제품일 확률을 구하여라.

05 두 사건 A, B가 서로 독립이고, $\mathrm{P}(A^{C} \cap B)=\frac{1}{2}$, $\mathrm{P}(A^{C} \cap B^{C})=\frac{1}{6}$일 때, $\mathrm{P}(B)$의 값을 구하여라.

06 A 대학교는 1차로 선발한 학생들을 대상으로 면접시험을 치르는데, 면접시험에서 4문제 중 3문제 이상을 맞혀야 합격이다. 종훈이가 임의의 면접시험 문제를 맞힐 확률이 $\frac{3}{4}$이라 할 때, 종훈이가 이 면접시험에 합격할 확률은?

① $\frac{181}{256}$ ② $\frac{183}{256}$ ③ $\frac{185}{256}$
④ $\frac{187}{256}$ ⑤ $\frac{189}{256}$

발전 ☑ Exercises

07 두 사건 A, B에 대하여

$\mathrm{P}(A)=\frac{3}{5}$, $\mathrm{P}(B)=\frac{2}{3}$일 때, $\mathrm{P}(B|A)$의 최댓값을 M, 최솟값을 m이라 하자. 이때 $M+m$의 값을 구하여라.

08 우리나라에서 어떤 정신 질환의 유병률은 10%라 한다. 즉, 10명 중 한 명 꼴로 걸려 있다는 뜻이다. 새로운 진단법을 사용하면 이 정신 질환에 걸린 환자를 정신 질환에 걸렸다고 진단할 확률이 90%, 이 정신 질환에 걸리지 않은 사람을 정신 질환에 걸리지 않았다고 진단할 확률이 95%라 한다. 어떤 사람이 이 진단법에 의해 정신 질환에 걸렸다고 진단받았을 때, 실제로는 이 사람이 정신 질환에 걸려 있지 않을 확률을 구하여라.

09 어느 동물원에서는 최근 아시아와 아프리카에서 원숭이와 코끼리를 수입해 왔다. 아시아에서 수입한 원숭이와 코끼리 수의 비는 $3:7$이고, 아프리카에서 수입한 원숭이와 코끼리 수의 비는 $6:4$라 한다. 원숭이 중 한 마리를 임의로 뽑을 때, 그 원숭이가 아시아에서 수입되었을 확률이 $\frac{3}{7}$이라면 코끼리 중 한 마리를 임의로 뽑을 때, 그 코끼리가 아시아에서 수입되었을 확률은?

① $\frac{7}{9}$　② $\frac{3}{4}$　③ $\frac{21}{29}$

④ $\frac{7}{10}$　⑤ $\frac{21}{31}$

10 프로야구 포스트 시즌의 대진은 다음과 같다.

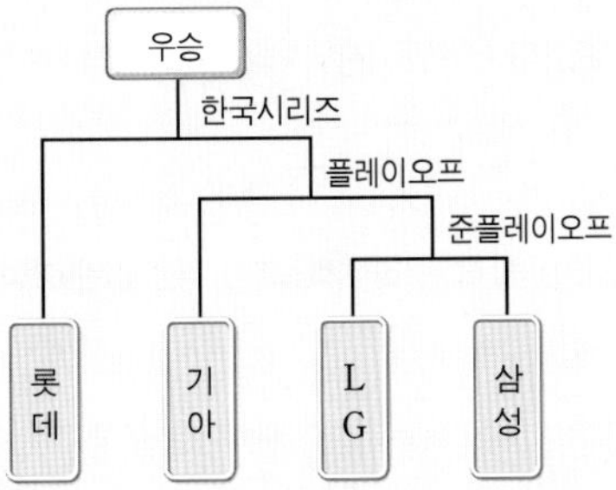

포스트 시즌 중에 LG가 삼성을 이기고 올라갈 확률은 $\frac{3}{4}$, 기아가 LG, 삼성을 이기고 올라갈 확률은 각각 $\frac{2}{3}$, $\frac{1}{2}$이고 롯데가 기아, LG, 삼성을 이기고 우승할 확률은 각각 $\frac{1}{2}$, $\frac{3}{5}$, $\frac{2}{3}$이다. 이때 롯데가 우승할 확률을 구하여라. (단, 비기는 경우는 없다고 한다.)

11 다음 그림과 같이 어느 건물 A동과 B동은 0에서 6까지의 번호가 붙어 있는 7개의 통로로 연결되어 있다. A동에 있는 석우는 동전 6개를 던져서 나오는 앞면의 개수가 n이면 번호가 n인 통로로 B동에 가고, B동에 있는 윤지는 한 개의 주사위를 한 번 던져서 나오는 눈의 수가 m이면 번호가 m인 통로로 A동에 간다. 이때 석우와 윤지가 같은 통로로 지나갈 확률을 구하여라.

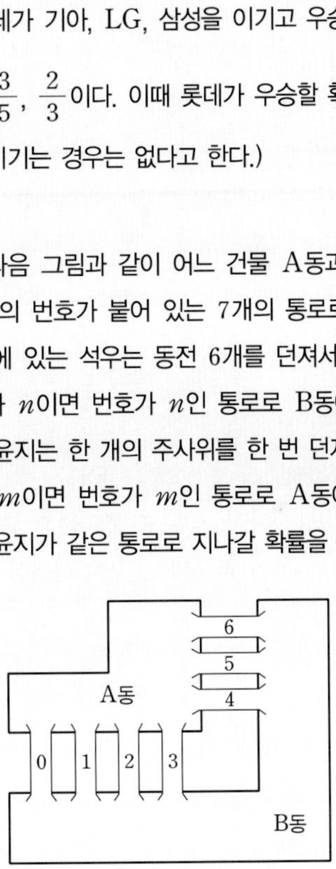

05 이산확률변수의 확률분포

Sub Note 105쪽

기본 Exercises

01 확률변수 X의 확률질량함수가

$$\mathrm{P}(X=x)=\frac{k-x}{12}\ (x=1,\ 2,\ 3)$$

일 때, $\mathrm{P}(X=3)$을 구하여라. (단, k는 상수이다.)

02 확률변수 X의 확률분포를 표로 나타내면 다음과 같다. 이때 $\mathrm{E}(4X+10)$은?

X	0	1	2	합계
$\mathrm{P}(X=x)$	$\frac{1}{4}$	a	$2a$	1

① 11 ② 12 ③ 13
④ 14 ⑤ 15

03 두 확률변수 X, Y에 대하여

$$\mathrm{E}(X)=8,\ \mathrm{V}(X)=3,\ \mathrm{E}(Y)=17,\ \mathrm{V}(Y)=12$$

이다. $Y=aX+b$일 때, 상수 a, b에 대하여 $a+b$의 값은? (단, $a>0$)

① 3 ② 4 ③ 5
④ 6 ⑤ 7

04 확률변수 X는 이항분포 $\mathrm{B}\left(n,\ \frac{1}{2}\right)$을 따른다.

$$\mathrm{P}(X=2)=10\mathrm{P}(X=1)$$

이 성립할 때, n의 값을 구하여라.

05 정육면체 모양의 주사위를 90번 던져 5의 약수의 눈이 나오는 횟수를 확률변수 X라 할 때, $\mathrm{E}(X^2)$을 구하여라.

06 확률변수 X가 이항분포 $\mathrm{B}(9,\ p)$를 따르고 $\{\mathrm{E}(X)\}^2=\mathrm{V}(X)$일 때, p의 값은? (단, $0<p<1$)

① $\frac{1}{13}$ ② $\frac{1}{12}$ ③ $\frac{1}{11}$
④ $\frac{1}{10}$ ⑤ $\frac{1}{9}$

발전 ☑ Exercises

07 확률변수 X의 확률질량함수가

$$P(X=x)=\frac{101a}{x(x+1)}\ (x=1,\ 2,\ 3,\ \cdots,\ 100)$$

일 때, 상수 a의 값은?

① $\frac{1}{1000}$ ② $\frac{1}{100}$ ③ $\frac{1}{10}$
④ 1 ⑤ 10

08 1, 2, 3, 4가 하나씩 적혀 있는 4장의 카드 중에서 임의로 2장을 동시에 뽑을 때 나오는 두 수의 차를 확률변수 X라 하자. 이때 $P(X^2-6X+8<0)$을 구하여라.

09 1, 2, 3, 4, 5, 6, 7이 하나씩 적힌 7장의 카드 중에서 4장을 동시에 뽑을 때 나오는 홀수가 적힌 카드의 수를 확률변수 X라 하자. 이때 $E(X)$는?

① $\frac{10}{7}$ ② $\frac{12}{7}$ ③ 2
④ $\frac{16}{7}$ ⑤ $\frac{18}{7}$

10 확률변수 X의 확률분포를 표로 나타내면 다음과 같을 때, $\sigma(-8X+3)$을 구하여라.

X	-1	0	1	합계
$P(X=x)$	a	a	$2a$	1

11 확률변수 X의 확률질량함수가

$$P(X=x)={}_nC_xp^x(1-p)^{n-x}$$

(단, $x=0,\ 1,\ 2,\ \cdots,\ n$이고 $0<p<1$)

이다. $E(X)=1$, $V(X)=\frac{9}{10}$일 때, $P(X<2)$는?

① $\frac{19}{10}\left(\frac{9}{10}\right)^9$ ② $\frac{17}{9}\left(\frac{8}{9}\right)^8$ ③ $\frac{15}{8}\left(\frac{7}{8}\right)^7$
④ $\frac{13}{7}\left(\frac{6}{7}\right)^6$ ⑤ $\frac{11}{6}\left(\frac{5}{6}\right)^5$

12 흰 공이 4개, 검은 공이 a개 들어 있는 주머니에서 임의로 한 개의 공을 꺼내어 색을 확인하고 다시 넣는 시행을 n회 반복할 때, 검은 공이 나오는 횟수를 확률변수 X라 하자. X의 평균이 60, 분산이 15일 때, $n+a$의 값을 구하여라.

06 연속확률변수의 확률분포

Sub Note 105쪽

기본 ☑ Exercises

01 연속확률변수 X의 확률밀도함수 $f(x)$가 $f(x)=ax+a\ (0\le x\le 1)$일 때, 상수 a의 값을 구하여라.

02 연속확률변수 X의 확률밀도함수 $f(x)$가

$$f(x)=\begin{cases}\left|\frac{1}{4}x-\frac{1}{2}\right| & (0\le x\le 4)\\ 0 & (x<0,\ x>4)\end{cases}$$

이고, 그 그래프는 다음 그림과 같다.

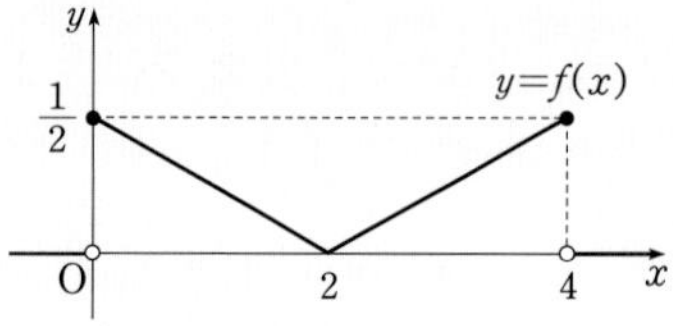

이때 $\mathrm{P}(1\le X\le 3)$을 구하여라.

03 확률변수 Z가 표준정규분포 $\mathrm{N}(0,\ 1)$을 따를 때, 오른쪽 표준정규분포표를 이용하여 다음을 구하여라.

z	$\mathrm{P}(0\le Z\le z)$
1.0	0.3413
1.5	0.4332
2.0	0.4772
2.5	0.4938

(1) $\mathrm{P}(-1\le Z\le 1)$　(2) $\mathrm{P}(1.5\le Z\le 2.5)$

(3) $\mathrm{P}(Z\ge 2)$　(4) $\mathrm{P}(Z\ge -2.5)$

04 두 확률변수 X, Y가 각각 정규분포 $\mathrm{N}(50,\ 10^2)$, $\mathrm{N}(35,\ 7^2)$을 따른다고 한다.

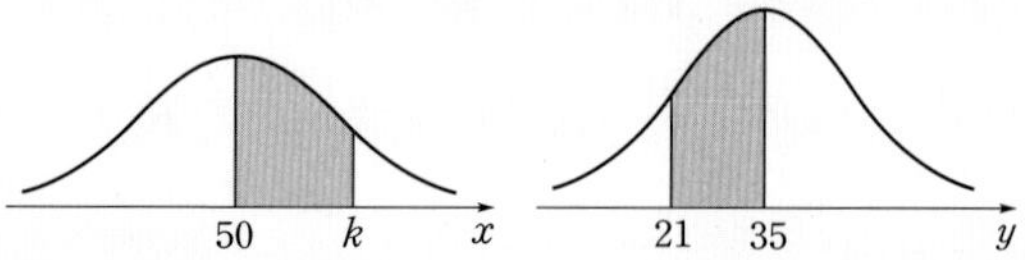

이때 $\mathrm{P}(50\le X\le k)=\mathrm{P}(21\le Y\le 35)$를 만족시키는 상수 k의 값을 구하여라.

05 어느 공장에서 생산하는 부품 1개의 수명은 평균이 600시간, 표준편차가 30시간인 정규분포를 따른다고 한다. 이 공장에서 생산한 부품 중 임의로 선택한 부품 1개의 수명이 555시간 이상 630시간 이하일 확률을 위의 표준정규분포표를 이용하여 구하여라.

z	$\mathrm{P}(0\le Z\le z)$
0.5	0.1915
1.0	0.3413
1.5	0.4332
2.0	0.4772

06 주사위를 720번 던질 때, 1의 눈이 나오는 횟수를 확률변수 X라 하자. 오른쪽 표준정규분포표를 이용하여 $\mathrm{P}(125\le X\le 140)$을 구하여라.

z	$\mathrm{P}(0\le Z\le z)$
0.5	0.1915
1.0	0.3413
1.5	0.4332
2.0	0.4772

발전 ☑ Exercises

07 연속확률변수 X의 확률밀도함수 $f(x)$가 $f(x)=1-ax\ (1\le x\le 3)$일 때, $\mathrm{P}(1\le X\le 2)$를 구하여라.

08 네 고등학교 A, B, C, D의 2학년 학생들의 중간고사 수학 성적은 정규분포를 따르고, 각각의 정규분포곡선은 오른쪽 그림과 같을 때, 평균이 가장 큰 학교와 표준편차가 가장 큰 학교를 차례대로 적어라.

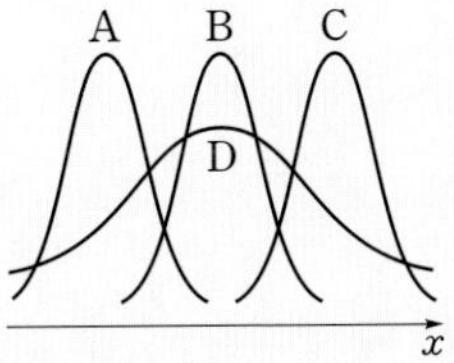

09 두 확률변수 X, Y가 평균이 0이고 표준편차가 각각 a, b인 정규분포를 따를 때, |보기|에서 옳은 것만을 있는 대로 고른 것은?

보기

ㄱ. $\mathrm{P}(1\le X\le 2)=\mathrm{P}(2\le X\le 3)$

ㄴ. $\mathrm{P}(-a\le X\le 0)=\mathrm{P}(0\le Y\le b)$

ㄷ. $\mathrm{P}(-1\le X\le 1)=\mathrm{P}(-2\le Y\le 2)$이면 $a<b$이다.

① ㄱ ② ㄱ, ㄴ ③ ㄱ, ㄷ ④ ㄴ, ㄷ ⑤ ㄱ, ㄴ, ㄷ

10 어느 회사의 전체 신입사원 1000명을 대상으로 신체검사를 한 결과, 키는 평균 m, 표준편차 10인 정규분포를 따른다고 한다. 전체 신입사원 중에서 키가 179 이상인 사원이 184명이었다. 전체 신입사원 중에서 임의로 선택한 한 명의 키가 160 이하일 확률을 위의 표준정규분포표를 이용하여 구하여라. (단, 키의 단위는 cm이다.)

z	$\mathrm{P}(0\le Z\le z)$
0.8	0.288
0.9	0.316
1.0	0.341

11 민지가 임의의 수학 문제를 맞힐 확률은 80%이다. 민지는 수학 경시 대회에 나가기 위해서 대표 선발 대회에 출전했는데, 문제는 총 100문제가 나왔고 대표로 선발되기 위해서는 90문제 이상을 맞혀야 한다고 한다. 위의 표준정규분포표를 이용하여 민지가 대표로 선발될 확률을 구하여라.

z	$\mathrm{P}(0\le Z\le z)$
1.5	0.4332
2.0	0.4772
2.5	0.4938

12 어느 공장의 제품이 불량품일 확률이 2%라 할 때, 이 공장에서 생산된 10000개의 제품 중 불량품의 개수를 확률변수 X라 하자. 오른쪽 표준정규분포표를 이용하여 $\mathrm{P}(a\le X\le 221)=0.7745$을 만족시키는 상수 a의 값을 구하여라.

z	$\mathrm{P}(0\le Z\le z)$
1.0	0.3413
1.5	0.4332
2.0	0.4772
2.5	0.4938

07 통계적 추정

Sub Note 105쪽

기본 Exercises

01 1부터 9까지의 자연수가 하나씩 적힌 9장의 카드가 있다. 이 카드 중에서 4장을 복원추출할 때, 카드에 적힌 수의 평균을 $\overline{X}$라 하자. 이때 $\mathrm{E}(3\overline{X}+2)$을 구하여라.

02 모집단의 확률변수 X의 확률분포를 표로 나타내면 다음과 같다. 이 모집단에서 크기가 2인 표본을 임의추출할 때, 표본평균 $\overline{X}$의 분산을 구하여라.

X	1	2	3	합계
$\mathrm{P}(X=x)$	a	$\frac{1}{4}$	$\frac{1}{2}$	1

03 정규분포 $\mathrm{N}(10, (\sqrt{10})^2)$을 따르는 모집단에서 크기가 5인 표본을 임의추출할 때, 표본평균 $\overline{X}$에 대하여 $\mathrm{E}(\overline{X}^2)$을 구하여라.

04 어느 고등학교의 매점에서 파는 뻥튀기 1봉지의 무게는 평균이 500 g, 표준편차가 12 g인 정규분포를 따른다고 한다. 이 매점에서 파는 뻥튀기 중 임의추출한 36봉지의 무게의 평균이 498 g 이상 504 g 이하일 확률을 위의 표준정규분포표를 이용하여 구하여라.

z	$\mathrm{P}(0\leq Z\leq z)$
0.5	0.1915
1.0	0.3413
1.5	0.4332
2.0	0.4772

05 표준편차가 50인 정규분포를 따르는 모집단에서 크기가 625인 표본을 임의추출하여 구한 표본평균이 50일 때, 모평균 m에 대한 신뢰도 99%의 신뢰구간을 구하여라. (단, Z가 표준정규분포를 따르는 확률변수일 때, $\mathrm{P}(|Z|\leq 2.58)=0.99$로 계산한다.)

06 민수네 농장에서 올 여름 수확한 참외의 무게는 표준편차가 20 g인 정규분포를 따른다고 한다. 이 농장에서 수확한 참외 중에서 64개를 임의추출하여 이 농장에서 수확한 참외의 무게의 모평균을 신뢰도 95%로 추정할 때, 신뢰구간의 길이를 구하여라.

(단, Z가 표준정규분포를 따르는 확률변수일 때, $\mathrm{P}(|Z|\leq 1.96)=0.95$로 계산한다.)

발전 ☑ Exercises

07 확률변수 X의 확률분포를 표로 나타내면 다음과 같다. $\mathrm{E}(X)=2$이고, 이 모집단에서 크기가 5인 표본을 임의추출할 때, 표본평균 $\overline{X}$에 대하여 $\mathrm{V}(\overline{X})$를 구하여라. (단, a, b는 상수이다.)

X	1	2	3	합계
$\mathrm{P}(X=x)$	$\frac{1}{4}$	a	b	1

08 어느 공장에서 생산되는 제품의 길이 X는 평균이 m이고, 표준편차가 4인 정규분포를 따른다고 한다.

z	$\mathrm{P}(0\le Z\le z)$
1.0	0.3413
1.5	0.4332
2.0	0.4772

$\mathrm{P}(m\le X\le a)=0.3413$일 때, 이 공장에서 생산된 제품 중에서 임의추출한 제품 16개의 길이의 표본평균이 $a-2$ 이상일 확률을 위의 표준정규분포표를 이용하여 구하여라. (단, a는 상수이고, 길이의 단위는 cm이다.)

09 어느 공장에서 생산하는 볼펜의 무게는 평균이 220 g, 표준편차가 20 g인 정규분포를 따른다. 이 공장의 볼펜 중에서 크기가 n인 표본을 임의추출하여 조사한 볼펜 무게의 표본평균을 $\overline{X}$라 할 때, $\mathrm{P}(212\le\overline{X}\le 228)=0.9544$이다. 이때 n의 값을 위의 표준정규분포표를 이용하여 구하여라.

z	$\mathrm{P}(0\le Z\le z)$
1.0	0.3413
1.5	0.4332
2.0	0.4772

10 정규분포 $\mathrm{N}(m,\ 1^2)$을 따르는 모집단에서 임의추출한 크기가 n인 표본의 표본평균이 80일 때, 모평균 m에 대한 신뢰도 99%의 신뢰구간이 $79.8\le m\le 80.2$이었다. 이때 n의 값을 구하여라.

(단, Z가 표준정규분포를 따르는 확률변수일 때, $\mathrm{P}(|Z|\le 3)=0.99$로 계산한다.)

11 정규분포 $\mathrm{N}(m,\ 10^2)$을 따르는 모집단에서 크기가 4인 표본을 임의추출하여 구한 표본평균 $\overline{X}$의 값을 $\overline{x}$라 하자. 모평균 m에 대한 신뢰도 α%의 신뢰구간이 $\overline{x}-7.3\le m\le\overline{x}+7.3$이라 할 때, 위의 표준정규분포표를 이용하여 α의 값을 구하여라.

z	$\mathrm{P}(0\le Z\le z)$
1.26	0.3962
1.36	0.4131
1.46	0.4279

12 표준편차가 σ인 정규분포를 따르는 모집단에서 크기가 n인 표본을 임의추출하여 모평균 m을 추정하였더니 신뢰도 89.8%의 신뢰구간의 길이는 l이고, 신뢰도 α%의 신뢰구간의 길이는 $2l$이었다. 이때 위의 표준정규분포표를 이용하여 α의 값을 구하여라.

z	$\mathrm{P}(0\le Z\le z)$
1.64	0.449
1.96	0.475
2.54	0.495
3.28	0.499

경우의 수

Sub Note 106쪽

01 여학생 3명과 남학생 6명이 원탁에 같은 간격으로 둘러앉으려고 한다. 각각의 여학생 사이에는 1명 이상의 남학생이 앉고 각각의 여학생 사이에 앉은 남학생의 수는 모두 다르다. 9명의 학생이 모두 앉는 경우의 수가 $n\times 6!$일 때, 자연수 n의 값은?

(단, 회전하여 일치하는 것은 같은 것으로 본다.)

① 10 ② 12 ③ 14
④ 16 ⑤ 18

02 그림과 같이 서로 접하고 크기가 같은 원 3개와 이 세 원의 중심을 꼭짓점으로 하는 정삼각형이 있다. 원의 내부 또는 정삼각형의 내부에 만들어지는 7개의 영역에 서로 다른 7가지 색을 모두 사용하여 칠하려고 한다. 한 영역에 한 가지 색만을 칠할 때, 색칠한 결과로 나올 수 있는 경우의 수는?

(단, 회전하여 일치하는 것은 같은 것으로 본다.)

① 1260 ② 1680 ③ 2520
④ 3760 ⑤ 5040

03 서로 다른 과일 5개를 3개의 그릇 A, B, C에 남김없이 담으려고 할 때, 그릇 A에는 과일 2개만 담는 경우의 수는?

(단, 과일을 하나도 담지 않은 그릇이 있을 수 있다.)

① 60 ② 65 ③ 70
④ 75 ⑤ 80

04 세 문자 a, b, c 중에서 중복을 허락하여 4개를 택해 일렬로 나열할 때, 문자 a가 두 번 이상 나오는 경우의 수를 구하시오.

05 서로 다른 세 종류의 과일이 각각 2개씩 모두 6개가 들어 있는 바구니가 있다. 이 바구니에서 4개의 과일을 선택하여 4명의 학생에게 각각 한 개씩 나누어 주는 방법의 수는?

(단, 같은 종류의 과일은 서로 구별하지 않는다.)

① 48 ② 54 ③ 60
④ 66 ⑤ 72

06 0을 한 개 이하 사용하여 만든 세 자리 자연수 중에서 각 자리의 수의 합이 3인 자연수는 111, 120, 210, 102, 201이다. 0을 한 개 이하 사용하여 만든 다섯 자리 자연수 중에서 각 자리의 수의 합이 5인 자연수의 개수를 구하시오.

07 그림과 같이 마름모 모양으로 연결된 도로망이 있다. 이 도로망을 따라 A지점에서 출발하여 C지점을 지나지 않고, D지점도 지나지 않으면서 B지점까지 최단 거리로 가는 경우의 수는?

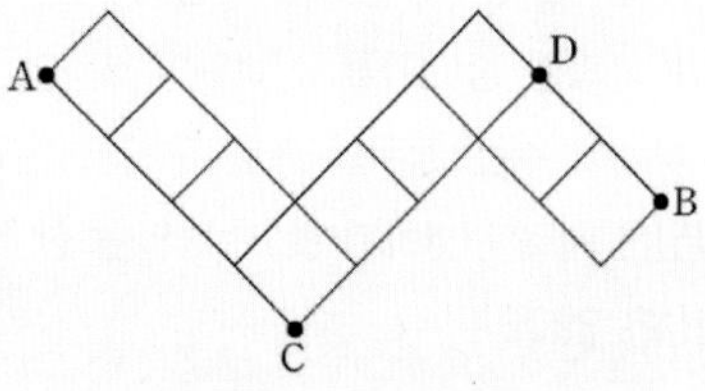

① 18 ② 20 ③ 22
④ 24 ⑤ 26

08 고구마피자, 새우피자, 불고기피자 중에서 m개를 주문하는 경우의 수가 36일 때, 고구마피자, 새우피자, 불고기피자를 적어도 하나씩 포함하여 m개를 주문하는 경우의 수는?

① 12 ② 15 ③ 18
④ 21 ⑤ 24

09 사과, 배, 귤 세 종류의 과일이 각각 2개씩 있다. 이 6개의 과일 중 4개를 선택하여 2명의 학생에게 남김없이 나누어 주는 경우의 수를 구하시오. (단, 같은 종류의 과일은 서로 구별하지 않고, 과일을 한 개도 받지 못하는 학생은 없다.)

10 다음 조건을 만족시키는 음이 아닌 정수 a, b, c의 모든 순서쌍 (a, b, c)의 개수를 구하시오.

(가) $a+b+c=7$
(나) $2^a \times 4^b$은 8의 배수이다.

11 집합 $X=\{1, 2, 3, 4, 5, 6, 7\}$에 대하여 다음 조건을 만족시키는 함수 $f: X \rightarrow X$의 개수를 구하시오.

> (가) 함수 f의 치역의 원소의 개수는 3이다.
> (나) 집합 X의 임의의 두 원소 x_1, x_2에 대하여 $x_1 < x_2$이면 $f(x_1) \le f(x_2)$이다.

12 $(x-1)^n$의 전개식에서 x^2의 계수가 -55일 때, x^3의 계수를 구하시오. (단, n은 자연수이다.)

13 빨간색, 파란색, 노란색 색연필이 있다. 각 색의 색연필을 적어도 하나씩 포함하여 15개 이하의 색연필을 선택하는 방법의 수를 구하시오. (단, 각 색의 색연필은 15개 이상씩 있고, 같은 색의 색연필은 서로 구별이 되지 않는다.)

01 주머니 안에 1, 2, 3, 4의 숫자가 하나씩 적혀 있는 4장의 카드가 있다. 주머니에서 갑이 2장의 카드를 임의로 뽑고 을이 남은 2장의 카드 중에서 1장의 카드를 임의로 뽑을 때, 갑이 뽑은 2장의 카드에 적힌 수의 곱이 을이 뽑은 카드에 적힌 수보다 작을 확률은?

① $\frac{1}{12}$ ② $\frac{1}{6}$ ③ $\frac{1}{4}$
④ $\frac{1}{3}$ ⑤ $\frac{5}{12}$

02 한국, 중국, 일본 학생이 2명씩 있다. 이 6명이 그림과 같이 좌석 번호가 지정된 6개의 좌석 중 임의로 1개씩 선택하여 앉을 때, 같은 나라의 두 학생끼리는 좌석 번호의 차가 1 또는 10이 되도록 앉게 될 확률은?

11	12	13

21	22	23

① $\frac{1}{20}$ ② $\frac{1}{10}$ ③ $\frac{3}{20}$
④ $\frac{1}{5}$ ⑤ $\frac{1}{4}$

03 상자 A에는 빨간 공 3개와 검은 공 5개가 들어 있고, 상자 B는 비어 있다. 상자 A에서 임의로 2개의 공을 꺼내어 빨간 공이 나오면 [실행 1]을, 빨간 공이 나오지 않으면 [실행 2]를 할 때, 상자 B에 있는 빨간 공의 개수가 1일 확률은?

> [실행 1] 꺼낸 공을 상자 B에 넣는다.
> [실행 2] 꺼낸 공을 상자 B에 넣고, 상자 A에서 임의로 2개의 공을 더 꺼내어 상자 B에 넣는다.

① $\frac{1}{2}$ ② $\frac{7}{12}$ ③ $\frac{2}{3}$
④ $\frac{3}{4}$ ⑤ $\frac{5}{6}$

04 두 사건 A, B에 대하여

$$\mathrm{P}(A\cap B)=\frac{2}{3}\mathrm{P}(A)=\frac{2}{5}\mathrm{P}(B)$$

일 때, $\frac{\mathrm{P}(A\cup B)}{\mathrm{P}(A\cap B)}$의 값은? (단, $\mathrm{P}(A\cap B)\neq 0$이다.)

① 3 ② $\frac{7}{2}$ ③ 4
④ $\frac{9}{2}$ ⑤ 5

05 그림과 같이 주머니에 ★ 모양의 스티커가 각각 1개씩 붙어 있는 카드 2장과 스티커가 붙어 있지 않은 카드 3장이 들어 있다.

이 주머니를 사용하여 다음의 시행을 한다.

> 주머니에서 임의로 2장의 카드를 동시에 꺼낸 다음, 꺼낸 카드에 ★ 모양의 스티커를 각각 1개씩 붙인 후 다시 주머니에 넣는다.

위의 시행을 2번 반복한 뒤 주머니 속에 ★ 모양의 스티커가 3개 붙어 있는 카드가 들어 있을 확률은 $\frac{q}{p}$ 이다. $p+q$의 값을 구하시오.

(단, p와 q는 서로소인 자연수이다.)

06 숫자 1, 2, 3, 4가 하나씩 적혀 있는 흰 공 4개와 숫자 4, 5, 6이 하나씩 적혀 있는 검은 공 3개가 있다. 이 7개의 공을 임의로 일렬로 나열할 때, 같은 숫자가 적혀 있는 공이 서로 이웃하지 않게 나열될 확률은 $\frac{q}{p}$이다. $p+q$의 값을 구하시오.

(단, p와 q는 서로소인 자연수이다.)

07 다음 좌석표에서 2행 2열 좌석을 제외한 8개의 좌석에 여학생 4명과 남학생 4명을 1명씩 임의로 배정할 때, 적어도 2명의 남학생이 서로 이웃하게 배정될 확률은 p이다. $70p$의 값을 구하시오.

(단, 2명이 같은 행의 바로 옆이나 같은 열의 바로 앞뒤에 있을 때 이웃한 것으로 본다.)

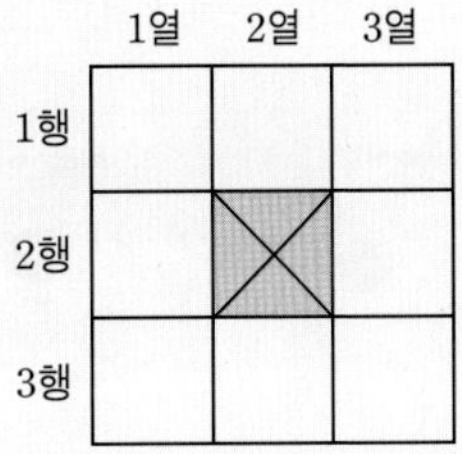

08 남학생 수와 여학생 수의 비가 $2:3$인 어느 고등학교에서 전체 학생의 70%가 K자격증을 가지고 있고, 나머지 30%는 가지고 있지 않다. 이 학교의 학생 중에서 임의로 한 명을 선택할 때, 이 학생이 K자격증을 가지고 있는 남학생일 확률이 $\frac{1}{5}$이다. 이 학교의 학생 중에서 임의로 선택한 학생이 K자격증을 가지고 있지 않을 때, 이 학생이 여학생일 확률은?

① $\frac{1}{4}$ ② $\frac{1}{3}$ ③ $\frac{5}{12}$
④ $\frac{1}{2}$ ⑤ $\frac{7}{12}$

09 주머니 A에는 흰 공 2개와 검은 공 3개가 들어 있고, 주머니 B에는 흰 공 1개와 검은 공 3개가 들어 있다. 주머니 A에서 임의로 1개의 공을 꺼내어 흰 공이면 흰 공 2개를 주머니 B에 넣고 검은 공이면 검은 공 2개를 주머니 B에 넣은 후, 주머니 B에서 임의로 1개의 공을 꺼낼 때 꺼낸 공이 흰 공일 확률은?

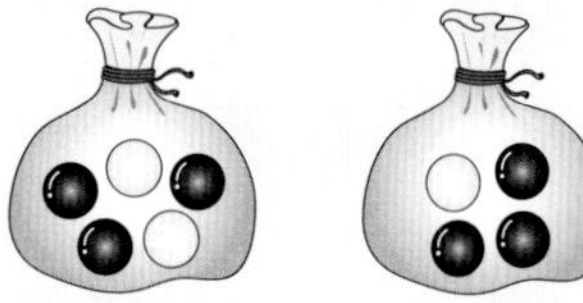

① $\frac{1}{6}$ ② $\frac{1}{5}$ ③ $\frac{7}{30}$
④ $\frac{4}{15}$ ⑤ $\frac{3}{10}$

10 5명의 학생 A, B, C, D, E가 같은 영화를 보기 위해 함께 상영관에 갔다. 상영관에는 그림과 같이 총 5개의 좌석만 남아 있었다. (가) 구역에는 1열에 2개의 좌석이 남아 있었고, (나) 구역에는 1열에 1개와 2열에 2개의 좌석이 남아 있었다.
5명의 학생 모두가 남아 있는 5개의 좌석을 임의로 배정받기로 하였다. 학생 A와 B가 서로 다른 구역의 좌석을 배정받았을 때, 학생 C와 D가 같은 구역에 있는 같은 열의 좌석을 배정받을 확률은?

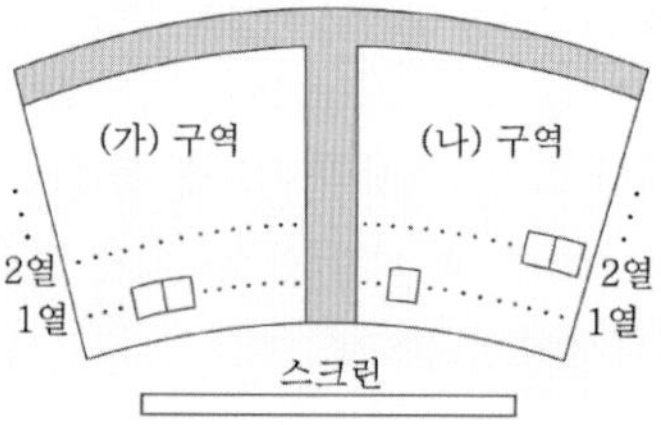

① $\frac{1}{18}$ ② $\frac{1}{12}$ ③ $\frac{1}{9}$
④ $\frac{5}{36}$ ⑤ $\frac{1}{6}$

11 흰 공 3개, 검은 공 4개가 들어 있는 주머니가 있다. 이 주머니에서 임의로 3개의 공을 동시에 꺼내어, 꺼낸 흰 공과 검은 공의 개수를 각각 m, n이라 하자. 이 시행에서 $2m \geq n$일 때, 꺼낸 흰 공의 개수가 2일 확률은 $\frac{q}{p}$이다. $p+q$의 값을 구하시오.

(단, p와 q는 서로소인 자연수이다.)

12 어느 디자인 공모 대회에 철수가 참가하였다. 참가자는 두 항목에서 점수를 받으며, 각 항목에서 받을 수 있는 점수는 표와 같이 3가지 중 하나이다. 철수가 각 항목에서 점수 A를 받을 확률은 $\frac{1}{2}$, 점수 B를 받을 확률은 $\frac{1}{3}$, 점수 C를 받을 확률은 $\frac{1}{6}$이다. 관람객 투표 점수를 받는 사건과 심사 위원 점수를 받는 사건이 서로 독립일 때, 철수가 받는 두 점수의 합이 70일 확률은?

항목 \ 점수	점수 A	점수 B	점수 C
관람객 투표	40	30	20
심사 위원	50	40	30

① $\frac{1}{3}$ ② $\frac{11}{36}$ ③ $\frac{5}{18}$
④ $\frac{1}{4}$ ⑤ $\frac{2}{9}$

13 한 개의 주사위를 한 번 던진다. 홀수의 눈이 나오는 사건을 A, 6 이하의 자연수 m에 대하여 m의 약수의 눈이 나오는 사건을 B라 하자. 두 사건 A와 B가 서로 독립이 되도록 하는 모든 m의 값의 합을 구하시오.

14 상자 A와 상자 B에 각각 6개의 공이 들어 있다. 동전 1개를 사용하여 다음 시행을 한다.

> 동전을 한 번 던져 앞면이 나오면 상자 A에서 공 1개를 꺼내어 상자 B에 넣고, 뒷면이 나오면 상자 B에서 공 1개를 꺼내어 상자 A에 넣는다.

위의 시행을 6번 반복할 때, 상자 B에 들어 있는 공의 개수가 6번째 시행 후 처음으로 8이 될 확률은?

① $\frac{1}{64}$ ② $\frac{3}{64}$ ③ $\frac{5}{64}$
④ $\frac{7}{64}$ ⑤ $\frac{9}{64}$

15 좌표평면의 원점에 점 A가 있다. 한 개의 동전을 사용하여 다음 시행을 한다.

> 동전을 한 번 던져 앞면이 나오면 점 A를 x축의 양의 방향으로 1만큼, 뒷면이 나오면 점 A를 y축의 양의 방향으로 1만큼 이동시킨다.

위의 시행을 반복하여 점 A의 x좌표 또는 y좌표가 처음으로 3이 되면 이 시행을 멈춘다. 점 A의 y좌표가 처음으로 3이 되었을 때, 점 A의 x좌표가 1일 확률은?

① $\frac{1}{4}$ ② $\frac{5}{16}$ ③ $\frac{3}{8}$
④ $\frac{7}{16}$ ⑤ $\frac{1}{2}$

01 이산확률변수 X의 확률질량함수가

$$P(X=x)=\frac{|x-4|}{7}\ (x=1,\ 2,\ 3,\ 4,\ 5)$$

일 때, $E(14X+5)$의 값은?

① 31 ② 35 ③ 39 ④ 43 ⑤ 47

02 확률변수 X의 확률분포를 표로 나타내면 다음과 같다.

X	-1	0	1	합계
$P(X=x)$	a	$\frac{1}{3}$	b	1

확률변수 X의 분산이 $\frac{5}{12}$일 때, $(a-b)^2$의 값은?

① 1 ② $\frac{1}{2}$ ③ $\frac{1}{3}$ ④ $\frac{1}{4}$ ⑤ $\frac{1}{5}$

03 1부터 5까지의 자연수가 각각 하나씩 적혀 있는 5개의 서랍이 있다. 5개의 서랍 중 영희에게 임의로 2개를 배정해 주려고 한다. 영희에게 배정되는 서랍에 적혀 있는 자연수 중 작은 수를 확률변수 X라 할 때, $E(10X)$의 값을 구하시오.

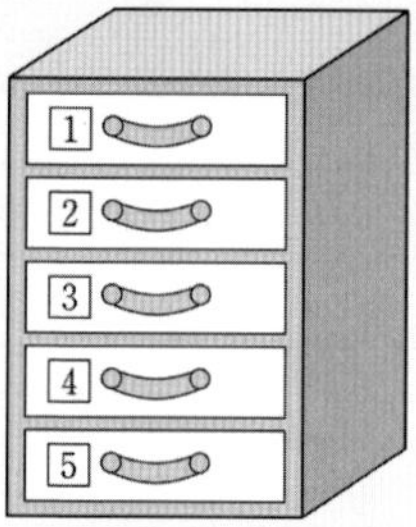

04 확률변수 X가 이항분포 $B(n,\ p)$를 따른다. 확률변수 $2X-5$의 평균과 표준편차가 각각 175와 12일 때, n의 값은?

① 130 ② 135 ③ 140 ④ 145 ⑤ 150

05 좌표평면 위의 한 점 (x, y)에서 세 점 $(x+1, y)$, $(x, y+1)$, $(x+1, y+1)$ 중 한 점으로 이동하는 것을 점프라 하자. 점프를 반복하여 점 $(0, 0)$에서 점 $(4, 3)$까지 이동하는 모든 경우 중에서, 임의로 한 경우를 선택할 때 나오는 점프의 횟수를 확률변수 X라 하자. 다음은 확률변수 X의 평균 $\mathrm{E}(X)$를 구하는 과정이다. (단, 각 경우가 선택되는 확률은 동일하다.)

> 점프를 반복하여 점 $(0, 0)$에서 점 $(4, 3)$까지 이동하는 모든 경우의 수를 N이라 하자. 확률변수 X가 가질 수 있는 값 중 가장 작은 값을 k라 하면 $k=$ (가) 이고, 가장 큰 값은 $k+3$이다.
>
> $$\mathrm{P}(X=k)=\frac{1}{N}\times\frac{4!}{3!}=\frac{4}{N}$$
>
> $$\mathrm{P}(X=k+1)=\frac{1}{N}\times\frac{5!}{2!2!}=\frac{30}{N}$$
>
> $$\mathrm{P}(X=k+2)=\frac{1}{N}\times \boxed{(나)}$$
>
> $$\mathrm{P}(X=k+3)=\frac{1}{N}\times\frac{7!}{3!4!}=\frac{35}{N}$$
>
> 이고
>
> $$\mathrm{P}(X=k)+\mathrm{P}(X=k+1)+\mathrm{P}(X=k+2)+\mathrm{P}(X=k+3)=1$$
>
> 이므로 $N=$ (다) 이다.
>
> 따라서 확률변수 X의 평균 $\mathrm{E}(X)$는 다음과 같다.
>
> $$\mathrm{E}(X)=\frac{257}{43}$$

위의 (가), (나), (다)에 알맞은 수를 각각 a, b, c라 할 때, $a+b+c$의 값은?

① 190 ② 193 ③ 196
④ 199 ⑤ 202

06 연속확률변수 X가 갖는 값의 범위는 $0\le X\le 4$이고 X의 확률밀도함수의 그래프는 다음과 같다. $100\mathrm{P}(0\le X\le 2)$의 값을 구하시오.

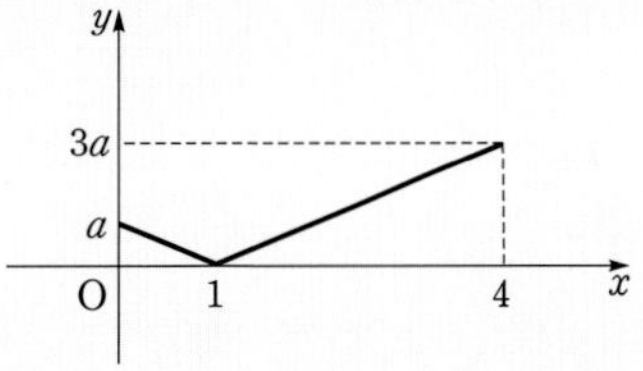

07 $0\le x\le 3$에서 정의된 연속확률변수 X에 대하여

$$\mathrm{P}(x\le X\le 3)=a(3-x)\ \ (0\le x\le 3)$$

이 성립할 때, $\mathrm{P}(0\le X<a)=\frac{q}{p}$이다. $p+q$의 값을 구하시오. (단, a는 상수이고, p와 q는 서로소인 자연수이다.)

08 확률변수 X가 정규분포 $\mathrm{N}(4,\ 3^2)$을 따를 때,

$$\mathrm{P}(X\le 1)+\mathrm{P}(X\le 2)+\mathrm{P}(X\le 3)+\cdots+\mathrm{P}(X\le 7)=a$$

이다. $10a$의 값을 구하시오.

09 확률변수 X는 평균이 m, 표준편차가 5인 정규분포를 따르고, 확률변수 X의 확률밀도함수 $f(x)$가 다음 조건을 만족시킨다.

(가) $f(10)>f(20)$
(나) $f(4)<f(22)$

m이 자연수일 때 $P(17\le X\le 18)=a$이다. $1000a$의 값을 오른쪽 표준정규분포표를 이용하여 구하시오.

z	$\mathrm{P}(0\le Z\le z)$
0.6	0.226
0.8	0.288
1.0	0.341
1.2	0.385
1.4	0.419

10 확률변수 X가 평균이 m, 표준편차가 σ인 정규분포를 따르고

$$\mathrm{P}(X\le 3)=\mathrm{P}(3\le X\le 80)=0.3$$

일 때, $m+\sigma$의 값을 구하시오.
(단, Z가 표준정규분포를 따르는 확률변수일 때, $\mathrm{P}(0\le Z\le 0.25)=0.1$, $\mathrm{P}(0\le Z\le 0.52)=0.2$로 계산한다.)

11 주머니 속에 1의 숫자가 적혀 있는 공 1개, 3의 숫자가 적혀 있는 공 n개가 들어 있다. 이 주머니에서 임의로 1개의 공을 꺼내어 공에 적혀 있는 수를 확인한 후 다시 넣는다. 이와 같은 시행을 2번 반복하여 얻은 두 수의 평균을 $\overline{X}$라 하자. $\mathrm{P}(\overline{X}=1)=\frac{1}{49}$일 때, $\mathrm{E}(\overline{X})=\frac{q}{p}$이다. $p+q$의 값을 구하시오.

(단, p와 q는 서로소인 자연수이다.)

12 어느 학교 학생들의 통학 시간은 평균이 50분, 표준편차가 σ분인 정규분포를 따른다.
이 학교 학생들을 대상으로 16명을 임의추출하여 조사한 통학 시간의 표본평균을 $\overline{X}$라 하자. $P(50 \le \overline{X} \le 56) = 0.4332$일 때, σ의 값을 위의 표준정규분포표를 이용하여 구하시오.

z	$P(0 \le Z \le z)$
1.0	0.3413
1.5	0.4332
2.0	0.4772

13 어느 고등학교 학생들의 1개월 자율학습실 이용 시간은 평균이 m, 표준편차가 5인 정규분포를 따른다고 한다. 이 고등학교 학생 25명을 임의추출하여 1개월 자율학습실 이용 시간을 조사한 표본평균이 $\overline{x_1}$일 때, 모평균 m에 대한 신뢰도 95 %의 신뢰구간이 $80-a \le m \le 80+a$이었다.
또 이 고등학교 학생 n명을 임의추출하여 1개월 자율학습실 이용 시간을 조사한 표본평균이 $\overline{x_2}$일 때, 모평균 m에 대한 신뢰도 95 %의 신뢰구간이 다음과 같다.

$$\frac{15}{16}\overline{x_1} - \frac{5}{7}a \le m \le \frac{15}{16}\overline{x_1} + \frac{5}{7}a$$

$n+\overline{x_2}$의 값은? (단, 이용 시간의 단위는 시간이고, Z가 표준정규분포를 따르는 확률변수일 때, $P(0 \le Z \le 1.96) = 0.475$로 계산한다.)

① 121 ② 124 ③ 127
④ 130 ⑤ 133

14 어느 회사 직원들의 하루 여가 활동 시간은 모평균이 m, 모표준편차가 10인 정규분포를 따른다고 한다. 이 회사 직원 중 n명을 임의추출하여 신뢰도 95 %로 추정한 모평균 m에 대한 신뢰구간이 $38.08 \le m \le 45.92$일 때, n의 값은?
(단, 시간의 단위는 분이고, Z가 표준정규분포를 따르는 확률변수일 때, $P(0 \le Z \le 1.96) = 0.475$로 계산한다.)

① 25 ② 36 ③ 49
④ 64 ⑤ 81

15 어느 공장에서 생산되는 제품의 길이는 모표준편차가 $\frac{1}{1.96}$인 정규분포를 따른다고 한다. 이 공장에서 생산되는 제품 중에서 임의추출한 10개 제품의 길이를 측정하여 표본평균을 구하였다. 이 표본평균을 이용하여 구한 제품의 길이의 모평균 m에 대한 신뢰도 95 %의 신뢰구간을 $\alpha \le m \le \beta$라 하자. α와 β가 이차방정식 $10x^2 - 100x + k = 0$의 두 근일 때, k의 값을 구하시오.
(단, 표준정규분포를 따르는 확률변수 Z에 대하여 $P(0 \le Z \le 1.96) = 0.4750$이다.)

표준정규분포표

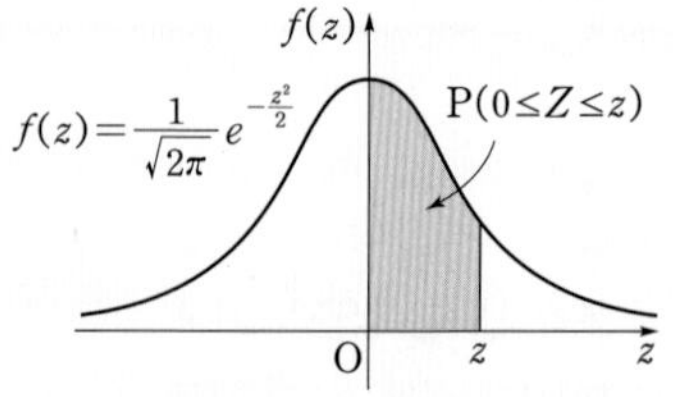

수	0.00	0.01	0.02	0.03	0.04	0.05	0.06	0.07	0.08	0.09
0.0	0.0000	0.0040	0.0080	0.0120	0.0160	0.0199	0.0239	0.0279	0.0319	0.0359
0.1	0.0398	0.0438	0.0478	0.0517	0.0557	0.0596	0.0636	0.0675	0.0714	0.0753
0.2	0.0793	0.0832	0.0871	0.0910	0.0948	0.0987	0.1026	0.1064	0.1103	0.1141
0.3	0.1179	0.1217	0.1255	0.1293	0.1331	0.1368	0.1406	0.1443	0.1480	0.1517
0.4	0.1554	0.1591	0.1628	0.1664	0.1700	0.1736	0.1772	0.1808	0.1844	0.1879
0.5	0.1915	0.1950	0.1985	0.2019	0.2054	0.2088	0.2123	0.2157	0.2190	0.2224
0.6	0.2257	0.2291	0.2324	0.2357	0.2389	0.2422	0.2454	0.2486	0.2517	0.2549
0.7	0.2580	0.2611	0.2642	0.2673	0.2704	0.2734	0.2764	0.2794	0.2823	0.2852
0.8	0.2881	0.2910	0.2939	0.2967	0.2995	0.3023	0.3051	0.3078	0.3106	0.3133
0.9	0.3159	0.3186	0.3212	0.3238	0.3264	0.3289	0.3315	0.3340	0.3365	0.3389
1.0	0.3413	0.3438	0.3461	0.3485	0.3508	0.3531	0.3554	0.3577	0.3599	0.3621
1.1	0.3643	0.3665	0.3686	0.3708	0.3729	0.3749	0.3770	0.3790	0.3810	0.3830
1.2	0.3849	0.3869	0.3888	0.3907	0.3925	0.3944	0.3962	0.3980	0.3997	0.4015
1.3	0.4032	0.4049	0.4066	0.4082	0.4099	0.4115	0.4131	0.4147	0.4162	0.4177
1.4	0.4192	0.4207	0.4222	0.4236	0.4251	0.4265	0.4279	0.4292	0.4306	0.4319
1.5	0.4332	0.4345	0.4357	0.4370	0.4382	0.4394	0.4406	0.4418	0.4429	0.4441
1.6	0.4452	0.4463	0.4474	0.4484	0.4495	0.4505	0.4515	0.4525	0.4535	0.4545
1.7	0.4554	0.4564	0.4573	0.4582	0.4591	0.4599	0.4608	0.4616	0.4625	0.4633
1.8	0.4641	0.4649	0.4656	0.4664	0.4671	0.4678	0.4686	0.4693	0.4699	0.4706
1.9	0.4713	0.4719	0.4726	0.4732	0.4738	0.4744	0.4750	0.4756	0.4761	0.4767
2.0	0.4772	0.4778	0.4783	0.4788	0.4793	0.4798	0.4803	0.4808	0.4812	0.4817
2.1	0.4821	0.4826	0.4830	0.4834	0.4838	0.4842	0.4846	0.4850	0.4854	0.4857
2.2	0.4861	0.4864	0.4868	0.4871	0.4875	0.4878	0.4881	0.4884	0.4887	0.4890
2.3	0.4893	0.4896	0.4898	0.4901	0.4904	0.4906	0.4909	0.4911	0.4913	0.4916
2.4	0.4918	0.4920	0.4922	0.4925	0.4927	0.4929	0.4931	0.4932	0.4934	0.4936
2.5	0.4938	0.4940	0.4941	0.4943	0.4945	0.4946	0.4948	0.4949	0.4951	0.4952
2.6	0.4953	0.4955	0.4956	0.4957	0.4959	0.4960	0.4961	0.4962	0.4963	0.4964
2.7	0.4965	0.4966	0.4967	0.4968	0.4969	0.4970	0.4971	0.4972	0.4973	0.4974
2.8	0.4974	0.4975	0.4976	0.4977	0.4977	0.4978	0.4979	0.4980	0.4980	0.4981
2.9	0.4981	0.4982	0.4983	0.4983	0.4984	0.4984	0.4985	0.4985	0.4986	0.4986
3.0	0.4987	0.4987	0.4987	0.4988	0.4988	0.4989	0.4989	0.4989	0.4990	0.4990
3.1	0.4990	0.4991	0.4991	0.4991	0.4992	0.4992	0.4992	0.4992	0.4993	0.4993
3.2	0.4993	0.4993	0.4994	0.4994	0.4994	0.4994	0.4994	0.4995	0.4995	0.4995
3.3	0.4995	0.4995	0.4996	0.4996	0.4996	0.4996	0.4996	0.4996	0.4996	0.4997
3.4	0.4997	0.4997	0.4997	0.4997	0.4997	0.4997	0.4997	0.4997	0.4998	0.4998

M / E / M / O T · H · I · N · K · M · O · R · E · A · B · O · U · T · Y · O · U · R · F · U · T · U · R · E

M/E/M/O

T·H·I·N·K·M·O·R·E·A·B·O·U·T·Y·O·U·R·F·U·T·U·R·E

M/E/M/O

T·H·I·N·K·M·O·R·E·A·B·O·U·T·Y·O·U·R·F·U·T·U·R·E

M/E/M/O

T·H·I·N·K·M·O·R·E·A·B·O·U·T·Y·O·U·R·F·U·T·U·R·E

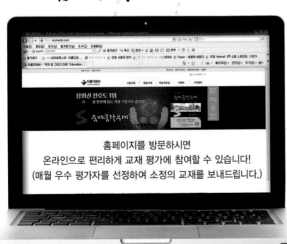

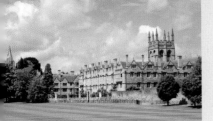

SUMMA CUM LAUDE

튼튼한 개념! 흔들리지 않는 실력!

숨마쿰라우데®

[수학 기본서]

확률과 통계

秘 서브노트 SUB NOTE

내신·수능
필수 개념서

SUMMA CUM LAUDE

숨마쿰라우데®

[수학 기본서]

확률과 통계

秘 서브노트 SUB NOTE

이룸이앤비
Education & Books

I 경우의 수

1. 여러 가지 순열

APPLICATION SUMMA CUM LAUDE

001 (1) 120 (2) 12 (3) 72 (4) 16 **002** 30
003 1680 **004** (1) 4 (2) 5 (3) 3
005 (1) 6480 (2) 3888 (3) 3240 **006** 729
007 1024 **008** (1) 1260 (2) 900 (3) 660
009 360 **010** 20

001 (1) 6명이 원탁에 둘러앉는 경우의 수는

$(6-1)!=5!=\mathbf{120}$

(2) D는 항상 E와 F 사이에 앉아야 하므로
D, E, F를 한 사람으로 생각하여 A, B, C, (EDF)의 4명이 원탁에 둘러앉는 경우의 수는

$(4-1)!=3!=6$

D를 중심으로 E와 F가 자리를 바꾸는 경우의 수는 $2!=2$이므로 구하는 경우의 수는

$6\times2=\mathbf{12}$

(3) 먼저 A와 B가 이웃하여 앉는 경우를 생각해 보자.
A, B를 한 사람으로 생각하여 (AB), C, D, E, F의 5명이 원탁에 둘러앉는 경우의 수는

$(5-1)!=4!=24$

A와 B가 서로 자리를 바꾸는 경우의 수는 $2!=2$이므로 A와 B가 이웃하여 앉는 경우의 수는

$24\times2=48$

(1)에서 모든 경우의 수가 120이므로 A와 B가 이웃하지 않게 앉는 경우의 수는

$120-48=\mathbf{72}$

(4) A와 B, C와 D, E와 F를 각각 한 사람이라고 생각하여 3명이 원탁에 둘러앉는 경우의 수는

$(3-1)!=2!=2$

A와 B, C와 D, E와 F가 서로 자리를 바꾸는 경우의 수는 각각 $2!=2$이므로 구하는 경우의 수는

$2\times2\times2\times2=\mathbf{16}$

답 (1) 120 (2) 12 (3) 72 (4) 16

002 정사각뿔의 밑면을 칠하는 경우의 수는

5

남은 4가지 색으로 옆면을 칠하는 경우의 수는

$(4-1)!=3!=6$

따라서 구하는 경우의 수는

$5\times6=\mathbf{30}$

답 30

003 7명 중 1명이 한가운데에 앉는 경우의 수는

7

남은 6명을 원형으로 배열하는 경우의 수는

$(6-1)!=5!=120$

이때 원형으로 배열하는 한 가지 경우에 대하여 정삼각형 모양으로 놓인 6개의 의자에서 기준이 되는 한 명이 앉을 수 있는 자리는 그림과 같이 2가지이므로 6명이 정삼각형 모양으로 둘러앉는 경우의 수는

$120\times2=240$

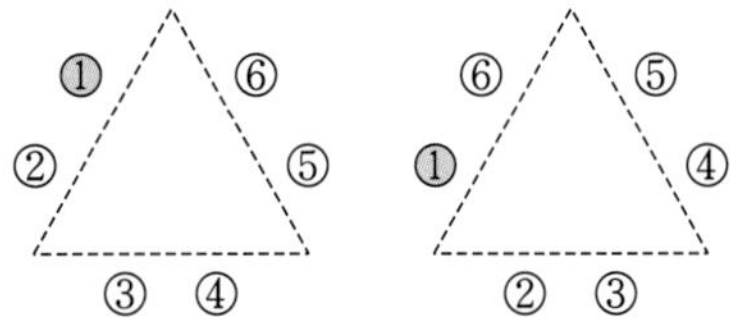

따라서 구하는 경우의 수는

$7\times240=\mathbf{1680}$

답 1680

004 (1) ${}_n\Pi_3={}_2\Pi_6$에서 $n^3=2^6=(2^2)^3=4^3$

$\therefore n=\mathbf{4}$ ($\because n$은 자연수)

(2) ${}_n\Pi_4=625$에서 $n^4=625=5^4$

$\therefore n=\mathbf{5}$ ($\because n$은 자연수)

(3) ${}_3\Pi_n=27$에서 $3^n=27=3^3$

$\therefore n=\mathbf{3}$

답 (1) 4 (2) 5 (3) 3

005 (1) 만의 자리에는 0을 제외한 1, 2, 3, 4, 5의 5가지만 올 수 있고, 천의 자리, 백의 자리, 십의 자리, 일의 자리에는 0, 1, 2, 3, 4, 5로 각각 6가지가 올 수 있으므로 자연수의 개수는

$5\times{}_6\Pi_4=5\times6^4=\mathbf{6480}$

(2) 만의 자리에는 3, 4, 5의 3가지만 올 수 있고, 천의 자리, 백의 자리, 십의 자리, 일의 자리에는 0, 1, 2, 3, 4, 5로 각각 6가지가 올 수 있으므로 30000 이상인 자연수의 개수는

$3\times{}_6\Pi_4=3\times6^4=\mathbf{3888}$

(3) 만의 자리에는 1, 2, 3, 4, 5의 5가지만 올 수 있고, 천의 자리, 백의 자리, 십의 자리에는 0, 1, 2, 3, 4, 5로 각각 6가지가 올 수 있으며 일의 자리에는 0, 2, 4의 3가지만 올 수 있으므로 짝수의 개수는

$5\times{}_6\Pi_3\times3=5\times6^3\times3=\mathbf{3240}$

답 (1) 6480 (2) 3888 (3) 3240

006 3명의 후보를 a, b, c라 하면 각각의 유권자가 선택할 수 있는 후보는 a, b, c로 3가지씩이다.
따라서 6명이 기명투표를 하는 경우의 수는 a, b, c에서 중복을 허락하여 6개를 택하는 중복순열의 수와 같으므로

${}_3\Pi_6=3^6=\mathbf{729}$ 답 729

007 축구선수 2명을 한 사람으로 생각하면 5명을 A, B, C, D의 네 반에 편성하는 경우의 수를 구하는 것과 같다. 이는 A, B, C, D에서 중복을 허락하여 5개를 택하는 중복순열의 수와 같으므로

${}_4\Pi_5=4^5=\mathbf{1024}$ 답 1024

008 (1) S가 1개, U가 1개, C가 2개, E가 2개, D가 1개이므로 만들 수 있는 모든 문자열의 개수는

$\frac{7!}{2!2!}=\mathbf{1260}$

(2) S와 D가 서로 이웃하는 문자열의 개수를 구해 보자.
S, D를 한 문자로 보고 6개의 문자 (SD), U, C, C, E, E를 일렬로 나열하는 경우의 수는

$\frac{6!}{2!2!}=180$

묶음 안의 S, D를 일렬로 나열하는 경우의 수는

$2!=2$

따라서 S와 D가 서로 이웃하는 문자열의 개수는

$180\times2=360$

(1)에서 만들 수 있는 모든 문자열의 개수가 1260이므로 구하는 문자열의 개수는

$1260-360=\mathbf{900}$

다른 풀이 U, C, C, E, E를 일렬로 나열하는 경우의 수는

$\frac{5!}{2!2!}=30$

5개의 문자 사이사이와 양 끝에 S와 D를 각각 넣으면 된다. 즉, 6개의 공간에서 2개를 택하여 S와 D를 넣는 경우의 수는 ${}_6P_2=30$

따라서 구하는 문자열의 개수는

$30\times30=900$

(3) 2개의 C가 서로 이웃하는 문자열의 개수는 2개의 C를 한 문자로 보고 6개의 문자 S, U, (CC), E, E, D를 일렬로 나열하는 경우의 수와 같으므로

$\frac{6!}{2!}=360$

마찬가지로 2개의 E가 서로 이웃하는 문자열의 개수는

$\frac{6!}{2!}=360$

2개의 C와 2개의 E가 동시에 이웃하는 문자열의 개수는 2개의 C와 2개의 E를 각각 한 문자로 보고 5개의 문자 S, U, (CC), (EE), D를 일렬로 나열하는 경우의 수와 같으므로

$5!=120$

즉, 같은 문자가 서로 이웃하는 문자열의 개수는

$360+360-120=600$

(1)에서 만들 수 있는 모든 문자열의 개수가 1260이므로 구하는 문자열의 개수는

$1260-600=\mathbf{660}$

답 (1) 1260 (2) 900 (3) 660

009 7개의 숫자 0, 1, 1, 2, 2, 2, 3을 일렬로 나열하는 경우의 수는

$\frac{7!}{2!3!}=420$

이때 맨 앞자리에 0이 오는 경우의 수는 6개의 숫자 1, 1, 2, 2, 2, 3을 일렬로 나열하는 경우의 수와 같으므로

$\frac{6!}{2!3!}=60$

따라서 구하는 일곱 자리 자연수의 개수는

$420-60=\mathbf{360}$ 답 360

010 다음 그림에서 두 지점 P와 Q를 지나가는 경로를 생각해 보자.

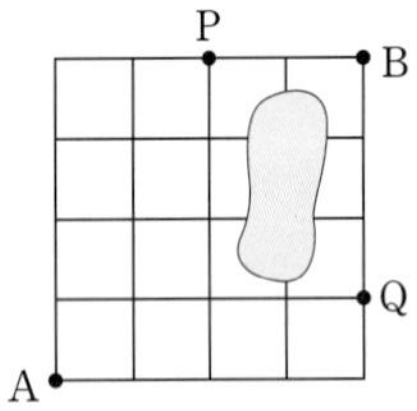

(i) A → P → B로 가는 최단 경로의 수는

$\frac{6!}{2!4!}\times 1=15$

(ii) A → Q → B로 가는 최단 경로의 수는

$\frac{5!}{4!}\times 1=5$

(i), (ii)에 의하여 A지점에서 B지점까지 가는 최단 경로의 수는

$15+5=\mathbf{20}$ 답 20

2. 중복조합과 이항정리

APPLICATION SUMMA CUM LAUDE

011 (1) 70 (2) 84 (3) 10
012 (1) 11 (2) 6 (3) 3 또는 4 **013** 1771
014 20 **015** 84 **016** 165 **017** 36
018 330 **019** 풀이 참조
020 (1) -14 (2) -672 **021** 2
022 (1) 2 (2) 9 **023** (1) 511 (2) 2^{40}
024 4368

011 (1) ${}_5H_4={}_{5+4-1}C_4={}_8C_4=\mathbf{70}$

(2) ${}_4H_6={}_{4+6-1}C_6={}_9C_6={}_9C_3=\mathbf{84}$

(3) ${}_3H_3={}_{3+3-1}C_3={}_5C_3={}_5C_2=\mathbf{10}$

답 (1) 70 (2) 84 (3) 10

012 (1) ${}_8H_4={}_{8+4-1}C_4={}_{11}C_4={}_{11}C_7$

$\therefore n=\mathbf{11}$

(2) ${}_3H_n={}_{3+n-1}C_n={}_{2+n}C_n={}_{2+n}C_2$

$=\frac{(2+n)(1+n)}{2}=28$

$(2+n)(1+n)=56=8\times 7$이므로

$2+n=8 \qquad \therefore n=\mathbf{6}$

(3) ${}_4H_4={}_{4+4-1}C_4={}_7C_4={}_7C_3$

$\therefore n=\mathbf{3}$ **또는** $n=\mathbf{4}$

답 (1) 11 (2) 6 (3) 3 또는 4

013 구하는 경우의 수는 서로 다른 4개에서 중복을 허락하여 20개를 택하는 중복조합의 수와 같으므로

${}_4H_{20}={}_{4+20-1}C_{20}={}_{23}C_{20}={}_{23}C_3=\mathbf{1771}$ 답 1771

014 먼저 사과, 포도, 귤, 복숭아를 각각 한 개씩 선택한 후 나머지 3개를 선택하면 된다.

따라서 구하는 경우의 수는 서로 다른 4개에서 중복을 허락하여 3개를 택하는 중복조합의 수와 같으므로

$_4H_3 = {}_{4+3-1}C_3 = {}_6C_3 = \mathbf{20}$ 답 20

015 먼저 빨간색 깃발 2개, 파란색 깃발 3개를 선택한 후 나머지 6개를 선택하면 된다.
따라서 구하는 경우의 수는 서로 다른 4개에서 중복을 허락하여 6개를 택하는 중복조합의 수와 같으므로

$_4H_6 = {}_{4+6-1}C_6 = {}_9C_6 = {}_9C_3 = \mathbf{84}$ 답 84

016 $x \ge 1$, $y \ge 1$, $z \ge 1$, $w \ge 1$이므로

$x = x'+1$, $y = y'+1$, $z = z'+1$, $w = w'+1$

로 놓으면 방정식 $x+y+z+w=12$에서

$(x'+1)+(y'+1)+(z'+1)+(w'+1)=12$

$\therefore x'+y'+z'+w'=8$

(단, $x' \ge 0$, $y' \ge 0$, $z' \ge 0$, $w' \ge 0$)

즉, 구하는 해의 개수는 4개의 문자 x', y', z', w'에서 중복을 허락하여 8개를 택하는 중복조합의 수와 같으므로

$_4H_8 = {}_{4+8-1}C_8 = {}_{11}C_8 = {}_{11}C_3 = \mathbf{165}$ 답 165

017 $(x+y+z)^7$

$= (x+y+z)(x+y+z)(x+y+z)$
$(x+y+z)(x+y+z)(x+y+z)$
$(x+y+z)$

이므로 $(x+y+z)^7$의 전개식에서 각 항은 위 식의 우변의 7개의 인수에서 각각 x, y, z 중 하나씩 택하여 곱한 것이다.
따라서 구하는 항의 개수는 세 문자 x, y, z에서 중복을 허락하여 7개를 택하는 중복조합의 수와 같으므로

$_3H_7 = {}_{3+7-1}C_7 = {}_9C_7 = {}_9C_2 = \mathbf{36}$

[참고] $(x_1+x_2+x_3+\cdots+x_m)^n$의 전개식에서 서로 다른 항의 개수는 $_mH_n$이다.

한편 $(x+y+z)^7$의 전개식에서 각 항은 모두 $x^a y^b z^c$ 꼴이고 이때 a, b, c는 $a+b+c=7$을 만족시키는 음이 아닌 정수임을 이용해서 답을 구해도 된다. 답 36

018 3에서 10까지의 8개의 자연수 중에서 중복을 허락하여 4개를 택한 후 작은 수부터 차례대로 a, b, c, d에 대응시키면 된다.
따라서 구하는 순서쌍 (a, b, c, d)의 개수는 서로 다른 8개에서 중복을 허락하여 4개를 택하는 중복조합의 수와 같으므로

$_8H_4 = {}_{8+4-1}C_4 = {}_{11}C_4 = \mathbf{330}$ 답 330

019 (1) $(a-b)^4$

$= {}_4C_0a^4 + {}_4C_1a^3\cdot(-b) + {}_4C_2a^2\cdot(-b)^2 + {}_4C_3a\cdot(-b)^3 + {}_4C_4(-b)^4$

$= \mathbf{a^4 - 4a^3b + 6a^2b^2 - 4ab^3 + b^4}$

(2) $(2a+5)^5 = {}_5C_0(2a)^5 + {}_5C_1(2a)^4\cdot 5 + {}_5C_2(2a)^3\cdot 5^2 + {}_5C_3(2a)^2\cdot 5^3 + {}_5C_4 2a\cdot 5^4 + {}_5C_5 5^5$

$= \mathbf{32a^5 + 400a^4 + 2000a^3 + 5000a^2 + 6250a + 3125}$

(3) $(2x+3y)^6 = {}_6C_0(2x)^6 + {}_6C_1(2x)^5\cdot 3y + {}_6C_2(2x)^4\cdot(3y)^2 + {}_6C_3(2x)^3\cdot(3y)^3 + {}_6C_4(2x)^2\cdot(3y)^4 + {}_6C_5 2x\cdot(3y)^5 + {}_6C_6(3y)^6$

$= \mathbf{64x^6 + 576x^5y + 2160x^4y^2 + 4320x^3y^3 + 4860x^2y^4 + 2916xy^5 + 729y^6}$

(4) $(3x-1)^5 = {}_5C_0(3x)^5 + {}_5C_1(3x)^4\cdot(-1) + {}_5C_2(3x)^3\cdot(-1)^2 + {}_5C_3(3x)^2\cdot(-1)^3 + {}_5C_4 3x\cdot(-1)^4 + {}_5C_5(-1)^5$

$= \mathbf{243x^5 - 405x^4 + 270x^3 - 90x^2 + 15x - 1}$ 답 풀이 참조

020 $\left(x-\frac{2}{x}\right)^7$의 전개식의 일반항은

$${}_7C_r x^{7-r}\left(-\frac{2}{x}\right)^r={}_7C_r(-2)^r\frac{x^{7-r}}{x^r}$$

(1) $7-r-r=5$이어야 하므로

$2r=2 \quad \therefore r=1$

따라서 x^5의 계수는 $\quad {}_7C_1(-2)^1=\mathbf{-14}$

(2) $r-(7-r)=3$이어야 하므로

$2r=10 \quad \therefore r=5$

따라서 $\frac{1}{x^3}$의 계수는 $\quad {}_7C_5(-2)^5=\mathbf{-672}$

답 (1) -14 (2) -672

021 $\left(kx+\frac{1}{x^2}\right)^6$의 전개식의 일반항은

$${}_6C_r(kx)^{6-r}\left(\frac{1}{x^2}\right)^r={}_6C_r k^{6-r}\frac{x^{6-r}}{x^{2r}}$$

상수항은 $6-r=2r$일 때이므로 $\quad r=2$

이때 상수항이 240이므로

${}_6C_2k^4=240,\ 15k^4=240$

$k^4=16 \quad \therefore k=\mathbf{2}\ (\because k>0)$

답 2

022 (1) ${}_nC_0-{}_nC_1+{}_nC_2-\cdots+(-1)^n{}_nC_n=0$

이므로

${}_{12}C_0-{}_{12}C_1+{}_{12}C_2-{}_{12}C_3+\cdots-{}_{12}C_{11}+{}_{12}C_{12}=0$

${}_{12}C_0-({}_{12}C_1-{}_{12}C_2+{}_{12}C_3-\cdots+{}_{12}C_{11})+{}_{12}C_{12}=0$

$\therefore {}_{12}C_1-{}_{12}C_2+{}_{12}C_3-\cdots+{}_{12}C_{11}={}_{12}C_0+{}_{12}C_{12}$

$=1+1=\mathbf{2}$

(2) ${}_nC_0+{}_nC_1+{}_nC_2+\cdots+{}_nC_n=2^n$이므로

${}_nC_1+{}_nC_2+{}_nC_3+\cdots+{}_nC_n=2^n-{}_nC_0=2^n-1$

따라서 주어진 식은

$500<2^n-1<600 \iff 501<2^n<601$

이때 $2^8=256,\ 2^9=512,\ 2^{10}=1024$이므로 부등식을 만족시키는 n의 값은 **9**이다.

답 (1) 2 (2) 9

023 (1) ${}_{10}C_0+{}_{10}C_2+{}_{10}C_4+\cdots+{}_{10}C_{10}=2^{10-1}=2^9$

이므로

${}_{10}C_2+{}_{10}C_4+\cdots+{}_{10}C_{10}=2^9-1$

$=512-1=\mathbf{511}$

(2) ${}_{41}C_0+{}_{41}C_1+\cdots+{}_{41}C_{41}=2^{41}$이고,

${}_{41}C_0={}_{41}C_{41},\ {}_{41}C_1={}_{41}C_{40},\ \cdots,\ {}_{41}C_{20}={}_{41}C_{21}$에서

${}_{41}C_0+{}_{41}C_1+\cdots+{}_{41}C_{20}={}_{41}C_{41}+{}_{41}C_{40}+\cdots+{}_{41}C_{21}$

이므로

$${}_{41}C_0+{}_{41}C_1+\cdots+{}_{41}C_{20}=\frac{1}{2}\times 2^{41}=\mathbf{2^{40}}$$

답 (1) 511 (2) 2^{40}

024 ${}_4C_4={}_5C_5=1$이고, ${}_{n-1}C_{r-1}+{}_{n-1}C_r={}_nC_r$이므로

${}_4C_4+{}_5C_4+{}_6C_4+{}_7C_4+\cdots+{}_{15}C_4$

$=({}_5C_5+{}_5C_4)+{}_6C_4+{}_7C_4+\cdots+{}_{15}C_4$

$=({}_6C_5+{}_6C_4)+{}_7C_4+\cdots+{}_{15}C_4$

$=({}_7C_5+{}_7C_4)+\cdots+{}_{15}C_4$

$\vdots$

$={}_{15}C_5+{}_{15}C_4$

$={}_{16}C_5=\mathbf{4368}$

다른 풀이 파스칼의 삼각형의 하키스틱의 법칙에 의하여 ${}_4C_4=1$에서 시작하여 대각선 방향으로 더하면 꺾여 내려진 곳의 수와 같으므로

${}_4C_4+{}_5C_4+{}_6C_4+{}_7C_4+\cdots+{}_{15}C_4={}_{16}C_5=4368$

답 4368

Ⅱ 확률

1. 확률의 뜻과 활용

APPLICATION SUMMA CUM LAUDE

025 풀이 참조 **026** (1) 전사건 (2) 공사건
027 합사건 : {1, 2, 4, 6, 8, 10}, 곱사건 : {2, 4, 8}
028 4 **029** (1) $\frac{1}{7}$ (2) $\frac{2}{7}$
030 (1) $\frac{1}{5}$ (2) $\frac{3}{10}$ **031** $\frac{1}{5}$ **032** $\frac{5}{8}$
033 $1-\frac{\pi}{4}$ **034** $\frac{43}{100}$ **035** $\frac{20}{21}$
036 $\frac{7}{8}$

025 (1) $\boldsymbol{S=\{(H, 1), (H, 2), (H, 3), (H, 4), (H, 5), (H, 6), (T, 1), (T, 2), (T, 3), (T, 4), (T, 5), (T, 6)\}}$
(2) $\boldsymbol{A=\{(H, 2), (H, 4), (H, 6)\}}$ 답 풀이 참조

026 (1) 주머니에는 검은 공만 있으므로 시행에서 반드시 검은 공만 나온다.
따라서 이 사건은 **전사건**이다.
(2) 주머니에는 검은 공만 있으므로 시행에서 흰 공은 절대로 나오지 않는다.
따라서 이 사건은 **공사건**이다.
답 (1) 전사건 (2) 공사건

027 두 사건 A, B는 다음과 같다.
$A=\{1, 2, 4, 8\}$
$B=\{2, 4, 6, 8, 10\}$
따라서 두 사건 A와 B의 합사건과 곱사건은
$A\cup B=\boldsymbol{\{1, 2, 4, 6, 8, 10\}}$
$A\cap B=\boldsymbol{\{2, 4, 8\}}$
답 합사건 : {1, 2, 4, 6, 8, 10}, 곱사건 : {2, 4, 8}

028 사건 A와 배반인 사건은 여사건 A^C의 부분집합이고, 사건 B와 배반인 사건은 여사건 B^C의 부분집합이므로 사건 C는 $A^C\cap B^C$의 부분집합이다.
이때 $A^C=\{3, 4, 5, 7, 8\}$, $B^C=\{4, 5, 6\}$이므로
$A^C\cap B^C=\{4, 5\}$
따라서 구하는 사건 C의 개수는 $2^2=\boldsymbol{4}$ 답 4

029 7개의 체험 프로그램 중에서 3개를 선택하는 방법의 수는 ${}_7C_3=35$
(1) A, B를 모두 선택하는 방법의 수는 A, B를 제외한 5개의 프로그램 중에서 1개를 선택하고 A, B를 포함시키는 방법의 수와 같으므로 ${}_5C_1=5$
따라서 구하는 확률은 $\frac{5}{35}=\boldsymbol{\frac{1}{7}}$
(2) A는 선택하고 B는 선택하지 않는 방법의 수는 A, B를 제외한 5개의 프로그램 중에서 2개를 선택하고 A를 포함시키는 방법의 수와 같으므로 ${}_5C_2=10$
따라서 구하는 확률은 $\frac{10}{35}=\boldsymbol{\frac{2}{7}}$
답 (1) $\frac{1}{7}$ (2) $\frac{2}{7}$

030 5명을 일렬로 세우는 방법의 수는
$5!=120$
(1) 맨 뒤에 A를 세우고 남은 4명을 일렬로 세우는 방법의 수는 $4!=24$
따라서 구하는 확률은 $\frac{24}{120}=\boldsymbol{\frac{1}{5}}$
(2) B, C, D를 한 사람으로 생각하면 3명을 일렬로 세우는 방법의 수는 $3!=6$이고 B, C, D가 서로 자리를 바꾸는 방법의 수는 $3!=6$이므로 B, C, D를 서로 이웃하게 세우는 방법의 수는
$6\times6=36$

따라서 구하는 확률은 $\frac{36}{120}=\mathbf{\frac{3}{10}}$

답 (1) $\frac{1}{5}$ (2) $\frac{3}{10}$

031 동호회의 회원 100명 중 검은 신발을 신은 사람이 20명이므로 구하는 확률은

$\frac{20}{100}=\mathbf{\frac{1}{5}}$ 답 $\frac{1}{5}$

032 공을 200번 던져서 125번 성공시켰으므로 구하는 확률은

$\frac{125}{200}=\mathbf{\frac{5}{8}}$ 답 $\frac{5}{8}$

033 화살이 꽂힌 점과 정사각형의 네 꼭짓점 사이의 거리가 모두 2 이상인 경우는 화살이 다음 그림의 색칠한 부분에 꽂히는 경우이다.

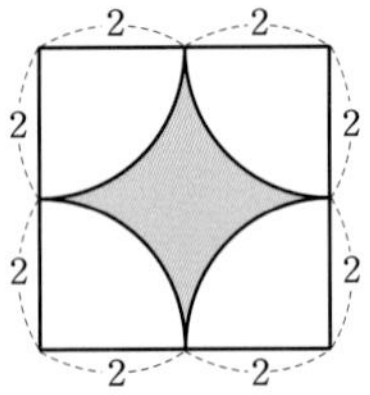

따라서 구하는 확률은

$\frac{(\text{색칠한 부분의 넓이})}{(\text{정사각형의 넓이})}=\frac{4\times4-\pi\times2^2}{4\times4}=\frac{4-\pi}{4}$

$=\mathbf{1-\frac{\pi}{4}}$ 답 $1-\frac{\pi}{4}$

034 카드에 적힌 수가 3의 배수인 사건을 A, 7의 배수인 사건을 B라 하면

$n(A)=33,\ n(B)=14,\ n(A\cap B)=4$

이므로

$\mathrm{P}(A)=\frac{33}{100},\ \mathrm{P}(B)=\frac{14}{100},\ \mathrm{P}(A\cap B)=\frac{4}{100}$

따라서 구하는 확률은

$\mathrm{P}(A\cup B)=\mathrm{P}(A)+\mathrm{P}(B)-\mathrm{P}(A\cap B)$

$=\frac{33}{100}+\frac{14}{100}-\frac{4}{100}=\mathbf{\frac{43}{100}}$

답 $\frac{43}{100}$

035 2개의 공을 동시에 꺼낼 때, 적어도 하나가 흰 공인 사건을 A라 하면 A^C은 2개가 모두 검은 공인 사건이다.

따라서 $\mathrm{P}(A^C)=\frac{{}_2\mathrm{C}_2}{{}_7\mathrm{C}_2}=\frac{1}{21}$이므로 구하는 확률은

$\mathrm{P}(A)=1-\mathrm{P}(A^C)=1-\frac{1}{21}=\mathbf{\frac{20}{21}}$ 답 $\frac{20}{21}$

036 한 개의 동전을 세 번 던질 때, 모든 경우의 수는 $2\times2\times2=8$

앞면이 한 번 이상 나오는 사건을 A라 하면 A^C은 세 번 모두 뒷면이 나오는 사건이다.

즉, $A^C=\{$(뒷면, 뒷면, 뒷면)$\}$이다.

따라서 $\mathrm{P}(A^C)=\frac{1}{8}$이므로 구하는 확률은

$\mathrm{P}(A)=1-\mathrm{P}(A^C)=1-\frac{1}{8}=\mathbf{\frac{7}{8}}$ 답 $\frac{7}{8}$

2. 조건부확률

APPLICATION SUMMA CUM LAUDE

037 $\frac{4}{5}$ **038** $\frac{7}{10}$ **039** $\frac{3}{5}$ **040** $\frac{1}{45}$

041 $\frac{1}{3}$ **042** (1) 종속 (2) 독립 (3) 독립

043 독립 **044** 풀이 참조 **045** ㄱ, ㄹ

046 (1) $\frac{2}{9}$ (2) $\frac{1}{5}$ **047** $\frac{13}{125}$ **048** $\frac{168}{625}$

037 두 사건 A, B가 서로 배반사건이므로

$A\cap B=\varnothing$, $A\subset B^C$ $\quad\therefore A\cap B^C=A$

$$\therefore \mathrm{P}(A|B^C)=\frac{\mathrm{P}(A\cap B^C)}{\mathrm{P}(B^C)}=\frac{\mathrm{P}(A)}{1-\mathrm{P}(B)}$$

$$=\frac{\frac{1}{5}}{1-\frac{3}{4}}=\mathbf{\frac{4}{5}}$$

답 $\frac{4}{5}$

038 임의로 뽑은 한 명이 여학생인 사건을 A, 마라톤 대회에 참가한 학생인 사건을 B라 하면

$$\mathrm{P}(A)=\frac{20}{35},\ \mathrm{P}(A\cap B)=\frac{14}{35}$$

따라서 구하는 확률은

$$\mathrm{P}(B|A)=\frac{\mathrm{P}(A\cap B)}{\mathrm{P}(A)}=\frac{\frac{14}{35}}{\frac{20}{35}}=\mathbf{\frac{7}{10}}$$

다른 풀이 $\mathrm{P}(B|A)=\frac{n(A\cap B)}{n(A)}=\frac{14}{20}=\frac{7}{10}$

답 $\frac{7}{10}$

039 임의로 뽑은 한 명이 남학생인 사건을 A, 이과생인 사건을 B라 하면

$\mathrm{P}(A)=0.6$, $\mathrm{P}(A\cap B)=0.36$

따라서 구하는 확률은

$$\mathrm{P}(B|A)=\frac{\mathrm{P}(A\cap B)}{\mathrm{P}(A)}=\frac{0.36}{0.6}=\mathbf{\frac{3}{5}}$$

답 $\frac{3}{5}$

040 민우가 불량품을 고르는 사건을 A, 아영이가 불량품을 고르는 사건을 B라 하면

$$\mathrm{P}(A)=\frac{2}{10}=\frac{1}{5}$$

$$\mathrm{P}(B|A)=\frac{2-1}{10-1}=\frac{1}{9}$$

따라서 두 사람이 모두 불량품을 고를 확률은

$$\mathrm{P}(A\cap B)=\mathrm{P}(A)\mathrm{P}(B|A)$$

$$=\frac{1}{5}\times\frac{1}{9}=\mathbf{\frac{1}{45}}$$

답 $\frac{1}{45}$

041 주머니 A를 선택하는 사건을 A, 주머니 B를 선택하는 사건을 B, 노란 공이 나오는 사건을 E라 하자.

(i) 주머니 A를 선택하여 노란 공이 나올 확률은

$\mathrm{P}(A)=\frac{1}{2}$, $\mathrm{P}(E|A)=\frac{1}{6}$이므로

$$\mathrm{P}(A\cap E)=\mathrm{P}(A)\mathrm{P}(E|A)$$

$$=\frac{1}{2}\times\frac{1}{6}=\frac{1}{12}$$

(ii) 주머니 B를 선택하여 노란 공이 나올 확률은

$\mathrm{P}(B)=\frac{1}{2}$, $\mathrm{P}(E|B)=\frac{2}{6}$이므로

$$\mathrm{P}(B\cap E)=\mathrm{P}(B)\mathrm{P}(E|B)$$

$$=\frac{1}{2}\times\frac{2}{6}=\frac{1}{6}$$

(i), (ii)에 의하여

$$\mathrm{P}(E)=\mathrm{P}(A\cap E)+\mathrm{P}(B\cap E)$$

$$=\frac{1}{12}+\frac{1}{6}=\frac{1}{4}$$

따라서 구하는 확률은

$$\mathrm{P}(A|E)=\frac{\mathrm{P}(A\cap E)}{\mathrm{P}(E)}=\frac{\frac{1}{12}}{\frac{1}{4}}=\mathbf{\frac{1}{3}}$$

답 $\frac{1}{3}$

042 $A=\{1, 3, 5\}$, $B=\{2, 3, 5\}$, $C=\{3, 6\}$이므로

$$\mathrm{P}(A)=\frac{1}{2},\ \mathrm{P}(B)=\frac{1}{2},\ \mathrm{P}(C)=\frac{1}{3}$$

또 $A\cap B=\{3, 5\}$, $B\cap C=\{3\}$, $C\cap A=\{3\}$이므로

$$\mathrm{P}(A\cap B)=\frac{1}{3},\ \mathrm{P}(B\cap C)=\frac{1}{6},\ \mathrm{P}(C\cap A)=\frac{1}{6}$$

(1) $\mathrm{P}(A)\mathrm{P}(B)=\frac{1}{2}\times\frac{1}{2}=\frac{1}{4}\neq\mathrm{P}(A\cap B)$이므로

두 사건 A와 B는 서로 **종속**이다.

(2) $\mathrm{P}(B)\mathrm{P}(C)=\frac{1}{2}\times\frac{1}{3}=\frac{1}{6}=\mathrm{P}(B\cap C)$이므로

두 사건 B와 C는 서로 **독립**이다.

(3) $\mathrm{P}(C)\mathrm{P}(A)=\frac{1}{3}\times\frac{1}{2}=\frac{1}{6}=\mathrm{P}(C\cap A)$이므로

두 사건 C와 A는 서로 **독립**이다.

답 (1) 종속 (2) 독립 (3) 독립

043 $\mathrm{P}(A)=\frac{22+18}{100}=\frac{2}{5}$,

$\mathrm{P}(B)=\frac{22+33}{100}=\frac{11}{20}$, $\mathrm{P}(A\cap B)=\frac{22}{100}=\frac{11}{50}$이므로

$$\mathrm{P}(A)\mathrm{P}(B)=\frac{2}{5}\times\frac{11}{20}=\frac{11}{50}=\mathrm{P}(A\cap B)$$

따라서 두 사건 A, B는 서로 **독립**이다. 답 독립

044 두 사건 A, B가 서로 독립이면

$\mathrm{P}(A\cap B)=\mathrm{P}(A)\mathrm{P}(B)$

(1) $\mathrm{P}(A\cap B^C)=\mathrm{P}(A)-\mathrm{P}(A\cap B)$
$=\mathrm{P}(A)-\mathrm{P}(A)\mathrm{P}(B)$
$=\mathrm{P}(A)\{1-\mathrm{P}(B)\}$
$=\mathrm{P}(A)\mathrm{P}(B^C)$

따라서 두 사건 A와 B^C은 서로 독립이다.

(2) $\mathrm{P}(A^C\cap B^C)=\mathrm{P}((A\cup B)^C)$
$=1-\mathrm{P}(A\cup B)$
$=1-\{\mathrm{P}(A)+\mathrm{P}(B)-\mathrm{P}(A\cap B)\}$
$=1-\mathrm{P}(A)-\mathrm{P}(B)+\mathrm{P}(A\cap B)$
$=1-\mathrm{P}(A)-\mathrm{P}(B)+\mathrm{P}(A)\mathrm{P}(B)$
$=\{1-\mathrm{P}(A)\}\{1-\mathrm{P}(B)\}$
$=\mathrm{P}(A^C)\mathrm{P}(B^C)$

따라서 두 사건 A^C과 B^C은 서로 독립이다.

답 풀이 참조

045 ㄱ. 두 사건 A, B가 서로 독립이면 A^C과 B, A와 B^C, A^C과 B^C도 각각 서로 독립이다. (참)

ㄴ. (반례) 한 개의 주사위를 던질 때, 소수의 눈이 나오는 사건을 A, 5 이상의 눈이 나오는 사건을 B라 하면

$A=\{2, 3, 5\}$, $B=\{5, 6\}$, $A\cap B=\{5\}$

$\therefore \mathrm{P}(A)=\frac{1}{2},\ \mathrm{P}(B)=\frac{1}{3},\ \mathrm{P}(A\cap B)=\frac{1}{6}$

이때 $\mathrm{P}(A\cap B)=\mathrm{P}(A)\mathrm{P}(B)$이므로 두 사건 A, B는 서로 독립이지만 $A\cap B\neq\varnothing$이므로 A, B는 서로 배반사건이 아니다. (거짓)

ㄷ. $\mathrm{P}(A)=p\,(0<p<1)$라 하면

$\mathrm{P}(A^C)=1-p$, $\mathrm{P}(A\cap A^C)=0$

따라서 $\mathrm{P}(A\cap A^C)\neq\mathrm{P}(A)\mathrm{P}(A^C)$이므로 A, A^C은 서로 종속이다. (거짓)

ㄹ. 두 사건 A, B가 서로 독립이면 A^C과 B, A와 B^C도 각각 서로 독립이므로

$\mathrm{P}(B|A^C)=\mathrm{P}(B)$, $\mathrm{P}(B^C|A)=\mathrm{P}(B^C)$ …… ㉠

이때 $\mathrm{P}(B)=1-\mathrm{P}(B^C)$이므로 ㉠에 의하여

$\mathrm{P}(B|A^C)=1-\mathrm{P}(B^C|A)$ (참)

따라서 옳은 것은 ㄱ, ㄹ이다. 답 ㄱ, ㄹ

046 (1) 복원추출이므로 매 시행에서 검은 공을 꺼낼 확률은 $\frac{1}{3}$, 흰 공을 꺼낼 확률은 $\frac{2}{3}$이다.

이때 검은 공을 ●, 흰 공을 ○라 하면

(●, ●, ○)인 경우 : $\frac{1}{3}\times\frac{1}{3}\times\frac{2}{3}=\frac{2}{27}$

(●, ○, ●)인 경우 : $\frac{1}{3}\times\frac{2}{3}\times\frac{1}{3}=\frac{2}{27}$

(○, ●, ●)인 경우 : $\frac{2}{3}\times\frac{1}{3}\times\frac{1}{3}=\frac{2}{27}$

따라서 구하는 확률은

$$\frac{2}{27}+\frac{2}{27}+\frac{2}{27}=\mathbf{\frac{2}{9}}$$

(2) 비복원추출이므로 검은 공을 ●, 흰 공을 ○라 하면

(●, ●, ○)인 경우 : $\frac{2}{6}\times\frac{1}{5}\times\frac{4}{4}=\frac{1}{15}$

(●, ○, ●)인 경우 : $\frac{2}{6}\times\frac{4}{5}\times\frac{1}{4}=\frac{1}{15}$

(○, ●, ●)인 경우 : $\frac{4}{6}\times\frac{2}{5}\times\frac{1}{4}=\frac{1}{15}$

따라서 구하는 확률은

$$\frac{1}{15}+\frac{1}{15}+\frac{1}{15}=\mathbf{\frac{1}{5}}$$

답 (1) $\frac{2}{9}$ (2) $\frac{1}{5}$

047 축구 선수가 페널티킥을 성공할 확률이 $\frac{4}{5}$이므로 실패할 확률은 $\frac{1}{5}$이다.

(i) 페널티킥을 2번 실패할 확률은

$${}_3C_2\left(\frac{1}{5}\right)^2\left(\frac{4}{5}\right)^1=\frac{12}{125}$$

(ii) 페널티킥을 3번 실패할 확률은

$${}_3C_3\left(\frac{1}{5}\right)^3\left(\frac{4}{5}\right)^0=\frac{1}{125}$$

(i), (ii)에 의하여 구하는 확률은

$$\frac{12}{125}+\frac{1}{125}=\mathbf{\frac{13}{125}}$$

답 $\frac{13}{125}$

048 각 경기에서 A팀이 이길 확률은 $\frac{2}{5}$, B팀이 이길 확률은 $\frac{3}{5}$이고, 5번째 경기에서 우승팀이 결정되는 경우는 한 팀이 4승 1패를 하는 경우이다.

(i) A팀이 4승 1패를 할 확률

A팀이 4번째 경기까지 3승 1패를 하고 5번째 경기에서 이길 확률이므로

$${}_4C_3\left(\frac{2}{5}\right)^3\left(\frac{3}{5}\right)^1\times\frac{2}{5}=\frac{96}{625}\times\frac{2}{5}=\frac{192}{3125}$$

(ii) B팀이 4승 1패를 할 확률

B팀이 4번째 경기까지 3승 1패를 하고 5번째 경기에서 이길 확률이므로

$${}_4C_3\left(\frac{3}{5}\right)^3\left(\frac{2}{5}\right)^1\times\frac{3}{5}=\frac{216}{625}\times\frac{3}{5}=\frac{648}{3125}$$

(i), (ii)에 의하여 구하는 확률은

$$\frac{192}{3125}+\frac{648}{3125}=\mathbf{\frac{168}{625}}$$

답 $\frac{168}{625}$

III 통계

1. 확률분포

APPLICATION SUMMA CUM LAUDE

049 (1) $\frac{1}{4}$ (2) $\frac{7}{16}$ (3) $\frac{1}{16}$

050 평균 : 1.4, 분산 : 0.84, 표준편차 : $\sqrt{0.84}$

051 (1) 4 (2) 36 (3) 15

052 (1) $\mathrm{B}\left(4, \frac{1}{2}\right)$

(2) $\mathrm{P}(X=x)={}_4\mathrm{C}_x\left(\frac{1}{2}\right)^x\left(\frac{1}{2}\right)^{4-x}$ $(x=0, 1, 2, 3, 4)$

(3) $\frac{1}{4}$

053 (1) 평균 : 8, 분산 : 6 (2) 평균 : 90, 분산 : 75

054 평균 : 30, 표준편차 : $3\sqrt{3}$ **055** $\frac{1}{3}$

056 $\frac{7}{8}$ **057** (1) 2 (2) $\frac{5}{9}$

058 33 **059** ㄱ, ㄷ

060 (1) 0.8747 (2) 0.1003 (3) 0.9902 (4) 0.9750

061 104 **062** 영어, 수학, 국어 **063** 0.4772

049 (1) 확률의 총합은 1이므로

$$\frac{5}{12}+\frac{a}{12}+\frac{1}{2}+a^2=1,\ 12a^2+a-1=0$$

$$(3a+1)(4a-1)=0$$

$$\therefore a=-\frac{1}{3} \text{ 또는 } a=\frac{1}{4}$$

이때 $0\le \mathrm{P}(X=x)\le 1$이므로 $a=\mathbf{\frac{1}{4}}$

(2) $\mathrm{P}(X\le 0)=\mathrm{P}(X=-1)+\mathrm{P}(X=0)$

$$=\frac{5}{12}+\frac{1}{48}=\mathbf{\frac{7}{16}}$$

(3) $\mathrm{P}(X>1)=\mathrm{P}(X=2)=\mathbf{\frac{1}{16}}$

답 (1) $\frac{1}{4}$ (2) $\frac{7}{16}$ (3) $\frac{1}{16}$

050 $\mathbf{E(X)}=0\times0.2+1\times0.3+2\times0.4+3\times0.1$

$$=\mathbf{1.4}$$

$\mathrm{E}(X^2)=0^2\times0.2+1^2\times0.3+2^2\times0.4+3^2\times0.1=2.8$

이므로

$$\mathbf{V(X)}=\mathrm{E}(X^2)-\{\mathrm{E}(X)\}^2=2.8-1.4^2=\mathbf{0.84}$$

$$\boldsymbol{\sigma(X)}=\sqrt{\mathrm{V}(X)}=\mathbf{\sqrt{0.84}}$$

답 평균 : 1.4, 분산 : 0.84, 표준편차 : $\sqrt{0.84}$

051 $\mathrm{E}(X)=-2,\ \mathrm{V}(X)=9,\ \sigma(X)=3$이므로

(1) $\mathrm{E}(3X+10)=3\mathrm{E}(X)+10$

$$=3\times(-2)+10$$

$$=\mathbf{4}$$

(2) $\mathrm{V}(2X-5)=2^2\mathrm{V}(X)=4\times9=\mathbf{36}$

(3) $\sigma(-5X+2)=|-5|\sigma(X)=5\times3=\mathbf{15}$

답 (1) 4 (2) 36 (3) 15

052 (1) 한 개의 동전을 4번 던지므로 4회의 독립 시행이고 한 번의 시행에서 앞면이 나올 확률은 $\frac{1}{2}$이므로 확률변수 X는 이항분포 $\mathbf{B\left(4, \frac{1}{2}\right)}$을 따른다.

(2) 확률변수 X의 확률질량함수는

$$\mathbf{P(X=x)={}_4C_x\left(\frac{1}{2}\right)^x\left(\frac{1}{2}\right)^{4-x}}$$

$$\mathbf{(x=0,\ 1,\ 2,\ 3,\ 4)}$$

(3) $\mathrm{P}(X=1)={}_4\mathrm{C}_1\left(\frac{1}{2}\right)^1\left(\frac{1}{2}\right)^3=\mathbf{\frac{1}{4}}$

답 (1) $\mathrm{B}\left(4, \frac{1}{2}\right)$

(2) $\mathrm{P}(X=x)={}_4\mathrm{C}_x\left(\frac{1}{2}\right)^x\left(\frac{1}{2}\right)^{4-x}$

$(x=0, 1, 2, 3, 4)$

(3) $\frac{1}{4}$

053 (1) $\mathbf{E(X)}=32\times\frac{1}{4}=\mathbf{8}$

$\mathbf{V(X)}=32\times\frac{1}{4}\times\frac{3}{4}=\mathbf{6}$

(2) $\mathbf{E(X)}=540\times\frac{1}{6}=\mathbf{90}$

$\mathbf{V(X)}=540\times\frac{1}{6}\times\frac{5}{6}=\mathbf{75}$

답 (1) 평균 : 8, 분산 : 6 (2) 평균 : 90, 분산 : 75

054 확률변수 X는 이항분포 $\mathrm{B}\left(300,\ \frac{1}{10}\right)$을 따르므로

$\mathbf{E(X)}=300\times\frac{1}{10}=\mathbf{30}$

$\boldsymbol{\sigma}\mathbf{(X)}=\sqrt{300\times\frac{1}{10}\times\frac{9}{10}}=\mathbf{3\sqrt{3}}$

답 평균 : 30, 표준편차 : $3\sqrt{3}$

055 $\mathrm{P}(X\geq2)$는 다음 그림의 색칠한 부분의 넓이와 같으므로

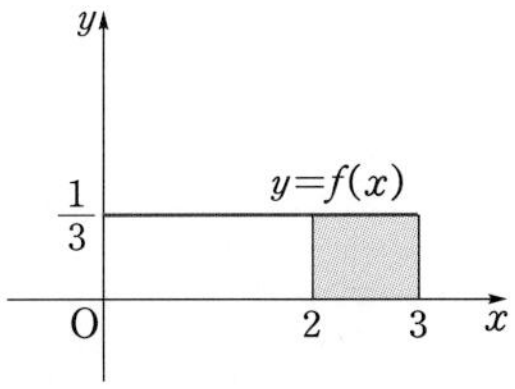

$\mathrm{P}(X\geq2)=(3-2)\times\frac{1}{3}=\mathbf{\frac{1}{3}}$ 답 $\frac{1}{3}$

056 함수 $y=f(x)$의 그래프와 x축 및 직선 $x=4$로 둘러싸인 도형의 넓이는 1이다. 즉,

$\mathrm{P}(0\leq X\leq4)=1$

$\mathrm{P}(0\leq X\leq1)$은 함수 $y=f(x)$의 그래프와 x축 및 직선 $x=1$로 둘러싸인 도형의 넓이와 같으므로

$\mathrm{P}(0\leq X\leq1)=\frac{1}{2}\times1\times\frac{1}{4}=\frac{1}{8}$

$\therefore \mathrm{P}(1\leq X\leq4)=1-\mathrm{P}(0\leq X\leq1)$

$=1-\frac{1}{8}=\mathbf{\frac{7}{8}}$ 답 $\frac{7}{8}$

057 (1) 함수 $y=f(x)$의 그래프와 x축 및 직선 $x=0$으로 둘러싸인 도형의 넓이는 1이므로

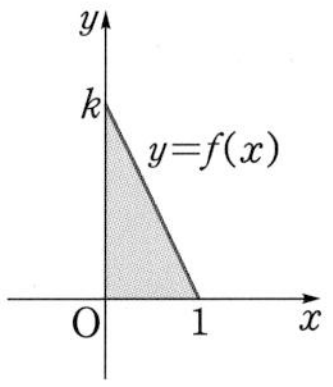

$\frac{1}{2}\times1\times k=1 \qquad \therefore k=\mathbf{2}$

(2) $\mathrm{P}\left(0\leq X\leq\frac{1}{3}\right)$은 다음 그림의 색칠한 부분의 넓이와 같으므로

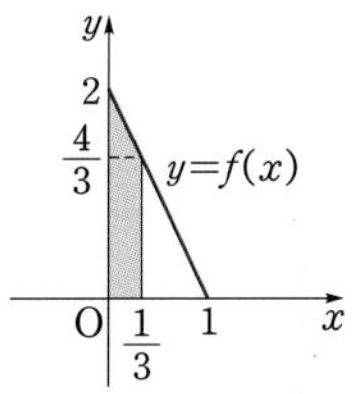

$\mathrm{P}\left(0\leq X\leq\frac{1}{3}\right)=\frac{1}{2}\times\left(2+\frac{4}{3}\right)\times\frac{1}{3}=\mathbf{\frac{5}{9}}$

답 (1) 2 (2) $\frac{5}{9}$

058

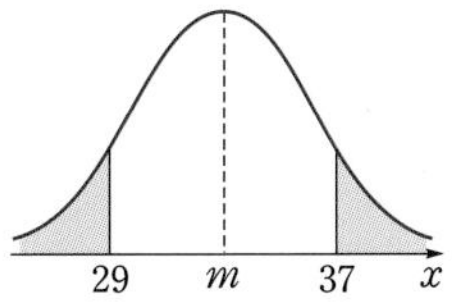

정규분포곡선은 직선 $x=m$에 대하여 대칭이고, $\mathrm{P}(X\leq29)=\mathrm{P}(X\geq37)$이므로

$m=\frac{29+37}{2}=33$ 답 33

059 ㄱ. A, B 두 고등학교의 2학년 학생 수는 같고 성적이 모두 정규분포를 따르고 있으며 74점 이상인 부분에서 A 고등학교의 그래프가 B 고등학교의 그래프보다 위에 있다. 따라서 성적이 74점 이상인 학생 수는 A 고등학교에 더 많다. (참)

ㄴ. A, B 두 고등학교 학생들의 평균이 같으므로 B 고등학교 학생들이 A 고등학교 학생들보다 평균적으로 성적이 더 우수하다고 할 수 없다. (거짓)

ㄷ. C 고등학교 학생들보다 B 고등학교 학생들의 성적이 평균 주위에 많이 몰려 있으므로 (즉, 표준편차가 작으므로)성적이 더 고른 편이다. (참)

따라서 옳은 것은 **ㄱ, ㄷ**이다. 답 ㄱ, ㄷ

060 (1) $P(-1.28\le Z\le 1.96)$

$=P(-1.28\le Z\le 0)+P(0\le Z\le 1.96)$

$=P(0\le Z\le 1.28)+P(0\le Z\le 1.96)$

$=0.3997+0.4750=\mathbf{0.8747}$

(2) $P(Z\ge 1.28)=0.5-P(0\le Z\le 1.28)$

$=0.5-0.3997=\mathbf{0.1003}$

(3) $P(|Z|\le 2.58)=2P(0\le Z\le 2.58)$

$=2\times 0.4951=\mathbf{0.9902}$

(4) $P(Z\ge -1.96)=P(-1.96\le Z\le 0)+0.5$

$=0.5+P(0\le Z\le 1.96)$

$=0.5+0.4750=\mathbf{0.9750}$

답 (1) 0.8747 (2) 0.1003 (3) 0.9902 (4) 0.9750

061 $Z=\dfrac{X-100}{4}$으로 놓으면 확률변수 Z는 표준정규분포 $N(0,\ 1)$을 따르므로 $P(X\ge k)=0.1587$에서

$$P\left(\frac{X-100}{4}\ge\frac{k-100}{4}\right)=0.1587$$

$$P\left(Z\ge\frac{k-100}{4}\right)=0.1587$$

$$0.5-P\left(0\le Z\le\frac{k-100}{4}\right)=0.1587$$

$$P\left(0\le Z\le\frac{k-100}{4}\right)=0.3413$$

조건에서 $P(0\le Z\le 1)=0.3413$이므로

$$\frac{k-100}{4}=1 \qquad \therefore k=\mathbf{104}$$

[참고] ~ 이상일 확률이 0.5보다 작게 제시되었으므로 정규분포곡선에서 생각해 보면 오른쪽 끝 부분에서의 확률이다. 따라서 다음과 같이 변형하면 안된다.

$$P\left(Z\ge\frac{k-100}{4}\right)=0.5+P\left(0\le Z\le\frac{100-k}{4}\right)$$

답 104

062 이룸이의 국어 점수, 영어 점수, 수학 점수를 표준화하면 각각

$$\frac{74-64}{10}=1,\ \frac{86-76}{5}=2,\ \frac{93-72}{14}=\frac{3}{2}$$

이므로 이룸이의 성적이 상대적으로 좋은 과목부터 순서대로 나열하면 **영어, 수학, 국어**이다.

답 영어, 수학, 국어

063 확률변수 X가 이항분포 $B\left(450,\ \dfrac{2}{3}\right)$를 따르므로

$$E(X)=450\times\frac{2}{3}=300$$

$$\sigma(X)=\sqrt{450\times\frac{2}{3}\times\frac{1}{3}}=10$$

이때 450은 충분히 큰 수이므로 확률변수 X는 근사적으로 정규분포 $N(300,\ 10^2)$을 따른다.

따라서 $Z=\dfrac{X-300}{10}$으로 놓으면 확률변수 Z는 표준정규분포 $N(0,\ 1)$을 따르므로

$P(280\le X\le 300)$

$=P\left(\dfrac{280-300}{10}\le Z\le\dfrac{300-300}{10}\right)$

$=P(-2\le Z\le 0)=P(0\le Z\le 2)$

$=\mathbf{0.4772}$ 답 0.4772

2. 통계적 추정

APPLICATION SUMMA CUM LAUDE

064 ㄱ, ㄴ, ㄹ　**065** (1) 36　(2) 30

066 평균 : $\frac{7}{3}$, 분산 : $\frac{5}{9}$

067 (1) $\mathrm{N}\left(80, \left(\frac{5}{6}\right)^2\right)$　(2) 0.8767

068 (1) $244.12 \le m \le 255.88$

(2) $242.26 \le m \le 257.74$

069 7.84　**070** $4n$

064 학교 신체검사에서 학생들의 청력 검사는 전교생을 대상으로 실시 가능하므로 전수조사가 적합하고 TV프로그램 시청률, 휴대 전화 배터리의 충격 안전도, 우리나라 고등학생의 한 달 평균 독서량은 모집단을 조사하기 어려우므로 표본조사가 적합하다.
따라서 표본조사가 더 적합한 것은 **ㄱ, ㄴ, ㄹ**이다.

답 ㄱ, ㄴ, ㄹ

065 (1) 카드를 꺼내는 경우의 수가 6이므로

$6\times6=\mathbf{36}$

(2) 처음 카드를 꺼내는 경우의 수가 6이고, 두 번째 카드를 꺼내는 경우의 수가 5이므로

$6\times5=\mathbf{30}$

답 (1) 36　(2) 30

066 확률의 총합은 1이므로

$3a+2a+a=1$

$\therefore a=\frac{1}{6}$

주어진 X의 확률분포를 이용하여 모평균 m과 모분산 σ^2을 구하면

$m=1\times\frac{1}{2}+3\times\frac{1}{3}+5\times\frac{1}{6}=\frac{7}{3}$

$\sigma^2=\left(1^2\times\frac{1}{2}+3^2\times\frac{1}{3}+5^2\times\frac{1}{6}\right)-\left(\frac{7}{3}\right)^2$

$=\frac{23}{3}-\frac{49}{9}=\frac{20}{9}$

이때 표본의 크기가 4이므로 표본평균 $\overline{X}$의 평균과 분산은

$\mathbf{E}(\overline{X})=m=\mathbf{\frac{7}{3}}$

$\mathbf{V}(\overline{X})=\frac{\sigma^2}{n}=\frac{20}{9}\times\frac{1}{4}=\mathbf{\frac{5}{9}}$

답 평균 : $\frac{7}{3}$, 분산 : $\frac{5}{9}$

067 (1) 모집단이 정규분포 $\mathrm{N}(80,\ 5^2)$을 따르고 표본의 크기가 36이므로 표본평균 $\overline{X}$는 정규분포

$\mathrm{N}\left(80,\ \frac{5^2}{36}\right)$, 즉 $\mathbf{N}\left(\mathbf{80}, \left(\mathbf{\frac{5}{6}}\right)^2\right)$

을 따른다.

(2) 표본평균 $\overline{X}$가 정규분포 $\mathrm{N}\left(80, \left(\frac{5}{6}\right)^2\right)$을 따르므로

$Z=\frac{X-80}{\frac{5}{6}}$으로 놓으면 확률변수 Z는 표준정규분포 $\mathrm{N}(0,\ 1)$을 따른다.

$\therefore \mathrm{P}(78\le\overline{X}\le81)$

$=\mathrm{P}\left(\frac{78-80}{\frac{5}{6}}\le Z\le\frac{81-80}{\frac{5}{6}}\right)$

$=\mathrm{P}(-2.4\le Z\le1.2)$

$=\mathrm{P}(-2.4\le Z\le0)+\mathrm{P}(0\le Z\le1.2)$

$=\mathrm{P}(0\le Z\le2.4)+\mathrm{P}(0\le Z\le1.2)$

$=0.4918+0.3849$

$=\mathbf{0.8767}$

답 (1) $\mathrm{N}\left(80, \left(\frac{5}{6}\right)^2\right)$　(2) 0.8767

068 표본의 크기 81이 충분히 크므로 모표준편차 대신 표본표준편차를 이용할 수 있다.

표본평균이 250, 표본표준편차가 27, 표본의 크기가 81 이므로

(1) 모평균 m에 대한 신뢰도 95%의 신뢰구간은

$$250-1.96\times\frac{27}{\sqrt{81}}\le m\le 250+1.96\times\frac{27}{\sqrt{81}}$$

$\therefore$ $\mathbf{244.12\le m\le 255.88}$

(2) 모평균 m에 대한 신뢰도 99%의 신뢰구간은

$$250-2.58\times\frac{27}{\sqrt{81}}\le m\le 250+2.58\times\frac{27}{\sqrt{81}}$$

$\therefore$ $\mathbf{242.26\le m\le 257.74}$

답 (1) $244.12\le m\le 255.88$
(2) $242.26\le m\le 257.74$

069 모표준편차가 20이고 표본의 크기가 100이므로 신뢰도 95%로 추정한 모평균의 신뢰구간의 길이는

$$2\times1.96\times\frac{20}{\sqrt{100}}=\mathbf{7.84}$$

답 7.84

070 표본의 크기가 n이고 모표준편차가 4이므로 신뢰도 α%로 추정한 모평균의 신뢰구간의 길이 l은

$$l=2\times k\frac{4}{\sqrt{n}}\left(\text{단, }\mathrm{P}(|Z|\le k)=\frac{\alpha}{100}\right)\quad\cdots\cdots\ ㉠$$

한편 신뢰구간의 길이가 $\frac{l}{2}$일 때의 표본의 크기를 n'이라 하면

$$\frac{l}{2}=2\times k\frac{4}{\sqrt{n'}}$$

$$\therefore\ l=4\times k\frac{4}{\sqrt{n'}}\quad\cdots\cdots\ ㉡$$

㉠과 ㉡을 비교하면

$$2\times k\frac{4}{\sqrt{n}}=4\times k\frac{4}{\sqrt{n'}}$$

$$\sqrt{n'}=2\sqrt{n}$$

$$\therefore\ n'=4n$$

따라서 구하는 표본의 크기는 $\mathbf{4n}$이다.

답 $4n$

I 경우의 수

1. 여러 가지 순열

유제 SUMMA CUM LAUDE

001-1 (1) 720 (2) 1440 **001-2** 144
002-1 30 **002-2** 180 **002-3** 48
003-1 175 **003-2** 758번째 **004-1** 136
005-1 120 **005-2** 135
006-1 840 **006-2** 12600 **007-1** 80

001-1 (1) 이웃하는 여학생 5명을 1명으로 생각하여 4명이 원탁에 둘러앉는 경우의 수는

$(4-1)!=3!=6$

여학생끼리 서로 자리를 바꾸는 경우의 수는

$5!=120$

따라서 구하는 경우의 수는

$6\times120=\mathbf{720}$

(2) 여학생 5명이 원탁에 둘러앉는 경우의 수는

$(5-1)!=4!=24$

남학생 3명은 여학생들 사이사이의 5자리 중 3자리에 앉으면 되므로 이때의 경우의 수는

${}_5P_3=60$

따라서 구하는 경우의 수는

$24\times60=\mathbf{1440}$ 답 (1) 720 (2) 1440

001-2 어른 4명이 원탁에 둘러앉는 경우의 수는

$(4-1)!=3!=6$

어린이 4명은 어른들 사이사이의 4자리에 앉으면 되므로 이때의 경우의 수는

$4!=24$

따라서 구하는 경우의 수는

$6\times24=\mathbf{144}$ 답 144

002-1 가운데 원에 색칠하는 경우의 수는 5
합동인 4개의 영역을 색칠하는 경우의 수는 가운데에 색칠한 색을 제외한 4가지 색을 원형으로 배열하는 원순열의 수와 같으므로

$(4-1)!=3!=6$

따라서 구하는 경우의 수는

$5\times6=\mathbf{30}$ 답 30

002-2 윗면과 아랫면에 색칠하는 경우의 수는

${}_6P_2=30$

4개의 옆면을 색칠하는 경우의 수는 윗면과 아랫면에 색칠한 색을 제외한 4가지 색을 원형으로 배열하는 원순열의 수와 같으므로

$(4-1)!=3!=6$

따라서 구하는 경우의 수는

$30\times6=\mathbf{180}$ 답 180

002-3 먼저 정사면체의 각 면을 색칠하는 경우의 수를 구하자.
바닥에 놓인 면을 기준으로 생각하여 4가지 색 중에서 특정한 색을 바닥에 놓인 면에 색칠하면 나머지 3개의 면을 색칠하는 경우의 수는 바닥에 놓인 면에 색칠한 색을 제외한 3가지 색을 원형으로 배열하는 원순열의 수와 같으므로

$(3-1)!=2!=2$

따라서 정사면체의 각 면을 색칠하는 경우의 수는 2
이때 각 경우마다 4개의 면에 1, 2, 3, 4를 하나씩 써넣는 경우의 수는

$4!=24$

이므로 구하는 경우의 수는

$2\times24=\mathbf{48}$ 답 48

003-1 4개의 숫자 1, 2, 3, 4를 중복 사용하여 만들 수 있는 네 자리 자연수의 개수는

$_4\Pi_4=4^4=256$

3을 제외한 나머지 3개의 숫자를 중복 사용하여 만들 수 있는 네 자리 자연수의 개수는

$_3\Pi_4=3^4=81$

따라서 구하는 네 자리 자연수의 개수는

$256-81=\mathbf{175}$ 답 175

003-2 4개의 숫자 0, 1, 2, 3을 중복 사용하여 만들 수 있는 다섯 자리 자연수의 개수는

$3\times{}_4\Pi_4=3\times4^4=768$

이고, 가장 큰 수는 33333이므로 거꾸로 수를 나열하면

33333, 33332, 33331, 33330, 33323, 33322,

33321, 33320, 33313, 33312, 33311, ⋯

따라서 33311은 **758번째** 수이다. 답 758번째

004-1 조건 (가)에서 $f(3)$은 짝수이므로

(i) $f(3)=2$인 경우

1, 2는 모두 1로 대응시키고 4, 5, 6은 각각 3, 4, 5, 6 중 하나로 대응시키면 되므로 함수 f의 개수는

$_1\Pi_2\times{}_4\Pi_3=1^2\times4^3=64$

(ii) $f(3)=4$인 경우

1, 2는 각각 1, 2, 3 중 하나로 대응시키고 4, 5, 6은 각각 5, 6 중 하나로 대응시키면 되므로 함수 f의 개수는

$_3\Pi_2\times{}_2\Pi_3=3^2\times2^3=72$

(iii) $f(3)=6$인 경우

4, 5, 6에 대응시킬 수 있는 수가 없으므로 조건 (다)를 만족시키는 함수 f는 없다.

(i), (ii), (iii)에 의하여 구하는 함수 f의 개수는

$64+72=\mathbf{136}$ 답 136

005-1 깃발을 한 번 들어 올려서 만들 수 있는 신호의 개수는 $_3\Pi_1=3$

깃발을 두 번 들어 올려서 만들 수 있는 신호의 개수는

$_3\Pi_2=3^2=9$

마찬가지로 깃발을 세 번, 네 번 들어 올려서 만들 수 있는 신호의 개수는 각각

$_3\Pi_3=3^3=27$, $_3\Pi_4=3^4=81$

이므로 만들 수 있는 서로 다른 신호의 개수는

$3+9+27+81=\mathbf{120}$ 답 120

005-2 서로 다른 3개의 주사위에서 나온 눈의 수로 만들어지는 세 자리 자연수를 $abc\,(a\le b\le c)$라 할 때, 세 자리 자연수 abc가 짝수이려면 c는 2, 4, 6 중 하나이어야 한다.

(i) $c=2$인 경우, 즉 세 눈의 수 중 2가 가장 클 때이므로 이때의 경우의 수는 1, 2에서 중복을 허락하여 3개를 택하는 중복순열의 수에서 111인 경우의 수를 빼면 된다.

$\therefore {}_2\Pi_3-1=2^3-1=7$

(ii) $c=4$인 경우, 즉 세 눈의 수 중 4가 가장 클 때이므로 이때의 경우의 수는 1, 2, 3, 4에서 중복을 허락하여 3개를 택하는 중복순열의 수에서 1, 2, 3에서 중복을 허락하여 3개를 택하는 중복순열의 수를 빼면 된다.

$\therefore {}_4\Pi_3-{}_3\Pi_3=4^3-3^3=37$

(iii) $c=6$인 경우, 즉 세 눈의 수 중 6이 가장 클 때이므로 이때의 경우의 수는 1, 2, 3, 4, 5, 6에서 중복을 허락하여 3개를 택하는 중복순열의 수에서 1, 2, 3, 4, 5에서 중복을 허락하여 3개를 택하는 중복순열의 수를 빼면 된다.

$\therefore {}_6\Pi_3-{}_5\Pi_3=6^3-5^3=91$

(i), (ii), (iii)에 의하여 만들어지는 세 자리 자연수가 짝수가 되는 경우의 수는

$7+37+91=\mathbf{135}$ 답 135

006-1 빨간색, 노란색, 파란색 깃발은 순서가 정해져 있으므로 이 3개의 깃발을 모두 A로 생각하여 A, A, A, 주황색, 초록색, 남색, 보라색 깃발을 일렬로 나열한

후 첫 번째 A는 파란색 깃발, 두 번째 A는 노란색 깃발, 세 번째 A는 빨간색 깃발로 바꾸면 된다.
따라서 구하는 경우의 수는

$\frac{7!}{3!}=\mathbf{840}$ 답 840

006-2 T, T, T, C를 모두 X로 생각하면 X, X, X, X, S, S, S, A, I, I를 일렬로 나열한 후 첫 번째, 두 번째, 세 번째 X는 T, 네 번째 X는 C로 바꾸면 된다.
따라서 구하는 문자열의 개수는

$\frac{10!}{4!3!2!}=\mathbf{12600}$ 답 12600

007-1 A지점에서 B지점까지 가려면 반드시 C지점을 거쳐야 한다.

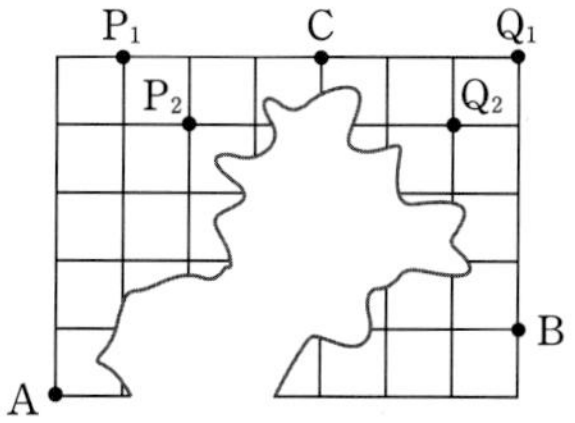

A지점에서 C지점까지 가는 최단 경로의 수는

$A \to P_1 \to C$로 가는 경우 : $\frac{4!}{3!}\times 1=4$

$A \to P_2 \to C$로 가는 경우 : $\frac{4!}{2!2!}\times 2=12$

이므로 $4+12=16$

또 C지점에서 B지점까지 가는 최단 경로의 수는

$C \to Q_1 \to B$로 가는 경우 : $1\times 1=1$

$C \to Q_2 \to B$로 가는 경우 : $2\times 2=4$

이므로 $1+4=5$

따라서 A지점에서 B지점까지 가는 최단 경로의 수는

$16\times 5=\mathbf{80}$ 답 80

2. 중복조합과 이항정리

유제 SUMMA CUM LAUDE

008-1 90	008-2 50	008-3 15	
009-1 28	010-1 6	010-2 1176	
011-1 55	011-2 9342		
012-1 6	012-2 15	013-1 1	013-2 5
014-1 $\frac{11}{10}$	014-2 $a=40, b=20$	015-1 60	

008-1 먼저 흰 장미를 한 송이씩, 붉은 장미를 두 송이씩 세 사람에게 나누어 주면 결국 흰 장미 2송이, 붉은 장미 4송이를 세 명에게 나누어 주는 것으로 생각할 수 있다.
이때 흰 장미 2송이를 세 명에게 나누어 주는 경우의 수는

${}_3H_2={}_{3+2-1}C_2={}_4C_2=6$

또 붉은 장미 4송이를 세 명에게 나누어 주는 경우의 수는

${}_3H_4={}_{3+4-1}C_4={}_6C_4={}_6C_2=15$

따라서 구하는 경우의 수는

$6\times 15=\mathbf{90}$ 답 90

008-2 $(a+b)^4$을 전개할 때 생기는 서로 다른 항의 개수는 서로 다른 2개의 문자 a, b에서 중복을 허락하여 4개를 택하는 중복조합의 수와 같으므로

${}_2H_4={}_{2+4-1}C_4={}_5C_4={}_5C_1=5$

$(x+y+z)^3$을 전개할 때 생기는 서로 다른 항의 개수는 서로 다른 3개의 문자 x, y, z에서 중복을 허락하여 3개를 택하는 중복조합의 수와 같으므로

${}_3H_3={}_{3+3-1}C_3={}_5C_3={}_5C_2=10$

따라서 구하는 항의 개수는

$5\times 10=\mathbf{50}$ 답 50

008-3 같은 종류의 주머니 3개에 먼저 사탕과 구슬을 각각 1개씩 넣으면 같은 종류의 구슬 4개가 남는다.

이때 각 주머니에는 서로 다른 종류의 사탕이 1개씩 들어 있으므로 3개의 주머니는 서로 구별이 되는 주머니가 된다.
따라서 구하는 경우의 수는 남은 같은 종류의 구슬 4개를 서로 다른 3개의 주머니에 나누어 넣는 경우의 수와 같고, 이는 서로 다른 3개에서 중복을 허락하여 4개를 택하는 중복조합의 수와 같으므로

$_3H_4 = {}_{3+4-1}C_4 = {}_6C_4 = {}_6C_2 = \mathbf{15}$

다른 풀이 구슬을 먼저 넣은 후 사탕을 넣는다.
같은 종류의 구슬 7개를 같은 종류의 주머니 3개에 각각 1개 이상씩 들어가도록 나누어 넣는 경우는

$(5, 1, 1), (4, 2, 1), (3, 3, 1), (3, 2, 2)$

의 4가지이다.

(i) (5, 1, 1)로 나눈 경우, 각 주머니에 서로 다른 종류의 사탕을 1개씩 넣는 경우의 수는　3
(3, 3, 1), (3, 2, 2)인 경우의 수도 각각 3이다.

(ii) (4, 2, 1)로 나눈 경우, 각 주머니에 서로 다른 종류의 사탕을 1개씩 넣는 경우의 수는
$3! = 6$

(i), (ii)에 의하여 구하는 경우의 수는

$3 \times 3 + 6 = 15$

답 15

009-1 $a = a' + 1$, $b = b' + 2$, $c = c' + 3$으로 놓으면 방정식 $a + b + c = 12$에서

$(a'+1) + (b'+2) + (c'+3) = 12$

$\therefore a' + b' + c' = 6$ (단, $a' \geq 0$, $b' \geq 0$, $c' \geq 0$)

따라서 구하는 해의 개수는 방정식 $a' + b' + c' = 6$의 음이 아닌 정수해의 개수와 같으므로

$_3H_6 = {}_{3+6-1}C_6 = {}_8C_6 = {}_8C_2 = \mathbf{28}$

답 28

010-1 공역과 치역이 같아야 하므로 공역의 3개의 원소 6, 7, 8이 모두 정의역의 원소와 대응되어야 한다.
치역의 원소 6, 7, 8이 정의역의 원소와 대응되는 횟수를 각각 a, b, c라 하면

$a \geq 1$, $b \geq 1$, $c \geq 1$이고, $a + b + c = 5$

$a = a' + 1$, $b = b' + 1$, $c = c' + 1$로 놓으면

$a' + b' + c' = 2$ (단, $a' \geq 0$, $b' \geq 0$, $c' \geq 0$)

따라서 구하는 함수 f의 개수는 방정식 $a' + b' + c' = 2$의 음이 아닌 정수해의 개수와 같으므로

$_3H_2 = {}_{3+2-1}C_2 = {}_4C_2 = \mathbf{6}$

다른 풀이 1 공역과 치역이 같아야 하므로 공역의 3개의 원소 6, 7, 8이 모두 정의역의 원소와 대응되어야 한다. 이때 정의역의 원소는 5개이고 공역의 원소는 3개이므로 먼저 6, 7, 8을 각각 1개씩 택한 후 6, 7, 8에서 중복을 허락하여 2개를 더 택하여 크기가 작은 것부터 순서대로 정의역의 원소 1, 2, 3, 4, 5에 대응시키면 된다.
따라서 구하는 함수 f의 개수는

$_3H_2 = {}_{3+2-1}C_2 = {}_4C_2 = 6$

다른 풀이 2 $f(1) \bigcirc f(2) \bigcirc f(3) \bigcirc f(4) \bigcirc f(5)$에서 4개의 ○ 중 2개를 골라 3개의 모둠으로 나누어 차례로 공역의 원소 6, 7, 8에 대응시키면 된다.
따라서 구하는 함수 f의 개수는

$_4C_2 = 6$

답 6

010-2 홀수와 짝수로 나누어 함숫값을 생각해 보자.

(i) 홀수인 경우 : 홀수인 원소 1, 3, 5에 6개의 Y의 원소 중에서 중복을 허락하여 3개의 원소를 뽑아 이것을 작은 순서대로 대응시키므로
$_6H_3 = {}_{6+3-1}C_3 = {}_8C_3 = 56$

(ii) 짝수인 경우 : 짝수인 원소 2, 4에 6개의 Y의 원소 중에서 중복을 허락하여 2개의 원소를 뽑아 이것을 큰 순서대로 대응시키므로
$_6H_2 = {}_{6+2-1}C_2 = {}_7C_2 = 21$

(i), (ii)에 의하여 구하는 함수 f의 개수는

$56 \times 21 = \mathbf{1176}$

답 1176

011-1 $\left(x+\frac{1}{x}\right)^6$의 전개식의 일반항은

$${}_6C_r x^{6-r}\left(\frac{1}{x}\right)^r={}_6C_r\frac{x^{6-r}}{x^r} \quad \cdots\cdots ㉠$$

(i) 주어진 식의 상수항은 x^2과 ㉠의 $\frac{1}{x^2}$항, 2와 ㉠의 상수항이 곱해질 때 나타난다.

㉠에서 $\frac{1}{x^2}$항은 $r-(6-r)=2 \iff r=4$일 때 나타나므로

$${}_6C_4\frac{1}{x^2} \quad \cdots\cdots ㉡$$

또 ㉠에서 상수항은 $6-r=r \iff r=3$일 때 나타나므로

$${}_6C_3 \quad \cdots\cdots ㉢$$

㉡, ㉢에 의하여 주어진 식의 상수항은

$$x^2\times{}_6C_4\frac{1}{x^2}+2\times{}_6C_3={}_6C_4+2\times{}_6C_3$$
$$=15+2\times20=55$$

(ii) 주어진 식의 x항은 x^2과 ㉠의 $\frac{1}{x}$항, 2와 ㉠의 x항이 곱해질 때 나타난다.

㉠에서 $\frac{1}{x}$항은 $r-(6-r)=1 \iff r=\frac{7}{2}$일 때 나타나지만 r는 $0\le r\le6$인 정수이어야 하므로 $\frac{1}{x}$항은 존재하지 않는다.

마찬가지로 ㉠에서 x항은 $6-r-r=1 \iff r=\frac{5}{2}$일 때 나타나지만 r는 $0\le r\le6$인 정수이어야 하므로 x항은 존재하지 않는다.

즉, 주어진 식의 x항은 존재하지 않으므로 x의 계수는 0이다.

(i), (ii)에 의하여 주어진 식의 상수항과 x의 계수의 합은 **55**이다. 답 55

011-2 $(1+2x)^4$의 전개식의 일반항은

${}_4C_s(2x)^s$ (단, $s=0, 1, 2, 3, 4$) ⋯⋯ ㉠

$(x+3)^5$의 전개식의 일반항은

${}_5C_r x^{5-r}3^r$ (단, $r=0, 1, 2, 3, 4, 5$) ⋯⋯ ㉡

주어진 식의 전개식의 일반항은 ㉠과 ㉡의 곱인

$${}_4C_s(2x)^s\cdot{}_5C_r x^{5-r}3^r={}_4C_s\cdot2^s\cdot{}_5C_r\cdot3^r\cdot x^{s+5-r}$$

따라서 x^2항은 $s+5-r=2$, 즉 $r=s+3$인 경우이고 이를 만족시키는 s, r의 순서쌍 (s, r)는

$(0, 3)$, $(1, 4)$, $(2, 5)$

이므로 x^2의 계수는

$${}_4C_0\cdot2^0\cdot{}_5C_3\cdot3^3+{}_4C_1\cdot2^1\cdot{}_5C_4\cdot3^4+{}_4C_2\cdot2^2\cdot{}_5C_5\cdot3^5$$
$$=270+3240+5832=\mathbf{9342}$$

답 9342

012-1 $\left(x^2+2-\frac{1}{x}\right)^3$의 전개식의 일반항은

$$\frac{3!}{p!q!r!}(x^2)^p\cdot2^q\cdot\left(-\frac{1}{x}\right)^r$$
$$=\frac{3!\cdot2^q\cdot(-1)^r}{p!q!r!}\cdot\frac{x^{2p}}{x^r}$$

(단, $p+q+r=3$, $p\ge0$, $q\ge0$, $r\ge0$)

이때 $\frac{x^{2p}}{x^r}=x^4$에서 $2p-r=4$이므로 이를 만족시키는 p, q, r의 순서쌍 (p, q, r)는 $(2, 1, 0)$

따라서 x^4의 계수는 $\frac{3!\cdot2}{2!1!0!}=\mathbf{6}$ 답 6

012-2 $(ax^2+2x-1)^6$의 전개식의 일반항은

$$\frac{6!}{p!q!r!}(ax^2)^p\cdot(2x)^q\cdot(-1)^r$$
$$=\frac{6!\cdot a^p\cdot2^q\cdot(-1)^r}{p!q!r!}x^{2p+q}$$

(단, $p+q+r=6$, $p\ge0$, $q\ge0$, $r\ge0$)

이때 $x^{2p+q}=x^2$에서 $2p+q=2$이므로 이를 만족시키는 p, q, r의 순서쌍 (p, q, r)는

$(0, 2, 4)$, $(1, 0, 5)$

따라서 x^2의 계수는

$$\frac{6!\cdot a^0\cdot2^2\cdot(-1)^4}{0!2!4!}+\frac{6!\cdot a\cdot2^0\cdot(-1)^5}{1!0!5!}=60-6a$$

이때 x^2의 계수가 -30이므로

$60-6a=-30$

$6a=90 \quad \therefore a=\mathbf{15}$ 답 15

013-❶

주어진 식을 변형하면

$12^5+13^5+16^5=(10+2)^5+(15-2)^5+(15+1)^5$

이때 10^2, 10^3, $\cdots$ 또는 15^2, 15^3, $\cdots$이 포함된 항은 25로 나누어떨어져서 나머지에 영향을 주지 않으므로 그 항들의 합을 간단히 $25k$ (k는 정수)라 하면

$(10+2)^5+(15-2)^5+(15+1)^5$

$=25k+{}_5C_4 10\cdot 2^4+{}_5C_5 2^5+{}_5C_4 15\cdot(-2)^4$

$\quad +{}_5C_5(-2)^5+{}_5C_4 15+{}_5C_5 \qquad \cdots\cdots$ ㉠

이때 ${}_5C_4=5$이므로 ${}_5C_4 10\cdot 2^4$, ${}_5C_4 15\cdot(-2)^4$, ${}_5C_4 15$도 각각 25의 배수이다.

이 세 수의 합을 $25l$ (l은 정수)이라 하고 ㉠의 식을 정리하면

$25k+25l+{}_5C_5 2^5+{}_5C_5(-2)^5+{}_5C_5=25k+25l+1$

따라서 $12^5+13^5+16^5$을 25로 나눈 나머지는 **1**이다.

답 1

013-❷

9^{10}

$=(10-1)^{10}$

$={}_{10}C_0 10^{10}-{}_{10}C_1 10^9+{}_{10}C_2 10^8$

$\quad -\cdots-{}_{10}C_7 10^3+{}_{10}C_8 10^2-{}_{10}C_9 10+{}_{10}C_{10}$

$=10^3(10^7-{}_{10}C_1 10^6+{}_{10}C_2 10^5-\cdots-{}_{10}C_7)$

$\quad +{}_{10}C_8 10^2-{}_{10}C_9 10+1$

이때 $10^3(10^7-{}_{10}C_1 10^6+{}_{10}C_2 10^5-\cdots-{}_{10}C_7)$은 백의 자리, 십의 자리, 일의 자리의 숫자가 모두 0이므로 ${}_{10}C_8 10^2-{}_{10}C_9 10+1$의 백의 자리, 십의 자리, 일의 자리의 숫자를 구하면 된다.

${}_{10}C_8 10^2-{}_{10}C_9 10+1=4500-100+1=4401$

따라서 $x=4$, $y=0$, $z=1$이므로

$x+y+z=\mathbf{5}$ 답 5

014-❶

$({}_{10}C_0)^2+({}_{10}C_1)^2+\cdots+({}_{10}C_{10})^2$은 $(1+x)^{10}(x+1)^{10}$의 전개식에서 x^{10}의 계수와 같다.

이때 $(1+x)^{20}$의 전개식에서 x^{10}의 계수가 ${}_{20}C_{10}$이므로

$({}_{10}C_0)^2+({}_{10}C_1)^2+\cdots+({}_{10}C_{10})^2={}_{20}C_{10}$

$\therefore \dfrac{({}_{10}C_0)^2+({}_{10}C_1)^2+\cdots+({}_{10}C_{10})^2}{{}_{20}C_{11}}$

$=\dfrac{{}_{20}C_{10}}{{}_{20}C_{11}}=\dfrac{{}_{20}P_{10}}{10!}\times\dfrac{11!}{{}_{20}P_{11}}$

$=\mathbf{\dfrac{11}{10}}$ 답 $\dfrac{11}{10}$

014-❷

$(1+x)^{25}$

$={}_{25}C_0+{}_{25}C_1 x+{}_{25}C_2 x^2+\cdots+{}_{25}C_{25}x^{25}$

$(1+x)^{15}={}_{15}C_0+{}_{15}C_1 x+{}_{15}C_2 x^2+\cdots+{}_{15}C_{15}x^{15}$

이므로

${}_{25}C_{20}\cdot{}_{15}C_0+{}_{25}C_{19}\cdot{}_{15}C_1+\cdots+{}_{25}C_5\cdot{}_{15}C_{15} \quad \cdots\cdots$ ㉠

은 $(1+x)^{25}(1+x)^{15}$의 전개식에서 x^{20}의 계수와 같다.

이때 $(1+x)^{25}(1+x)^{15}=(1+x)^{40}$이므로 결국 ㉠은 $(1+x)^{40}$의 전개식에서 x^{20}의 계수인 ${}_{40}C_{20}$과 같다.

$\therefore {}_{25}C_{20}\cdot{}_{15}C_0+{}_{25}C_{19}\cdot{}_{15}C_1+\cdots+{}_{25}C_5\cdot{}_{15}C_{15}={}_{40}C_{20}$

$\therefore \mathbf{a=40,\ b=20}$

다른 풀이 주어진 식에서 ${}_{25}C_{20-k}$는 25개 중 $(20-k)$개를 뽑는 경우의 수이고, ${}_{15}C_k$는 15개 중 k개를 뽑는 경우의 수이다. (단, $k=0$, 1, 2, $\cdots$, 15)

이때 ${}_{25}C_{20-k}\cdot{}_{15}C_k$는 그 두 과정을 동시에 진행한 것을 의미하는데 k 대신 0, 1, 2, $\cdots$, 15를 대입한 값

${}_{25}C_{20}\cdot{}_{15}C_0$, ${}_{25}C_{19}\cdot{}_{15}C_1$, $\cdots$, ${}_{25}C_5\cdot{}_{15}C_{15}$

를 살펴보면 25개와 15개의 합 40개 중에서 20개를 뽑을 때 나오는 모든 경우를 나타내고 있음을 확인할 수 있다.

따라서 주어진 식은 $25+15=40$(개) 중에서 $20-k+k=20$(개)를 뽑는 경우의 수를 구하는 것이므로

${}_{25}C_{20}\cdot{}_{15}C_0+{}_{25}C_{19}\cdot{}_{15}C_1+\cdots+{}_{25}C_5\cdot{}_{15}C_{15}={}_{40}C_{20}$

$\therefore a=40,\ b=20$ 답 $a=40$, $b=20$

015-1 KOREA의 문자열이 만들어지기 위해서는 반드시 중앙의 K에서 어느 한 A까지 최단 거리로 선을 그어야 한다. 파스칼의 삼각형을 이용하여 중앙의 K에서 각각의 A까지 최단 거리로 가는 경우의 수를 구하면 다음 그림과 같다.

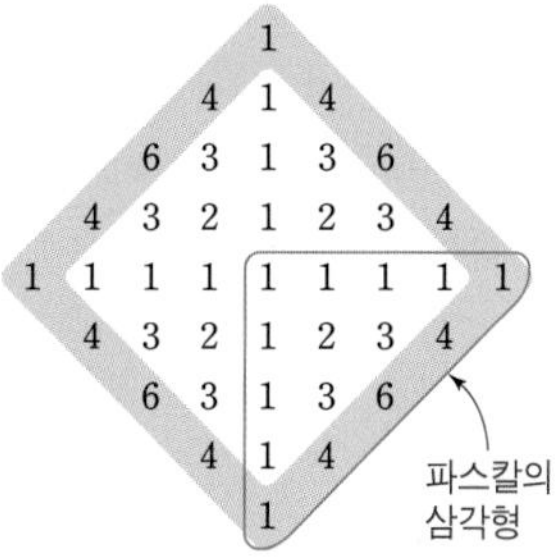

따라서 구하는 경우의 수는

$4\times(1+4+6+4)=\mathbf{60}$ 답 60

Ⅱ 확률

1. 확률의 뜻과 활용

유제 SUMMA CUM LAUDE

016-1 $\frac{17}{36}$ **017-1** $\frac{1}{5}$ **017-2** $\frac{1}{4}$

018-1 $\frac{14}{55}$ **018-2** $\frac{1}{13}$ **019-1** $\frac{16}{25}$

020-1 0.9 **020-2** ①

021-1 $\frac{11}{36}$ **021-2** $\frac{5}{6}$

022-1 $\frac{3}{4}$ **022-2** 10

023-1 (1) $\frac{11}{36}$ (2) $\frac{4}{9}$

016-1 두 개의 주사위 A, B를 동시에 던질 때, 모든 경우의 수는 $6\times6=36$

이차방정식 $x^2-ax+b=0$이 서로 다른 두 실근을 가지려면 이 이차방정식의 판별식을 D라 할 때, $D>0$이어야 하므로

$D=a^2-4b>0$에서 $a^2>4b$ …… ㉠

㉠을 만족시키는 순서쌍 (a, b)는

$(3, 1), (3, 2),$

$(4, 1), (4, 2), (4, 3),$

$(5, 1), (5, 2), (5, 3), (5, 4), (5, 5), (5, 6),$

$(6, 1), (6, 2), (6, 3), (6, 4), (6, 5), (6, 6)$

의 17가지이다.

따라서 구하는 확률은 $\mathbf{\frac{17}{36}}$ 답 $\frac{17}{36}$

017-1 7명의 학생이 원탁에 둘러앉는 방법의 수는

$(7-1)!=6!=720$

이때 여학생 4명이 원탁에 둘러앉는 방법의 수는 $(4-1)!=3!=6$이고, 여학생과 여학생 사이의 4개의 자리 중에서 3개를 택하여 남학생을 앉히는 방법의 수는

${}_4P_3=24$이므로 남학생끼리 이웃하지 않게 앉는 방법의 수는

$6\times 24=144$

따라서 구하는 확률은 $\frac{144}{720}=\mathbf{\frac{1}{5}}$ 답 $\frac{1}{5}$

017-2 a가 2개, b가 3개, c가 3개이므로 8개의 문자를 일렬로 나열하는 모든 경우의 수는

$$\frac{8!}{2!\times 3!\times 3!}=560$$

(i) 양 끝에 a가 오는 경우의 수

그 사이에 b를 3개, c를 3개 나열하면 되므로

$$\frac{6!}{3!\times 3!}=20$$

(ii) 양 끝에 b가 오는 경우의 수

그 사이에 a를 2개, b를 1개, c를 3개 나열하면 되므로

$$\frac{6!}{2!\times 3!}=60$$

(iii) 양 끝에 c가 오는 경우의 수

그 사이에 a를 2개, b를 3개, c를 1개 나열하면 되므로

$$\frac{6!}{2!\times 3!}=60$$

(i), (ii), (iii)에 의하여 양 끝에 같은 문자가 오는 경우의 수는

$20+60+60=140$

따라서 구하는 확률은 $\frac{140}{560}=\mathbf{\frac{1}{4}}$ 답 $\frac{1}{4}$

018-1 12개의 공 중에서 2개를 꺼내는 경우의 수는 ${}_{12}C_2=66$

12개의 공 중에서 검은 공의 수를 x개라 하자.

x개의 검은 공 중에서 2개를 꺼내는 경우의 수는

$${}_xC_2=\frac{x(x-1)}{2}$$

12개의 공 중에서 2개의 공을 동시에 꺼낼 때, 모두 검은 공이 나올 확률이 $\frac{1}{11}$이므로

$$\frac{\frac{x(x-1)}{2}}{66}=\frac{1}{11},\ \frac{x(x-1)}{132}=\frac{1}{11}$$

$x(x-1)=12=4\times 3 \qquad \therefore x=4$

따라서 상자에는 흰 공이 8개, 검은 공이 4개 들어 있으므로 이 상자에서 임의로 3개의 공을 동시에 꺼낼 때, 모두 흰 공이 나올 확률은

$$\frac{{}_8C_3}{{}_{12}C_3}=\frac{56}{220}=\mathbf{\frac{14}{55}}$$ 답 $\frac{14}{55}$

018-2 똑같은 구슬 12개를 4개의 주머니 A, B, C, D에 나누어 넣는 방법의 수는 서로 다른 4개에서 12개를 택하는 중복조합의 수와 같으므로

${}_4H_{12}={}_{15}C_{12}={}_{15}C_3=455$

각 주머니에 적어도 2개의 구슬이 들어가는 방법의 수는 각 주머니에 먼저 구슬을 2개씩 넣고, 남은 구슬 4개를 4개의 주머니 A, B, C, D에 넣는 방법의 수와 같다.

즉, 서로 다른 4개에서 4개를 택하는 중복조합의 수와 같으므로

${}_4H_4={}_7C_4={}_7C_3=35$

따라서 구하는 확률은 $\frac{35}{455}=\mathbf{\frac{1}{13}}$ 답 $\frac{1}{13}$

019-1 한 변의 길이가 10인 정사각형 안에 지름의 길이가 2, 즉 반지름의 길이가 1인 동전이 완전히 들어가려면 동전의 중심이 다음 그림의 색칠한 부분 안에 존재해야 한다.

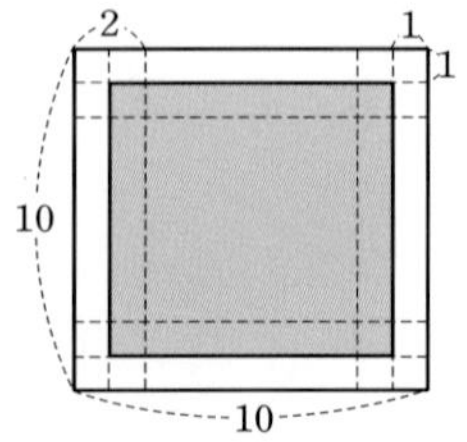

따라서 구하는 확률은

$$\frac{(\text{색칠한 부분의 넓이})}{(\text{정사각형의 넓이})}=\frac{8\times8}{10\times10}=\mathbf{\frac{16}{25}}$$ 답 $\frac{16}{25}$

020-1 주어진 조건에 의하여

$P(A)=0.6,\ P(B)=0.5,\ P(A\cap B)=0.2$

이고, 두 사건 A, B 중 적어도 한 사건이 일어나는 사건은 $A\cup B$이므로 구하는 확률은

$$P(A\cup B)=P(A)+P(B)-P(A\cap B)$$
$$=0.6+0.5-0.2=\mathbf{0.9}$$ 답 0.9

020-2 $A\cup B=S$이므로

$P(A\cup B)=P(S)=1$

이때 두 사건 A, B는 서로 배반사건이므로

$$P(A\cup B)=P(A)+P(B)$$
$$=P(A)+\frac{1}{2}P(A)\ (\because P(A)=2P(B))$$
$$=\frac{3}{2}P(A)=1$$

$\therefore P(A)=\mathbf{\frac{2}{3}}$ 답 ①

021-1 $f(0)=-1$인 사건을 A, $f(1)=3$인 사건을 B라 하면

$$P(A)=\frac{{}_6\Pi_2}{{}_6\Pi_3}=\frac{6^2}{6^3}=\frac{1}{6}$$

$$P(B)=\frac{{}_6\Pi_2}{{}_6\Pi_3}=\frac{6^2}{6^3}=\frac{1}{6}$$

$$P(A\cap B)=\frac{{}_6\Pi_1}{{}_6\Pi_3}=\frac{6}{6^3}=\frac{1}{36}$$

따라서 구하는 확률은

$$P(A\cup B)=P(A)+P(B)-P(A\cap B)$$
$$=\frac{1}{6}+\frac{1}{6}-\frac{1}{36}=\mathbf{\frac{11}{36}}$$ 답 $\frac{11}{36}$

021-2 빨간 공 4개, 노란 공 2개를 꺼내는 사건을 A, 빨간 공 5개, 노란 공 1개를 꺼내는 사건을 B, 빨간 공 6개를 꺼내는 사건을 C라 하면

$$P(A)=\frac{{}_7C_4\times{}_3C_2}{{}_{10}C_6}=\frac{{}_7C_3\times{}_3C_1}{{}_{10}C_4}=\frac{105}{210}$$

$$P(B)=\frac{{}_7C_5\times{}_3C_1}{{}_{10}C_6}=\frac{{}_7C_2\times{}_3C_1}{{}_{10}C_4}=\frac{63}{210}$$

$$P(C)=\frac{{}_7C_6}{{}_{10}C_6}=\frac{{}_7C_1}{{}_{10}C_4}=\frac{7}{210}$$

이때 세 사건 A, B, C는 서로 배반사건이므로 구하는 확률은

$$P(A\cup B\cup C)=P(A)+P(B)+P(C)$$
$$=\frac{105}{210}+\frac{63}{210}+\frac{7}{210}=\mathbf{\frac{5}{6}}$$

답 $\frac{5}{6}$

022-1 네 자리 자연수가 2300 이상인 사건을 A라 하면 A^C은 네 자리 자연수가 2300 미만인 사건이다.

이때 네 자리 자연수가 2300 미만인 경우는 1○○○ 꼴 또는 21○○ 꼴이다.

(i) 네 자리 자연수가 1○○○ 꼴일 확률

$$\frac{{}_4P_3}{{}_5P_4}=\frac{24}{120}$$

(ii) 네 자리 자연수가 21○○ 꼴일 확률

$$\frac{{}_3P_2}{{}_5P_4}=\frac{6}{120}$$

(i), (ii)에 의하여 $P(A^C)=\frac{24}{120}+\frac{6}{120}=\frac{1}{4}$

따라서 구하는 확률은

$$P(A)=1-P(A^C)=1-\frac{1}{4}=\mathbf{\frac{3}{4}}$$ 답 $\frac{3}{4}$

022-2 여학생이 1명 이상 뽑히는 사건을 A라 하면 A^C은 3명 모두 남학생이 뽑히는 사건이므로

$$P(A^C)=\frac{{}_6C_3}{{}_{n+6}C_3}$$

이때 여학생이 1명 이상 뽑힐 확률이 $\frac{27}{28}$이므로

$$P(A^C)=1-P(A)=1-\frac{27}{28}=\frac{1}{28}$$

즉, $\frac{{}_6C_3}{{}_{n+6}C_3}=\frac{1}{28}$이므로

$$\frac{120}{(n+6)(n+5)(n+4)}=\frac{1}{28}$$

$$(n+6)(n+5)(n+4)=3360=16\times15\times14$$

$\therefore n=\mathbf{10}$ 답 10

023-1 서로 다른 세 주사위를 동시에 던질 때, 모든 경우의 수는 $6\times6\times6=216$

(1) $(a-b)(b-c)=0$인 사건을 A라 하면

$(a-b)(b-c)=0 \iff a=b$ 또는 $b=c$

이므로 A^C은 $a\neq b$이고 $b\neq c$인 사건이다. 즉,

$$P(A^C)=\frac{6\times5\times5}{216}=\frac{25}{36}$$

따라서 구하는 확률은

$$P(A)=1-P(A^C)=1-\frac{25}{36}=\mathbf{\frac{11}{36}}$$

(2) $(a-b)(b-c)(c-a)=0$인 사건을 B라 하면

$(a-b)(b-c)(c-a)=0$

$\iff a=b$ 또는 $b=c$ 또는 $c=a$

$\iff a, b, c$ 중 적어도 2개는 같다.

이므로 B^C은

$a\neq b$이고 $b\neq c$이고 $c\neq a$인 사건

$\iff a, b, c$가 모두 다른 사건

이다. 즉,

$$P(B^C)=\frac{6\times5\times4}{216}=\frac{5}{9}$$

따라서 구하는 확률은

$$P(B)=1-P(B^C)=1-\frac{5}{9}=\mathbf{\frac{4}{9}}$$

답 (1) $\frac{11}{36}$ (2) $\frac{4}{9}$

2. 조건부확률

유제 SUMMA CUM LAUDE

024-1 15 **024-2** $\frac{7}{17}$

025-1 $\frac{1}{3}$ **025-2** $\frac{1}{3}$

026-1 $\frac{3}{10}$ **026-2** $\frac{37}{56}$ **027-1** $\frac{9}{29}$

028-1 $\frac{2}{5}$ **029-1** $\frac{1443}{4096}$

030-1 $\frac{160}{729}$ **030-2** $\frac{9}{32}$

024-1 테니스를 선택한 남자 회원 수를 a, 테니스를 선택한 여자 회원 수를 b라 하면 농구와 테니스를 선택한 회원 수를 표로 나타내면 다음과 같다.

(단위 : 명)

	남자 회원 수	여자 회원 수	합계
농구	11	5	16
테니스	a	b	$a+b$
합계	$11+a$	$5+b$	40

$16+a+b=40$이므로

$a+b=24$ ······ ㉠

이때 뽑은 한 명이 테니스를 선택한 회원인 사건을 A, 남자 회원인 사건을 B라 하면

$$P(B|A)=\frac{P(A\cap B)}{P(A)}=\frac{\frac{a}{40}}{\frac{a+b}{40}}=\frac{\frac{a}{40}}{\frac{24}{40}}\ (\because ㉠)=\frac{a}{24}$$

즉, $\frac{a}{24}=\frac{7}{12}$이므로 $a=14$

$a=14$를 ㉠에 대입하면 $b=10$

따라서 구하는 여자 회원의 수는

$5+10=\mathbf{15}$ 답 15

024-2 뽑은 3명이 선택한 악기가 모두 같은 사건을 A, 선택한 악기가 모두 피아노이거나 모두 플루트인 사건을 B라 하면

$$P(A)=\frac{{}_4C_3+{}_6C_3+{}_5C_3}{{}_{15}C_3}=\frac{4+20+10}{455}=\frac{34}{455}$$

$$P(A\cap B)=\frac{{}_4C_3+{}_5C_3}{{}_{15}C_3}=\frac{4+10}{455}=\frac{14}{455}$$

따라서 구하는 확률은

$$P(B|A)=\frac{P(A\cap B)}{P(A)}=\frac{\frac{14}{455}}{\frac{34}{455}}=\mathbf{\frac{7}{17}}$$

다른 풀이 $P(B|A)=\dfrac{n(A\cap B)}{n(A)}$

$$=\frac{{}_4C_3+{}_5C_3}{{}_4C_3+{}_6C_3+{}_5C_3}=\frac{7}{17}$$

답 $\frac{7}{17}$

025-1 $P(A\cap B)=P(A)P(B|A)$

$$=\frac{2}{5}\times\frac{2}{3}=\frac{4}{15}$$

$P(A\cup B)=P(A)+P(B)-P(A\cap B)$에서

$$\frac{11}{15}=\frac{2}{5}+P(B)-\frac{4}{15}\qquad\therefore P(B)=\frac{3}{5}$$

$$\therefore P(A|B^C)=\frac{P(A\cap B^C)}{P(B^C)}$$

$$=\frac{P(A)-P(A\cap B)}{1-P(B)}$$

$$=\frac{\frac{2}{5}-\frac{4}{15}}{1-\frac{3}{5}}=\frac{\frac{2}{15}}{\frac{2}{5}}=\mathbf{\frac{1}{3}}$$

답 $\frac{1}{3}$

025-2 $P(A\cup B)$

$$=P(A)+P(B)-P(A\cap B)$$

$$=P(A)+P(B)-P(A)P(B|A)$$

이므로

$$0.7=P(A)+0.3-0.2P(A)$$

$$0.8P(A)=0.4\qquad\therefore P(A)=0.5$$

$$\therefore P(A|B)=\frac{P(A\cap B)}{P(B)}=\frac{P(A)P(B|A)}{P(B)}$$

$$=\frac{0.5\times0.2}{0.3}=\mathbf{\frac{1}{3}}$$

답 $\frac{1}{3}$

026-1 수호가 당첨권을 뽑는 사건을 A, 지효가 당첨권을 뽑는 사건을 B라 하면

(i) 수호가 당첨권을 뽑고 지효도 당첨권을 뽑을 확률은

$$P(A\cap B)=P(A)P(B|A)$$

$$=\frac{3}{10}\times\frac{2}{9}=\frac{1}{15}$$

(ii) 수호가 당첨권을 뽑지 않고 지효가 당첨권을 뽑을 확률은

$$P(A^C\cap B)=P(A^C)P(B|A^C)$$

$$=\frac{7}{10}\times\frac{3}{9}=\frac{7}{30}$$

(i), (ii)에 의하여 구하는 확률은

$$P(B)=P(A\cap B)+P(A^C\cap B)$$

$$=\frac{1}{15}+\frac{7}{30}=\mathbf{\frac{3}{10}}$$

답 $\frac{3}{10}$

026-2 주머니 A에서 흰 공을 꺼내는 사건을 A, 검은 공을 꺼내는 사건을 B, 주머니 B에서 흰 공을 꺼내는 사건을 E라 하면

(i) 주머니 A에서 흰 공을 꺼내고 주머니 B에서 흰 공을 꺼낼 확률은

$$P(A\cap E)=P(A)P(E|A)=\frac{5}{8}\times\frac{5}{7}=\frac{25}{56}$$

(ii) 주머니 A에서 검은 공을 꺼내고 주머니 B에서 흰 공을 꺼낼 확률은

$$P(B\cap E)=P(B)P(E|B)=\frac{3}{8}\times\frac{4}{7}=\frac{3}{14}$$

(i), (ii)에 의하여 구하는 확률은

$$\mathrm{P}(E)=\mathrm{P}(A\cap E)+\mathrm{P}(B\cap E)$$
$$=\frac{25}{56}+\frac{3}{14}=\mathbf{\frac{37}{56}}$$

답 $\frac{37}{56}$

027-❶ 상자 B에서 흰 공을 꺼내는 사건을 X, 상자 A에서 온 흰 공을 꺼내는 사건을 Y라 하자.

먼저 상자 B에서 흰 공을 꺼낼 확률 $\mathrm{P}(X)$를 구해 보자.

(i) 상자 A에서 흰 공이 3개 올 때, 흰 공을 꺼낼 확률은

$$\frac{{}_3\mathrm{C}_3}{{}_5\mathrm{C}_3}\times\frac{7}{9}=\frac{1}{10}\times\frac{7}{9}=\frac{7}{90}$$

(ii) 상자 A에서 흰 공이 2개, 검은 공이 1개 올 때, 흰 공을 꺼낼 확률은

$$\frac{{}_3\mathrm{C}_2\times{}_2\mathrm{C}_1}{{}_5\mathrm{C}_3}\times\frac{6}{9}=\frac{6}{10}\times\frac{6}{9}=\frac{36}{90}$$

(iii) 상자 A에서 흰 공이 1개, 검은 공이 2개 올 때, 흰 공을 꺼낼 확률은

$$\frac{{}_3\mathrm{C}_1\times{}_2\mathrm{C}_2}{{}_5\mathrm{C}_3}\times\frac{5}{9}=\frac{3}{10}\times\frac{5}{9}=\frac{15}{90}$$

(i)~(iii)에 의하여

$$\mathrm{P}(X)=\frac{7}{90}+\frac{36}{90}+\frac{15}{90}=\frac{58}{90}$$

이번에는 상자 A에서 온 흰 공을 꺼낼 확률 $\mathrm{P}(X\cap Y)$를 구해 보자.

(iv) 상자 A에서 흰 공이 3개 올 때, 상자 A에서 온 흰 공을 꺼낼 확률은

$$\frac{{}_3\mathrm{C}_3}{{}_5\mathrm{C}_3}\times\frac{3}{9}=\frac{1}{10}\times\frac{3}{9}=\frac{3}{90}$$

(v) 상자 A에서 흰 공이 2개, 검은 공이 1개 올 때, 상자 A에서 온 흰 공을 꺼낼 확률은

$$\frac{{}_3\mathrm{C}_2\times{}_2\mathrm{C}_1}{{}_5\mathrm{C}_3}\times\frac{2}{9}=\frac{6}{10}\times\frac{2}{9}=\frac{12}{90}$$

(vi) 상자 A에서 흰 공이 1개, 검은 공이 2개 올 때, 상자 A에서 온 흰 공을 꺼낼 확률은

$$\frac{{}_3\mathrm{C}_1\times{}_2\mathrm{C}_2}{{}_5\mathrm{C}_3}\times\frac{1}{9}=\frac{3}{10}\times\frac{1}{9}=\frac{3}{90}$$

(iv)~(vi)에 의하여

$$\mathrm{P}(X\cap Y)=\frac{3}{90}+\frac{12}{90}+\frac{3}{90}=\frac{18}{90}$$

따라서 구하는 확률은

$$\mathrm{P}(Y|X)=\frac{\mathrm{P}(X\cap Y)}{\mathrm{P}(X)}$$
$$=\frac{\frac{18}{90}}{\frac{58}{90}}=\mathbf{\frac{9}{29}}$$

답 $\frac{9}{29}$

028-❶ 두 양궁 선수 A, B가 과녁의 10점 영역을 맞히는 사건을 각각 A, B라 하면 두 사건 A, B는 서로 독립이고, $\mathrm{P}(A)=\frac{1}{3}$이다.

이때 두 양궁 선수 A, B가 모두 과녁의 10점 영역을 맞히지 못하는 사건은 $A^C\cap B^C$이고, 두 사건 A^C, B^C은 서로 독립이므로

$$\mathrm{P}(A^C\cap B^C)=\mathrm{P}(A^C)\mathrm{P}(B^C)$$
$$=\left(1-\frac{1}{3}\right)\times\{1-\mathrm{P}(B)\}$$
$$=\frac{2}{3}-\frac{2}{3}\mathrm{P}(B)$$

두 양궁 선수 A, B 중 적어도 한 명이 과녁의 10점 영역을 맞힐 확률이 $\frac{3}{5}$이므로

$1-\mathrm{P}(A^C\cap B^C)=\frac{3}{5}$에서 $\quad \mathrm{P}(A^C\cap B^C)=\frac{2}{5}$

즉, $\frac{2}{3}-\frac{2}{3}\mathrm{P}(B)=\frac{2}{5}$이므로

$$\frac{2}{3}\mathrm{P}(B)=\frac{4}{15}\qquad \therefore \mathrm{P}(B)=\frac{2}{5}$$

따라서 B 선수가 과녁의 10점 영역을 맞힐 확률은 $\mathbf{\frac{2}{5}}$이다.

다른 풀이 두 사건 A와 B, A와 B^C, A^C과 B는 각각 서로 독립이므로 두 양궁 선수 A, B 중 적어도 한 명이 과녁의 10점 영역을 맞힐 확률은

$$\begin{aligned}&P(A\cap B)+P(A\cap B^C)+P(A^C\cap B)\\&=P(A)P(B)+P(A)P(B^C)+P(A^C)P(B)\\&=\frac{1}{3}P(B)+\frac{1}{3}\{1-P(B)\}+\left(1-\frac{1}{3}\right)P(B)\\&=\frac{1}{3}+\frac{2}{3}P(B)\end{aligned}$$

즉, $\frac{1}{3}+\frac{2}{3}P(B)=\frac{3}{5}$ 이므로

$$\frac{2}{3}P(B)=\frac{4}{15}$$

$$\therefore P(B)=\frac{2}{5}$$

답 $\frac{2}{5}$

029-1 주머니에서 공을 한 개 꺼낼 때, 빨간 공을 꺼낼 확률은 $\frac{3}{12}=\frac{1}{4}$ 이고, 빨간 공을 꺼내지 않을 확률은 $\frac{9}{12}=\frac{3}{4}$ 이다.

이때 B는 2회, 4회, 6회, ⋯에서 공을 꺼내므로 B가 6회 이내에 이기는 경우는 2회, 4회, 6회에서 이기는 경우이다.

다음 표와 같이 B는 2회, 4회, 6회에서 빨간 공을 꺼내면 이긴다.

(빨간 공을 꺼내면 ○, 다른 공을 꺼내면 ×로 표시함.)

1회(A)	2회(B)	3회(A)	4회(B)	5회(A)	6회(B)
×	○				
×	×	×	○		
×	×	×	×	×	○

B가 2회, 4회, 6회에서 이길 확률을 구하면 다음과 같다.

(i) 2회 : $\frac{3}{4}\times\frac{1}{4}=\frac{3}{16}$

(ii) 4회 : $\frac{3}{4}\times\frac{3}{4}\times\frac{3}{4}\times\frac{1}{4}=\frac{27}{256}$

(iii) 6회 : $\frac{3}{4}\times\frac{3}{4}\times\frac{3}{4}\times\frac{3}{4}\times\frac{3}{4}\times\frac{1}{4}=\frac{243}{4096}$

(i)~(iii)에 의하여 구하는 확률은

$$\frac{3}{16}+\frac{27}{256}+\frac{243}{4096}=\mathbf{\frac{1443}{4096}}$$

답 $\frac{1443}{4096}$

030-1 주사위를 한 번 던질 때, 나오는 눈의 수가 5 이상일 확률은 $\frac{1}{3}$, 4 이하일 확률은 $\frac{2}{3}$ 이다.

주사위를 6번 던질 때, 점 Q가 원점에 있으려면 눈의 수가 3번은 5 이상이고 3번은 4 이하이어야 한다.

따라서 구하는 확률은

$${}_6C_3\left(\frac{1}{3}\right)^3\left(\frac{2}{3}\right)^3=\mathbf{\frac{160}{729}}$$

답 $\frac{160}{729}$

030-2 주사위를 한 번 던질 때, 짝수의 눈이 나올 확률은 $\frac{1}{2}$, 홀수의 눈이 나올 확률은 $\frac{1}{2}$ 이다.

또 동전을 한 번 던질 때, 앞면이 나올 확률은 $\frac{1}{2}$, 뒷면이 나올 확률은 $\frac{1}{2}$ 이다.

(i) 주사위에서 짝수의 눈이 나오고 동전의 앞면이 3번 나올 확률은

$$\frac{1}{2}\times{}_4C_3\left(\frac{1}{2}\right)^3\left(\frac{1}{2}\right)^1=\frac{1}{2}\times\frac{1}{4}=\frac{1}{8}$$

(ii) 주사위에서 홀수의 눈이 나오고 동전의 앞면이 3번 나올 확률은

$$\frac{1}{2}\times{}_5C_3\left(\frac{1}{2}\right)^3\left(\frac{1}{2}\right)^2=\frac{1}{2}\times\frac{5}{16}=\frac{5}{32}$$

(i), (ii)에 의하여 구하는 확률은

$$\frac{1}{8}+\frac{5}{32}=\mathbf{\frac{9}{32}}$$

답 $\frac{9}{32}$

III 통계

1. 확률분포

유제 SUMMA CUM LAUDE

031-1 (1) $\frac{16}{15}$ (2) $\frac{7}{15}$ **031-2** $\frac{2}{5}$

032-1 (1) $P(X=x)=\frac{{}_5C_x \times {}_3C_{3-x}}{{}_8C_3}$ $(x=0, 1, 2, 3)$

(2) $\frac{23}{28}$ **032-2** $\frac{7}{10}$

033-1 $E(X)=\frac{20}{9}$, $\sigma(X)=\frac{5\sqrt{2}}{9}$

033-2 $\frac{1}{16}$

034-1 $\frac{3}{4}$ **034-2** 평균 : $\frac{1}{2}$, 분산 : $\frac{13}{20}$

035-1 3000원 **035-2** 2800원 **036-1** 16

037-1 (1) $P(X=x)={}_5C_x\left(\frac{3}{4}\right)^x\left(\frac{1}{4}\right)^{5-x}$

$(x=0, 1, 2, 3, 4, 5)$

(2) $\frac{1023}{1024}$ **037-2** 0.1369

038-1 $n=36$, $p=\frac{1}{2}$ **038-2** 11

039-1 6 **040-1** (1) $\frac{2}{21}$ (2) $\frac{59}{84}$

041-1 93.32% **041-2** 56명 **042-1** 76.5점

043-1 0.7745 **043-2** 0.1359 **044-1** 162

031-1 (1) 확률변수 X의 확률분포를 표로 나타내면 다음과 같다.

X	1	2	3	4	합계
$P(X=x)$	$\frac{k}{2}$	$\frac{k}{4}$	$\frac{k}{8}$	$\frac{k}{16}$	1

이때 확률의 총합은 1이므로

$$\frac{k}{2}+\frac{k}{4}+\frac{k}{8}+\frac{k}{16}=1$$

$$\frac{15}{16}k=1 \qquad \therefore k=\mathbf{\frac{16}{15}}$$

(2) $P(X\geq 2)=1-P(X=1)$

$$=1-\frac{8}{15}=\mathbf{\frac{7}{15}}$$

답 (1) $\frac{16}{15}$ (2) $\frac{7}{15}$

031-2 확률변수 X의 확률분포를 표로 나타내면 다음과 같다.

X	-1	0	1	2	3	합계
$P(X=x)$	$k+\frac{1}{5}$	k	$\frac{k}{5}$	$\frac{2}{5}k$	$\frac{3}{5}k$	1

이때 확률의 총합은 1이므로

$$\left(k+\frac{1}{5}\right)+k+\frac{k}{5}+\frac{2}{5}k+\frac{3}{5}k=1$$

$$\frac{16}{5}k+\frac{1}{5}=1 \qquad \therefore k=\frac{1}{4}$$

$$\therefore P(X^2-3X=0)=P(X(X-3)=0)$$
$$=P(X=0 \text{ 또는 } X=3)$$
$$=P(X=0)+P(X=3)$$
$$=\frac{1}{4}+\frac{3}{20}=\mathbf{\frac{2}{5}}$$

답 $\frac{2}{5}$

032-1 (1) 확률변수 X가 가질 수 있는 값은 0, 1, 2, 3이다.

8개의 구슬 중 3개를 꺼내는 경우의 수는 ${}_8C_3$이고, 꺼낸 구슬 중에서 파란 구슬이 x개인 경우의 수는 ${}_5C_x \times {}_3C_{3-x}$이므로 X의 확률질량함수는

$$\mathbf{P(X=x)=\frac{{}_5C_x \times {}_3C_{3-x}}{{}_8C_3}\ (x=0, 1, 2, 3)}$$

(2) 파란 구슬이 2개 이하일 확률은 $P(X\leq 2)$이고,

$P(X=3)=\frac{{}_5C_3\times{}_3C_0}{{}_8C_3}=\frac{5}{28}$이므로

$$P(X\leq 2)=1-P(X=3)=1-\frac{5}{28}=\mathbf{\frac{23}{28}}$$

답 (1) $P(X=x)=\frac{{}_5C_x \times {}_3C_{3-x}}{{}_8C_3}$ $(x=0, 1, 2, 3)$

(2) $\frac{23}{28}$

032-2 뽑힌 2장의 카드 중 5가 포함되어 있으면 두 수 중 작은 수는 항상 5가 아닌 나머지 한 장에 적힌 수이므로 확률변수 X가 가질 수 있는 값은 1, 2, 3, 4이다.
5장의 카드 중 2장을 뽑는 경우의 수는 ${}_5C_2$이고,
$X=1$인 경우는 1이 적힌 카드와 2, 3, 4, 5가 적힌 카드 중에서 한 장을 뽑는 경우이므로

$$P(X=1)=\frac{{}_4C_1}{{}_5C_2}=\frac{4}{10}$$

$X=2$인 경우는 2가 적힌 카드와 3, 4, 5가 적힌 카드 중에서 한 장을 뽑는 경우이므로

$$P(X=2)=\frac{{}_3C_1}{{}_5C_2}=\frac{3}{10}$$

$$\therefore P(X\le 2)=P(X=1)+P(X=2)$$
$$=\frac{4}{10}+\frac{3}{10}=\mathbf{\frac{7}{10}}$$

다른 풀이 $X\ge 3$인 경우는 3, 4, 5가 적힌 카드 중에서 2장을 뽑는 경우이므로

$$P(X\ge 3)=\frac{{}_3C_2}{{}_5C_2}=\frac{3}{10}$$

$$\therefore P(X\le 2)=1-P(X\ge 3)$$
$$=1-\frac{3}{10}=\frac{7}{10}$$

답 $\frac{7}{10}$

033-1 X의 확률분포를 표로 나타내면 다음과 같다.

X	1	2	3	합계
$P(X=x)$	$\frac{2}{9}$	$\frac{1}{3}$	$\frac{4}{9}$	1

$$\therefore \mathbf{E(X)}=1\times\frac{2}{9}+2\times\frac{1}{3}+3\times\frac{4}{9}=\mathbf{\frac{20}{9}}$$

$$V(X)=\left(1^2\times\frac{2}{9}+2^2\times\frac{1}{3}+3^2\times\frac{4}{9}\right)-\left(\frac{20}{9}\right)^2$$
$$=\frac{50}{81}$$

$$\boldsymbol{\sigma(X)}=\sqrt{V(X)}=\sqrt{\frac{50}{81}}=\mathbf{\frac{5\sqrt{2}}{9}}$$

답 $E(X)=\frac{20}{9}$, $\sigma(X)=\frac{5\sqrt{2}}{9}$

033-2 확률의 총합이 1이므로

$$a+b+\frac{1}{2}=1$$

$$\therefore a+b=\frac{1}{2} \quad \cdots\cdots ㉠$$

$E(X)=\frac{7}{4}$이므로

$$0\times a+1\times b+k\times\frac{1}{2}=\frac{7}{4}$$

$$\therefore b=\frac{7}{4}-\frac{1}{2}k \quad \cdots\cdots ㉡$$

$V(X)=\frac{27}{16}$이므로

$$\left(0^2\times a+1^2\times b+k^2\times\frac{1}{2}\right)-\left(\frac{7}{4}\right)^2=\frac{27}{16}$$

$$\therefore b+\frac{1}{2}k^2=\frac{19}{4} \quad \cdots\cdots ㉢$$

㉡을 ㉢에 대입하면

$$\frac{7}{4}-\frac{1}{2}k+\frac{1}{2}k^2=\frac{19}{4},\ k^2-k-6=0$$

$$(k+2)(k-3)=0 \qquad \therefore k=3\ (\because k>0)$$

$k=3$을 ㉡에 대입하면 $b=\frac{1}{4}$

$b=\frac{1}{4}$을 ㉠에 대입하면 $a=\frac{1}{4}$

$$\therefore ab=\mathbf{\frac{1}{16}}$$

답 $\frac{1}{16}$

034-1 확률변수 X가 가질 수 있는 값은 0, 1, 2, 3이고, 그 각각의 확률은

$$P(X=0)=\frac{{}_3C_0}{2^3}=\frac{1}{8},\ P(X=1)=\frac{{}_3C_1}{2^3}=\frac{3}{8}$$

$$P(X=2)=\frac{{}_3C_2}{2^3}=\frac{3}{8},\ P(X=3)=\frac{{}_3C_3}{2^3}=\frac{1}{8}$$

이므로 확률변수 X의 확률분포를 표로 나타내면 다음과 같다.

X	0	1	2	3	합계
$P(X=x)$	$\frac{1}{8}$	$\frac{3}{8}$	$\frac{3}{8}$	$\frac{1}{8}$	1

$$\therefore E(X)=0\times\frac{1}{8}+1\times\frac{3}{8}+2\times\frac{3}{8}+3\times\frac{1}{8}$$

$$=\frac{3}{2}$$

$$V(X)=\left(0^2\times\frac{1}{8}+1^2\times\frac{3}{8}+2^2\times\frac{3}{8}+3^2\times\frac{1}{8}\right)-\left(\frac{3}{2}\right)^2$$

$$=3-\frac{9}{4}=\mathbf{\frac{3}{4}}$$

답 $\frac{3}{4}$

034-2 5장의 카드 중에서 2장을 뽑는 경우를 모두 나열하면

[0][0], [0][1], [0][1], [0][2]

[0][1], [0][1], [0][2]

[1][1], [1][2], [1][2]

로 모두 10가지이다.

확률변수 X가 가질 수 있는 값은 0, 1, 2이고 그 각각의 확률은 $\frac{7}{10}$, $\frac{1}{10}$, $\frac{1}{5}$이므로 확률변수 X의 확률분포를 표로 나타내면 다음과 같다.

X	0	1	2	합계
$P(X=x)$	$\frac{7}{10}$	$\frac{1}{10}$	$\frac{1}{5}$	1

$$\therefore \mathbf{E(X)}=0\times\frac{7}{10}+1\times\frac{1}{10}+2\times\frac{1}{5}=\mathbf{\frac{1}{2}}$$

$$\mathbf{V(X)}=\left(0^2\times\frac{7}{10}+1^2\times\frac{1}{10}+2^2\times\frac{1}{5}\right)-\left(\frac{1}{2}\right)^2$$

$$=\mathbf{\frac{13}{20}}$$

답 평균 : $\frac{1}{2}$, 분산 : $\frac{13}{20}$

035-1 확률변수 X가 가질 수 있는 값은 100000, 10000, 0이고 그 각각의 확률은 $\frac{1}{100}$, $\frac{1}{5}$, $\frac{79}{100}$이다.

따라서 확률변수 X의 확률분포를 표로 나타내면

X	100000	10000	0	합계
$P(X=x)$	$\frac{1}{100}$	$\frac{1}{5}$	$\frac{79}{100}$	1

$$\therefore E(X)$$

$$=100000\times\frac{1}{100}+10000\times\frac{1}{5}+0\times\frac{79}{100}$$

$$=3000$$

따라서 구하는 기댓값은 **3000원**이다.

답 3000원

035-2 빨간 공 4개, 노란 공 5개가 들어 있는 주머니에서 임의로 2개의 공을 동시에 꺼낼 때

빨간 공 2개를 꺼낸 경우, 받는 상금은

900×2=1800(원)

빨간 공 1개, 노란 공 1개를 꺼낸 경우, 받는 상금은

900+1800=2700(원)

노란 공 2개를 꺼낸 경우, 받는 상금은

1800×2=3600(원)

이 게임을 한 번 해서 받을 수 있는 상금을 확률변수 X라 하면 확률변수 X가 가질 수 있는 값은 1800, 2700, 3600이고 그 각각의 확률은

$$P(X=1800)=\frac{{}_4C_2\times{}_5C_0}{{}_9C_2}=\frac{1}{6},$$

$$P(X=2700)=\frac{{}_4C_1\times{}_5C_1}{{}_9C_2}=\frac{5}{9},$$

$$P(X=3600)=\frac{{}_4C_0\times{}_5C_2}{{}_9C_2}=\frac{5}{18}$$

이므로 확률변수 X의 확률분포를 표로 나타내면 다음과 같다.

X	1800	2700	3600	합계
$P(X=x)$	$\frac{1}{6}$	$\frac{5}{9}$	$\frac{5}{18}$	1

$\therefore \mathrm{E}(X)=1800\times\frac{1}{6}+2700\times\frac{5}{9}+3600\times\frac{5}{18}$

$=2800$

따라서 구하는 기댓값은 **2800원**이다. 답 2800원

036-1 확률변수 Y의 평균, 분산은

$\mathrm{E}(Y)=\mathrm{E}\left(\frac{1}{4}X+2\right)=\frac{1}{4}\mathrm{E}(X)+2$

$=\frac{1}{4}\times 24+2=8$

$\mathrm{V}(Y)=\mathrm{E}(Y^2)-\{\mathrm{E}(Y)\}^2=65-8^2=1$

이때 $\mathrm{V}(Y)=\left(\frac{1}{4}\right)^2\mathrm{V}(X)$이므로

$\mathrm{V}(X)=16\mathrm{V}(Y)=16\times 1=\mathbf{16}$ 답 16

037-1 5회의 독립시행이고 한 번의 시행에서 명중할 확률이 $\frac{3}{4}$이므로 확률변수 X는 이항분포 $\mathrm{B}\left(5, \frac{3}{4}\right)$을 따른다.

(1) 확률변수 X의 확률질량함수는

$\mathbf{P(X=x)={}_5C_x\left(\frac{3}{4}\right)^x\left(\frac{1}{4}\right)^{5-x}}$

$\mathbf{(x=0,\ 1,\ 2,\ 3,\ 4,\ 5)}$

(2) 화살이 1발 이상 명중할 확률은

$\mathrm{P}(X\geq 1)=1-\mathrm{P}(X=0)$

$=1-{}_5\mathrm{C}_0\left(\frac{3}{4}\right)^0\left(\frac{1}{4}\right)^5$

$=1-\frac{1}{1024}=\mathbf{\frac{1023}{1024}}$

답 (1) $\mathrm{P}(X=x)={}_5\mathrm{C}_x\left(\frac{3}{4}\right)^x\left(\frac{1}{4}\right)^{5-x}$

$(x=0,\ 1,\ 2,\ 3,\ 4,\ 5)$

(2) $\frac{1023}{1024}$

037-2 실제로 콘도에 투숙하는 건수를 확률변수 X라 하면 X는 이항분포 $\mathrm{B}(22,\ 0.85)$를 따르므로

$\mathrm{P}(X=x)={}_{22}\mathrm{C}_x(0.85)^x\times(0.15)^{22-x}$

$(x=0,\ 1,\ 2,\ \cdots,\ 22)$

콘도의 방이 부족하려면 $X>20$이어야 하므로 구하는 확률은

$\mathrm{P}(X>20)=\mathrm{P}(X=21)+\mathrm{P}(X=22)$

$={}_{22}\mathrm{C}_{21}(0.85)^{21}\times(0.15)^1$

$+{}_{22}\mathrm{C}_{22}(0.85)^{22}\times(0.15)^0$

$=22\times 0.033\times 0.15+1\times 0.028\times 1$

$=0.1089+0.028$

$=\mathbf{0.1369}$ 답 0.1369

038-1 $\mathrm{E}(X)=18$, $\sigma(X)=3$이므로

$np=18$ …… ㉠

$\sqrt{np(1-p)}=3$ …… ㉡

㉠을 ㉡에 대입하면

$\sqrt{18(1-p)}=3$, $18(1-p)=9$

$1-p=\frac{1}{2}$ $\therefore\ \mathbf{p=\frac{1}{2}}$

$p=\frac{1}{2}$을 ㉠에 대입하면 $\mathbf{n=36}$

답 $n=36$, $p=\frac{1}{2}$

038-2 상자에서 한 개의 공을 꺼낼 때, 검은 공이 나올 확률은 $\frac{a}{4+a}$이다.

따라서 확률변수 X는 이항분포 $\mathrm{B}\left(b, \frac{a}{4+a}\right)$를 따르고, X의 평균이 3, 표준편차가 $\sqrt{1.2}$, 즉 분산이 1.2이므로

$\mathrm{E}(X)=b\times\frac{a}{4+a}=3$ …… ㉠

$\mathrm{V}(X)=b\times\frac{a}{4+a}\times\frac{4}{4+a}=1.2$ …… ㉡

㉡÷㉠을 하면

$\frac{4}{4+a}=0.4$ $\therefore\ a=6$

이를 ㉠에 대입하면 $b=5$

$\therefore\ a+b=\mathbf{11}$ 답 11

유제

039-1 소수는 2, 3, 5로 3개이므로 주사위를 한 번 던질 때, 소수의 눈이 나올 확률은 $\frac{1}{2}$이다.

즉, 확률변수 X는 이항분포 $\mathrm{B}\left(n,\ \frac{1}{2}\right)$을 따르고, X의 평균이 8이므로

$$n\times\frac{1}{2}=8 \qquad \therefore n=16$$

따라서 X의 표준편차는

$$\sigma(X)=\sqrt{16\times\frac{1}{2}\times\frac{1}{2}}=2$$

이므로

$$\sigma(3X+2)=|3|\sigma(X)=3\times2=\mathbf{6}$$

답 6

040-1 함수 $y=f(x)$의 그래프는 다음과 같다.

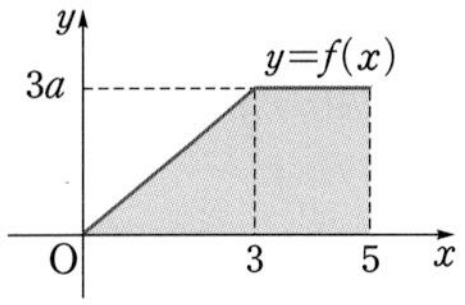

(1) 함수 $y=f(x)$의 그래프와 x축 및 직선 $x=5$로 둘러싸인 도형의 넓이가 1이므로

$$\frac{1}{2}\times(2+5)\times3a=1$$

$$\frac{21}{2}a=1 \qquad \therefore a=\mathbf{\frac{2}{21}}$$

(2) $f(x)=\begin{cases}\frac{2}{21}x & (0\le x\le3)\\ \frac{2}{7} & (3\le x\le5)\end{cases}$ 이므로

$\mathrm{P}\left(\frac{1}{2}\le X\le4\right)$는 다음 그림의 색칠한 부분의 넓이와 같다.

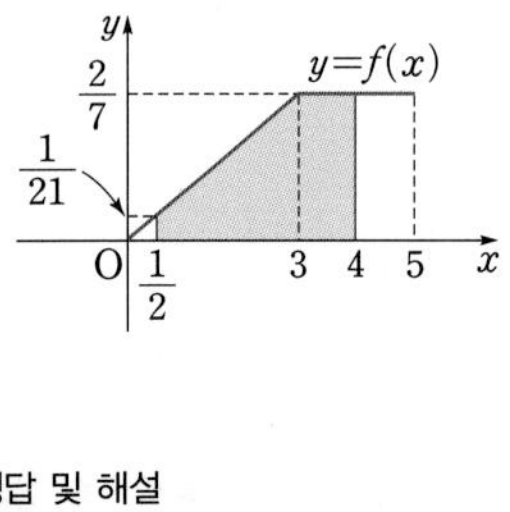

$$\therefore \mathrm{P}\left(\frac{1}{2}\le X\le4\right)$$
$$=\mathrm{P}\left(\frac{1}{2}\le X\le3\right)+\mathrm{P}(3\le X\le4)$$
$$=\frac{1}{2}\times\left(\frac{1}{21}+\frac{2}{7}\right)\times\frac{5}{2}+1\times\frac{2}{7}$$
$$=\frac{5}{12}+\frac{2}{7}=\mathbf{\frac{59}{84}}$$

답 (1) $\frac{2}{21}$ (2) $\frac{59}{84}$

041-1 학생들이 기부한 쌀의 무게를 확률변수 X라 하면 X는 정규분포 $\mathrm{N}(1.5,\ 0.2^2)$을 따르므로 $Z=\frac{X-1.5}{0.2}$로 놓으면 확률변수 Z는 표준정규분포 $\mathrm{N}(0,\ 1)$을 따른다.

$$\therefore \mathrm{P}(X\le1.8)=\mathrm{P}\left(Z\le\frac{1.8-1.5}{0.2}\right)$$
$$=0.5+\mathrm{P}(0\le Z\le1.5)$$
$$=0.5+0.4332=0.9332$$

따라서 무게가 1.8kg 이하의 쌀을 기부한 학생은 전체의 **93.32%**이다.

답 93.32%

041-2 학생들의 키를 확률변수 X라 하면 X는 정규분포 $\mathrm{N}(165,\ 4^2)$을 따르므로 $Z=\frac{X-165}{4}$로 놓으면 확률변수 Z는 표준정규분포 $\mathrm{N}(0,\ 1)$을 따른다.

$$\therefore \mathrm{P}(169\le X\le173)$$
$$=\mathrm{P}\left(\frac{169-165}{4}\le Z\le\frac{173-165}{4}\right)$$
$$=\mathrm{P}(1\le Z\le2)$$
$$=\mathrm{P}(0\le Z\le2)-\mathrm{P}(0\le Z\le1)$$
$$=0.48-0.34=0.14$$

따라서 키가 169cm 이상 173cm 이하인 학생 수는

$400\times0.14=\mathbf{56(명)}$

답 56명

042-1 학생의 점수를 확률변수 X라 하면 X는 정

규분포 $N(70, 5^2)$을 따르므로 $Z=\frac{X-70}{5}$으로 놓으면 확률변수 Z는 표준정규분포 $N(0, 1)$을 따른다.

상위 10% 이내에 속하는 학생의 최저 점수를 a점이라 하면

$P(X \ge a)=0.1$

이어야 한다. 즉,

$P\left(Z \ge \frac{a-70}{5}\right)=0.1$

$0.5-P\left(0 \le Z \le \frac{a-70}{5}\right)=0.1$

$\therefore P\left(0 \le Z \le \frac{a-70}{5}\right)=0.4$

이때 주어진 표준정규분포표에서

$P(0 \le Z \le 1.3)=0.40$

이므로

$\frac{a-70}{5}=1.3 \qquad \therefore a=76.5$

따라서 A학점을 받은 학생의 최저 점수는 **76.5점**이다.

답 76.5점

043-1 한 번의 시행에서 2 이하의 수가 나올 확률이 $\frac{1}{3}$이므로 2 이하의 수가 나온 횟수를 확률변수 X라 하면 X는 이항분포 $B\left(450, \frac{1}{3}\right)$을 따른다.

$\therefore E(X)=450 \times \frac{1}{3}=150$

$\sigma(X)=\sqrt{450 \times \frac{1}{3} \times \frac{2}{3}}=10$

이때 450은 충분히 큰 수이므로 확률변수 X는 근사적으로 정규분포 $N(150, 10^2)$을 따른다.

따라서 $Z=\frac{X-150}{10}$으로 놓으면 확률변수 Z는 표준정규분포 $N(0, 1)$을 따르므로

$P(140 \le X \le 165)$

$=P\left(\frac{140-150}{10} \le Z \le \frac{165-150}{10}\right)$

$=P(-1 \le Z \le 1.5)$

$=P(-1 \le Z \le 0)+P(0 \le Z \le 1.5)$

$=P(0 \le Z \le 1)+P(0 \le Z \le 1.5)$

$=0.3413+0.4332=\mathbf{0.7745}$

답 0.7745

043-2 두 수의 곱이 홀수인 경우는

(1, 1), (1, 3), (3, 1), (3, 3)

의 4가지이므로 그 확률은 $\frac{4}{16}=\frac{1}{4}$이다.

따라서 두 수의 곱이 홀수인 횟수를 확률변수 X라 하면 X는 이항분포 $B\left(1200, \frac{1}{4}\right)$을 따른다.

$\therefore E(X)=1200 \times \frac{1}{4}=300$

$\sigma(X)=\sqrt{1200 \times \frac{1}{4} \times \frac{3}{4}}=15$

이때 1200은 충분히 큰 수이므로 확률변수 X는 근사적으로 정규분포 $N(300, 15^2)$을 따른다.

따라서 $Z=\frac{X-300}{15}$으로 놓으면 확률변수 Z는 표준정규분포 $N(0, 1)$을 따르므로

$P(270 \le X \le 285)$

$=P\left(\frac{270-300}{15} \le Z \le \frac{285-300}{15}\right)$

$=P(-2 \le Z \le -1)=P(1 \le Z \le 2)$

$=P(0 \le Z \le 2)-P(0 \le Z \le 1)$

$=0.4772-0.3413=\mathbf{0.1359}$

답 0.1359

044-1 파이프가 불량품일 확률이 $\frac{1}{25}$이므로 불량품인 파이프의 개수를 확률변수 X라 하면 X는 이항분포 $B\left(3750, \frac{1}{25}\right)$을 따른다.

$\therefore E(X)=3750 \times \frac{1}{25}=150$

$\sigma(X)=\sqrt{3750 \times \frac{1}{25} \times \frac{24}{25}}=12$

이때 3750은 충분히 큰 수이므로 확률변수 X는 근사적으로 정규분포 $\mathrm{N}(150,\ 12^2)$을 따른다.

따라서 $Z=\dfrac{X-150}{12}$으로 놓으면 확률변수 Z는 표준정규분포 $\mathrm{N}(0,\ 1)$을 따르므로 $\mathrm{P}(X\ge a)=0.16$에서

$$\mathrm{P}\left(Z\ge \frac{a-150}{12}\right)=0.16$$

$$0.5-\mathrm{P}\left(0\le Z\le \frac{a-150}{12}\right)=0.16$$

$$\therefore \mathrm{P}\left(0\le Z\le \frac{a-150}{12}\right)=0.34$$

주어진 표준정규분포표에서

$$\mathrm{P}(0\le Z\le 1)=0.34$$

이므로

$$\frac{a-150}{12}=1 \qquad \therefore a=\mathbf{162}$$

답 162

2. 통계적 추정

유제 SUMMA CUM LAUDE

045-1 3 **045-2** 9
046-1 0.0228 **046-2** 0.8413 **047-1** 1503
048-1 (1) $76.08\le m\le 83.92$ (2) $74.84\le m\le 85.16$
048-2 1.548 **049-1** 74 **049-2** 400
050-1 74.16 **050-2** 38 **051-1** ②

045-1 공에 적힌 숫자를 확률변수 X라 하고 X의 확률분포를 표로 나타내면 다음과 같다.

X	2	3	5	합계
$\mathrm{P}(X=x)$	$\frac{1}{3}$	$\frac{1}{2}$	$\frac{1}{6}$	1

$$\therefore \mathrm{E}(X)=2\times\frac{1}{3}+3\times\frac{1}{2}+5\times\frac{1}{6}=3$$

$$\mathrm{V}(X)=\left(2^2\times\frac{1}{3}+3^2\times\frac{1}{2}+5^2\times\frac{1}{6}\right)-3^2$$

$$=10-9=1$$

이때 표본의 크기가 3이므로

$$\mathrm{V}(\overline{X})=\frac{1}{3}$$

$$\therefore \mathrm{V}(3\overline{X}+2)=3^2\mathrm{V}(\overline{X})=9\times\frac{1}{3}=\mathbf{3}$$

답 3

045-2 카드에 적힌 숫자를 확률변수 X라 하고 X의 확률분포를 표로 나타내면 다음과 같다.

X	2	4	6	8	합계
$\mathrm{P}(X=x)$	$\frac{1}{4}$	$\frac{1}{4}$	$\frac{1}{4}$	$\frac{1}{4}$	1

$$\therefore \mathrm{E}(X)=2\times\frac{1}{4}+4\times\frac{1}{4}+6\times\frac{1}{4}+8\times\frac{1}{4}=5$$

$$\mathrm{V}(X)=\left(2^2\times\frac{1}{4}+4^2\times\frac{1}{4}+6^2\times\frac{1}{4}+8^2\times\frac{1}{4}\right)-5^2$$

$$=30-25=5$$

표본의 크기가 n일 때 $\sigma(\overline{X})=\frac{\sqrt{5}}{3}$, 즉 $V(\overline{X})=\frac{5}{9}$이므로

$\frac{5}{n}=\frac{5}{9}$ $\therefore n=\mathbf{9}$ 답 9

046-1 모집단이 정규분포 $N(201.2,\ 1.8^2)$을 따르고 표본의 크기가 9이므로 표본평균 $\overline{X}$는 정규분포 $N\left(201.2,\ \frac{1.8^2}{9}\right)$, 즉 $N(201.2,\ 0.6^2)$을 따른다.

따라서 $Z=\frac{\overline{X}-201.2}{0.6}$로 놓으면 확률변수 Z는 표준정규분포 $N(0,\ 1)$을 따르므로 구하는 확률은

$$\begin{aligned}P(\overline{X}\geq 202.4)&=P\left(Z\geq\frac{202.4-201.2}{0.6}\right)\\&=P(Z\geq 2)\\&=0.5-P(0\leq Z\leq 2)\\&=0.5-0.4772\\&=\mathbf{0.0228}\end{aligned}$$

답 0.0228

046-2 모집단이 정규분포 $N(60,\ 10^2)$을 따르고 표본의 크기가 25이므로 표본평균 $\overline{X}$는 정규분포 $N\left(60,\ \frac{10^2}{25}\right)$, 즉 $N(60,\ 2^2)$을 따른다. 이때 25회 이용 시간의 총합이 1450분 이상이려면 $25\overline{X}\geq 1450$, 즉 $\overline{X}\geq 58$이어야 한다.

따라서 $Z=\frac{\overline{X}-60}{2}$으로 놓으면 확률변수 Z는 표준정규분포 $N(0,\ 1)$을 따르므로 구하는 확률은

$$\begin{aligned}P(\overline{X}\geq 58)&=P\left(Z\geq\frac{58-60}{2}\right)\\&=P(Z\geq -1)=P(Z\leq 1)\\&=0.5+P(0\leq Z\leq 1)\\&=0.5+0.3413\\&=\mathbf{0.8413}\end{aligned}$$

답 0.8413

047-1 모집단이 정규분포 $N(m,\ 12^2)$을 따르고 표본의 크기가 36이므로 표본평균 $\overline{X}$는 정규분포 $N\left(m,\ \frac{12^2}{36}\right)$, 즉 $N(m,\ 2^2)$을 따른다.

따라서 $Z=\frac{\overline{X}-m}{2}$으로 놓으면 확률변수 Z는 표준정규분포 $N(0,\ 1)$을 따르므로

$P(\overline{X}\geq 1500)=0.9332$에서

$$P\left(Z\geq\frac{1500-m}{2}\right)=0.9332$$

$$P\left(Z\leq\frac{m-1500}{2}\right)=0.9332$$

$$0.5+P\left(0\leq Z\leq\frac{m-1500}{2}\right)=0.9332$$

$$\therefore P\left(0\leq Z\leq\frac{m-1500}{2}\right)=0.4332$$

이때 $P(0\leq Z\leq 1.5)=0.4332$이므로

$\frac{m-1500}{2}=1.5$ $\therefore m=\mathbf{1503}$ 답 1503

048-1 표본의 크기 100이 충분히 크므로 모표준편차 대신 표본표준편차를 이용할 수 있다.

표본평균이 80, 표본표준편차가 20, 표본의 크기가 100이므로

(1) 모평균 m에 대한 신뢰도 95%의 신뢰구간은

$$80-1.96\times\frac{20}{\sqrt{100}}\leq m\leq 80+1.96\times\frac{20}{\sqrt{100}}$$

$\therefore \mathbf{76.08\leq m\leq 83.92}$

(2) 모평균 m에 대한 신뢰도 99%의 신뢰구간은

$$80-2.58\times\frac{20}{\sqrt{100}}\leq m\leq 80+2.58\times\frac{20}{\sqrt{100}}$$

$\therefore \mathbf{74.84\leq m\leq 85.16}$

답 (1) $76.08\leq m\leq 83.92$ (2) $74.84\leq m\leq 85.16$

048-2 모표준편차가 3이고 표본의 크기가 100이므로 신뢰도 99%로 추정한 모평균의 신뢰구간의 길이는

유제

$$2\times2.58\times\frac{3}{\sqrt{100}}=\mathbf{1.548}$$ 답 1.548

049-1 모표준편차가 10이므로 표본의 크기를 n이라 하면 신뢰도 99 %로 추정한 모평균의 신뢰구간의 길이는 $\quad 2\times2.58\times\frac{10}{\sqrt{n}}$

이때 신뢰구간의 길이가 6 이하이어야 하므로

$$2\times2.58\times\frac{10}{\sqrt{n}}\le6,\ \sqrt{n}\ge8.6$$

$$\therefore\ n\ge73.96$$

따라서 n의 최솟값은 **74**이다. 답 74

049-2 표본평균의 값을 $\overline{x}$라 하면 모표준편차가 10, 표본의 크기가 n이므로 신뢰도 95 %로 추정한 모평균 m의 신뢰구간은

$$\overline{x}-2\times\frac{10}{\sqrt{n}}\le m\le\overline{x}+2\times\frac{10}{\sqrt{n}}$$

$$-\frac{20}{\sqrt{n}}\le m-\overline{x}\le\frac{20}{\sqrt{n}}$$

$$\therefore\ |m-\overline{x}|\le\frac{20}{\sqrt{n}}$$

모평균과 표본평균의 차가 1 이하가 되도록 하려면

$$\frac{20}{\sqrt{n}}\le1,\ \sqrt{n}\ge20 \qquad \therefore\ n\ge400$$

따라서 n의 최솟값은 **400**이다.

[참고] 모평균과 표본평균의 차

정규분포 $N(m,\ \sigma^2)$을 따르는 모집단에서 크기가 n인 표본을 임의추출하여 신뢰도 α %로 모평균을 추정할 때, 모평균과 표본평균의 차는

$$|m-\overline{x}|\le k\frac{\sigma}{\sqrt{n}}\ \left(단,\ P(|Z|\le k)=\frac{\alpha}{100}\right)$$

답 400

050-1 모표준편차가 6, 표본의 크기가 9이므로 $P(|Z|\le k)=\frac{\alpha}{100}$라 하면 모평균 m을 신뢰도 α %로 추정한 신뢰구간이

$$\overline{x}-k\times\frac{6}{\sqrt{9}}\le m\le\overline{x}+k\times\frac{6}{\sqrt{9}}$$

$$\therefore\ \overline{x}-2k\le m\le\overline{x}+2k$$

이때 주어진 신뢰구간이

$$\overline{x}-2.26\le m\le\overline{x}+2.26$$

이므로

$$2k=2.26 \qquad \therefore\ k=1.13$$

따라서 $P(|Z|\le1.13)=\frac{\alpha}{100}$ 이고

$$P(|Z|\le1.13)=2P(0\le Z\le1.13)$$
$$=2\times0.3708=0.7416$$

이므로 $\quad \alpha=\mathbf{74.16}$ 답 74.16

050-2 $P(-2\le Z\le2)=2P(0\le Z\le2)$
$=2\times0.48=0.96$

이므로 신뢰도 96 %로 추정한 모평균에 대한 신뢰구간의 길이 l은

$$l=2\times2\times\frac{3}{\sqrt{225}}=\frac{4}{5}$$

또 신뢰도 α %로 추정한 모평균에 대한 신뢰구간의 길이가 $\frac{l}{4}$ 이므로

$$2\times k\times\frac{3}{\sqrt{225}}=\frac{1}{4}\times\frac{4}{5}\ \left(단,\ P(|Z|\le k)=\frac{\alpha}{100}\right)$$

$$\therefore\ k=0.5$$

따라서 $P(|Z|\le k)=\frac{\alpha}{100}$ 이므로

$$\alpha=100P(-0.5\le Z\le0.5)$$
$$=200P(0\le Z\le0.5)$$
$$=200\times0.19=\mathbf{38}$$

답 38

051-1 신뢰도가 같을 때 표본의 크기를 작게 하면 신뢰구간의 길이는 길어지므로

⑤<③<①, ④<②

표본의 크기가 같을 때, 신뢰도를 높이면 신뢰구간의 길이는 길어지므로

①<②

따라서 신뢰구간의 길이가 가장 긴 것은 ②이다.

다른 풀이 $\mathrm{P}(|Z| \le a)=0.95$, $\mathrm{P}(|Z| \le b)=0.99$라 하면 각각의 신뢰구간의 길이는

① $2a \times \dfrac{\sigma}{\sqrt{36}} = \dfrac{a\sigma}{3}$　　② $2b \times \dfrac{\sigma}{\sqrt{36}} = \dfrac{b\sigma}{3}$

③ $2a \times \dfrac{\sigma}{\sqrt{81}} = \dfrac{2a\sigma}{9}$　　④ $2b \times \dfrac{\sigma}{\sqrt{81}} = \dfrac{2b\sigma}{9}$

⑤ $2a \times \dfrac{\sigma}{\sqrt{100}} = \dfrac{a\sigma}{5}$

이때 $a<b$이므로

$$\frac{a\sigma}{5} < \frac{2a\sigma}{9} < \frac{a\sigma}{3} < \frac{b\sigma}{3},\ \frac{2b\sigma}{9} < \frac{b\sigma}{3}$$

따라서 신뢰구간의 길이가 가장 긴 것은 ②이다. **답** ②

I 경우의 수

1. 여러 가지 순열

Review Quiz SUMMA CUM LAUDE 본문 042쪽

01 (1) 원순열, $(n-1)!$ (2) 중복순열, ${}_n\Pi_r$
(3) $\dfrac{n!}{p!q!\cdots r!}$ (4) b^a
02 (1) 거짓 (2) 거짓 **03** 풀이 참조

01 답 (1) 원순열, $(n-1)!$
(2) 중복순열, ${}_n\Pi_r$
(3) $\dfrac{n!}{p!q!\cdots r!}$
(4) b^a

02 (1) 각 학생마다 선택할 수 있는 경우가 3가지이다. 즉, 서로 다른 3개에서 중복을 허락하여 4개를 택하는 중복순열의 수와 같으므로 ${}_3\Pi_4$이다. (거짓)
(2) 중복순열에서는 $n<r$이어도 된다. (거짓)

답 (1) 거짓 (2) 거짓

03 (1) 서로 다른 n개를 일렬로 나열하는 경우의 수는 ${}_nP_n=n!$이다. 이를 원형으로 재배열하면 전체 $n!$가지 중에는 동일한 경우가 n가지씩 중복되게 된다.
따라서 원순열의 수는 $\dfrac{n!}{n}=(n-1)!$이다.
(2) a, a, b, b, b를 일렬로 나열하는 것은 다음 그림과 같이 5개의 빈칸을 만들고, 이 중에서 2개의 빈칸을 선택하여 a를 넣은 후 나머지 3개의 빈칸에 b를 넣는 것과 같다. 즉, 구하는 경우의 수는 5개의 빈칸에서 a를 넣을 2개를 택하는 조합의 수 ${}_5C_2$와 같다.

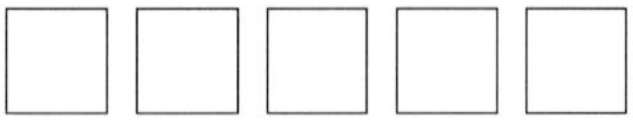

답 풀이 참조

EXERCISES A SUMMA CUM LAUDE 본문 043~044쪽

01 48 **02** 48 **03** ④ **04** ⑤ **05** 8
06 240 **07** 1500 **08** $\dfrac{1}{96}$ **09** ⑤
10 110

01 (i) 여학생끼리 이웃하여 앉는 경우
여학생 3명을 한 사람으로 생각하여 4명이 원탁에 둘러앉는 경우의 수는
$(4-1)!=3!=6$
여학생 3명이 자리를 바꾸는 경우의 수는
$3!=6$
따라서 구하는 경우의 수는
$6\times6=36$
$\therefore a=36$
(ii) 남학생과 여학생이 교대로 앉는 경우
남학생 3명이 원탁에 둘러앉는 경우의 수는
$(3-1)!=2!=2$
이고, 이 각각에 대하여 여학생 3명이 남학생 사이사이에 앉는 경우의 수는
$3!=6$
따라서 구하는 경우의 수는
$2\times6=12$
$\therefore b=12$
$\therefore a+b=\mathbf{48}$ 답 48

02 (i) 부부끼리 이웃하여 앉는 경우
부부를 한 사람으로 생각하여 네 사람이 원탁에 둘러앉는 경우의 수는
$(4-1)!=3!=6$
부부끼리 자리를 바꾸어 앉는 경우의 수는 $2!=2$이므로 구하는 경우의 수는
$6\times2\times2\times2\times2=96$
$\therefore m=96$ ······ ❶

(ii) 부부끼리 마주 보고 앉는 경우

네 쌍의 부부를 (A, a), (B, b), (C, c), (D, d)라 할 때, (A, a)가 먼저 앉는 경우의 수는 1이고, 다음에 (B, b)가 앉는 경우의 수는 6, (C, c)가 앉는 경우의 수는 4, 마지막으로 (D, d)가 앉는 경우의 수는 2이므로 구하는 경우의 수는

$1\times6\times4\times2=48$

$\therefore n=48$ …… ❷

$\therefore m-n=96-48=\mathbf{48}$ …… ❸

채점 기준	배점
❶ m의 값 구하기	40 %
❷ n의 값 구하기	40 %
❸ $m-n$의 값 구하기	20 %

답 48

03

8가지 색 중 안쪽 원의 내부를 칠할 4가지 색을 선택하는 경우의 수는 $_8C_4$

선택한 4가지 색으로 안쪽 원의 내부를 칠하는 경우의 수는 $(4-1)!=3!$

나머지 4가지 색으로 안쪽 원의 외부를 칠하는 경우의 수는

4! (∵ 서로 구별되므로 원순열이 적용되지 않는다.)

따라서 구하는 경우의 수는

$_8C_4\times3!\times4!=\dfrac{8!}{4!4!}\times3!\times4!=\mathbf{\dfrac{8!}{4}}$

답 ④

04

10명이 원탁에 둘러앉는 경우의 수는

$(10-1)!=9!$

주어진 직사각형 모양의 탁자에 둘러앉으면 서로 다른 경우가 되는 자리가 5군데이다.

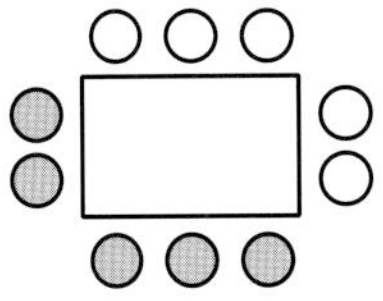

따라서 구하는 경우의 수는

$\mathbf{9!\times5}$

다른 풀이 처음 앉는 사람의 위치를 고정할 때, 가능한 자리는 다음 그림과 같이 ㉠~㉤의 5개이다.

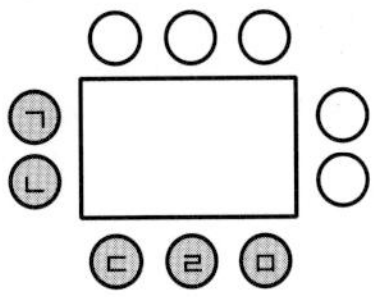

각각의 자리마다 나머지 9명이 앉는 경우의 수는 9! 이므로 구하는 경우의 수는

$5\times9!$

답 ⑤

05

n개의 문제에 답하는 경우의 수는 ○, ×의 2개 중에서 중복을 허락하여 n개를 택하는 중복순열의 수와 같다.

이때의 경우의 수가 256이므로

$_2\Pi_n=2^n=256=2^8$

$\therefore n=\mathbf{8}$

답 8

06

서로 다른 사탕 6개 중에서 그릇 A에 2개를 담는 경우의 수는

$_6C_2=15$

각 경우에 대하여 나머지 4개의 사탕을 두 그릇 B, C에 담는 경우의 수는

$_2\Pi_4=2^4=16$

따라서 구하는 경우의 수는

$15\times16=\mathbf{240}$

답 240

07

만의 자리에는 1, 2, 3, 4의 4가지만 올 수 있고, 천의 자리, 백의 자리, 십의 자리에는 0, 1, 2, 3, 4로 각각 5가지가 올 수 있으며 일의 자리에는 0, 2, 4의 3가지만 올 수 있으므로 구하는 짝수의 개수는

$4\times{}_5\Pi_3\times3=4\times5^3\times3=\mathbf{1500}$ 답 1500

08 c는 s보다 앞에 오고, i는 h보다 앞에, h는 e보다 앞에 오므로 c, s는 모두 A로 생각하고, i, h, e는 모두 B로 생각하여 matBBmatBAA, 즉 mmaattAABBB를 일렬로 나열한 다음 2개의 A 중 첫 번째 것을 c로, 두 번째 것을 s로 바꾸고, 3개의 B 중 첫 번째 것을 i로, 두 번째 것을 h로, 세 번째 것을 e로 바꾸면 된다.
따라서 구하는 경우의 수는

$$\frac{11!}{2!2!2!2!3!}=\frac{1}{96}\times11!$$

$\therefore k=\mathbf{\frac{1}{96}}$ 답 $\frac{1}{96}$

09 c가 맨 앞에 나오는 문자열의 개수는 o, f, f, e, e를 일렬로 나열하는 경우의 수와 같으므로

$$\frac{5!}{2!2!}=30$$

e가 맨 앞에 나오는 문자열의 개수는 c, o, f, f, e를 일렬로 나열하는 경우의 수와 같으므로

$$\frac{5!}{2!}=60$$

f, c, e가 앞에서부터 순서대로 나오는 문자열의 개수는 o, f, e를 일렬로 나열하는 경우의 수와 같으므로

$$3!=6$$

f, c, f가 앞에서부터 순서대로 나오는 문자열의 개수는 o, e, e를 일렬로 나열하는 경우의 수와 같으므로

$$\frac{3!}{2!}=3$$

즉, $30+60+6+3=99$이므로 fcfoee가 99번째 문자열이 된다.
따라서 100번째 나오는 문자열은 **fcoeef**이다. 답 ⑤

10 다음 그림과 같이 도로를 연결해 놓고 보면 문제에서 구하고자 하는 최단 경로의 수는 A지점에서 B지점까지 가는 모든 최단 경로의 수에서 P지점을 거쳐 가는 최단 경로의 수를 뺀 것과 같다.

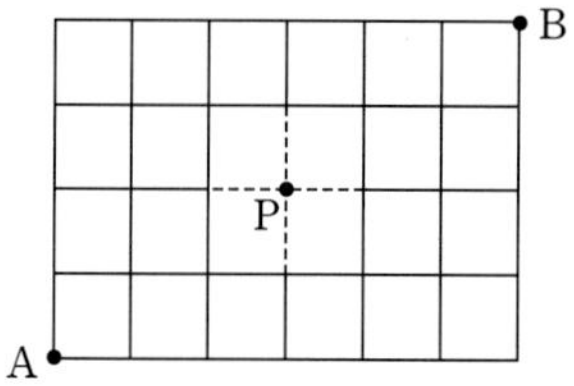

A지점에서 B지점까지 가는 최단 경로의 수는

$$\frac{10!}{6!4!}=210$$

A지점에서 P지점을 거쳐 B지점까지 가는 최단 경로의 수는

$$\frac{5!}{3!2!}\times\frac{5!}{3!2!}=100$$

따라서 구하는 최단 경로의 수는

$$210-100=\mathbf{110}$$

다른 풀이

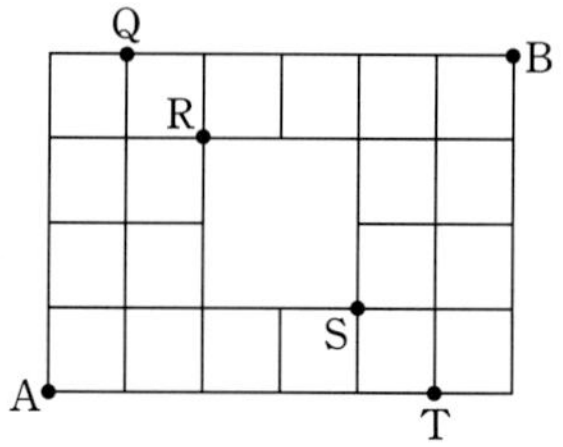

A지점에서 B지점까지 가는 최단 경로의 수는

A → Q → B의 경우 : $\frac{5!}{4!}\times1=5$

A → R → B의 경우 : $\frac{5!}{2!3!}\times\frac{5!}{4!}=50$

A → S → B의 경우 : $\frac{5!}{4!}\times\frac{5!}{2!3!}=50$

A → T → B의 경우 : $1\times\frac{5!}{4!}=5$

이므로

$5+50+50+5=110$ 답 110

EXERCISES SUMMA CUM LAUDE 본문 045~047쪽

01 48 **02** 180 **03** ⑤ **04** ① **05** ⑤
06 781 **07** 1380 **08** 72 **09** 180
10 84

01 조건에 의하여 여학생이 앉는 자리를 ●, 남학생이 앉는 자리를 ○, 앉을 수 없는 자리를 ×라 하면 다음 그림과 같다.

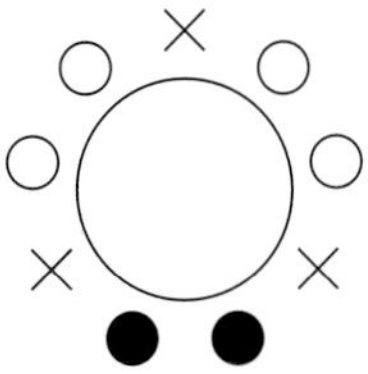

여학생 2명이 ● 표시된 곳에 앉는 경우의 수는 2

남학생 4명이 ○ 표시된 곳에 앉는 경우의 수는

$4!=24$

따라서 구하는 경우의 수는

$2\times24=\mathbf{48}$ 답 48

02 서로 다른 면이 세 쌍 있으므로 고정시킬 수 있는 면이 3가지이다. 이 중 한 면에 임의의 1가지 색을 칠하여 고정시키면 마주 보는 면에는 5가지의 색을 칠할 수 있다. 이때 옆면에 나머지 4가지 색을 칠하는 경우의 수는

$2\times(4-1)!=2\times3!=12$

따라서 직육면체를 칠하는 경우의 수는

$3\times5\times12=\mathbf{180}$ 답 180

03 (i) 만들 수 있는 한 자리 자연수의 개수는 5

(ii) 만들 수 있는 두 자리 자연수의 개수

십의 자리에 올 수 있는 숫자는 0을 제외한 5개,

일의 자리에 올 수 있는 숫자는 6개이므로

$5\times6=30$

(iii) 만들 수 있는 세 자리 자연수의 개수

백의 자리에 올 수 있는 숫자는 0을 제외한 5개,

십, 일의 자리에 올 수 있는 숫자는 각각 6개이므로

$5\times{}_6\Pi_2=5\times6^2=180$

(iv) 만들 수 있는 4000 미만의 네 자리 자연수의 개수

천의 자리에 올 수 있는 숫자는 1, 2, 3의 3개,

백, 십, 일의 자리에 올 수 있는 숫자는 각각 6개이므로

$3\times{}_6\Pi_3=3\times6^3=648$

(i)~(iv)에 의하여 만들 수 있는 4000 미만의 자연수의 개수는

$5+30+180+648=863$

이므로 4000은 **864번째** 수이다. 답 ⑤

04 천의 자리의 숫자가 1인 네 자리 자연수는

${}_4\Pi_3=4^3$(개)

만들어지고, 이 수들의 천의 자리의 수의 합은 $4^3\times10^3$이다. 같은 방법으로 천의 자리의 숫자가 2, 3, 4인 네 자리 자연수들의 천의 자리의 수의 합은 각각

$2\times4^3\times10^3,\ 3\times4^3\times10^3,\ 4\times4^3\times10^3$

따라서 만들 수 있는 네 자리 자연수의 천의 자리의 수의 합은

$4^3\times(1+2+3+4)\times10^3$

백, 십, 일의 자리에 대해서도 같은 방법으로 생각하면 각 자리의 수의 합은 다음과 같다.

백의 자리 ➡ $4^3\times(1+2+3+4)\times10^2$

십의 자리 ➡ $4^3\times(1+2+3+4)\times10$

일의 자리 ➡ $4^3\times(1+2+3+4)\times1$

따라서 만들 수 있는 모든 네 자리 자연수의 총합은 결국 각 자리의 수의 총합과 같으므로

$4^3\times(1+2+3+4)\times10^3$

$+4^3\times(1+2+3+4)\times10^2$

$+4^3\times(1+2+3+4)\times10$

$+4^3\times(1+2+3+4)\times1$

$=\mathbf{4^3\times10\times1111}$ 답 ①

05 1을 네 번 이상 사용하면 반드시 1끼리 서로 이웃하게 되므로 1은 세 번 이하로 사용해야 한다.

(i) 1을 사용하지 않는 경우

만의 자리에는 2만 올 수 있고 나머지 자리의 숫자를 택하는 경우의 수는 0, 2의 2개에서 중복을 허락하여 4개를 택하는 중복순열의 수와 같으므로

$_{2}\Pi_{4}=2^4=16$

(ii) 1을 한 번 사용하는 경우

① 만의 자리에 1이 오면 나머지 자리에는 0 또는 2가 올 수 있으므로 $_{2}\Pi_{4}=2^4=16$

② 만의 자리에 2가 오면 나머지 자리의 숫자 중 하나는 1이고 남은 세 자리에는 0 또는 2가 올 수 있으므로 $_{4}C_{1}\times{}_{2}\Pi_{3}=4\times2^3=32$

①, ②에서 자연수의 개수는 $16+32=48$

(iii) 1을 두 번 사용하는 경우

① 만의 자리에 1이 오면 천의 자리를 제외한 나머지 자리의 숫자 중 하나는 1이고 남은 세 자리에는 0 또는 2가 올 수 있으므로

$_{3}C_{1}\times{}_{2}\Pi_{3}=3\times2^3=24$

② 만의 자리에 2가 오면 천의 자리와 십의 자리 또는 천의 자리와 일의 자리 또는 백의 자리와 일의 자리에 1이 와야 하고 남은 두 자리에는 0 또는 2가 올 수 있으므로 $3\times{}_{2}\Pi_{2}=3\times2^2=12$

①, ②에서 자연수의 개수는 $24+12=36$

(iv) 1을 세 번 사용하는 경우

만의 자리, 백의 자리, 일의 자리에 1이 와야 하고 남은 두 자리에는 0 또는 2가 올 수 있으므로

$_{2}\Pi_{2}=2^2=4$

(i)~(iv)에 의하여 구하는 자연수의 개수는

$16+48+36+4=\mathbf{104}$

답 ⑤

06 두 부분집합 A, B에 대하여 순서쌍 (A, B)의 개수는 5개의 원소를 각각 다음 그림과 같은 ①, ②, ③, ④의 4개의 영역 중 한 군데에 배치하는 경우의 수와 같으므로

$_{4}\Pi_{5}=4^5=1024$

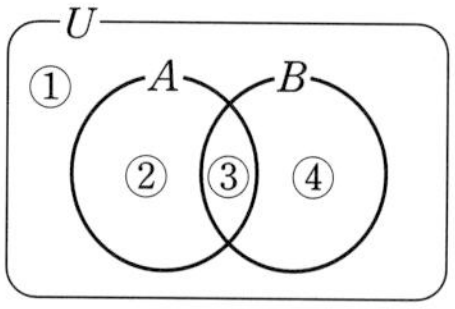

이때 $A\cap B=\varnothing$인 순서쌍 (A, B)의 개수는 5개의 원소를 각각 다음 그림에서 색칠한 부분을 제외한 3개의 영역 중 한 군데에 배치하는 경우의 수와 같으므로

$_{3}\Pi_{5}=3^5=243$

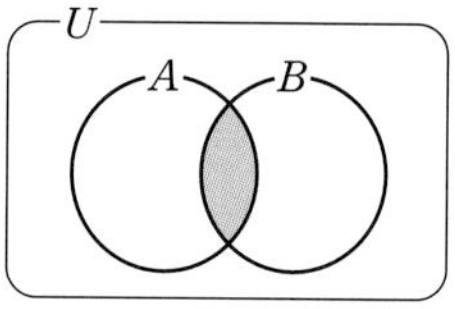

따라서 구하는 순서쌍 (A, B)의 개수는

$1024-243=\mathbf{781}$

답 781

07 a, b, b, c, c, c, d, d를 일렬로 나열하는 경우의 수는

$\dfrac{8!}{2!3!2!}=1680$ ······ ❶

(i) 양 끝에 b가 오는 경우의 수는

a, c, c, c, d, d를 일렬로 나열하는 경우의 수와 같으므로

$\dfrac{6!}{3!2!}=60$

(ii) 양 끝에 c가 오는 경우의 수는

a, b, b, c, d, d를 일렬로 나열하는 경우의 수와 같으므로

$\dfrac{6!}{2!2!}=180$

(iii) 양 끝에 d가 오는 경우의 수는

a, b, b, c, c, c를 일렬로 나열하는 경우의 수와 같으므로

$\dfrac{6!}{2!3!}=60$

(i), (ii), (iii)에 의하여 양 끝에 서로 같은 문자가 오는 경우의 수는

$60+180+60=300$ …… ❷

따라서 구하는 경우의 수는

$1680-300=\mathbf{1380}$ …… ❸

채점 기준	배점
❶ 8개의 문자를 일렬로 나열하는 경우의 수 구하기	30 %
❷ 양 끝에 서로 같은 문자가 오는 경우의 수 구하기	50 %
❸ 양 끝에 서로 다른 문자가 오는 경우의 수 구하기	20 %

답 1380

08 홀수이므로 일의 자리에는 1 또는 5가 와야 한다.

(i) □□□□□1 꼴의 자연수의 개수

0, 1, 4, 4, 5를 일렬로 나열하는 경우의 수는

$\frac{5!}{2!}=60$

이 중 맨 앞에 0이 오는 경우의 수는

$\frac{4!}{2!}=12$

이므로

□□□□□1 꼴의 자연수의 개수는

$60-12=48$

(ii) □□□□□5 꼴의 자연수의 개수

0, 1, 1, 4, 4를 일렬로 나열하는 경우의 수는

$\frac{5!}{2!2!}=30$

이 중 맨 앞에 0이 오는 경우의 수는

$\frac{4!}{2!2!}=6$

이므로

□□□□□5 꼴의 자연수의 개수는

$30-6=24$

(i), (ii)에 의하여 구하는 홀수의 개수는

$48+24=\mathbf{72}$

답 72

09 4, 5, 6이 적힌 칸에 넣는 세 개의 공에 적힌 수의 합이 5이고, 세 개의 공이 모두 같은 색인 경우는 다음과 같다.

(i) 4, 5, 6이 적힌 칸에 흰 공 1, 2, 2를 넣는 경우의 수는

$\frac{3!}{2!}=3$

이고, 나머지 5개의 칸에 흰 공 1과 검은 공 1, 1, 2, 2를 넣는 경우의 수는

$\frac{5!}{2!2!}=30$

이므로 이때의 경우의 수는

$3\times30=90$

(ii) 4, 5, 6이 적힌 칸에 검은 공 1, 2, 2를 넣는 경우의 수는 (i)과 같으므로 90

(i), (ii)에 의하여 구하는 경우의 수는

$90+90=\mathbf{180}$

답 180

10 5개의 지점 중 어느 한 지점도 지나지 않고 A지점에서 B지점까지 최단거리로 가려면 [그림 1]에서 색칠한 부분만 지나야 한다.

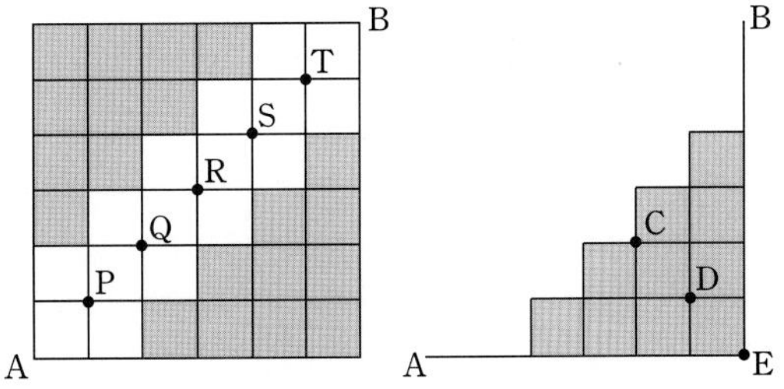

[그림 1] [그림 2]

[그림 2]에서 중간 지점 C, D, E를 잡아 A지점에서 B지점까지 최단거리로 가는 경로의 수를 구하면

(i) A → C → B로 가는 경로의 수는

$\left(\frac{4!}{2!2!}-1\right)\times\left(\frac{4!}{2!2!}-1\right)=5\times5=25$

(ii) A → D → B로 가는 경로의 수는

$\frac{4!}{3!}\times\frac{4!}{3!}=16$

EXERCISES

(iii) A → E → B로 가는 경로의 수는　　1

(i), (ii), (iii)에 의하여 [그림 2]에서 A지점에서 B지점까지 최단거리로 가는 경로의 수는

$25+16+1=42$

따라서 구하는 경로의 수는　　$42\times2=$**84**

다른 풀이 다음 그림과 같이 A지점에서 B지점까지 최단거리로 가는 경로의 수를 구하면 42이다.

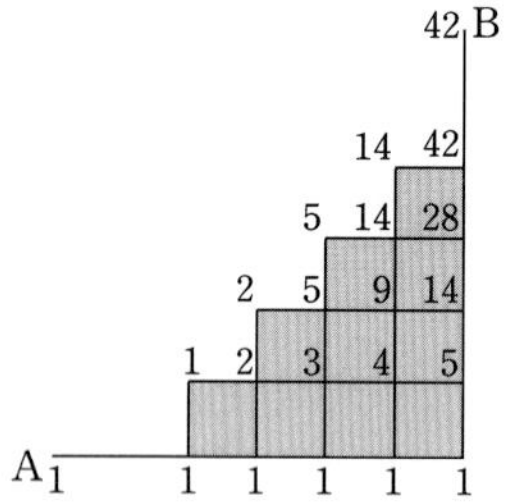

답 84

2. 중복조합과 이항정리

Review Quiz SUMMA CUM LAUDE 본문 071쪽

01 (1) 중복조합, ${}_{n+r-1}C_r$　(2) $a^{n-r}b^r$, 이항정리
(3) ${}_nC_k a^{n-k}(={}_nC_{n-k}a^{n-k})$

02 (1) 거짓 (2) 거짓 (3) 거짓　　**03** 풀이 참조

01 답 (1) 중복조합, ${}_{n+r-1}C_r$
(2) $a^{n-r}b^r$, 이항정리
(3) ${}_nC_k a^{n-k}(={}_nC_{n-k}a^{n-k})$

02 (1) 중복조합에서는 $n<r$이어도 상관없다. (거짓)

(2) ${}_nC_0+{}_nC_1+{}_nC_2+\cdots+{}_nC_n=2^n$이므로

${}_nC_1+{}_nC_2+\cdots+{}_nC_n=2^n-1$ (거짓)

(3) 파스칼의 삼각형에서 최대 계수는 n이 짝수일 때는 중앙항, n이 홀수일 때는 정중앙의 좌우 두 항의 계수이다. (거짓)　　답 (1) 거짓 (2) 거짓 (3) 거짓

03 (1) 순서를 고려해서 뽑는 순열의 경우, 중복하여 뽑을 수 있느냐 없느냐의 여부에 따라 순열과 중복순열로 나뉘고, 순서를 고려하지 않고 뽑는 조합 역시 중복하여 뽑을 수 있느냐 없느냐의 여부에 따라 조합과 중복조합으로 나뉜다.

표로 나타내면 다음과 같다.

	중복 허락	중복 허락 안함
순서 고려	중복순열	순열
순서 무시	중복조합	조합

(2) $(x+a)^m(x+b)^n$ 중 $0\le i\le m$, $0\le j\le n$인 i, j에 대하여 $(x+a)^m$에서 x^i항, $(x+b)^n$에서 x^j항을 뽑아 곱하면 x^k항을 구할 수 있다.

$(x+a)^m$에서 x^i의 계수는 ${}_mC_{m-i}a^{m-i}={}_mC_i a^{m-i}$이고 $(x+b)^n$에서 x^j의 계수는 ${}_nC_{n-j}b^{n-j}={}_nC_j b^{n-j}$이므

로 x^k의 계수는 ${}_m\mathrm{C}_i a^{m-i} \cdot {}_n\mathrm{C}_j b^{n-j} = {}_m\mathrm{C}_i \cdot {}_n\mathrm{C}_j a^{m-i} b^{n-j}$

으로 나타내어진다.

이때 $i+j=k$를 만족시키는 i, j의 값을 위의 식에 대입하여 더한 값이 x^k의 계수이다.

(3) (i) 방정식 $x_1+x_2+\cdots+x_n=r$의 음이 아닌 정수해는 ${}_n\mathrm{H}_r$개

(ii) x_n에 주목하여 생각해 보자.

$x_n=0$일 때, (i)의 방정식은

$x_1+x_2+\cdots+x_{n-1}=r$

이므로 음이 아닌 정수해는 ${}_{n-1}\mathrm{H}_r$개이다.

$x_n=1$일 때, (i)의 방정식은

$x_1+x_2+\cdots+x_{n-1}=r-1$

이므로 음이 아닌 정수해는 ${}_{n-1}\mathrm{H}_{r-1}$개이다.

⋮

$x_n=r$일 때, (i)의 방정식은

$x_1+x_2+\cdots+x_{n-1}=0$

이므로 음이 아닌 정수해는 ${}_{n-1}\mathrm{H}_0$개이다.

(i), (ii)에 의하여

$${}_n\mathrm{H}_r={}_{n-1}\mathrm{H}_r+{}_{n-1}\mathrm{H}_{r-1}+{}_{n-1}\mathrm{H}_{r-2}+\cdots+{}_{n-1}\mathrm{H}_0$$

답 풀이 참조

EXERCISES A

SUMMA CUM LAUDE 본문 072~073쪽

01 84 **02** 45 **03** 36 **04** 130 **05** 36
06 120 **07** (1) 280 (2) 105 **08** ④ **09** 3
10 165

01 ${}_3\mathrm{H}_r={}_{r+2}\mathrm{C}_r={}_{r+2}\mathrm{C}_2={}_8\mathrm{C}_2$이므로

$r+2=8 \qquad \therefore r=6$

$\therefore {}_4\mathrm{H}_r={}_4\mathrm{H}_6={}_{4+6-1}\mathrm{C}_6={}_9\mathrm{C}_6={}_9\mathrm{C}_3=\mathbf{84}$

답 84

02 $(a+b+c)^{11}$의 전개식에서 세 문자 a, b, c가 모두 들어 있는 서로 다른 항이 되려면 먼저 a, b, c를 각각 한 개씩 택한 후 나머지 8개를 택하면 된다.

따라서 구하는 항의 개수는 a, b, c에서 중복을 허락하여 8개를 택하는 중복조합의 수와 같으므로

${}_3\mathrm{H}_8={}_{3+8-1}\mathrm{C}_8={}_{10}\mathrm{C}_8={}_{10}\mathrm{C}_2=\mathbf{45}$

답 45

03 (i) 숫자 2가 0개인 경우

2를 제외한 1, 3, 4의 3개에서 중복을 허락하여 5개를 택하는 중복조합의 수와 같으므로

${}_3\mathrm{H}_5={}_{3+5-1}\mathrm{C}_5={}_7\mathrm{C}_5={}_7\mathrm{C}_2=21$ ······ ❶

(ii) 숫자 2가 1개인 경우

2를 제외한 1, 3, 4의 3개에서 중복을 허락하여 4개를 택하는 중복조합의 수와 같으므로

${}_3\mathrm{H}_4={}_{3+4-1}\mathrm{C}_4={}_6\mathrm{C}_4={}_6\mathrm{C}_2=15$ ······ ❷

(i), (ii)에 의하여 구하는 경우의 수는

$21+15=\mathbf{36}$ ······ ❸

채점 기준	배점
❶ 숫자 2가 0개인 경우의 수 구하기	40 %
❷ 숫자 2가 한 개인 경우의 수 구하기	40 %
❸ 숫자 2가 한 개 이하인 경우의 수 구하기	20 %

답 36

EXERCISES

04 구하는 경우의 수는 사탕 8개를 4명에게 모두 나누어 주는 경우의 수에서 4명 모두 적어도 한 개의 사탕을 받는 경우의 수를 뺀 것과 같다.
사탕 8개를 4명에게 모두 나누어 주는 경우의 수는 서로 다른 4개에서 중복을 허락하여 8개를 택하는 중복조합의 수와 같으므로

$_{4}H_{8}={}_{4+8-1}C_{8}={}_{11}C_{8}={}_{11}C_{3}=165$

4명 모두 적어도 한 개의 사탕을 받는 경우, 먼저 4명에게 사탕을 한 개씩 나누어 주고 남은 사탕 4개를 4명에게 나누어 주면 된다. 즉 이때의 경우의 수는 서로 다른 4개에서 중복을 허락하여 4개를 택하는 중복조합의 수와 같으므로

$_{4}H_{4}={}_{4+4-1}C_{4}={}_{7}C_{4}={}_{7}C_{3}=35$

따라서 구하는 경우의 수는

$165-35=\mathbf{130}$ 답 130

05 x, y, z가 모두 홀수인 자연수이므로
$x=2x'+1$, $y=2y'+1$, $z=2z'+1$로 놓으면
$x+y+z=17$에서

$(2x'+1)+(2y'+1)+(2z'+1)=17$

$\therefore x'+y'+z'=7$ (단, $x'\geq 0$, $y'\geq 0$, $z'\geq 0$)

따라서 구하는 순서쌍 (x, y, z)의 개수는 3개의 문자에서 중복을 허락하여 7개를 택하는 중복조합의 수와 같으므로

$_{3}H_{7}={}_{3+7-1}C_{7}={}_{9}C_{7}={}_{9}C_{2}=\mathbf{36}$ 답 36

06 $f(1)\leq f(2)\leq f(3)\leq f(4)$이고, $f(4)=4$이므로 $f(1)$, $f(2)$, $f(3)$의 값을 정하는 경우의 수는 공역 A의 원소 1, 2, 3, 4에서 중복을 허락하여 3개를 택하는 중복조합의 수와 같다.

$\therefore {}_{4}H_{3}={}_{4+3-1}C_{3}={}_{6}C_{3}=20$

$f(5)\leq f(6)\leq f(7)$이고, $f(5)=5$이므로 $f(6)$, $f(7)$의 값을 정하는 경우의 수는 공역 A의 원소 5, 6, 7에서 중복을 허락하여 2개를 택하는 중복조합의 수와 같다.

$\therefore {}_{3}H_{2}={}_{3+2-1}C_{2}={}_{4}C_{2}=6$

따라서 구하는 함수의 개수는

$20\times 6=\mathbf{120}$ 답 120

07 (1) $(x+a)^7$의 전개식의 일반항은

$_{7}C_{r}x^{7-r}a^{r}$

x^5항은 $7-r=5$에서 $r=2$일 때이므로 x^5의 계수는

$_{7}C_{2}a^{2}$

이때 x^5의 계수가 84이므로

$_{7}C_{2}a^{2}=84$, $21a^2=84$, $a^2=4$

$\therefore a=2$ ($\because a>0$)

x^4항은 $7-r=4$에서 $r=3$일 때이므로 x^4의 계수는

$_{7}C_{3}a^{3}={}_{7}C_{3}2^{3}=35\times 8=\mathbf{280}$

(2) $(x^2+1)^3$의 전개식의 일반항은

$_{3}C_{r}(x^2)^{3-r}1^{r}={}_{3}C_{r}x^{6-2r}$

$(x-y)^7$의 전개식의 일반항은

$_{7}C_{s}x^{7-s}(-y)^{s}={}_{7}C_{s}(-1)^{s}x^{7-s}y^{s}$

따라서 $(x^2+1)^3(x-y)^7$의 전개식의 일반항은

$_{3}C_{r}x^{6-2r}\cdot{}_{7}C_{s}(-1)^{s}x^{7-s}y^{s}$

$={}_{3}C_{r}\cdot{}_{7}C_{s}(-1)^{s}x^{13-2r-s}y^{s}$

이때 x^5y^4항은 $13-2r-s=5$, $s=4$일 때이므로

$r=2$, $s=4$

따라서 x^5y^4의 계수는

$_{3}C_{2}\cdot{}_{7}C_{4}(-1)^{4}=3\times 35\times 1=\mathbf{105}$

다른 풀이 $(x-y)^7$의 전개식에서만 y^4을 포함하고 있는 항을 얻을 수 있다.
$_{7}C_{4}x^{3}(-y)^{4}={}_{7}C_{4}(-1)^{4}x^{3}y^{4}$이므로 x^5y^4항은 $(x-y)^7$의 전개식에서 x^3y^4항과 $(x^2+1)^3$의 전개식에서 x^2항이 곱해질 때 나타난다.
$(x^2+1)^3$의 전개식에서 x^2의 계수는 $_{3}C_{2}$이므로 x^5y^4의 계수는

$_{3}C_{2}\cdot{}_{7}C_{4}(-1)^{4}=3\times 35\times 1=105$

답 (1) 280 (2) 105

08 $_{10}C_0+7\times{}_{10}C_1+7^2\times{}_{10}C_2+\cdots+7^{10}\times{}_{10}C_{10}$

$={}_{10}C_0 1^{10}+{}_{10}C_1 1^9 7+{}_{10}C_2 1^8 7^2+\cdots+{}_{10}C_{10} 7^{10}$

$=(1+7)^{10}=8^{10}=\mathbf{2^{30}}$ 답 ④

09 $_nC_0+{}_nC_1+{}_nC_2+{}_nC_3+\cdots+{}_nC_n=2^n$이므로

$_nC_1+{}_nC_2+{}_nC_3+\cdots+{}_nC_n=2^n-1$

따라서 주어진 부등식은

$500<2^n-1<2050$, $501<2^n<2051$

$2^9=512$, $2^{10}=1024$, $2^{11}=2048$이므로

구하는 자연수 n의 개수는 9, 10, 11로 **3**이다. 답 3

10 $_2C_0+{}_3C_1+{}_4C_2+\cdots+{}_{10}C_8$

$={}_3C_0+{}_3C_1+{}_4C_2+\cdots+{}_{10}C_8$ ($\because {}_2C_0={}_3C_0$)

$={}_4C_1+{}_4C_2+\cdots+{}_{10}C_8$ ($\because {}_3C_0+{}_3C_1={}_4C_1$)

$={}_5C_2+{}_5C_3+\cdots+{}_{10}C_8$ ($\because {}_4C_1+{}_4C_2={}_5C_2$)

$\vdots$

$={}_{10}C_7+{}_{10}C_8$

$={}_{11}C_8={}_{11}C_3=\mathbf{165}$

다른 풀이 파스칼의 삼각형의 하키스틱의 법칙에 의하여 $_2C_0=1$에서 시작하여 대각선 방향으로 더하면 꺾여 내려간 곳의 수와 같으므로

$_2C_0+{}_3C_1+{}_4C_2+\cdots+{}_{10}C_8={}_{11}C_8={}_{11}C_3=165$

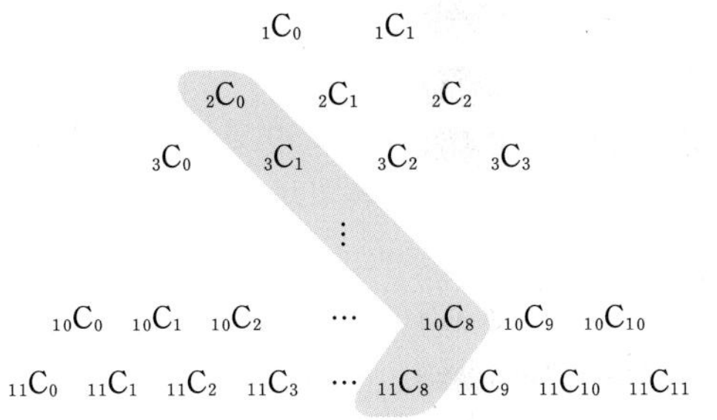

답 165

EXERCISES B

SUMMA CUM LAUDE 본문 074~075쪽

01 120	**02** 55	**03** 200	**04** 345	
05 405	**06** 1260	**07** 60	**08** ②	**09** ④
10 4845				

01 천, 백, 십, 일의 자리의 숫자를 각각 a, b, c, d라 하면 각 자리의 숫자의 합이 8이므로

$a+b+c+d=8$ (단, $a\ge1$, $b\ge0$, $c\ge0$, $d\ge0$)

이때 $a=a'+1$로 놓고 위 방정식에 대입하면

$(a'+1)+b+c+d=8$

$\therefore a'+b+c+d=7$ (단, $a'\ge0$, $b\ge0$, $c\ge0$, $d\ge0$) …… ㉠

따라서 구하는 자연수의 개수는 방정식 ㉠의 음이 아닌 정수해의 개수와 같고, 이는 서로 다른 4개에서 중복을 허락하여 7개를 택하는 중복조합의 수와 같으므로

$_4H_7={}_{4+7-1}C_7={}_{10}C_7={}_{10}C_3=\mathbf{120}$

다른 풀이 천, 백, 십, 일의 자리의 숫자를 각각 a, b, c, d라 하면 구하는 자연수의 개수는 방정식 $a+b+c+d=8$의 음이 아닌 정수해의 개수에서 방정식 $b+c+d=8$의 음이 아닌 정수해의 개수를 뺀 것과 같다.

방정식 $a+b+c+d=8$을 만족시키는 음이 아닌 정수해의 개수는 서로 다른 4개에서 중복을 허락하여 8개를 택하는 중복조합의 수와 같으므로

$_4H_8={}_{4+8-1}C_8={}_{11}C_8={}_{11}C_3=165$

방정식 $b+c+d=8$을 만족시키는 음이 아닌 정수해의 개수는 서로 다른 3개에서 중복을 허락하여 8개를 택하는 중복조합의 수와 같으므로

$_3H_8={}_{3+8-1}C_8={}_{10}C_8={}_{10}C_2=45$

따라서 구하는 자연수의 개수는

$165-45=120$ 답 120

02 구하는 경우의 수는 $2\le x\le y\le z\le6$인 경우의 수와 $2\le x\le z\le y\le6$인 경우의 수를 더한 후 공통인 경우의 수, 즉 $2\le x\le y=z\le6$인 경우의 수를 뺀 것과 같다.

(i) $2\le x\le y\le z\le 6$인 경우

이를 만족시키는 자연수 x, y, z의 순서쌍 (x, y, z)의 개수는 5개의 자연수 2, 3, 4, 5, 6에서 중복을 허락하여 3개를 택하는 중복조합의 수와 같다.

$\therefore {}_5H_3={}_{5+3-1}C_3={}_7C_3=35$

(ii) $2\le x\le z\le y\le 6$인 경우

이를 만족시키는 자연수 x, y, z의 순서쌍 (x, y, z)의 개수는 5개의 자연수 2, 3, 4, 5, 6에서 중복을 허락하여 3개를 택하는 중복조합의 수와 같다.

$\therefore {}_5H_3=35$

(iii) $2\le x\le y=z\le 6$인 경우

이를 만족시키는 자연수 x, y, z의 순서쌍 (x, y, z)의 개수는 5개의 자연수 2, 3, 4, 5, 6에서 중복을 허락하여 2개를 택하는 중복조합의 수와 같다.

$\therefore {}_5H_2={}_{5+2-1}C_2={}_6C_2=15$

(i), (ii), (iii)에 의하여 구하는 경우의 수는

$35+35-15=\mathbf{55}$ 답 55

03 엘리베이터가 2층에서 7층까지 6개의 층 중 3개의 층에서 사람이 내리므로 내린 층을 정하는 경우의 수는

${}_6C_3=20$

이때 6개의 층 중 3개의 층을 뽑아서 낮은 층부터 a층, b층, c층이라 하고 a층, b층, c층에서 내리는 사람 수를 각각 x, y, z라 할 때, 6명이 내렸으므로 내리는 사람 수를 정하는 경우의 수는

$x+y+z=6$ (단, x, y, z는 자연수)

을 만족시키는 자연수 x, y, z의 해의 개수와 같고 이것은 $x=x'+1$, $y=y'+1$, $z=z'+1$로 놓으면

$x'+y'+z'=3$ (단, x', y', z'은 음이 아닌 정수)

의 해의 개수와 같으므로

${}_3H_3={}_{3+3-1}C_3={}_5C_3={}_5C_2=10$

따라서 구하는 경우의 수는

$20\times 10=\mathbf{200}$ 답 200

04 8개의 흰 공을 서로 다른 3개의 상자에 넣는 경우의 수는 ${}_3H_8={}_{3+8-1}C_8={}_{10}C_8={}_{10}C_2=45$

또 3개의 검은 공을 서로 다른 3개의 상자에 넣는 경우의 수는 ${}_3H_3={}_{3+3-1}C_3={}_5C_3={}_5C_2=10$

이므로 서로 다른 3개의 상자에 흰 공 8개와 검은 공 3개를 넣는 경우의 수는 $45\times 10=450$

하지만 문제에서 각 상자에 공을 반드시 넣어야 하므로 상자가 비어 있는 경우를 찾아 빼 준다.

(i) 공을 넣지 않는 상자가 1개인 경우의 수

공을 넣지 않는 상자 1개를 택하는 경우의 수는

${}_3C_1=3$

나머지 2개의 상자에 적어도 1개의 공을 넣는 경우의 수는

$${}_2H_8\times{}_2H_3-2={}_{2+8-1}C_8\times{}_{2+3-1}C_3-2$$
$$={}_9C_8\times{}_4C_3-2$$
$$={}_9C_1\times{}_4C_1-2=9\times 4-2=34$$

$\therefore 3\times 34=102$

(ii) 공을 넣지 않는 상자가 2개인 경우의 수

상자 1개에 11개의 공을 모두 넣는 경우이므로 공을 넣는 상자 1개를 택하는 경우의 수는

${}_3C_1=3$

(i), (ii)에 의하여 구하는 경우의 수는

$450-(102+3)=\mathbf{345}$ 답 345

05 (i) 조건 (가)에서 $x\le 3$이면 $f(x)\le 3$이므로 $f(1)$, $f(2)$, $f(3)$의 값은 각각 1, 2, 3 중 하나이다.

따라서 $f(1)$, $f(2)$, $f(3)$의 값을 정하는 경우의 수는 공역 A의 원소 1, 2, 3의 3개에서 중복을 허락하여 3개를 택하는 중복순열의 수와 같으므로

${}_3\Pi_3=3^3=27$ …… ❶

(ii) 조건 (나)에서 $f(4)\ge f(5)$이므로 공역 A의 원소 중 중복을 허락하여 2개를 택하면 $f(4)$, $f(5)$의 값이 정해진다.

따라서 $f(4)$, $f(5)$의 값을 정하는 경우의 수는 공역

A의 원소 1, 2, 3, 4, 5의 5개에서 중복을 허락하여 2개를 택하는 중복조합의 수와 같으므로

$_5H_2={}_{5+2-1}C_2={}_6C_2=15$ …… ❷

(i), (ii)에 의하여 구하는 함수의 개수는

$27\times15=\mathbf{405}$ …… ❸

채점 기준	배점
❶ $f(1)$, $f(2)$, $f(3)$의 값을 정하는 경우의 수 구하기	40 %
❷ $f(4)$, $f(5)$의 값을 정하는 경우의 수 구하기	40 %
❸ 함수의 개수 구하기	20 %

답 405

06

x축과 y축을 따로 구분해서 생각하자.

(i) x축 방향

개구리가 x축의 방향으로 1, 2, 3번째에 점프한 칸 수를 x_1, x_2, x_3이라 하면 x축의 방향으로 3번 점프하여 8의 위치에 있는 경우의 수는 $x_1+x_2+x_3=8$을 만족시키는 음이 아닌 정수해의 개수와 같다.

$\therefore {}_3H_8={}_{3+8-1}C_8={}_{10}C_8={}_{10}C_2=45$

(ii) y축 방향

개구리가 y축의 방향으로 1, 2, 3번째에 점프한 칸 수를 y_1, y_2, y_3이라 하면 y축의 방향으로 3번 점프하여 6의 위치에 있는 경우의 수는 $y_1+y_2+y_3=6$을 만족시키는 음이 아닌 정수해의 개수와 같다.

$\therefore {}_3H_6={}_{3+6-1}C_6={}_8C_6={}_8C_2=28$

(i), (ii)에 의하여 구하는 경우의 수는

$45\times28=\mathbf{1260}$

답 1260

07

$(1+ax)^n(1-x)^5$의 전개식에서 x^2의 계수를 구하려면

$(1+ax)^n$의 상수항과 $(1-x)^5$의 x^2의 계수,

$(1+ax)^n$의 x의 계수와 $(1-x)^5$의 x의 계수,

$(1+ax)^n$의 x^2의 계수와 $(1-x)^5$의 상수항

을 각각 곱하여 모두 더해야 한다.

이때 $(1+ax)^n$의 전개식의 일반항은 ${}_nC_r(ax)^r$이고, $(1-x)^5$의 전개식의 일반항은 ${}_5C_s(-x)^s$이므로 x^2의 계수는 다음과 같다.

$1\cdot{}_5C_2+{}_nC_1\cdot a\cdot(-{}_5C_1)+{}_nC_2\cdot a^2\cdot1$

$=10-5an+\dfrac{a^2n(n-1)}{2}=-6$

$a^2n(n-1)-10an=-32$

$an(an-a-10)=-32$

한편 자연수 a, n에 대하여 n은 $n\ge4$이므로 an이 될 수 있는 수는 4, 8, 16, 32이다.

(i) $an=4$, $an-a-10=-8$인 경우

$a=2$, $n=2$

이므로 $n\ge4$에 모순이다.

(ii) $an=8$, $an-a-10=-4$인 경우

$a=2$, $n=4$

(iii) $an=16$, $an-a-10=-2$인 경우

$a=8$, $n=2$

이므로 $n\ge4$에 모순이다.

(iv) $an=32$, $an-a-10=-1$인 경우

$a=23$, $n=\dfrac{32}{23}$

이므로 n이 자연수임에 모순이다.

(i)~(iv)에 의하여 $a=2$, $n=4$이므로 구하는 값은

$10(a+n)=10\times(2+4)=\mathbf{60}$

답 60

08

$0.98=1-0.02$이므로

$(0.98)^7=(1-0.02)^7$

$={}_7C_0-{}_7C_1(0.02)+{}_7C_2(0.02)^2$

$-{}_7C_3(0.02)^3+\cdots-{}_7C_7(0.02)^7$

이때 소수점 아래 넷째 자리까지 계산하는 데 영향을 미치는 항은 네 번째 항까지이다.

$1-{}_7C_1(0.02)+{}_7C_2(0.02)^2-{}_7C_3(0.02)^3$

$=1-0.14+0.0084-0.00028=0.86812$

따라서 $(0.98)^7$을 반올림하여 소수점 아래 넷째 자리까지 나타내면 $\mathbf{0.8681}$이다.

답 ②

09 ${}_{8}C_{8}\times{}_{12}C_{7}+{}_{8}C_{7}\times{}_{12}C_{6}+{}_{8}C_{6}\times{}_{12}C_{5}$
$+\cdots+{}_{8}C_{1}\times{}_{12}C_{0}$
$={}_{8}C_{0}\times{}_{12}C_{7}+{}_{8}C_{1}\times{}_{12}C_{6}+{}_{8}C_{2}\times{}_{12}C_{5}$
$+\cdots+{}_{8}C_{7}\times{}_{12}C_{0}$ ($\because {}_{n}C_{r}={}_{n}C_{n-r}$)

이므로 주어진 식은 $(1+x)^{8}(1+x)^{12}$, 즉 $(1+x)^{20}$의 전개식에서 x^{7}의 계수와 같다.

$\therefore$ (주어진 식)$=\mathbf{{}_{20}C_{7}}$ 답 ④

10 빨간색, 노란색, 파란색, 검은색 공의 개수를 x, y, z, u라 하면 각 색의 공을 적어도 하나씩 포함하여 20개 이하의 공을 선택하므로

$x+y+z+u\le 20$ (단, $x\ge 1$, $y\ge 1$, $z\ge 1$, $u\ge 1$)

이때 $x=x'+1$, $y=y'+1$, $z=z'+1$, $u=u'+1$로 놓으면

$(x'+1)+(y'+1)+(z'+1)+(u'+1)\le 20$

$\therefore x'+y'+z'+u'\le 16$

(단, $x'\ge 0$, $y'\ge 0$, $z'\ge 0$, $u'\ge 0$) …… ㉠

부등식 ㉠의 해의 개수는 방정식

$x'+y'+z'+u'=0$, $x'+y'+z'+u'=1$, $\cdots$,
$x'+y'+z'+u'=16$

의 모든 해의 개수의 합과 같다.

따라서 구하는 경우의 수는

${}_{4}H_{0}+{}_{4}H_{1}+\cdots+{}_{4}H_{16}$
$={}_{3}C_{0}+{}_{4}C_{1}+{}_{5}C_{2}+\cdots+{}_{19}C_{16}$
$={}_{20}C_{16}$ ($\because$ 하키스틱 법칙)
$={}_{20}C_{4}=\mathbf{4845}$

다른 풀이 부등식 ㉠을 만족시키는 음이 아닌 정수해의 개수는 다음 방정식을 만족시키는 음이 아닌 정수해의 개수와 같다.

$x'+y'+z'+u'+w=16$

(단, $x'\ge 0$, $y'\ge 0$, $z'\ge 0$, $u'\ge 0$, $w\ge 0$)

따라서 구하는 경우의 수는

${}_{5}H_{16}={}_{5+16-1}C_{16}={}_{20}C_{16}={}_{20}C_{4}=4845$ 답 4845

Chapter Ⅰ Exercises

SUMMA CUM LAUDE 076~081쪽

01 144	02 ④	03 8	04 425	05 33
06 64	07 4896	08 3090	09 19	
10 36	11 84	12 124	13 49	14 231
15 322	16 ③	17 $\frac{3}{250}$	18 25	19 7
20 511				

01 **[전략] 2학년 학생을 먼저 앉힌 후 그 사이사이에 1학년 학생을 앉힌다.**

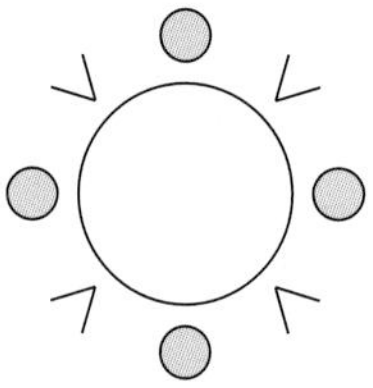

원탁에 2학년 학생 4명이 둘러앉는 경우의 수는

$(4-1)!=3!=6$

2학년 학생 사이사이의 4개의 자리에 1학년 학생 3명이 앉는 경우의 수는

${}_{4}P_{3}=24$

따라서 구하는 경우의 수는 $6\times 24=\mathbf{144}$ 답 144

02 **[전략] 원형으로 배열하는 한 가지 방법에 대해 서로 다른 경우가 몇 가지 생기는지 확인해 본다.**

8명을 원형으로 배열하는 경우의 수는

$(8-1)!=7!$

이때 사분원 모양의 탁자에서는 원형으로 배열하는 한 가지 경우에 대하여 다음 그림과 같이 서로 다른 경우가 8가지씩 존재한다.

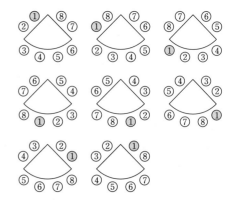

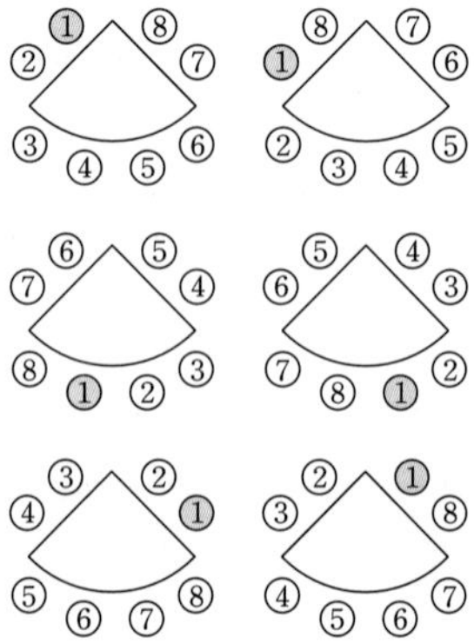

따라서 구하는 경우의 수는

$8\times7!=\mathbf{8!}$ 답 ④

03 [전략] n가지 색에서 5가지를 먼저 고른 다음 칠하는 경우를 생각한다.

n가지 색에서 5가지를 골라 칠하는 경우의 수가 1344이므로

$_{n}C_{5}\times(5-1)!=1344$

$_{n}C_{5}\times4!=1344 \qquad \therefore\ _{n}C_{5}=56$

이때 $_{8}C_{5}={}_{8}C_{3}=56$이므로

$\mathbf{n=8}$

다른 풀이 $_{n}C_{5}=56$에서

$$\frac{n(n-1)(n-2)(n-3)(n-4)}{5!}=56$$

$$n(n-1)(n-2)(n-3)(n-4)=56\times5!$$
$$=8\times7\times6\times5\times4$$

$\therefore n=8$ 답 8

04 [전략] 2400보다 큰 수는 24□□, 25□□, 3□□□, 4□□□, 5□□□의 꼴이다.

(i) 24□□, 25□□ 꼴의 자연수는 5개의 숫자에서 중복을 허락하여 2개를 택하는 중복순열의 수와 같으므로

$2\times{}_{5}\Pi_{2}=2\times5^{2}=50$

(ii) 3□□□, 4□□□, 5□□□ 꼴의 자연수의 개수는 5개의 숫자에서 중복을 허락하여 3개를 택하는 중복순열의 수와 같으므로

$3\times{}_{5}\Pi_{3}=3\times5^{3}=375$

(i), (ii)에 의하여 구하는 자연수의 개수는

$50+375=\mathbf{425}$ 답 425

05 [전략] 여사건을 이용한다.

세 문자 a, b, c 중에서 중복을 허락하여 4개를 택하는 중복순열의 수는

$_{3}\Pi_{4}=3^{4}=81$

문자 a가 두 번 이상 나오는 사건을 A라 하면 A^{C}은 문자 a가 한 번 이하로 나오는 사건이다.

(i) a가 한 번 나오는 경우

a의 자리를 택하는 경우의 수는 4

나머지 3개의 자리에는 두 문자 b, c 중에서 중복을 허락하여 3개를 택해 일렬로 나열하면 되므로 이때의 경우의 수는

$_{2}\Pi_{3}=2^{3}=8$

$\therefore 4\times8=32$

(ii) a가 한 번도 나오지 않는 경우

두 문자 b, c 중에서 중복을 허락하여 4개를 택해 일렬로 나열하면 되므로 이때의 경우의 수는

$_{2}\Pi_{4}=2^{4}=16$

(i), (ii)에 의하여 사건 A^{C}의 경우의 수는

$32+16=48$

따라서 구하는 경우의 수는

$81-48=\mathbf{33}$

다른 풀이 a가 두 번, 세 번, 네 번 나오는 경우의 수를 각각 구한다.

(i) a가 두 번 나오는 경우

a, a, b, b를 일렬로 나열하는 경우의 수는

$$\frac{4!}{2!2!}=6$$

a, a, c, c를 일렬로 나열하는 경우의 수는

$$\frac{4!}{2!2!}=6$$

a, a, b, c를 일렬로 나열하는 경우의 수는

$$\frac{4!}{2!}=12$$

따라서 경우의 수는 $6+6+12=24$

(ii) a가 세 번 나오는 경우

a, a, a, b를 일렬로 나열하는 경우의 수는

$$\frac{4!}{3!}=4$$

a, a, a, c를 일렬로 나열하는 경우의 수는

$$\frac{4!}{3!}=4$$

따라서 경우의 수는 $4+4=8$

(iii) a가 네 번 나오는 경우

a, a, a, a를 일렬로 나열하는 경우의 수는 1

(i), (ii), (iii)에 의하여 구하는 경우의 수는

$24+8+1=33$ 답 33

06 [전략] X의 원소 x에 양수 $f(x)$의 값을 대응시키면 조건 (가)에 의하여 $f(-x)$의 값은 자동으로 정해진다.

조건 (가)에 의하여

$|f(x)+f(-x)|=1$

$\Longleftrightarrow f(x)+f(-x)=1$ 또는 $f(x)+f(-x)=-1$

집합 $X=\{-3, -2, -1, 1, 2, 3\}$에 대하여 조건 (나)에 의하여 정의역의 양수인 원소 x에 대하여 공역의 양수인 원소 $f(x)$의 값을 대응시키면 $f(-x)$의 값은 다음과 같이 자동으로 정해진다.

(i) $f(x)+f(-x)=1$일 때

$f(x)=1$이라 하면 조건을 만족시키는 $f(-x)$의 값은 없다.

$f(x)=2$라 하면 $f(-x)=-1$ …… ㉠

$f(x)=3$이라 하면 $f(-x)=-2$ …… ㉡

(ii) $f(x)+f(-x)=-1$일 때

$f(x)=1$이라 하면 $f(-x)=-2$ …… ㉢

$f(x)=2$라 하면 $f(-x)=-3$ …… ㉣

$f(x)=3$이라 하면 조건을 만족시키는 $f(-x)$의 값은 없다.

따라서 정의역의 원소 1, 2, 3 각각에 대하여 나머지 정의역의 원소 $-1, -2, -3$의 함숫값을 고려하여 $f(x)$를 대응시키는 경우는 ㉠~㉣의 4가지이므로 구하는 함수 $f(x)$의 개수는

${}_4\Pi_3=4^3=$**64** 답 64

07 [전략] 학생 4명에게 우유를 4종류, 3종류, 2종류로 각각 나누어 주는 경우의 수를 구한다.

서로 다른 케이크 4개를 학생 4명에게 1개씩 나누어 주는 경우의 수는 서로 다른 4개에서 4개를 택하는 순열의 수와 같으므로

$4!=24$

우유 4종류에서 4개를 택해 학생 4명에게 나누어 주는 경우의 수를 구하면

(i) 4종류의 우유를 나누어 주는 경우의 수는 $4!=24$

(ii) 3종류의 우유를 나누어 주는 경우의 수는

같은 종류의 우유 2개와 서로 다른 종류의 우유를 한 개씩 나누어 주는 경우의 수이므로 구하는 경우의 수는

$${}_4C_1\times{}_3C_2\times\frac{4!}{2!}=4\times3\times12=144$$

(iii) 2종류의 우유를 나누어 주는 경우의 수는

$${}_4C_2\times\frac{4!}{2!2!}=6\times6=36$$

(i), (ii), (iii)에 의하여 우유를 나누어 주는 경우의 수는

$24+144+36=204$

따라서 구하는 경우의 수는

$24\times204=$**4896** 답 4896

08 [전략] 전체 경우의 수에서 두 사람이 만나는 경우의 수를 뺀다. 이때 두 사람이 만나는 지점은 5곳이므로 각각에 대한 경우의 수를 구한다.

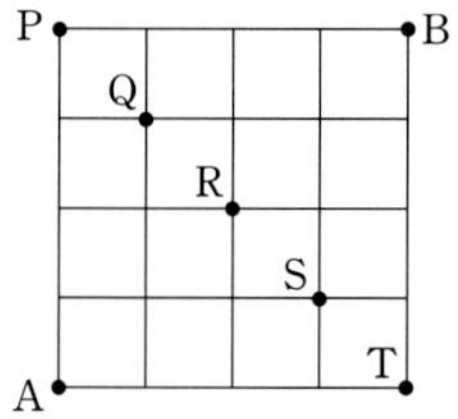

승화와 웅호가 각각 A, B에서 같은 속력으로 동시에 출발하므로 두 사람이 만날 수 있는 지점은 위 그림의 P, Q, R, S, T이다. 각 경우마다 두 사람이 만난 후 각각 B, A에 도착하는 경우의 수를 생각해 보면

(i) 점 P에서 만나는 경우의 수 : $(1\times1)^2=1$

(ii) 점 Q에서 만나는 경우의 수 :

$$\left(\frac{4!}{3!}\times\frac{4!}{3!}\right)^2=16^2=256$$

(iii) 점 R에서 만나는 경우의 수 :

$$\left(\frac{4!}{2!2!}\times\frac{4!}{2!2!}\right)^2=36^2=1296$$

(iv) 점 S에서 만나는 경우의 수 :

$$\left(\frac{4!}{3!}\times\frac{4!}{3!}\right)^2=16^2=256$$

(v) 점 T에서 만나는 경우의 수 : $(1\times1)^2=1$

(i)~(v)에 의하여 승화와 웅호가 만나는 경우의 수는

$1+256+1296+256+1=1810$

이므로 만나지 않는 경우의 수는

$$\left(\frac{8!}{4!4!}\right)^2-1810=4900-1810$$

$$=\mathbf{3090}$$

답 3090

09

[전략] 점 A(−2, 0)에서 점 B(2, 0)까지 4번만 '점프'하여 이동하는 경우를 3가지로 나누어 생각한다.

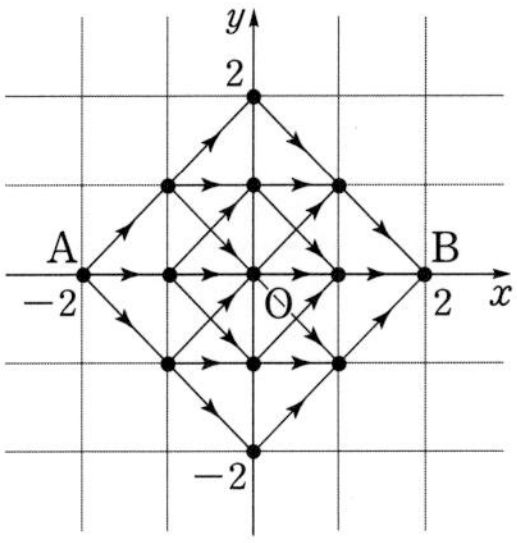

위의 그림과 같이 점 A(−2, 0)에서 점 B(2, 0)까지 4번만 '점프'하여 이동하는 경우는 다음과 같이 세 가지 경우로 나누어 생각할 수 있다.

(i) '↗'으로 2번, '↘'으로 2번 이동하는 경우의 수는

$$\frac{4!}{2!2!}=6$$

(ii) '↗'으로 1번 '→'으로 2번, '↘'으로 1번 이동하는 경우의 수는

$$\frac{4!}{2!}=12$$

(iii) '→'으로 4번 이동하는 경우의 수는

1

(i), (ii), (iii)에 의하여 구하는 경우의 수는

$6+12+1=\mathbf{19}$

답 19

10

[전략] 튤립을 1송이 구입하는 경우와 구입하지 않는 경우로 나누어 중복조합을 적용한다.

(i) 튤립을 1송이 구입하는 경우

장미, 백합, 개나리 중에서 4송이를 구입하면 되므로 이때의 경우의 수는

$${}_3H_4={}_{3+4-1}C_4={}_6C_4={}_6C_2=15$$

(ii) 튤립을 구입하지 않는 경우

장미, 백합, 개나리 중에서 5송이를 구입하면 되므로 이때의 경우의 수는

$${}_3H_5={}_{3+5-1}C_5={}_7C_5={}_7C_2=21$$

따라서 구하는 경우의 수는

$15+21=\mathbf{36}$

답 36

11

[전략] $a_1\le a_2\le a_3\le a_4\le a_5\le a_6$을 만족시키는 경우의 수에서 $a_2=a_3$ 또는 $a_5=a_6$인 경우의 수를 뺀다.

구하는 경우의 수는

($a_1\le a_2\le a_3\le a_4\le a_5\le a_6$인 경우의 수)

−{($a_1\le a_2=a_3\le a_4\le a_5\le a_6$인 경우의 수)

+($a_1\le a_2\le a_3\le a_4\le a_5=a_6$인 경우의 수)

−($a_1\le a_2=a_3\le a_4\le a_5=a_6$인 경우의 수)}

…… ㉠

(i) $a_1\le a_2\le a_3\le a_4\le a_5\le a_6$의 경우의 수

1, 2, 3, 4, 5, 6 중에서 중복을 허락하여 6개를 택한 후

$a_1\le a_2\le a_3\le a_4\le a_5\le a_6$

을 만족시키도록 a_1, a_2, a_3, a_4, a_5, a_6에 차례로 대응시키는 경우의 수와 같다.

즉, 서로 다른 6개에서 중복을 허락하여 6개를 택하는 중복조합의 수이므로

$${}_6H_6={}_{6+6-1}C_6={}_{11}C_6={}_{11}C_5=462$$ …… ㉡

EXERCISES

(ⅱ) $a_1 \le a_2 = a_3 \le a_4 \le a_5 \le a_6$의 경우의 수

$a_2 = a_3$이므로 a_2와 a_3을 한 문자 X로 생각하면 1, 2, 3, 4, 5, 6 중에서 중복을 허락하여 5개를 택한 후

$a_1 \le X \le a_4 \le a_5 \le a_6$

을 만족시키도록 a_1, X, a_4, a_5, a_6에 차례로 대응시키는 경우의 수와 같다.

즉, 서로 다른 6개에서 중복을 허락하여 5개를 택하는 중복조합의 수이므로

${}_6H_5 = {}_{6+5-1}C_5 = {}_{10}C_5 = 252$ …… ㉢

(ⅲ) $a_1 \le a_2 \le a_3 \le a_4 \le a_5 = a_6$의 경우의 수

$a_5 = a_6$이므로 a_5와 a_6을 한 문자 Y로 생각하면 1, 2, 3, 4, 5, 6 중에서 중복을 허락하여 5개를 택한 후

$a_1 \le a_2 \le a_3 \le a_4 \le Y$

를 만족시키도록 a_1, a_2, a_3, a_4, Y에 차례로 대응시키는 경우의 수와 같다.

즉, 서로 다른 6개에서 중복을 허락하여 5개를 택하는 중복조합의 수이므로

${}_6H_5 = 252$ …… ㉣

(ⅳ) $a_1 \le a_2 = a_3 \le a_4 \le a_5 = a_6$의 경우의 수

$a_2 = a_3$, $a_5 = a_6$이므로 a_2와 a_3을 한 문자 X, a_5와 a_6을 한 문자 Y로 생각하면 1, 2, 3, 4, 5, 6 중에서 중복을 허락하여 4개를 택한 후

$a_1 \le X \le a_4 \le Y$

를 만족시키도록 a_1, X, a_4, Y에 차례로 대응시키는 경우의 수와 같다.

즉, 서로 다른 6개에서 중복을 허락하여 4개를 택하는 중복조합의 수이므로

${}_6H_4 = {}_{6+4-1}C_4 = {}_9C_4 = 126$ …… ㉤

㉡, ㉢, ㉣, ㉤을 ㉠에 대입하면 구하는 경우의 수는

$462 - (252 + 252 - 126) = \mathbf{84}$ 답 84

12 **[전략] $x=0$, 1, 2일 때로 나누어 순서쌍 (x, y, z, w)의 개수를 구한다.**

$x=0$, 1, 2일 때로 나누어 순서쌍 (x, y, z, w)의 개수를 구하면

(ⅰ) $x=0$일 때 $y+z+w=12$ $(y \ge 0,\ z \ge 0,\ w \ge 1)$

$w = w' + 1$로 놓으면

$y + z + w' = 11$ $(y \ge 0,\ z \ge 0,\ w' \ge 0)$ …… ㉠

조건을 만족시키는 순서쌍 (y, z, w)의 개수는 방정식 ㉠을 만족시키는 순서쌍 (y, z, w')의 개수와 같으므로 ${}_3H_{11} = {}_{3+11-1}C_{11} = {}_{13}C_{11} = {}_{13}C_2 = 78$

(ⅱ) $x=1$일 때 $y+z+w=8$ $(y \ge 0,\ z \ge 0,\ w \ge 1)$

$w = w' + 1$로 놓으면

$y + z + w' = 7$ $(y \ge 0,\ z \ge 0,\ w' \ge 0)$ …… ㉡

조건을 만족시키는 순서쌍 (y, z, w)의 개수는 방정식 ㉡을 만족시키는 순서쌍 (y, z, w')의 개수와 같으므로 ${}_3H_7 = {}_{3+7-1}C_7 = {}_9C_7 = {}_9C_2 = 36$

(ⅲ) $x=2$일 때 $y+z+w=4$ $(y \ge 0,\ z \ge 0,\ w \ge 1)$

$w = w' + 1$로 놓으면

$y + z + w' = 3$ $(y \ge 0,\ z \ge 0,\ w' \ge 0)$ …… ㉢

조건을 만족시키는 순서쌍 (y, z, w)의 개수는 방정식 ㉢을 만족시키는 순서쌍 (y, z, w')의 개수와 같으므로 ${}_3H_3 = {}_{3+3-1}C_3 = {}_5C_3 = {}_5C_2 = 10$

(ⅰ), (ⅱ), (ⅲ)에 의하여 구하는 순서쌍의 개수는

$78 + 36 + 10 = \mathbf{124}$ 답 124

13 **[전략] 주어진 조건에 의하여 홀수 N의 일의 자리 수는 1, 3, 5 중 하나이어야 하므로 각 경우에 대하여 중복조합을 이용하여 경우의 수를 구한다.**

자연수 N을 $N = 10^3a + 10^2b + 10c + d$라 하면 조건 ㈏에 의하여

$a + b + c + d = 7$

이고, 조건 ㈎에 의하여 d의 값은 1, 3, 5 중 하나이어야 한다.

(ⅰ) $d=1$인 경우

$a + b + c = 6$ $(a \ge 0,\ b \ge 0,\ c \ge 0)$

이를 만족시키는 순서쌍 (a, b, c)의 개수는 서로 다른 3개에서 중복을 허락하여 6개를 택하는 중복조합

의 수와 같으므로

$_3H_6={}_{3+6-1}C_6={}_8C_6={}_8C_2=28$

(ii) $d=3$인 경우

$a+b+c=4$ ($a\ge0$, $b\ge0$, $c\ge0$)

이를 만족시키는 순서쌍 (a, b, c)의 개수는 서로 다른 3개에서 중복을 허락하여 4개를 택하는 중복조합의 수와 같으므로

$_3H_4={}_{3+4-1}C_4={}_6C_4={}_6C_2=15$

(iii) $d=5$인 경우

$a+b+c=2$ ($a\ge0$, $b\ge0$, $c\ge0$)

이를 만족시키는 순서쌍 (a, b, c)의 개수는 서로 다른 3개에서 중복을 허락하여 2개를 택하는 중복조합의 수와 같으므로

$_3H_2={}_{3+2-1}C_2={}_4C_2=6$

(i), (ii), (iii)에 의하여 구하는 자연수 N의 개수는

$28+15+6=$**49**

[참고] 다음과 같이 자연수 N을 두 자리 수, 세 자리 수, 네 자리 수로 나누어 일일이 나열하여 구할 수도 있다. 하지만 중복조합을 활용하는 위의 풀이 방법을 잘 숙지하여 다른 문제에서도 적용할 수 있도록 하자.

(i) □1, □3, □5 꼴의 자연수의 개수

➡ $1+1+1=3$

(ii) □□1, □□3, □□5 꼴의 자연수의 개수

➡ $6+4+2=12$

(iii) □□□1, □□□3, □□□5 꼴의 자연수의 개수

➡ $21+10+3=34$

따라서 구하는 자연수 N의 개수는

$3+12+34=49$ **답** 49

14 **[전략] x, y, z의 값 중 0인 경우를 먼저 생각하여 식을 나눈 다음 중복조합을 적용한다.**

세 미지수 x, y, z의 값을 경우에 따라 나누어 생각해 보자.

(i) x, y, z 모두 0인 경우는 1개뿐이다.

(ii) x, y, z 중 두 개만 0인 경우, 즉 $x=y=0$이면

$z=\pm1$, ±2, ±3, ±4, ±5

로 10가지의 경우가 있다.

이때 $y=z=0$ 또는 $x=z=0$일 때도 마찬가지로 각각 10가지의 경우가 있으므로 만족시키는 해의 개수는

$10\times3=30$

(iii) x, y, z 중 한 개만 0인 경우, 즉 $z=0$이면 만족시키는 x, y에 대한 식은

$|x|+|y|=5$ 또는 $|x|+|y|=4$

또는 $|x|+|y|=3$ 또는 $|x|+|y|=2$

(단, $|x|+|y|=1$인 경우는 x, y 중 하나가 0이 되므로 생각하지 않는다.)

$|x|+|y|=5$를 만족시키는 순서쌍 (x, y)는

$(\pm1, \pm4)$, $(\pm2, \pm3)$, $(\pm3, \pm2)$, $(\pm4, \pm1)$

이므로 순서쌍 (x, y, z)는 모두 16개이다.

$|x|+|y|=4$를 만족시키는 순서쌍 (x, y)는

$(\pm1, \pm3)$, $(\pm2, \pm2)$, $(\pm3, \pm1)$

이므로 순서쌍 (x, y, z)는 모두 12개이다.

$|x|+|y|=3$을 만족시키는 순서쌍 (x, y)는

$(\pm1, \pm2)$, $(\pm2, \pm1)$

이므로 순서쌍 (x, y, z)는 모두 8개이다.

$|x|+|y|=2$를 만족시키는 순서쌍 (x, y)는

$(\pm1, \pm1)$이므로 순서쌍 (x, y, z)는 모두 4개이다.

즉 $z=0$일 때의 해의 개수는

$16+12+8+4=40$

이때 $x=0$ 또는 $y=0$일 때도 마찬가지로 각각 40가지의 경우가 있으므로 만족시키는 해의 개수는

$40\times3=120$

(iv) x, y, z 중 0이 단 한 개도 없을 경우, 만족시키는 x, y, z에 대한 식은

$|x|+|y|+|z|=5$ 또는 $|x|+|y|+|z|=4$

또는 $|x|+|y|+|z|=3$

(x, y, z의 절댓값이 1 이상이므로 $|x|+|y|+|z|$의 값은 0, 1, 2일 수 없다.)

EXERCISES

$|x|+|y|+|z|=5$의 자연수인 해 $(|x|, |y|, |z|)$의 개수는 ${}_3H_2=6$이므로 순서쌍 (x, y, z)는

$6\times2^3=48$ (개)

$|x|+|y|+|z|=4$의 자연수인 해 $(|x|, |y|, |z|)$의 개수는 ${}_3H_1=3$이므로 순서쌍 (x, y, z)는

$3\times2^3=24$ (개)

$|x|+|y|+|z|=3$의 자연수인 해 $(|x|, |y|, |z|)$의 개수는 ${}_3H_0=1$이므로 순서쌍 (x, y, z)는

$1\times2^3=8$ (개)

즉 x, y, z 중 0이 하나도 없을 때의 해의 개수는

$48+24+8=80$

(i)~(iv)에 의하여 구하는 해의 개수는

$1+30+120+80=\mathbf{231}$ 답 231

15

[전략] ❶ 4 이하의 정의역의 원소에 대해 조건 (가)와 조건 (다)의 $f(1)\neq f(4)$를 만족시키는 경우의 수를 구한다.
❷ 5 이상의 정의역의 원소에 대해 조건 (가)와 조건 (다)의 $f(5)\neq f(8)$을 만족시키는 경우의 수를 구한다.

조건 (가)를 만족시키는 경우의 수는 함수 f의 공역의 원소 8개 중에서 중복을 허락하여 4 이하의 정의역의 원소에 대응되는 원소 4개를 뽑는 경우의 수와 같으므로

${}_8H_4={}_{8+4-1}C_4={}_{11}C_4=330$

이때 조건 (다)의 $f(1)\neq f(4)$에 의하여 함숫값이 모두 같은 경우의 수를 빼야 하므로

$330-8=322$

같은 방법으로 5 이상의 정의역의 원소에 대응되는 원소 4개를 뽑는 경우의 수는 322

따라서 조건을 만족시키는 함수 f의 개수는

$m=322^2 \quad \therefore \sqrt{m}=\mathbf{322}$ 답 322

16

[전략] $(x+2)^{19}$의 전개식의 일반항은 ${}_{19}C_r2^{19-r}x^r$이다.

$(x+2)^{19}$의 전개식의 일반항은

${}_{19}C_r2^{19-r}x^r$ (단, $r=0, 1, 2, \cdots, 19$)

이므로 x^k의 계수는 ${}_{19}C_k2^{19-k}$, x^{k+1}의 계수는 ${}_{19}C_{k+1}2^{18-k}$이다.

이때 x^k의 계수가 x^{k+1}의 계수보다 크려면

${}_{19}C_k2^{19-k}>{}_{19}C_{k+1}2^{18-k}$

${}_{19}C_k\times2>{}_{19}C_{k+1}$ ($\because 2^{18-k}>0$)

$\dfrac{19!}{k!(19-k)!}\times2>\dfrac{19!}{(k+1)!(18-k)!}$

$2(k+1)>19-k$ ($\because (k+1)!>0,\ (19-k)!>0$)

$3k>17 \qquad \therefore k>\dfrac{17}{3}$

따라서 자연수 k의 최솟값은 **6**이다. 답 ③

17

[전략] $(a^2x+1)^{501}$의 전개식의 일반항을 구하여 $\left(3x-\dfrac{1}{a}\right)$과의 곱에서 x^2항이 생기는 경우를 알아본다.

$(a^2x+1)^{501}$의 전개식의 일반항은

${}_{501}C_r(a^2x)^r=a^{2r}\times{}_{501}C_rx^r$

이때 주어진 다항식의 전개식에서 x^2의 계수는

(i) $\left(3x-\dfrac{1}{a}\right)$의 x항과

$(a^2x+1)^{501}$의 x항의 각 계수의 곱

(ii) $\left(3x-\dfrac{1}{a}\right)$의 상수항과

$(a^2x+1)^{501}$의 x^2항의 계수의 곱

을 더한 것과 같다. 즉,

$3\times a^2\times{}_{501}C_1+\left(-\dfrac{1}{a}\right)\times a^4\times{}_{501}C_2$

$=3\times a^2\times501-\dfrac{501\times500}{2}a^3$

$=501a^2(3-250a)$

이때 x^2의 계수가 0이므로

$501a^2(3-250a)=0$

$\therefore a=\dfrac{\mathbf{3}}{\mathbf{250}}$ ($\because a>0$) 답 $\dfrac{3}{250}$

18

[전략] 주어진 식의 값은 2^n-1이므로 이 값이 3의 배수가 되게 하는 n의 값을 구한다.

${}_nC_1+{}_nC_2+\cdots+{}_nC_n$

$=({}_nC_0+{}_nC_1+{}_nC_2+\cdots+{}_nC_n)-{}_nC_0$

$=2^n-{}_nC_0=2^n-1$

$n=1,\ 2,\ 3,\ \cdots$을 차례로 대입하면 1, 3, 7, 15, 31, 63, ⋯으로 n이 짝수일 때 3의 배수가 된다.

따라서 n의 개수는 **25**

답 25

19 [전략] $n(B)=0,\ 1,\ 2,\ \cdots,\ n$일 때, 집합 A의 개수는 $2^0,\ 2^1,\ 2^2,\ \cdots,\ 2^n$이다.

집합 B의 원소의 개수를 기준으로 하여 $A\subset B$를 만족시키는 집합 A의 개수를 먼저 생각해 보자.

$n(B)=0$ → 집합 A의 개수는 2^0

$n(B)=1$ → 집합 A의 개수는 2^1

$n(B)=2$ → 집합 A의 개수는 2^2

⋮

$n(B)=n$ → 집합 A의 개수는 2^n

위에서 $n(B)=r\,(0\le r\le n)$인 집합 B를 만드는 경우의 수는 ${}_nC_r$이므로 조건을 만족시키는 집합 A, B의 순서쌍 $(A,\ B)$는 모두

${}_nC_0\cdot 2^0+{}_nC_1\cdot 2^1+{}_nC_2\cdot 2^2+\cdots+{}_nC_n\cdot 2^n$

$=(1+2)^n=3^n$

따라서 $3^n>800$이고 $3^6=729$, $3^7=2187$이므로 n의 최솟값은 **7**이다.

다른 풀이 전체집합 U의 두 부분집합 A, B에 대하여 $A\subset B$를 만족시키는 경우의 수는 n개의 각 원소들을 다음 벤다이어그램의 ①, ②, ③의 세 영역 중 한 곳에 넣는 경우의 수와 같다.

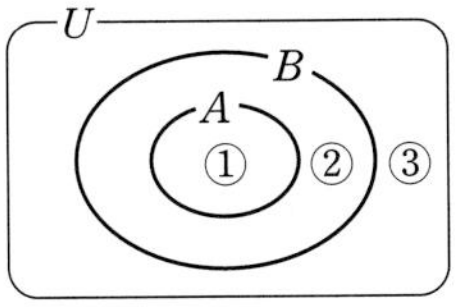

즉, 서로 다른 3개에서 중복을 허락하여 n개를 택하는 중복순열의 수와 같으므로

${}_3\Pi_n=3^n$

따라서 $3^n>800$을 만족시키는 n의 최솟값은 7이다.

답 7

20 [전략] 10개의 1을 나열해 놓고 그 사이사이에 ∨ 기호를 넣는 것으로 문제를 접근한다.

10을 $n\,(2\le n\le 10)$개의 자연수의 합으로 나타내는 경우의 수는 10개의 1을 나열해 놓고, 그 사이사이에 넣은 9개의 ∨ 중 $(n-1)$개를 택하는 경우의 수와 같다.

1 ∨ 1 ∨ 1 ∨ 1 ∨ 1 ∨ 1 ∨ 1 ∨ 1 ∨ 1 ∨ 1 ⋯⋯ ㉠

예를 들어 3번째, 8번째 ∨가 택해졌다면 이는 10을 $3+5+2$로 표현하는 것과 같다.

따라서 구하는 경우의 수는

${}_9C_1+{}_9C_2+{}_9C_3+\cdots+{}_9C_9$

$=2^9-1=\mathbf{511}$

다른 풀이 ㉠의 9개의 ∨ 각각에 + 또는 ⊕를 택하여 넣는다고 하자.

예를 들어 왼쪽부터 순서대로

+, +, ⊕, ⊕, ⊕, +, ⊕, +, ⊕

를 넣었다면 이는 10을 $1+1+4+2+2$로 표현한 것과 같다.

이때 ⊕만 9개 선택하는 것은 제외해야 하므로 구하는 경우의 수는

${}_2\Pi_9-1=2^9-1=512-1=511$

답 511

Chapter Ⅰ Advanced Lecture

본문 082~085쪽

[APPLICATION] 01 233 02 309

01 자연수 n을 1과 2의 합으로 나타낼 수 있는 경우의 수를 a_n이라 하자.

(i) 자연수 $n-1$을 1과 2의 합으로 나타낸 뒤 마지막에 $+1$을 하는 경우

(ii) 자연수 $n-2$를 1과 2의 합으로 나타낸 뒤 마지막에 $+2$를 하는 경우

(i)과 (ii)는 동시에 일어나지 않으므로 합의 법칙에 의하여

$a_n=a_{n-1}+a_{n-2}$

$a_1=1$, $a_2=2$임은 쉽게 알 수 있으므로 $\{a_n\}$도 피보나치 수열임을 알 수 있다.

$\{a_n\}$: 1, 2, 3, 5, 8, 13, 21, 34, 55, 89, 144, 233, ⋯

이므로 자연수 12를 1과 2의 합으로 나타내는 경우의 수는

$a_{12}=\mathbf{233}$

답 233

02 n개의 원소가 각각 서로 다른 원소에 대응되는 경우의 수를 w_n이라 할 때, w_n의 값을 본문에서 구한 점화식을 이용하여 구하면 다음과 같다.

w_n : 0, 1, 2, 9, 44, 265, 1854, ⋯

이제 함수의 개수를 두 가지 경우로 나누어서 구해 보자.

(i) $f(1)=7$일 때,

조건을 만족시키는 함수는 나머지 2부터 6까지 5개의 숫자의 완전순열의 수와 같다. $w_5=44$이므로 구하는 함수의 개수는 44이다.

(ii) $f(1)\neq7$일 때,

$f(1)$의 값이 7이 될 수 없음을 가정하였으므로 결국 7을 1로 놓고 1부터 6까지 6개의 숫자의 완전순열의 수와 같다. $w_6=265$이므로 구하는 함수의 개수는 265이다.

(i), (ii)에 의하여 구하는 함수의 개수는

$44+265=\mathbf{309}$

답 309

MATH for ESSAY

본문 086~087쪽

[APPLICATION] 01 풀이 참조

01 n개의 원소가 있는 집합 X의 두 부분집합을 A, B라 하자. 이때 $n(A)=1$이고, $A\cap B=\varnothing$이 되도록 순서쌍 (A, B)를 정하는 경우의 수를 다음과 같이 두 가지 방법으로 구할 수 있다.

(i) n개의 원소 중 집합 A에 들어갈 원소를 하나 정한 다음, 나머지 $n-1$개의 원소 중에서 몇 개를 뽑아 집합 B라 하면 위 조건을 만족시킴을 알 수 있다.

집합 A의 원소를 정하는 경우의 수는 n,

집합 B의 원소를 정하는 경우의 수는 2^{n-1}

이므로 곱의 법칙에 의하여 $n2^{n-1}$이 된다.

(ii) n개의 원소 중 r개를 뽑은 뒤 뽑은 r개 중 한 개는 집합 A, 나머지는 집합 B로 정하면 위 조건을 만족시킨다. r개를 뽑은 다음 집합 A를 정하는 경우의 수는 곱의 법칙에 의하여

${}_nC_r\times{}_rC_1=r\times{}_nC_r$

r의 값은 1부터 n까지이므로 합의 법칙에 의하여 구하는 모든 경우의 수는

$1\times{}_nC_1+2\times{}_nC_2+3\times{}_nC_3+\cdots+n\times{}_nC_n$

(i)과 (ii)에서 구한 경우의 수는 같아야 하므로 주어진 식이 성립한다.

다른 풀이 n명의 학생 중에 회장을 한 명 뽑고, 회장이 나머지 학생들 중에 0명~$(n-1)$명까지 원하는 만큼 도우미들을 뽑는다고 할 때, 가능한 모든 경우의 수를 구해 보자.

(i) n명의 학생 중에 회장 한 명을 뽑는 경우의 수는 ${}_nC_1$가지, 이 회장이 나머지 각각의 학생에 대해 '도우미로 뽑는다'와 '도우미로 뽑지 않는다'를 정한다고 하면, 회장이 도우미를 뽑는 경우의 수는 중복순열 ${}_2\Pi_{n-1}$과 같다.

따라서 곱의 법칙에 의하여 구하는 경우의 수는

${}_nC_1\times{}_2\Pi_{n-1}=n2^{n-1}$

(ii) 우선 회장과 도우미를 모두 합쳐 r명을 먼저 뽑은 뒤, r명 중에 한 명을 회장으로 뽑는다고 생각해도 구하는 조건을 만족시킨다.

r명을 뽑는 경우의 수는 ${}_n\mathrm{C}_r$, r명 중에 한 명을 회장으로 뽑는 방법은 ${}_r\mathrm{C}_1$이므로, r명을 뽑을 때 가능한 경우의 수는

$${}_n\mathrm{C}_r \times {}_r\mathrm{C}_1 = r \times {}_n\mathrm{C}_r$$

r의 값은 1부터 n까지이므로 합의 법칙에 의하여 구하는 모든 경우의 수는

$$1 \times {}_n\mathrm{C}_1 + 2 \times {}_n\mathrm{C}_2 + 3 \times {}_n\mathrm{C}_3 + \cdots + n \times {}_n\mathrm{C}_n$$

(i)과 (ii)에서 구한 경우의 수는 같아야 하므로 주어진 식이 성립한다.

답 풀이 참조

II 확률

1. 확률의 뜻과 활용

Review Quiz SUMMA CUM LAUDE 본문 118쪽

01 (1) 시행, 표본공간, 사건 (2) $A \cap B = \varnothing$ (3) 여사건 (4) 0, 1 (5) $1 - \mathrm{P}(A)$

02 (1) 거짓 (2) 거짓 (3) 참 **03** 풀이 참조

01 답 (1) 시행, 표본공간, 사건

(2) $A \cap B = \varnothing$

(3) 여사건

(4) 0, 1

(5) $1 - \mathrm{P}(A)$

02 (1) (반례) 한 개의 주사위를 던질 때, 4의 약수의 눈이 나오는 사건을 A, 소수의 눈이 나오는 사건을 B라 하면

$$\mathrm{P}(A) = \frac{3}{6} = \frac{1}{2},\ \mathrm{P}(B) = \frac{3}{6} = \frac{1}{2}$$

이 되어 $\mathrm{P}(A) + \mathrm{P}(B) = 1$이지만 A와 B는 서로 배반사건이 아니다. (거짓)

(2) 100의 약수를 뽑는 사건을 A, 91의 약수를 뽑는 사건을 B라 하면

$$A = \{1, 2, 4, 5, 10, 20, 25, 50, 100\}$$
$$B = \{1, 7, 13, 91\}$$

이고 $A \cap B = \{1\}$이므로 두 사건 A, B는 서로 배반사건이 아니다. (거짓)

(3) 한 개의 동전을 네 번 던질 때, 모든 경우의 수는

$$2 \times 2 \times 2 \times 2 = 16$$

뒷면이 한 번 이상 나오는 사건을 A라 하면 A^C은 뒷면이 한 번도 나오지 않는 사건, 즉 모두 앞면만 나오는 사건이므로

$$\mathrm{P}(A^C) = \frac{1}{16}$$

EXERCISES

따라서 구하는 확률은

$$P(A)=1-P(A^C)=1-\frac{1}{16}=\frac{15}{16} \text{ (참)}$$

답 (1) 거짓 (2) 거짓 (3) 참

03 (1) 각 근원사건이 일어날 가능성이 모두 같다는 가정하에 사건이 일어날 확률을 구하는 것을 수학적 확률이라 한다. 하지만 실제로 자연 현상이나 사회 현상에서는 각 근원사건이 일어날 가능성이 같지 않은 경우가 더 많다. 이와 같은 경우에는 시행을 여러 번 반복하여 얻어지는 상대도수를 통해 그 사건이 일어날 확률을 구할 수 있는데, 이러한 확률을 통계적 확률이라 한다.

일반적으로 시행 횟수가 크면 클수록 통계적 확률은 수학적 확률에 가까워진다.

(2) $(A\cup B)^C=A^C\cap B^C$이므로 $D=A\cup B$라 하면 여사건의 확률에 의하여 $P(D^C)+P(D)=1$

$\therefore P(A^C\cap B^C)+P(A\cup B)=1$

(3) 표본공간 S의 세 사건 A, B, C에 대하여

$$\begin{aligned}&n(A\cup B\cup C)\\&=n(A)+n(B)+n(C)\\&\quad-n(A\cap B)-n(B\cap C)-n(C\cap A)\\&\quad+n(A\cap B\cap C)\end{aligned}$$

이므로 양변을 $n(S)$로 나누면

$$\begin{aligned}&\frac{n(A\cup B\cup C)}{n(S)}\\&=\frac{n(A)}{n(S)}+\frac{n(B)}{n(S)}+\frac{n(C)}{n(S)}\\&\quad-\frac{n(A\cap B)}{n(S)}-\frac{n(B\cap C)}{n(S)}-\frac{n(C\cap A)}{n(S)}\\&\quad+\frac{n(A\cap B\cap C)}{n(S)}\end{aligned}$$

$$\begin{aligned}\therefore\ &P(A\cup B\cup C)\\&=P(A)+P(B)+P(C)\\&\quad-P(A\cap B)-P(B\cap C)-P(C\cap A)\\&\quad+P(A\cap B\cap C)\end{aligned}$$

답 풀이 참조

EXERCISES A

SUMMA CUM LAUDE 본문 119~120쪽

01 8 **02** ① **03** $\frac{59}{256}$ **04** ⑤ **05** $\frac{3}{4}$

06 ④ **07** ② **08** $\frac{3}{8}$ **09** $\frac{5}{6}$ **10** 9

01 사건 A와 배반인 임의의 사건 X는 사건 A의 여사건 A^C의 부분집합이다.

이때 임의의 사건 X에 대하여 $X\cup Y=Y$이므로

$A^C\subset Y$

즉, $n(Y)$의 값이 최소가 되려면 $Y=A^C$이어야 한다.

$n(Y)$의 값이 최소일 때의 사건 Y는 a, b가 서로소가 아닌 사건이므로 순서쌍 (a, b)로 나타내면

$\{(2, 4), (2, 6), (3, 6), (4, 2), (4, 6),$
$(6, 2), (6, 3), (6, 4)\}$

따라서 $n(Y)$의 최솟값은 8이다. 답 8

02 한 개의 주사위를 2번 던질 때, 모든 경우의 수는 $6\times6=36$

두 직선 $y=ax+3$, $y=\frac{b}{4}x-2$가 서로 평행하려면 기울기가 같아야 하므로

$a=\frac{b}{4}$ $\quad\therefore b=4a$

이때 $b=4a$를 만족시키는 순서쌍 (a, b)는 $(1, 4)$뿐이므로 구하는 확률은 $\frac{1}{36}$이다. 답 ①

03 만들 수 있는 함수 f의 개수는

${}_4\Pi_4=4^4=256$

(i) X의 서로 다른 원소에 Y의 서로 다른 원소를 대응시키는 함수 f의 개수는 Y의 원소에서 중복되지 않게 4개의 원소를 택한 후 일렬로 나열하는 경우의 수와 같으므로 ${}_4P_4=24$

$\therefore a=\frac{24}{256}$ ...... ❶

(ⅱ) $i<j$이면 $f(i) \le f(j)$인 함수 f의 개수는 Y의 원소에서 중복을 허락하여 4개를 택하는 경우의 수와 같으므로 ${}_4H_4 = {}_7C_4 = 35$

$\therefore b = \frac{35}{256}$ …… ❷

$\therefore a+b = \frac{24}{256} + \frac{35}{256} = \mathbf{\frac{59}{256}}$ …… ❸

채점 기준	배점
❶ a의 값 구하기	40 %
❷ b의 값 구하기	40 %
❸ $a+b$의 값 구하기	20 %

답 $\frac{59}{256}$

04 A 회사에서 생산한 컴퓨터에서 불량품이 발생할 확률은

$x = \frac{40}{10000} = \frac{1}{250}$

B 회사에서 생산한 컴퓨터에서 불량품이 발생할 확률은

$y = \frac{250}{50000} = \frac{1}{200}$

$\therefore xy = \frac{1}{250} \times \frac{1}{200} = \mathbf{\frac{1}{50000}}$ 답 ⑤

05 이차방정식 $x^2+4ax+8a=0$이 실근을 가지려면 이 이차방정식의 판별식을 D라 할 때, $D \ge 0$이어야 하므로

$\frac{D}{4} = 4a^2 - 8a \ge 0$에서 $a^2 - 2a \ge 0$

$a(a-2) \ge 0$ $\therefore a \le 0$ 또는 $a \ge 2$ …… ㉠

이때 주어진 조건 $-2 \le a \le 6$과 ㉠의 공통 범위를 수직선 위에 나타내면 오른쪽 그림과 같으므로

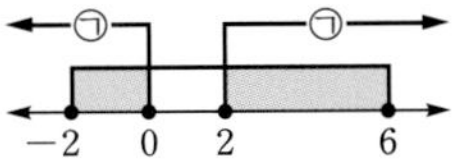

$-2 \le a \le 0$ 또는 $2 \le a \le 6$ …… ㉡

따라서 구하는 확률은

$\frac{(\text{㉡의 구간의 길이})}{(\text{전체 구간의 길이})} = \frac{\{0-(-2)\}+(6-2)}{6-(-2)}$

$= \frac{6}{8} = \mathbf{\frac{3}{4}}$ 답 $\frac{3}{4}$

06 $P(A)=P(B)$, $P(A)P(B) = \frac{1}{9}$에서

$\{P(A)\}^2 = \frac{1}{9}$ $\therefore P(A) = P(B) = \frac{1}{3}$

이때 두 사건 A, B는 서로 배반사건이므로

$P(A \cup B) = P(A) + P(B) = \frac{1}{3} + \frac{1}{3} = \mathbf{\frac{2}{3}}$

답 ④

07 ㄱ. 확률의 기본 성질에 의하여 임의의 사건 A에 대하여 $0 \le P(A) \le 1$ (참)

ㄴ. $P(S)=1$, $P(\varnothing)=0$이므로

$P(S)+P(\varnothing)=1$ (참)

ㄷ. $P(A \cup B) = P(A) + P(B) - P(A \cap B)$

$\le P(A) + P(B)$

(단, 등호는 $P(A \cap B)=0$일 때 성립) (거짓)

ㄹ. $0 \le P(A) \le 1$, $0 \le P(B) \le 1$이므로

$0 \le P(A) + P(B) \le 2$

또 ㄴ에 의하여 $P(S)+P(\varnothing)=1$이므로

$1 \le P(S) + P(A) + P(B) + P(\varnothing) \le 3$ (거짓)

따라서 옳은 것은 ㄱ, ㄴ이다. 답 ②

08 10000원짜리 지폐의 수를 기준으로 다음과 같이 나누어 생각해 보자.

(ⅰ) 10000원짜리 지폐 2장, 나머지 지폐에서 1장을 꺼낼 확률은

$\frac{{}_2C_2 \times {}_8C_1}{{}_{10}C_3} = \frac{8}{120}$

(ii) 10000원짜리 지폐 1장, 5000원짜리 지폐 2장을 꺼낼 확률은

$$\frac{{}_{2}C_{1}\times{}_{3}C_{2}}{{}_{10}C_{3}}=\frac{6}{120}$$

(iii) 10000원짜리 지폐 1장, 5000원짜리 지폐 1장, 1000원짜리 지폐 1장을 꺼낼 확률은

$$\frac{{}_{2}C_{1}\times{}_{3}C_{1}\times{}_{5}C_{1}}{{}_{10}C_{3}}=\frac{30}{120}$$

(iv) 5000원짜리 지폐 3장을 꺼낼 확률은

$$\frac{{}_{3}C_{3}}{{}_{10}C_{3}}=\frac{1}{120}$$

(i)~(iv)에 의하여 구하는 확률은

$$\frac{8}{120}+\frac{6}{120}+\frac{30}{120}+\frac{1}{120}=\mathbf{\frac{3}{8}}$$

답 $\frac{3}{8}$

09 선택한 3개의 점을 꼭짓점으로 하는 삼각형이 생기는 사건을 A라 하면 A^C은 선택한 3개의 점을 꼭짓점으로 하는 삼각형이 생기지 않는 사건이다.

이때 선택한 3개의 점이 한 직선 위에 있으면 이 3개의 점을 꼭짓점으로 하는 삼각형이 생기지 않으므로

$$P(A^C)=\frac{{}_{4}C_{3}+{}_{5}C_{3}}{{}_{9}C_{3}}=\frac{4+10}{84}=\frac{1}{6}$$

따라서 구하는 확률은

$$P(A)=1-P(A^C)=1-\frac{1}{6}=\mathbf{\frac{5}{6}}$$

다른 풀이 선택한 3개의 점을 꼭짓점으로 하는 삼각형이 생기는 경우를 다음과 같이 나누어 생각해 보자.

(i) 직선 l에서 2개, 직선 m에서 1개의 점을 선택할 확률은

$$\frac{{}_{4}C_{2}\times{}_{5}C_{1}}{{}_{9}C_{3}}=\frac{6\times5}{84}=\frac{30}{84}$$

(ii) 직선 l에서 1개, 직선 m에서 2개의 점을 선택할 확률은

$$\frac{{}_{4}C_{1}\times{}_{5}C_{2}}{{}_{9}C_{3}}=\frac{4\times10}{84}=\frac{40}{84}$$

(i), (ii)에 의하여 구하는 확률은

$$\frac{30}{84}+\frac{40}{84}=\frac{5}{6}$$

답 $\frac{5}{6}$

10 적어도 1개의 당첨 복권이 뽑히는 사건을 A라 하면 A^C은 당첨 복권이 1개도 뽑히지 않는 사건이다.

당첨 복권의 개수를 x라 하면

$$P(A^C)=\frac{{}_{20-x}C_{2}}{{}_{20}C_{2}} \quad \cdots\cdots ㉠$$

이때 적어도 1개의 당첨 복권이 뽑힐 확률이 $\frac{27}{38}$이므로

$$P(A^C)=1-\frac{27}{38}=\frac{11}{38} \quad \cdots\cdots ㉡$$

㉠, ㉡에서 $\frac{{}_{20-x}C_{2}}{{}_{20}C_{2}}=\frac{11}{38}$이므로

$$\frac{(20-x)(19-x)}{380}=\frac{11}{38}$$

$$(20-x)(19-x)=110=11\times10$$

$$\therefore x=\mathbf{9}$$

답 9

EXERCISES B　SUMMA CUM LAUDE　본문 121~122쪽

01 A와 C, A와 D　02 $\frac{17}{30}$　03 $\frac{1}{7}$
04 $\frac{1}{4}$　05 $\frac{1}{6}$　06 $\frac{5}{12}$　07 $\frac{19}{28}$
08 $\frac{12}{35}$　09 $\frac{19}{30}$　10 $\frac{2}{3}$

01 세 자리 자연수가 3의 배수인 사건이 A이므로

$A=\{111, 222, 321, 333\}$

세 자리 자연수의 백의 자리의 숫자가 2인 사건이 B이므로

$B=\{211, 221, 222\}$

세 자리 자연수가 소수인 사건이 C이므로

$C=\{211, 311, 331\}$

세 자리 자연수의 각 자리의 숫자 중 2개만 같은 사건이 D이므로

$D=\{211, 221, 311, 322, 331, 332\}$

따라서 서로 배반사건인 것은 **A와 C, A와 D**이다.

답 A와 C, A와 D

02 6장의 카드 중에서 3장의 카드를 뽑아 카드에 적힌 수 a, b, c로 이차방정식 $ax^2+2bx+c=0$을 만드는 경우의 수는 ${}_6P_3=120$

이차방정식 $ax^2+2bx+c=0$이 서로 다른 두 실근을 가지려면 이 이차방정식의 판별식을 D라 할 때, $D>0$이어야 하므로

$\frac{D}{4}=b^2-ac>0$에서　$b^2>ac$　…… ㉠

(i) $b=6$인 경우

㉠에서 $36>ac$이므로 순서쌍 (a, c)의 개수는 1, 2, 3, 4, 5의 5개 중에서 2개를 택하는 순열의 수와 같다.

즉, ${}_5P_2=20$

(ii) $b=5$인 경우

㉠에서 $25>ac$이므로 순서쌍 (a, c)의 개수는 1, 2, 3, 4, 6의 5개 중에서 2개를 택하는 순열의 수와 같다.

즉, ${}_5P_2=20$

(iii) $b=4$인 경우

㉠에서 $16>ac$이므로 순서쌍 (a, c)의 개수는 1, 2, 3, 5, 6의 5개 중에서 2개를 택하는 순열의 수에서 $(3, 6)$, $(5, 6)$, $(6, 3)$, $(6, 5)$의 개수 4를 뺀 것과 같다.

즉, ${}_5P_2-4=20-4=16$

(iv) $b=3$인 경우

㉠에서 $9>ac$이므로 순서쌍 (a, c)는 $(1, 2)$, $(1, 4)$, $(1, 5)$, $(1, 6)$, $(2, 1)$, $(2, 4)$, $(4, 1)$, $(4, 2)$, $(5, 1)$, $(6, 1)$이다.

즉, 그 개수는 10이다.

(v) $b=2$인 경우

㉠에서 $4>ac$이므로 순서쌍 (a, c)는 $(1, 3)$, $(3, 1)$이다.

즉, 그 개수는 2이다.

(vi) $b=1$인 경우

㉠에서 $1>ac$이므로 순서쌍 (a, c)는 존재하지 않는다.

(i)~(vi)에서 이차방정식 $ax^2+2bx+c=0$이 서로 다른 두 실근을 갖는 경우의 수는

$20+20+16+10+2=68$

따라서 구하는 확률은　$\frac{68}{120}=\mathbf{\frac{17}{30}}$

답 $\frac{17}{30}$

03 7개의 점 중에서 세 점을 선택하는 경우의 수는

${}_7C_3=35$

7개의 점 중에서 세 점을 꼭짓점으로 하는 삼각형이 직각삼각형이려면 선택한 세 점 중 두 점을 연결한 선분이 원 $x^2+y^2=1$의 지름이 되어야 한다.

EXERCISES

이때 다음 그림에서 두 점을 연결하여 원의 지름이 되려면 두 점이 원점에 대하여 대칭이어야 하므로 $\overline{P_1P_6}$뿐이다.

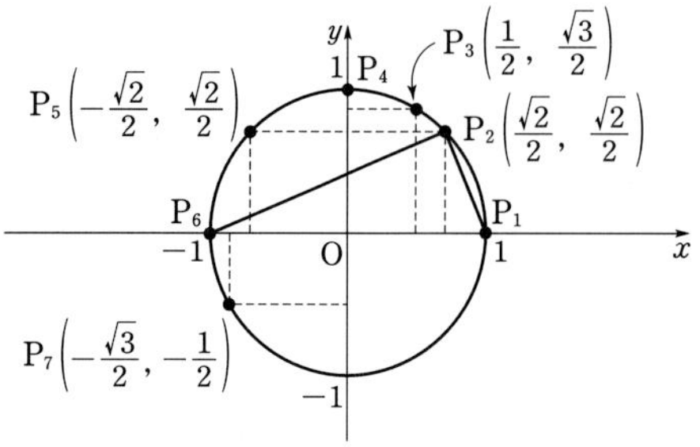

$\overline{P_1P_6}$을 한 변으로 하는 직각삼각형의 개수는

$_5C_1=5$

따라서 구하는 확률은

$\frac{5}{35}=\mathbf{\frac{1}{7}}$ 답 $\frac{1}{7}$

04 서로 다른 두 주사위를 동시에 던질 때, 모든 경우의 수는 $6\times6=36$

$i^m\times(-1)^n=i^m\times(i^2)^n=i^{m+2n}$이므로 $i^m\times(-1)^n$의 값이 1이 되려면 $m+2n$의 값이 4의 배수이어야 한다.

이때 $m+2n$의 값이 4의 배수이려면 m은 짝수이어야 한다.

(i) $m=2$인 경우

$m+2n$의 값이 4의 배수가 되도록 하는 n의 값은 1, 3, 5의 3개이다.

(ii) $m=4$인 경우

$m+2n$의 값이 4의 배수가 되도록 하는 n의 값은 2, 4, 6의 3개이다.

(iii) $m=6$인 경우

$m+2n$의 값이 4의 배수가 되도록 하는 n의 값은 1, 3, 5의 3개이다.

(i), (ii), (iii)에 의하여 $i^m\times(-1)^n$의 값이 1이 되는 경우의 수는

$3+3+3=9$

따라서 구하는 확률은 $\frac{9}{36}=\mathbf{\frac{1}{4}}$ 답 $\frac{1}{4}$

05 빨강, 파랑, 노랑의 3가지 색을 적어도 한 번씩은 사용하여 칠해야 하므로 다음과 같이 나누어 생각해 보자.

(i) 3가지 색을 1번, 1번, 4번 칠하는 방법의 수는

$_3C_1\times\frac{6!}{4!}=3\times30=90$

(ii) 3가지 색을 1번, 2번, 3번 칠하는 방법의 수는

$3!\times\frac{6!}{2!\times3!}=6\times60=360$

(iii) 3가지 색을 2번, 2번, 2번 칠하는 방법의 수는

$\frac{6!}{2!\times2!\times2!}=90$

(i), (ii), (iii)에 의하여 3가지 색을 모두 사용하여 칠하는 방법의 수는

$90+360+90=540$

한편 이웃하는 영역을 서로 다른 색으로 칠하는 방법의 수는 $3\times2\times2\times2\times2\times2=96$이고, 이 중에서 이웃하는 영역을 서로 다른 2가지 색으로만 칠하는 방법의 수 $_3C_2\times2=6$을 제외해야 한다.

따라서 구하는 확률은 $\frac{96-6}{540}=\mathbf{\frac{1}{6}}$ 답 $\frac{1}{6}$

06 $A^C\cap B^C=(A\cup B)^C$이므로

$P(A^C\cap B^C)=\frac{2}{9}$에서

$P(A^C\cap B^C)=P((A\cup B)^C)$

$=1-P(A\cup B)=\frac{2}{9}$

$\therefore P(A\cup B)=\frac{7}{9}$

$P(A\cup B)=P(A)+P(B)-P(A\cap B)$에서

$\frac{7}{9}=P(A)+P(B)-\frac{1}{18}$, $P(A)+P(B)=\frac{5}{6}$

$\therefore P(A)=\frac{5}{6}-P(B)$

이때 $\frac{1}{4} \leq \mathrm{P}(A) \leq \frac{2}{3}$ 이므로

$$\frac{1}{4} \leq \frac{5}{6} - \mathrm{P}(B) \leq \frac{2}{3}$$

$$-\frac{7}{12} \leq -\mathrm{P}(B) \leq -\frac{1}{6}$$

$$\therefore \frac{1}{6} \leq \mathrm{P}(B) \leq \frac{7}{12}$$

따라서 $M = \frac{7}{12}$, $m = \frac{1}{6}$ 이므로

$$M - m = \mathbf{\frac{5}{12}}$$

답 $\frac{5}{12}$

07 A 지점에서 B 지점까지 최단 거리로 가는 방법의 수는

$$\frac{10!}{5! \times 5!} = 252$$

A 지점에서 P 지점을 거쳐 B 지점까지 최단 거리로 가는 사건을 A, A 지점에서 Q 지점을 거쳐 B 지점까지 최단 거리로 가는 사건을 B라 하면

(i) A → P → B로 가는 방법의 수는

$$\frac{4!}{2! \times 2!} \times \frac{6!}{3! \times 3!} = 6 \times 20 = 120$$

(ii) A → Q → B로 가는 방법의 수는

$$\frac{7!}{3! \times 4!} \times \frac{3!}{2!} = 35 \times 3 = 105$$

(iii) A → P → Q → B로 가는 방법의 수는

$$\frac{4!}{2! \times 2!} \times \frac{3!}{2!} \times \frac{3!}{2!} = 6 \times 3 \times 3 = 54$$

(i), (ii), (iii)에 의하여 $\mathrm{P}(A) = \frac{120}{252}$, $\mathrm{P}(B) = \frac{105}{252}$,

$\mathrm{P}(A \cap B) = \frac{54}{252}$ 이므로 구하는 확률은

$$\mathrm{P}(A \cup B) = \mathrm{P}(A) + \mathrm{P}(B) - \mathrm{P}(A \cap B)$$

$$= \frac{120}{252} + \frac{105}{252} - \frac{54}{252}$$

$$= \mathbf{\frac{19}{28}}$$

답 $\frac{19}{28}$

08 7개의 공 중에서 3개를 꺼내는 경우의 수는

$${}_7\mathrm{C}_3 = 35$$

조건 (가)에서 $a+b+c$는 홀수이므로 a, b, c는 모두 홀수이거나 a, b, c 중에서 2개는 짝수, 1개는 홀수이어야 한다.

또 조건 (나)에서 $a \times b \times c$는 3의 배수이므로 a, b, c 중에서 적어도 1개는 3의 배수이어야 한다.

(i) a, b, c는 모두 홀수이면서 a, b, c 중에서 적어도 1개는 3의 배수인 경우

홀수 1, 3, 5, 7 중에서 3개를 꺼내는 경우에서 3이 포함되지 않는 경우를 제외하면 되므로 경우의 수는

$${}_4\mathrm{C}_3 - {}_3\mathrm{C}_3 = 4 - 1 = 3$$

따라서 그 확률은 $\frac{3}{35}$ 이다.

(ii) a, b, c 중에서 2개는 짝수, 1개는 홀수이면서 a, b, c 중에서 적어도 1개는 3의 배수인 경우

짝수 2, 4, 6 중에서 2개, 홀수 1, 3, 5, 7 중에서 1개를 꺼내는 경우에서 짝수 중 6이 포함되지 않고 홀수 중 3도 포함되지 않는 경우를 제외하면 되므로 경우의 수는

$${}_3\mathrm{C}_2 \times {}_4\mathrm{C}_1 - {}_2\mathrm{C}_2 \times {}_3\mathrm{C}_1 = 3 \times 4 - 1 \times 3 = 9$$

따라서 그 확률은 $\frac{9}{35}$ 이다.

(i), (ii)에 의하여 구하는 확률은

$$\frac{3}{35} + \frac{9}{35} = \mathbf{\frac{12}{35}}$$

답 $\frac{12}{35}$

09 5명의 수험생이 바닥에서 수험표를 하나씩 줍는 방법의 수는

$$5! = 120$$

5명의 수험생을 A, B, C, D, E라 하면 5명 모두 다른 사람의 수험표를 주울 때, A가 B의 수험표를 줍는 경우는 다음과 같이 11가지이다.

EXERCISES

A	B	C	D	E
B	A	D	E	C
		E	C	D
	C	A	E	D
		D	E	A
		E	A	D
	D	A	E	C
		E	A	C
			C	A
	E	A	C	D
		D	A	C
			C	A

이때 A가 C, D, E의 수험표를 줍는 경우도 각각 11가지씩 있으므로 5명의 수험생 모두 다른 사람의 수험표를 주웠을 확률은

$\frac{11\times 4}{120}=\frac{11}{30}$

따라서 구하는 확률은 $1-\frac{11}{30}=\mathbf{\frac{19}{30}}$ 답 $\frac{19}{30}$

10 $x=x'+1$(x'은 음이 아닌 정수)이라 하면

$x+y+z=8$에서 $x'+1+y+z=8$

$\therefore x'+y+z=7$

이때 x', y, z는 음이 아닌 정수이므로 방정식 $x+y+z=8$을 만족시키는 자연수 x와 음이 아닌 정수 y, z의 모든 순서쌍 (x, y, z)의 개수는 방정식 $x'+y+z=7$을 만족시키는 음이 아닌 정수 x', y, z의 순서쌍 (x', y, z)의 개수와 같다. 즉,

${}_3H_7={}_9C_7={}_9C_2=36$ …… ❶

한편 $(x-y)(y-z)(z-x)=0$이 성립하려면 x, y, z 중에서 오직 2개만 서로 같아야 한다.

($\because$ $x=y=z$이면서 $x+y+z=8$을 만족시키는 자연수 x와 음이 아닌 정수 y, z는 존재하지 않는다.)

(i) $x=y$를 만족시키는 순서쌍 (x, y, z)는

$(1, 1, 6)$, $(2, 2, 4)$, $(3, 3, 2)$, $(4, 4, 0)$의 4개이다.

(ii) $y=z$를 만족시키는 순서쌍 (x, y, z)는

$(8, 0, 0)$, $(6, 1, 1)$, $(4, 2, 2)$, $(2, 3, 3)$의 4개이다.

(iii) $z=x$를 만족시키는 순서쌍 (x, y, z)는

$(1, 6, 1)$, $(2, 4, 2)$, $(3, 2, 3)$, $(4, 0, 4)$의 4개이다.

(i), (ii), (iii)에 의하여 $(x-y)(y-z)(z-x)=0$을 만족시키는 순서쌍 (x, y, z)의 개수는

$4+4+4=12$ …… ❷

즉, 순서쌍 (x, y, z)가 $(x-y)(y-z)(z-x)=0$을 만족시킬 확률은 $\frac{12}{36}=\frac{1}{3}$

따라서 순서쌍 (x, y, z)가 $(x-y)(y-z)(z-x)\neq 0$을 만족시킬 확률은 $1-\frac{1}{3}=\mathbf{\frac{2}{3}}$ …… ❸

채점 기준	배점
❶ $x+y+z=8$을 만족시키는 순서쌍 (x, y, z)의 개수 구하기	30 %
❷ $(x-y)(y-z)(z-x)=0$을 만족시키는 순서쌍 (x, y, z)의 개수 구하기	30 %
❸ 조건을 만족시킬 확률 구하기	40 %

답 $\frac{2}{3}$

2. 조건부확률

Review Quiz SUMMA CUM LAUDE 본문 143쪽

01 (1) 조건부확률, $\mathrm{P}(B|A)$ (2) 종속, $\neq$ (3) 독립 (4) ${}_n\mathrm{C}_r p^r(1-p)^{n-r}$ **02** (1) 참 (2) 거짓 (3) 참
03 풀이 참조

01 답 (1) 조건부확률, $\mathrm{P}(B|A)$
(2) 종속, $\neq$
(3) 독립
(4) ${}_n\mathrm{C}_r p^r(1-p)^{n-r}$

02 (1) 두 사건 A, B가 서로 배반사건이면

$\mathrm{P}(A\cap B)=0$

이때 두 사건 A, B가 서로 독립이려면

$\mathrm{P}(A\cap B)=\mathrm{P}(A)\mathrm{P}(B)$ ······ ㉠

이어야 하는데 $\mathrm{P}(A)\neq 0$, $\mathrm{P}(B)\neq 0$이므로 ㉠이 성립하지 않는다.

따라서 확률이 0이 아닌 두 사건 A, B가 서로 배반사건이면 A, B는 서로 독립이 아니고 종속이다. (참)

(2) (반례) 주사위를 한 번 던질 때, 홀수의 눈이 나오는 사건을 A, 소수의 눈이 나오는 사건을 B라 하면

$A=\{1, 3, 5\}$, $B=\{2, 3, 5\}$, $A\cap B=\{3, 5\}$

이므로

$$\mathrm{P}(A)=\frac{1}{2},\ \mathrm{P}(B)=\frac{1}{2},\ \mathrm{P}(A\cap B)=\frac{1}{3}$$

이때 $\mathrm{P}(A\cap B)\neq \mathrm{P}(A)\mathrm{P}(B)$이므로 두 사건 A, B는 서로 종속이지만 $\mathrm{P}(A\cap B)\neq 0$이므로 A, B는 서로 배반사건이 아니다. (거짓)

(3) 동전을 한 번 던질 때, 앞면이 나올 확률은 $\frac{1}{2}$, 뒷면이 나올 확률도 $\frac{1}{2}$이다.

따라서 구하는 확률은

$${}_3\mathrm{C}_2\left(\frac{1}{2}\right)^2\left(\frac{1}{2}\right)^1=\frac{3}{8}\ (\text{참})$$

답 (1) 참 (2) 거짓 (3) 참

03 ① 충분조건 : 두 사건 A, B가 서로 독립이면

$\mathrm{P}(B|A)=\mathrm{P}(B)$

이므로 확률의 곱셈정리에 의하여

$\mathrm{P}(A\cap B)=\mathrm{P}(A)\mathrm{P}(B|A)=\mathrm{P}(A)\mathrm{P}(B)$

가 성립한다.

② 필요조건 : $\mathrm{P}(A\cap B)=\mathrm{P}(A)\mathrm{P}(B)$이고 $\mathrm{P}(A)\neq 0$, $\mathrm{P}(B)\neq 0$이면

$$\mathrm{P}(B|A)=\frac{\mathrm{P}(A\cap B)}{\mathrm{P}(A)}=\frac{\mathrm{P}(A)\mathrm{P}(B)}{\mathrm{P}(A)}=\mathrm{P}(B)$$

이므로 두 사건 A, B는 서로 독립이다.

답 풀이 참조

EXERCISES

EXERCISES A

SUMMA CUM LAUDE 본문 144~145쪽

01 ④	**02** ②	**03** $\frac{1}{80}$	**04** 7	**05** 0.7
06 $\frac{14}{29}$	**07** $\frac{1}{10}$	**08** ③	**09** $\frac{81}{125}$	
10 $\frac{13}{90}$				

01 지성이가 국어 영역에서 1등급이 나오는 사건을 A, 수학 영역에서 1등급이 나오는 사건을 B라 하면

$$\mathrm{P}(A\cap B)=\frac{20}{100},\ \mathrm{P}(A)=\frac{40}{100}$$

따라서 구하는 확률은

$$\mathrm{P}(B|A)=\frac{\mathrm{P}(A\cap B)}{\mathrm{P}(A)}=\frac{\frac{20}{100}}{\frac{40}{100}}=\mathbf{\frac{1}{2}}$$

답 ④

02 선화가 학급대표에 선출되는 사건을 A, 예진이가 학급대표에 선출되는 사건을 B라 하면

$$\mathrm{P}(A)=\frac{{}_1\mathrm{C}_1\times{}_6\mathrm{C}_2}{{}_7\mathrm{C}_3}=\frac{15}{35}$$

$$\mathrm{P}(A\cap B)=\frac{{}_2\mathrm{C}_2\times{}_5\mathrm{C}_1}{{}_7\mathrm{C}_3}=\frac{5}{35}$$

따라서 구하는 확률은

$$\mathrm{P}(B|A)=\frac{\mathrm{P}(A\cap B)}{\mathrm{P}(A)}=\frac{\frac{5}{35}}{\frac{15}{35}}=\mathbf{\frac{1}{3}}$$

답 ②

03 두 사건 A, B에 대하여 $\mathrm{P}(B)=2\mathrm{P}(A)$이므로 이것을 $\frac{1}{\mathrm{P}(A)}-\frac{1}{\mathrm{P}(B)}=2$에 대입하면

$$\frac{1}{\mathrm{P}(A)}-\frac{1}{2\mathrm{P}(A)}=2,\ \frac{1}{2\mathrm{P}(A)}=2$$

$$\therefore \mathrm{P}(A)=\frac{1}{4}$$

$$\therefore \mathrm{P}(A\cap B)=\mathrm{P}(A)\mathrm{P}(B|A)$$
$$=\frac{1}{4}\times\frac{1}{20}=\mathbf{\frac{1}{80}}$$

답 $\frac{1}{80}$

04 A가 파란 공을 꺼내는 사건을 A, B가 파란 공을 꺼내는 사건을 B라 하면

A가 파란 공을 꺼낼 확률은 $\mathrm{P}(A)=\frac{5}{n+5}$

A가 파란 공을 꺼냈을 때, B도 파란 공을 꺼낼 확률은

$$\mathrm{P}(B|A)=\frac{4}{n+4}$$

이때 두 사람이 모두 파란 공을 꺼낼 확률은

$$\mathrm{P}(A\cap B)=\mathrm{P}(A)\mathrm{P}(B|A)$$
$$=\frac{5}{n+5}\times\frac{4}{n+4}$$
$$=\frac{20}{(n+5)(n+4)}$$

즉, $\frac{20}{(n+5)(n+4)}=\frac{5}{33}$이므로

$(n+5)(n+4)=132=12\times11$

$n+5=12 \qquad \therefore n=\mathbf{7}$

답 7

05 이번 주 수요일에 비가 오는 사건을 A, 목요일에 비가 오는 사건을 B라 하면

(i) 이번 주 수요일에 비가 오고 목요일에도 비가 올 확률은

$$\mathrm{P}(A\cap B)=\mathrm{P}(A)\mathrm{P}(B|A)$$
$$=0.8\times0.8=0.64 \quad \cdots\cdots ❶$$

(ii) 이번 주 수요일에 비가 오지 않고 목요일에 비가 올 확률은

$$\mathrm{P}(A^C\cap B)=\mathrm{P}(A^C)\mathrm{P}(B|A^C)$$
$$=(1-0.8)\times0.3=0.06 \quad \cdots\cdots ❷$$

(i), (ii)에 의하여 구하는 확률은

$$\mathrm{P}(B)=\mathrm{P}(A\cap B)+\mathrm{P}(A^C\cap B)$$
$$=0.64+0.06=\mathbf{0.7} \quad \cdots\cdots ❸$$

채점 기준	배점
❶ 수요일에 비가 오고 목요일에도 비가 올 확률 구하기	40 %
❷ 수요일에 비가 오지 않고 목요일에 비가 올 확률 구하기	40 %
❸ 목요일에 비가 올 확률 구하기	20 %

답 0.7

06 홈 경기인 사건을 A, K 프로 농구팀이 승리하는 사건을 B라 하면

(i) 홈 경기이고 K 프로 농구팀이 승리할 확률은

$$\mathrm{P}(A\cap B)=\mathrm{P}(A)\mathrm{P}(B|A)=0.4\times0.7=0.28$$

(ii) 원정 경기이고 K 프로 농구팀이 승리할 확률은

$$\mathrm{P}(A^C\cap B)=\mathrm{P}(A^C)\mathrm{P}(B|A^C)$$
$$=(1-0.4)\times0.5=0.3$$

(i), (ii)에 의하여

$$\mathrm{P}(B)=\mathrm{P}(A\cap B)+\mathrm{P}(A^C\cap B)$$
$$=0.28+0.3=0.58$$

따라서 구하는 확률은

$$\mathrm{P}(A|B)=\frac{\mathrm{P}(A\cap B)}{\mathrm{P}(B)}=\frac{0.28}{0.58}=\mathbf{\frac{14}{29}}$$

답 $\frac{14}{29}$

07 세 학생 A, B, C가 자유투를 성공하는 사건을 각각 A, B, C라 하면 세 사건 A, B, C는 서로 독립이고

$$\mathrm{P}(A)=\frac{1}{4},\ \mathrm{P}(B)=\frac{1}{5},\ \mathrm{P}(C)=\frac{1}{6}$$

(i) 자유투를 A, B는 성공하고 C는 실패하는 사건은 $A\cap B\cap C^C$이고 세 사건 A, B, C^C은 서로 독립이므로

$$\mathrm{P}(A\cap B\cap C^C)=\mathrm{P}(A)\mathrm{P}(B)\mathrm{P}(C^C)$$
$$=\frac{1}{4}\times\frac{1}{5}\times\left(1-\frac{1}{6}\right)=\frac{1}{24}$$

(ii) 자유투를 A, C는 성공하고 B는 실패하는 사건은 $A\cap B^C\cap C$이고 세 사건 A, B^C, C는 서로 독립이므로

$$\mathrm{P}(A\cap B^C\cap C)=\mathrm{P}(A)\mathrm{P}(B^C)\mathrm{P}(C)$$
$$=\frac{1}{4}\times\left(1-\frac{1}{5}\right)\times\frac{1}{6}=\frac{1}{30}$$

(iii) 자유투를 B, C는 성공하고 A는 실패하는 사건은 $A^C\cap B\cap C$이고 세 사건 A^C, B, C는 서로 독립이므로

$$\mathrm{P}(A^C\cap B\cap C)=\mathrm{P}(A^C)\mathrm{P}(B)\mathrm{P}(C)$$
$$=\left(1-\frac{1}{4}\right)\times\frac{1}{5}\times\frac{1}{6}=\frac{1}{40}$$

(i)~(iii)에 의하여 구하는 확률은

$$\frac{1}{24}+\frac{1}{30}+\frac{1}{40}=\mathbf{\frac{1}{10}}$$

답 $\frac{1}{10}$

08 전구에 불이 꺼지는 사건은 전구에 불이 켜지는 사건의 여사건이므로 먼저 전구에 불이 켜질 확률을 구해 보자.

전구에 불이 켜지려면 스위치 A가 닫히거나 두 스위치 B, C가 모두 닫혀야 한다.

스위치 A가 닫히는 사건을 A, 두 스위치 B, C가 모두 닫히는 사건을 B라 하면 두 사건 A, B는 서로 독립이므로

$$\mathrm{P}(A)=0.4,\ \mathrm{P}(B)=0.5\times0.6=0.3,$$
$$\mathrm{P}(A\cap B)=\mathrm{P}(A)\mathrm{P}(B)=0.4\times0.3=0.12$$

즉, 전구에 불이 켜질 확률은

$$\mathrm{P}(A\cup B)=\mathrm{P}(A)+\mathrm{P}(B)-\mathrm{P}(A\cap B)$$
$$=0.4+0.3-0.12=0.58$$

따라서 구하는 확률은

$$1-\mathrm{P}(A\cup B)=1-0.58=\mathbf{0.42}$$

다른 풀이 전구에 불이 꺼지려면 스위치 A는 열려 있어야 하고, 두 스위치 B, C 중 적어도 하나는 열려 있어야 한다.

EXERCISES

스위치 A가 열리는 사건을 C, 두 스위치 B, C 중 적어도 하나는 열리는 사건을 D라 하면 두 사건 C, D는 서로 독립이므로

$\mathrm{P}(C)=1-0.4=0.6$, $\mathrm{P}(D)=1-0.5\times0.6=0.7$

따라서 구하는 확률은

$\mathrm{P}(C\cap D)=\mathrm{P}(C)\mathrm{P}(D)=0.6\times0.7=0.42$

답 ③

09 (i) 태민이가 1, 2세트를 모두 이길 확률은

$${}_2\mathrm{C}_2\left(\frac{3}{5}\right)^2\left(\frac{2}{5}\right)^0=\frac{9}{25}$$

(ii) 태민이가 1, 2세트 중에서 한 번 이기고 3세트를 이길 확률은

$${}_2\mathrm{C}_1\left(\frac{3}{5}\right)^1\left(\frac{2}{5}\right)^1\times\frac{3}{5}=\frac{12}{25}\times\frac{3}{5}=\frac{36}{125}$$

(i), (ii)에 의하여 구하는 확률은

$$\frac{9}{25}+\frac{36}{125}=\mathbf{\frac{81}{125}}$$

답 $\frac{81}{125}$

10 주머니에서 공을 한 개 꺼낼 때, 흰 공을 꺼낼 확률은 $\frac{7}{10}$, 검은 공을 꺼낼 확률은 $\frac{3}{10}$이다.

또 주사위를 한 번 던질 때, 5 이상의 눈이 나올 확률은 $\frac{1}{3}$, 4 이하의 눈이 나올 확률은 $\frac{2}{3}$이다.

(i) 주머니에서 흰 공을 꺼내고 주사위에서 5 이상의 눈이 2번 나올 확률은

$$\frac{7}{10}\times{}_2\mathrm{C}_2\left(\frac{1}{3}\right)^2\left(\frac{2}{3}\right)^0=\frac{7}{10}\times\frac{1}{9}=\frac{7}{90}$$

(ii) 주머니에서 검은 공을 꺼내고 주사위에서 5 이상의 눈이 2번 나올 확률은

$$\frac{3}{10}\times{}_3\mathrm{C}_2\left(\frac{1}{3}\right)^2\left(\frac{2}{3}\right)^1=\frac{3}{10}\times\frac{2}{9}=\frac{1}{15}$$

(i), (ii)에 의하여 구하는 확률은

$$\frac{7}{90}+\frac{1}{15}=\mathbf{\frac{13}{90}}$$

답 $\frac{13}{90}$

EXERCISES B

SUMMA CUM LAUDE 본문 146~147쪽

01 ② **02** 0.74 **03** $\frac{2}{3}$ **04** $\frac{49}{55}$ **05** 18
06 $\frac{3}{4}$ **07** 166 **08** $\frac{992}{3125}$ **09** $\frac{43}{128}$
10 ①

01 선택한 두 점의 y좌표가 같은 사건을 A, 선택한 두 점의 y좌표가 2인 사건을 B라 하면

$$\mathrm{P}(A)=\frac{{}_7\mathrm{C}_2+{}_5\mathrm{C}_2+{}_3\mathrm{C}_2}{{}_{15}\mathrm{C}_2}=\frac{21+10+3}{105}=\frac{34}{105}$$

$$\mathrm{P}(A\cap B)=\frac{{}_5\mathrm{C}_2}{{}_{15}\mathrm{C}_2}=\frac{10}{105}$$

따라서 구하는 확률은

$$\mathrm{P}(B|A)=\frac{\mathrm{P}(A\cap B)}{\mathrm{P}(A)}=\frac{\frac{10}{105}}{\frac{34}{105}}=\mathbf{\frac{5}{17}}$$

답 ②

02 사격 선수가 세 번째에 목표물을 명중시키는 경우는 다음 표와 같다.

(목표물을 명중시키면 ○, 명중시키지 못하면 ×로 표시함.)

	첫 번째	두 번째	세 번째
(i)	○	○	○
(ii)	○	×	○
(iii)	×	○	○
(iv)	×	×	○

각각의 경우에 대한 확률을 구해 보면

(i) $0.5\times0.8\times0.8=0.32$

(ii) $0.5\times(1-0.8)\times(1-0.4)=0.06$

(iii) $0.5\times(1-0.4)\times0.8=0.24$

(iv) $0.5\times0.4\times(1-0.4)=0.12$

(i)~(iv)에 의하여 구하는 확률은

$0.32+0.06+0.24+0.12=\mathbf{0.74}$

답 0.74

03 카드 A, B, C를 꺼내는 사건을 각각 A, B, C라 하고 바닥에 놓인 카드의 윗면에 b가 적혀 있는 사건을 E라 하면

(ⅰ) 카드 A를 꺼내고 이 카드의 윗면에 b가 적혀 있을 확률은

$$\mathrm{P}(A\cap E)=\mathrm{P}(A)\mathrm{P}(E|A)=\frac{1}{3}\times 0=0$$

(ⅱ) 카드 B를 꺼내고 이 카드의 윗면에 b가 적혀 있을 확률은

$$\mathrm{P}(B\cap E)=\mathrm{P}(B)\mathrm{P}(E|B)=\frac{1}{3}\times\frac{1}{2}=\frac{1}{6}$$

(ⅲ) 카드 C를 꺼내고 이 카드의 윗면에 b가 적혀 있을 확률은

$$\mathrm{P}(C\cap E)=\mathrm{P}(C)\mathrm{P}(E|C)=\frac{1}{3}\times 1=\frac{1}{3}$$

(ⅰ)~(ⅲ)에 의하여

$$\mathrm{P}(E)=\mathrm{P}(A\cap E)+\mathrm{P}(B\cap E)+\mathrm{P}(C\cap E)=0+\frac{1}{6}+\frac{1}{3}=\frac{1}{2}$$

따라서 구하는 확률은

$$\mathrm{P}(C|E)=\frac{\mathrm{P}(C\cap E)}{\mathrm{P}(E)}=\frac{\frac{1}{3}}{\frac{1}{2}}=\mathbf{\frac{2}{3}}$$

답 $\frac{2}{3}$

04 실제로 암에 걸린 사람을 택하는 사건을 A, 암에 걸렸다고 진단하는 사건을 B라 하면

주어진 조건으로부터

$$\mathrm{P}(A)=\frac{400}{1000}=\frac{2}{5},\ \mathrm{P}(A^C)=\frac{600}{1000}=\frac{3}{5},$$

$$\mathrm{P}(B|A)=\frac{98}{100},\ \mathrm{P}(B^C|A^C)=\frac{92}{100}$$

(ⅰ) $\mathrm{P}(A\cap B)=\mathrm{P}(A)\mathrm{P}(B|A)=\frac{2}{5}\times\frac{98}{100}=\frac{49}{125}$

(ⅱ) $\mathrm{P}(A^C\cap B)=\mathrm{P}(A^C)\mathrm{P}(B|A^C)=\frac{3}{5}\times\left(1-\frac{92}{100}\right)=\frac{6}{125}$

(ⅰ), (ⅱ)에 의하여

$$\mathrm{P}(B)=\mathrm{P}(A\cap B)+\mathrm{P}(A^C\cap B)=\frac{49}{125}+\frac{6}{125}=\frac{55}{125}$$

따라서 구하는 확률은

$$\mathrm{P}(A|B)=\frac{\mathrm{P}(A\cap B)}{\mathrm{P}(B)}=\frac{\frac{49}{125}}{\frac{55}{125}}=\mathbf{\frac{49}{55}}$$

답 $\frac{49}{55}$

05 두 사건 A, B가 서로 독립이려면 $\mathrm{P}(A\cap B)=\mathrm{P}(A)\mathrm{P}(B)$이어야 한다.

이때 $A=\{2, 3, 5\}$이므로 $\mathrm{P}(A)=\frac{1}{2}$

또 $n(A)=3$이므로 $n(A\cap B)$의 값은 3보다 작아야 한다.

(ⅰ) $n(A\cap B)=0$, 즉 $\mathrm{P}(A\cap B)=0$인 경우

$\mathrm{P}(A\cap B)=\mathrm{P}(A)\mathrm{P}(B)$에서 $0=\frac{1}{2}\mathrm{P}(B)$

$\therefore \mathrm{P}(B)=0$

그런데 주어진 조건에서 사건 B는 공사건이 아니므로 이를 만족시키는 사건 B는 없다.

(ⅱ) $n(A\cap B)=1$, 즉 $\mathrm{P}(A\cap B)=\frac{1}{6}$인 경우

$\mathrm{P}(A\cap B)=\mathrm{P}(A)\mathrm{P}(B)$에서 $\frac{1}{6}=\frac{1}{2}\mathrm{P}(B)$

$\therefore \mathrm{P}(B)=\frac{1}{3}$

즉, $n(B)=2$, $n(A\cap B)=1$을 만족시키는 사건 B는 2개의 원소 중 1개는 소수이고 다른 1개는 소수가 아니어야 한다.

따라서 사건 B의 개수는 ${}_3\mathrm{C}_1\times{}_3\mathrm{C}_1=9$

(ⅲ) $n(A\cap B)=2$, 즉 $\mathrm{P}(A\cap B)=\frac{1}{3}$인 경우

$\mathrm{P}(A\cap B)=\mathrm{P}(A)\mathrm{P}(B)$에서 $\frac{1}{3}=\frac{1}{2}\mathrm{P}(B)$

$\therefore \mathrm{P}(B)=\frac{2}{3}$

즉, $n(B)=4$, $n(A\cap B)=2$를 만족시키는 사건 B는 4개의 원소 중 2개는 소수이고 다른 2개는 소수가 아니어야 한다.

따라서 사건 B의 개수는 $\quad {}_{3}C_{2}\times{}_{3}C_{2}=9$

(iv) $n(A\cap B)=3$, 즉 $P(A\cap B)=\frac{1}{2}$인 경우

$P(A\cap B)=P(A)P(B)$에서 $\quad \frac{1}{2}=\frac{1}{2}P(B)$

$\therefore P(B)=1$

그런데 주어진 조건에서 사건 B는 전사건이 아니므로 이를 만족시키는 사건 B는 없다.

(i)~(iv)에 의하여 구하는 사건 B의 개수는

$0+9+9+0=\mathbf{18}$ 답 18

06

다음 그림과 같이 강의 물이 갈라지는 곳을 기준으로 X 구역과 Y 구역으로 나누어 생각해 보자.

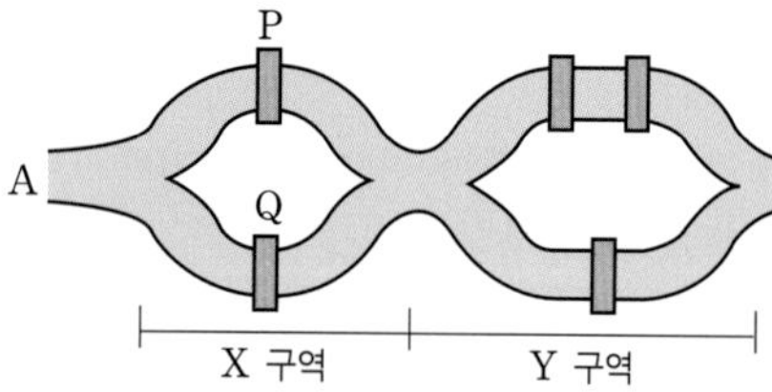

강물이 X 구역을 지나는 사건을 X, 강물이 Y 구역을 지나는 사건을 Y라 하면 두 사건 X, Y는 서로 독립이므로

(A 지점에서 B 지점까지 강물이 흐를 확률)

$=P(X\cap Y)$

$=P(X)P(Y)$

$=\{1-(\text{댐 P가 닫힐 확률})\times(\text{댐 Q가 닫힐 확률})\}P(Y)$

$=\left(1-\frac{1}{3}\times\frac{1}{3}\right)P(Y)=\frac{8}{9}P(Y)$

(댐 P가 열려서 강물이 흐를 확률)

$=\{(\text{댐 P가 열릴 확률})\times(\text{댐 Q가 열릴 확률})$

$\quad+(\text{댐 P가 열릴 확률})\times(\text{댐 Q가 닫힐 확률})\}P(Y)$

$=\left(\frac{2}{3}\times\frac{2}{3}+\frac{2}{3}\times\frac{1}{3}\right)P(Y)=\frac{6}{9}P(Y)$

따라서 구하는 확률은

$$\frac{(\text{댐 P가 열려서 강물이 흐를 확률})}{(\text{A 지점에서 B 지점까지 강물이 흐를 확률})}$$

$$=\frac{\frac{6}{9}P(Y)}{\frac{8}{9}P(Y)}=\mathbf{\frac{3}{4}}$$

답 $\frac{3}{4}$

07

주사위를 한 번 던질 때, 3의 배수의 눈이 나올 확률은 $\frac{1}{3}$, 그 이외의 눈이 나올 확률은 $\frac{2}{3}$이므로 주사위를 500번 던질 때 3의 배수의 눈이 n번 나올 확률 a_n은

$$a_n={}_{500}C_n\left(\frac{1}{3}\right)^n\left(\frac{2}{3}\right)^{500-n}$$

$$\therefore \frac{a_{n+1}}{a_n}=\frac{{}_{500}C_{n+1}\left(\frac{1}{3}\right)^{n+1}\left(\frac{2}{3}\right)^{499-n}}{{}_{500}C_n\left(\frac{1}{3}\right)^n\left(\frac{2}{3}\right)^{500-n}}$$

$$=\frac{\frac{500!}{(n+1)!(499-n)!}\times\frac{2^{499-n}}{3^{500}}}{\frac{500!}{n!(500-n)!}\times\frac{2^{500-n}}{3^{500}}}$$

$$=\frac{\frac{1}{n+1}\times 1}{\frac{1}{500-n}\times 2}=\frac{500-n}{2n+2}$$

이때 $\frac{a_{n+1}}{a_n}\ge 1$을 만족시키는 n의 값의 범위를 구하면

$\frac{500-n}{2n+2}\ge 1$, $500-n\ge 2n+2$

$3n\le 498 \qquad \therefore n\le 166$

한편 $n=166$일 때 $\frac{a_{167}}{a_{166}}=\frac{500-166}{2\times166+2}=1$이므로

$a_{166}=a_{167}$

즉, $n<166$에서 $\frac{a_{n+1}}{a_n}>1$이므로

$a_1<a_2<\cdots<a_{165}<a_{166}$

$n\ge 167$에서 $\frac{a_{n+1}}{a_n}<1$이므로

$a_{167}>a_{168}>\cdots>a_{499}>a_{500}$

따라서 a_n이 최대가 되도록 하는 n의 값은 166 또는 167 이므로 n의 최솟값은 **166**이다. 답 166

08

프로게이머 A가 1경기에서 이길 확률은

(테란을 선택할 확률)×(테란으로 이길 확률)

+(저그를 선택할 확률)×(저그로 이길 확률)

+(프로토스를 선택할 확률)×(프로토스로 이길 확률)

$$=\frac{1}{3}\times\frac{60}{100}+\frac{1}{3}\times\frac{20}{100}+\frac{1}{3}\times\frac{40}{100}$$

$$=\frac{1}{3}\times\left(\frac{3}{5}+\frac{1}{5}+\frac{2}{5}\right)=\frac{2}{5}$$

따라서 5경기를 할 때, 3경기 이상 이길 확률은

$${}_5C_3\left(\frac{2}{5}\right)^3\left(\frac{3}{5}\right)^2+{}_5C_4\left(\frac{2}{5}\right)^4\left(\frac{3}{5}\right)^1+{}_5C_5\left(\frac{2}{5}\right)^5\left(\frac{3}{5}\right)^0$$

$$=\frac{720}{3125}+\frac{240}{3125}+\frac{32}{3125}=\mathbf{\frac{992}{3125}}$$

답 $\frac{992}{3125}$

09

점 P가 점 A에서 출발하여 다시 점 A로 돌아오려면 점 P는 3, 6, 9, 12, 15, …만큼 움직여야 한다.

이때 주사위를 8번 던지므로 가능한 것은 점 P가 9, 12, 15만큼 움직이는 경우이다.

주사위를 8번 던졌을 때, 짝수의 눈이 나오는 횟수를 a, 홀수의 눈이 나오는 횟수를 b라 하면

(i) $a+b=8$, $2a+b=9$일 때, $a=1$, $b=7$

즉, 짝수의 눈이 1번, 홀수의 눈이 7번 나올 확률은

$${}_8C_1\left(\frac{1}{2}\right)^1\left(\frac{1}{2}\right)^7=\frac{1}{32}$$ ...... ❶

(ii) $a+b=8$, $2a+b=12$일 때, $a=4$, $b=4$

즉, 짝수의 눈이 4번, 홀수의 눈이 4번 나올 확률은

$${}_8C_4\left(\frac{1}{2}\right)^4\left(\frac{1}{2}\right)^4=\frac{35}{128}$$ ...... ❷

(iii) $a+b=8$, $2a+b=15$일 때, $a=7$, $b=1$

즉, 짝수의 눈이 7번, 홀수의 눈이 1번 나올 확률은

$${}_8C_7\left(\frac{1}{2}\right)^7\left(\frac{1}{2}\right)^1=\frac{1}{32}$$ ...... ❸

(i)~(iii)에 의하여 구하는 확률은

$$\frac{1}{32}+\frac{35}{128}+\frac{1}{32}=\mathbf{\frac{43}{128}}$$ ...... ❹

채점 기준	배점
❶ 짝수의 눈이 1번, 홀수의 눈이 7번 나올 확률 구하기	30 %
❷ 짝수의 눈이 4번, 홀수의 눈이 4번 나올 확률 구하기	30 %
❸ 짝수의 눈이 7번, 홀수의 눈이 1번 나올 확률 구하기	30 %
❹ 점 P가 다시 점 A로 돌아올 확률 구하기	10 %

답 $\frac{43}{128}$

10

2개의 주사위를 동시에 던져서 나온 눈의 수가 같을 확률은 $\frac{6}{36}=\frac{1}{6}$, 눈의 수가 다를 확률은 $1-\frac{1}{6}=\frac{5}{6}$이다.

(i) 2개의 주사위를 동시에 던져서 나온 눈의 수가 같고, 한 개의 동전을 4번 던져서 앞면과 뒷면이 각각 2번 나올 확률은

$$\frac{1}{6}\times{}_4C_2\left(\frac{1}{2}\right)^2\left(\frac{1}{2}\right)^2=\frac{1}{6}\times\frac{3}{8}=\frac{1}{16}$$

(ii) 2개의 주사위를 동시에 던져서 나온 눈의 수가 다르고, 한 개의 동전을 2번 던져서 앞면과 뒷면이 각각 1번 나올 확률은

$$\frac{5}{6}\times{}_2C_1\left(\frac{1}{2}\right)^1\left(\frac{1}{2}\right)^1=\frac{5}{6}\times\frac{1}{2}=\frac{5}{12}$$

이때 동전의 앞면이 나온 횟수와 뒷면이 나온 횟수가 같은 사건을 A, 동전을 4번 던지는 사건을 B라 하면

(i), (ii)에 의하여

$$P(A)=\frac{1}{16}+\frac{5}{12}=\frac{23}{48},\ P(A\cap B)=\frac{1}{16}$$

따라서 구하는 확률은

$$P(B|A)=\frac{P(A\cap B)}{P(A)}=\frac{\frac{1}{16}}{\frac{23}{48}}=\mathbf{\frac{3}{23}}$$

답 ①

EXERCISES

Chapter Ⅱ Exercises

SUMMA CUM LAUDE 본문 148~151쪽

01 $\frac{1}{7}$	02 $\frac{11}{21}$	03 ④	04 95
05 $\frac{19}{40}$	06 ①	07 $\frac{19}{35}$	08 $\frac{2}{3}$
09 $\frac{27}{50}$	10 $\frac{72}{77}$	11 $\frac{23}{30}$	12 7
13 $\frac{25}{864}$	14 ③	15 ②	

01 **[전략] 7개의 문자를 일렬로 나열하는 경우의 수와 모음끼리 이웃하도록 일렬로 나열하는 경우의 수를 각각 구해 본다.**

7개의 문자 e, r, u, m, e, n, b를 일렬로 나열하는 경우의 수는 $\frac{7!}{2!}=2520$

모음 e, u, e를 한 문자로 보고 5개의 문자를 일렬로 나열하는 경우의 수는 $5!=120$이고, e, u, e가 자리를 바꾸는 경우의 수는 $\frac{3!}{2!}=3$이므로 모음끼리 이웃하도록 일렬로 나열하는 경우의 수는 $120\times3=360$

따라서 구하는 확률은 $\frac{360}{2520}=\mathbf{\frac{1}{7}}$ 답 $\frac{1}{7}$

02 **[전략] 세 자연수의 합이 짝수가 되려면 세 수가 모두 짝수이거나 한 개는 짝수, 두 개는 홀수이어야 한다.**

9장의 카드 중에서 3장의 카드를 뽑는 경우의 수는

$_9C_3=84$

이때 카드에 적힌 세 수의 합이 짝수이려면 세 수가 모두 짝수이거나 한 개는 짝수, 두 개는 홀수이어야 한다.

(i) 카드에 적힌 세 수가 모두 짝수인 경우의 수는

$_4C_3=4$

(ii) 카드에 적힌 세 수가 한 개는 짝수, 두 개는 홀수인 경우의 수는 $_4C_1\times{}_5C_2=4\times10=40$

(i), (ii)에 의하여 카드에 적힌 세 수의 합이 짝수인 경우의 수는 $4+40=44$

따라서 구하는 확률은 $\frac{44}{84}=\mathbf{\frac{11}{21}}$ 답 $\frac{11}{21}$

03 **[전략] 7 이하의 음이 아닌 정수의 제곱인 수는 0, 1, 4뿐이고, 주어진 방정식을 만족시키는 순서쌍 (x, y, z) 중에서 0, 1, 4만으로 이루어진 것은 없으므로 정수의 제곱인 수가 2개인 경우만 생각한다.**

방정식 $x+y+z=7$을 만족시키는 음이 아닌 정수 x, y, z의 순서쌍 (x, y, z)의 개수는

$_3H_7={}_9C_7={}_9C_2=36$

7 이하의 음이 아닌 정수 중에서 정수의 제곱인 수는 0, 1, 4의 3개뿐이고, 주어진 방정식을 만족시키는 순서쌍 (x, y, z) 중에서 0, 1, 4만으로 이루어진 것은 없으므로 정수의 제곱인 수가 2개인 경우만 생각하면 된다.

(i) x, y, z 중 0, 1이 존재하는 경우

나머지 하나는 6이므로 순서쌍 (x, y, z)의 개수는

$3!=6$

(ii) x, y, z 중 0, 4가 존재하는 경우

나머지 하나는 3이므로 순서쌍 (x, y, z)의 개수는

$3!=6$

(iii) x, y, z 중 1, 4가 존재하는 경우

나머지 하나는 2이므로 순서쌍 (x, y, z)의 개수는

$3!=6$

(iv) x, y, z 중 0, 0이 존재하는 경우

나머지 하나는 7이므로 순서쌍 (x, y, z)의 개수는

$\frac{3!}{2!}=3$

(v) x, y, z 중 1, 1이 존재하는 경우

나머지 하나는 5이므로 순서쌍 (x, y, z)의 개수는

$\frac{3!}{2!}=3$

(i)~(v)에 의하여 주어진 방정식을 만족시키는 순서쌍 (x, y, z) 중에서 정수의 제곱인 수가 적어도 2개 있는 것의 개수는

$6+6+6+3+3=24$

따라서 구하는 확률은

$\frac{24}{36}=\mathbf{\frac{2}{3}}$ 답 ④

04 **[전략] 주어진 집합의 부분집합 중에서 중복을 허용하여 2개를 뽑는 경우의 수와 이 중에서 하나가 다른 하나를 포함하는 경우의 수를 각각 구해 본다.**

집합 $\{1,\ 2,\ 3,\ 4,\ 5\}$의 부분집합의 개수는 $2^5=32$이고, 이 중에서 2개의 부분집합을 중복을 허용하여 뽑는 경우의 수는

$${}_{32}\mathrm{H}_2={}_{33}\mathrm{C}_2=528$$

이때 선택한 2개의 부분집합 중 하나가 다른 하나를 포함하는 경우의 수는 주어진 집합의 5개의 원소 1, 2, 3, 4, 5를 오른쪽 그림의 세 영역에 넣는 경우의 수와 같으므로

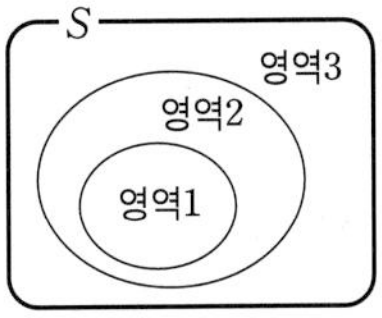

$${}_3\Pi_5=3^5=243$$

즉, 선택한 2개의 부분집합 중 하나가 다른 하나를 포함할 확률은 $\dfrac{243}{528}=\dfrac{81}{176}$

따라서 $p=176$, $q=81$이므로 $\quad p-q=\mathbf{95}$

[참고] 선택한 2개의 부분집합 중 하나가 다른 하나를 포함하는 경우의 수는 다음과 같이 구할 수도 있다.

선택한 2개의 부분집합을 A, $B(B\subset A)$라 하자.

이때 $n(A)=m$이면 $B\subset A$를 만족시키는 부분집합 B의 개수는 2^m이다.

한편 주어진 집합 $\{1,\ 2,\ 3,\ 4,\ 5\}$에서 원소의 개수가 m인 부분집합의 개수는 ${}_5\mathrm{C}_m$이므로 선택한 2개의 부분집합 중 하나가 다른 하나를 포함하는 경우의 수는

$${}_5\mathrm{C}_0 2^0+{}_5\mathrm{C}_1 2^1+{}_5\mathrm{C}_2 2^2+{}_5\mathrm{C}_3 2^3+{}_5\mathrm{C}_4 2^4+{}_5\mathrm{C}_5 2^5$$
$$=(1+2)^5=243$$

답 95

05 **[전략] 주어진 이차방정식의 해를 a에 대한 식으로 나타낸 후 이차방정식이 정수해를 가질 조건을 알아본다.**

$15x^2-8ax+a^2=0$에서 $\quad (3x-a)(5x-a)=0$

$$\therefore\ x=\frac{a}{3}\ \text{또는}\ x=\frac{a}{5}$$

이차방정식 $15x^2-8ax+a^2=0$이 정수해를 가지려면 a는 3의 배수 또는 5의 배수이어야 한다.

a가 3의 배수인 사건을 A, 5의 배수인 사건을 B라 하면 a는 40 이하의 자연수이므로

$$\mathrm{P}(A)=\frac{13}{40},\ \mathrm{P}(B)=\frac{8}{40},\ \mathrm{P}(A\cap B)=\frac{2}{40}$$

따라서 구하는 확률은

$$\mathrm{P}(A\cup B)=\mathrm{P}(A)+\mathrm{P}(B)-\mathrm{P}(A\cap B)$$
$$=\frac{13}{40}+\frac{8}{40}-\frac{2}{40}=\mathbf{\frac{19}{40}}$$

답 $\dfrac{19}{40}$

06 **[전략] 공에 적힌 가장 큰 수와 작은 수가 6과 1, 5와 2, 7과 1, 6과 2인 경우로 나누어 생각한다.**

9개의 공 중에서 임의로 4개의 공을 동시에 꺼내는 경우의 수는 $\quad {}_9\mathrm{C}_4=126$

공에 적힌 가장 큰 수와 가장 작은 수의 합이 7인 사건을 A, 8인 사건을 B라 하면

(i) 공에 적힌 가장 큰 수와 가장 작은 수의 합이 7일 때

① 가장 큰 수가 6, 가장 작은 수가 1인 경우

나머지 공에 적힌 수는 2, 3, 4, 5 중에서 2개이어야 하므로 $\quad {}_4\mathrm{C}_2=6$(가지)

② 가장 큰 수가 5, 가장 작은 수가 2인 경우

나머지 공에 적힌 수는 3, 4이어야 하므로

${}_2\mathrm{C}_2=1$(가지)

따라서 사건 A가 일어나는 경우는 $6+1=7$(가지)이므로 $\quad \mathrm{P}(A)=\dfrac{7}{126}$

(ii) 공에 적힌 가장 큰 수와 가장 작은 수의 합이 8일 때

① 가장 큰 수가 7, 가장 작은 수가 1인 경우

나머지 공에 적힌 수는 2, 3, 4, 5, 6 중에서 2개이어야 하므로 $\quad {}_5\mathrm{C}_2=10$(가지)

② 가장 큰 수가 6, 가장 작은 수가 2인 경우

나머지 공에 적힌 수는 3, 4, 5 중에서 2개이어야 하므로 $\quad {}_3\mathrm{C}_2=3$(가지)

따라서 사건 B가 일어나는 경우는 $10+3=13$(가지)이므로 $\quad \mathrm{P}(B)=\dfrac{13}{126}$

이때 두 사건 A, B는 서로 배반사건이므로 (i), (ii)에 의하여 구하는 확률은

$$P(A\cup B)=P(A)+P(B)$$
$$=\frac{7}{126}+\frac{13}{126}=\mathbf{\frac{10}{63}}$$

답 ①

07

[전략] 선택한 3장의 카드에 모두 다른 숫자가 적힌 사건의 확률을 구한 후 여사건의 확률을 이용한다.

선택한 3장의 카드 중에서 같은 숫자가 적힌 카드가 2장 이상인 사건을 A라 하면 A^C은 선택한 3장의 카드에 모두 다른 숫자가 적힌 사건이다.

16장의 카드 중에서 3장을 선택하는 경우의 수는

$${}_{16}C_3=560$$

4개의 숫자 중에서 3개를 선택하는 경우의 수는

$${}_4C_3=4$$

4장의 카드 중에서 1장을 선택하는 경우의 수는

$${}_4C_1=4$$

$$\therefore P(A^C)=\frac{4\times4\times4\times4}{560}=\frac{16}{35}$$

따라서 구하는 확률은

$$P(A)=1-P(A^C)=1-\frac{16}{35}=\mathbf{\frac{19}{35}}$$

답 $\frac{19}{35}$

08

[전략] 축구를 좋아하는 학생을 택하는 사건을 A, 농구를 좋아하는 학생을 택하는 사건을 B로 놓은 후 주어진 조건을 이용하여 먼저 $P(A)$, $P(B)$, $P(A^C\cap B^C)$을 구해 본다.

축구를 좋아하는 학생을 택하는 사건을 A, 농구를 좋아하는 학생을 택하는 사건을 B라 하면

$$P(A)=\frac{24}{40}=\frac{3}{5},\ P(B)=\frac{16}{40}=\frac{2}{5},$$

$$P(A^C\cap B^C)=\frac{8}{40}=\frac{1}{5}$$

$P(A^C\cap B^C)=P((A\cup B)^C)=1-P(A\cup B)$에서

$$\frac{1}{5}=1-P(A\cup B)\qquad \therefore P(A\cup B)=\frac{4}{5}$$

$P(A\cap B^C)=P(A\cup B)-P(B)$에서

$$P(A\cap B^C)=\frac{4}{5}-\frac{2}{5}=\frac{2}{5}$$

따라서 구하는 확률은

$$P(B^C|A)=\frac{P(A\cap B^C)}{P(A)}=\frac{\frac{2}{5}}{\frac{3}{5}}=\mathbf{\frac{2}{3}}$$

답 $\frac{2}{3}$

09

[전략] 노란 구슬을 꺼내는 사건을 A, 빨간 구슬을 꺼내는 사건을 B, 노란 구슬이라 대답하는 사건을 E로 놓은 후 확률의 곱셈정리를 이용한다.

노란 구슬을 꺼내는 사건을 A, 빨간 구슬을 꺼내는 사건을 B, 노란 구슬이라 대답하는 사건을 E라 하면

(i) 노란 구슬을 꺼내고 노란 구슬이라 대답할 확률은

$$P(A\cap E)=P(A)P(E|A)$$
$$=\frac{3}{5}\times\left(1-\frac{3}{10}\right)=\frac{21}{50}$$

(ii) 빨간 구슬을 꺼내고 노란 구슬이라 대답할 확률은

$$P(B\cap E)=P(B)P(E|B)$$
$$=\frac{2}{5}\times\frac{3}{10}=\frac{3}{25}$$

(i), (ii)에 의하여 구하는 확률은

$$P(E)=P(A\cap E)+P(B\cap E)$$
$$=\frac{21}{50}+\frac{3}{25}=\mathbf{\frac{27}{50}}$$

답 $\frac{27}{50}$

10

[전략] 감정원이 진품을 뽑는 사건을 A, 모조품을 뽑는 사건을 B, 진품으로 판정하는 사건을 E로 놓은 후 확률의 곱셈정리와 조건부확률을 이용한다.

감정원이 진품을 뽑는 사건을 A, 모조품을 뽑는 사건을 B, 진품으로 판정하는 사건을 E라 하면

(i) 진품을 뽑고 진품이라 판정할 확률은

$$P(A\cap E)=P(A)P(E|A)$$
$$=\frac{8}{10}\times\frac{9}{10}=\frac{18}{25}$$

(ii) 모조품을 뽑고 진품이라 판정할 확률은

$$\mathrm{P}(B\cap E)=\mathrm{P}(B)\mathrm{P}(E|B)$$
$$=\frac{2}{10}\times\left(1-\frac{3}{4}\right)=\frac{1}{20}$$

(i), (ii)에 의하여

$$\mathrm{P}(E)=\mathrm{P}(A\cap E)+\mathrm{P}(B\cap E)$$
$$=\frac{18}{25}+\frac{1}{20}=\frac{77}{100}$$

따라서 구하는 확률은

$$\mathrm{P}(A|E)=\frac{\mathrm{P}(A\cap E)}{\mathrm{P}(E)}=\frac{\frac{18}{25}}{\frac{77}{100}}=\mathbf{\frac{72}{77}}$$

답 $\frac{72}{77}$

11

[전략] 스페인이 2승을 할 확률, 프랑스가 2승을 할 확률, 독일이 2승을 할 확률을 각각 구해 본다.

스페인이 프랑스를 이기는 사건을 A, 프랑스가 독일을 이기는 사건을 B, 독일이 스페인을 이기는 사건을 C라 하면

$$\mathrm{P}(A)=\frac{2}{3},\ \mathrm{P}(B)=\frac{1}{2},\ \mathrm{P}(C)=\frac{2}{5}$$

(i) 스페인이 2승을 하는 사건은 $A\cap C^C$이고 두 사건 A, C^C은 서로 독립이므로

$$\mathrm{P}(A\cap C^C)=\mathrm{P}(A)\mathrm{P}(C^C)$$
$$=\frac{2}{3}\times\left(1-\frac{2}{5}\right)=\frac{2}{5}$$

(ii) 프랑스가 2승을 하는 사건은 $A^C\cap B$이고 두 사건 A^C, B는 서로 독립이므로

$$\mathrm{P}(A^C\cap B)=\mathrm{P}(A^C)\mathrm{P}(B)$$
$$=\left(1-\frac{2}{3}\right)\times\frac{1}{2}=\frac{1}{6}$$

(iii) 독일이 2승을 하는 사건은 $B^C\cap C$이고 두 사건 B^C, C는 서로 독립이므로

$$\mathrm{P}(B^C\cap C)=\mathrm{P}(B^C)\mathrm{P}(C)$$
$$=\left(1-\frac{1}{2}\right)\times\frac{2}{5}=\frac{1}{5}$$

(i)~(iii)에 의하여 구하는 확률은

$$\frac{2}{5}+\frac{1}{6}+\frac{1}{5}=\mathbf{\frac{23}{30}}$$

답 $\frac{23}{30}$

12

[전략] A팀이 우승하려면 (가)~(마)에서의 승패가 어떻게 되어야 하는지 모든 경우를 생각해 보고, 각 경우의 확률을 구해 본다.

A팀이 우승하는 경우와 그 확률은 다음 표와 같다.

(가)	(나)	(다)	(라)	(마)	확률
승	승			승	$\frac{1}{2}\times\frac{1}{2}\times\frac{1}{2}=\frac{1}{8}$
승	패		승	승	$\frac{1}{2}\times\frac{1}{2}\times\frac{1}{2}\times\frac{1}{2}=\frac{1}{16}$
패		승	승	승	$\frac{1}{2}\times\frac{1}{2}\times\frac{1}{2}\times\frac{1}{2}=\frac{1}{16}$

위의 표에서 A팀이 우승할 확률은

$$\frac{1}{8}+\frac{1}{16}+\frac{1}{16}=\frac{1}{4}$$

이고, A팀이 (가)에서 이기고 우승할 확률은

$$\frac{1}{8}+\frac{1}{16}=\frac{3}{16}$$

이므로 A팀이 우승했을 때, A팀이 (가)에서 이겼을 확률은

$$\frac{\frac{3}{16}}{\frac{1}{4}}=\frac{3}{4}$$

따라서 $p=4$, $q=3$이므로 $p+q=\mathbf{7}$

답 7

13

[전략] 사람이 모기에 물린 자국이 3군데일 확률과 죽은 모기 2마리를 발견할 확률을 곱한다.

모기가 사람을 물 확률은 $\frac{2}{3}$, 모기가 죽을 확률은

$1-\frac{1}{4}=\frac{3}{4}$ 이므로

다음 날 아침에 이 사람이 모기에 물린 자국 3군데와 죽은 모기 2마리를 발견할 확률은

$${}_5C_3\left(\frac{2}{3}\right)^3\left(\frac{1}{3}\right)^2\times{}_5C_2\left(\frac{3}{4}\right)^2\left(\frac{1}{4}\right)^3$$

$$=\frac{80}{243}\times\frac{45}{512}=\mathbf{\frac{25}{864}}$$

답 $\frac{25}{864}$

14 **[전략] 주사위를 던져서 나오는 눈의 수가 4 이하인 경우를 a번, 5 이상인 경우를 b번으로 놓은 후 점 P가 점 (6, 0)에 도달하도록 하는 a, b의 값을 구해 본다.**

주사위를 한 번 던질 때, 나오는 눈의 수가 4 이하일 확률은 $\frac{2}{3}$, 5 이상일 확률은 $\frac{1}{3}$이다.

주사위를 던져서 나오는 눈의 수가 4 이하인 경우가 a번, 5 이상인 경우가 b번이라 할 때, 점 P가 점 (6, 0)에 도달하려면

$2a-b=6,\ -a+2b=0$

을 만족시켜야 한다.

두 식을 연립하여 풀면 $a=4,\ b=2$

따라서 주사위를 던져서 나오는 눈의 수가 4 이하인 경우가 4번, 5 이상인 경우가 2번이어야 하므로 구하는 확률은

$${}_6C_4\left(\frac{2}{3}\right)^4\left(\frac{1}{3}\right)^2=\mathbf{\frac{80}{243}}$$

답 ③

15 **[전략] 1단계 치료에서 각각 4명, 3명, 2명이 성공하는 경우로 나누어 생각해 본다.**

(i) 1단계 치료에서 4명이 성공하고 2단계 치료에서 2명이 성공할 확률은

$${}_4C_4\left(\frac{1}{2}\right)^4\left(\frac{1}{2}\right)^0\times{}_4C_2\left(\frac{2}{3}\right)^2\left(\frac{1}{3}\right)^2=\frac{1}{54}$$

(ii) 1단계 치료에서 3명이 성공하고 2단계 치료에서 2명이 성공할 확률은

$${}_4C_3\left(\frac{1}{2}\right)^3\left(\frac{1}{2}\right)^1\times{}_3C_2\left(\frac{2}{3}\right)^2\left(\frac{1}{3}\right)^1=\frac{1}{9}$$

(iii) 1단계 치료에서 2명이 성공하고 2단계 치료에서도 2명이 성공할 확률은

$${}_4C_2\left(\frac{1}{2}\right)^2\left(\frac{1}{2}\right)^2\times{}_2C_2\left(\frac{2}{3}\right)^2\left(\frac{1}{3}\right)^0=\frac{1}{6}$$

(i)~(iii)에 의하여 구하는 확률은

$$\frac{1}{54}+\frac{1}{9}+\frac{1}{6}=\mathbf{\frac{8}{27}}$$

다른 풀이 한 명의 환자가 1단계, 2단계 치료에서 모두 성공하여 완치된 것으로 판단될 확률은

$$\frac{1}{2}\times\frac{2}{3}=\frac{1}{3}$$

따라서 4명의 환자를 대상으로 이 치료법을 적용하였을 때, 완치된 것으로 판단될 환자가 2명일 확률은

$${}_4C_2\left(\frac{1}{3}\right)^2\left(\frac{2}{3}\right)^2=\frac{8}{27}$$

답 ②

Chapter Ⅱ Advanced Lecture

본문 152～153쪽

[APPLICATION] **01** (1) $\frac{37}{90}$ (2) $\frac{12}{37}$

01 (1) A, B, C 주머니를 선택하는 사건을 각각 A_1, A_2, A_3이라 하고, 꺼낸 공이 검은 공인 사건을 B라 하자.

구하는 확률은 $\mathrm{P}(B)$이므로

$$\begin{aligned}\mathrm{P}(B)&=\mathrm{P}(A_1\cap B)+\mathrm{P}(A_2\cap B)+\mathrm{P}(A_3\cap B)\\&=\mathrm{P}(A_1)\mathrm{P}(B|A_1)+\mathrm{P}(A_2)\mathrm{P}(B|A_2)\\&\qquad+\mathrm{P}(A_3)\mathrm{P}(B|A_3)\\&=\frac{1}{3}\times\frac{2}{5}+\frac{1}{3}\times\frac{1}{3}+\frac{1}{3}\times\frac{2}{4}\\&=\frac{2}{15}+\frac{1}{9}+\frac{1}{6}=\mathbf{\frac{37}{90}}\end{aligned}$$

(2) 구하는 확률은 $\mathrm{P}(A_1|B)$이므로

$$\begin{aligned}\mathrm{P}(A_1|B)&=\frac{\mathrm{P}(B\cap A_1)}{\mathrm{P}(B)}\\&=\frac{\mathrm{P}(A_1)\mathrm{P}(B|A_1)}{\mathrm{P}(B)}\\&=\frac{\frac{2}{15}}{\frac{37}{90}}=\mathbf{\frac{12}{37}}\end{aligned}$$

답 (1) $\frac{37}{90}$ (2) $\frac{12}{37}$

MATH for ESSAY

본문 154～157쪽

[APPLICATION] **01** 풀이 참조

01 먼저 출연자가 처음 선택한 문을 Ⅰ, 나머지 세 문을 Ⅱ, Ⅲ, Ⅳ라 하고 네 문 뒤에 자동차가 있는 사건을 순서대로 A_1, A_2, A_3, A_4라 하면 A_1, A_2, A_3, A_4는 전확률 공식의 전제조건을 만족시킨다. 이때 사회자가 두 문 Ⅱ, Ⅲ을 선택하는 사건을 B라 하면 베이즈 정리에 의하여 출연자가 처음 선택을 고수할 때 자동차를 얻게 될 확률 $\mathrm{P}(A_1|B)$는 다음과 같이 구할 수 있다.

$$\begin{aligned}\mathrm{P}(B)&=\mathrm{P}(A_1)\mathrm{P}(B|A_1)+\mathrm{P}(A_2)\mathrm{P}(B|A_2)\\&\quad+\mathrm{P}(A_3)\mathrm{P}(B|A_3)+\mathrm{P}(A_4)\mathrm{P}(B|A_4)\end{aligned}$$

$$\Rightarrow \mathrm{P}(A_1|B)=\frac{\mathrm{P}(A_1)\mathrm{P}(B|A_1)}{\mathrm{P}(B)}$$

여기서 $\mathrm{P}(A_1)=\mathrm{P}(A_2)=\mathrm{P}(A_3)=\mathrm{P}(A_4)=\frac{1}{4}$이고,

(i) $\mathrm{P}(B|A_1)=\frac{1}{3}$ ⬅ 문 Ⅰ에 자동차가 있으면 사회자는 (Ⅱ, Ⅲ), (Ⅱ, Ⅳ), (Ⅲ, Ⅳ) 중 하나를 택한다.

(ii) $\mathrm{P}(B|A_2)=0$ ⬅ 문 Ⅱ에 자동차가 있으면 사회자는 (Ⅱ, Ⅲ)을 택할 수 없다.

(iii) $\mathrm{P}(B|A_3)=0$ ⬅ 문 Ⅲ에 자동차가 있으면 사회자는 (Ⅱ, Ⅲ)을 택할 수 없다.

(iv) $\mathrm{P}(B|A_4)=1$ ⬅ 문 Ⅳ에 자동차가 있으면 사회자는 반드시 (Ⅱ, Ⅲ)을 택한다.

이므로 이 값들을 위의 식에 대입하면

$$\mathrm{P}(B)=\frac{1}{4}\times\frac{1}{3}+\frac{1}{4}\times0+\frac{1}{4}\times0+\frac{1}{4}\times1=\frac{1}{3}$$

$$\Rightarrow \mathrm{P}(A_1|B)=\frac{\frac{1}{12}}{\frac{1}{3}}=\frac{1}{4}$$

따라서 출연자가 처음 선택을 고수할 때 자동차를 얻게 될 확률은 $\frac{1}{4}$이고, 선택을 바꾸었을 때 자동차를 얻게 될 확률은 여사건의 확률에 의하여 $1-\frac{1}{4}=\frac{3}{4}$이다.

그러므로 출연자는 문을 바꾸는 것이 유리하다.

답 풀이 참조

EXERCISES

III 통계

1. 확률분포

Review Quiz SUMMA CUM LAUDE 본문 207쪽

01 (1) 확률변수 (2) 이산확률변수
(3) 이항분포, $\mathrm{B}(n, p)$ (4) 연속확률변수
(5) 정규분포, $\mathrm{N}(m, \sigma^2)$

02 (1) 거짓 (2) 참 (3) 거짓 **03** 풀이 참조

01 답 (1) 확률변수
(2) 이산확률변수
(3) 이항분포, $\mathrm{B}(n, p)$
(4) 연속확률변수
(5) 정규분포, $\mathrm{N}(m, \sigma^2)$

02 (1) 확률변수 X의 평균이 $\mathrm{E}(X)$, 분산이 $\mathrm{V}(X)$일 때, 확률변수 $2X$의 평균은 $\mathrm{E}(2X)=2\mathrm{E}(X)$이고, 분산은 $\mathrm{V}(2X)=2^2\mathrm{V}(X)$이므로 평균은 2배이지만 분산은 4배이다. (거짓)

(2) X는 연속확률변수이므로

$\mathrm{P}(X=a)=\mathrm{P}(X=b)=0$

$\therefore \mathrm{P}(a\le X\le b)=\mathrm{P}(a<X<b)$ (참)

(3) 정규분포곡선의 모양은 m의 값이 일정하면 σ의 값이 클수록 곡선의 가운데 부분이 낮아지면서 양쪽으로 퍼지고, σ의 값이 작을수록 곡선의 가운데 부분이 높아지면서 폭이 좁아진다. (거짓)

답 (1) 거짓 (2) 참 (3) 거짓

03 (1) 정규분포는 연속확률분포의 한 종류이다. 확률밀도함수의 그래프와 x축 사이의 넓이는 1이 된다는 확률밀도함수의 성질에 의하여 정규분포곡선과 x축 사이의 넓이도 항상 1이 된다.

(2) 정규분포의 확률밀도함수는 매우 복잡하고 평균 m과 표준편차 σ가 바뀔 때마다 함수도 바뀌므로 확률을 계산해 내기 어렵다. 따라서 미리 확률을 계산해 둔 평균이 0, 표준편차가 1인 표준정규분포로 표준화하는 것이다.

답 풀이 참조

EXERCISES A

SUMMA CUM LAUDE 본문 208~210쪽

01 $\frac{2}{5}$ **02** $\frac{22}{15}$ **03** 158 **04** ②

05 $\frac{512}{625}$ **06** ③ **07** $\frac{1}{4}$ **08** $\frac{21}{5}$

09 $f(x)=\frac{1}{30}\ (0\le x\le 30)$, $\frac{1}{3}$ **10** ⑤

11 0.8413 **12** 0.0062 **13** 28 **14** ②

15 0.68

01 $$\begin{aligned}P(X=x)&=\frac{k}{\sqrt{x}+\sqrt{x+1}}\\&=\frac{k(\sqrt{x+1}-\sqrt{x})}{(\sqrt{x+1}+\sqrt{x})(\sqrt{x+1}-\sqrt{x})}\\&=k(\sqrt{x+1}-\sqrt{x})\end{aligned}$$

확률의 총합은 1이므로

$$\begin{aligned}&P(X=0)+P(X=1)+\cdots+P(X=24)\\&=k(\sqrt{1}-\sqrt{0})+k(\sqrt{2}-\sqrt{1})+\cdots+k(\sqrt{25}-\sqrt{24})\\&=k(1-0+\sqrt{2}-1+\cdots+5-\sqrt{24})\\&=5k=1\\&\therefore k=\frac{1}{5}\end{aligned}$$

따라서 $P(X=x)=\frac{1}{5}(\sqrt{x+1}-\sqrt{x})$이므로

$$\begin{aligned}&P(X=4)+P(X=5)+\cdots+P(X=15)\\&=\frac{1}{5}\times\{(\sqrt{5}-\sqrt{4})+(\sqrt{6}-\sqrt{5})+\cdots+(\sqrt{16}-\sqrt{15})\}\\&=\frac{1}{5}\times(-\sqrt{4}+\sqrt{16})=\frac{1}{5}\times 2=\mathbf{\frac{2}{5}}\end{aligned}$$

답 $\frac{2}{5}$

02 확률변수 X가 가질 수 있는 값은 1, 2, 3이고, 꺼낸 2개의 공에 적혀 있는 숫자 중 최솟값이 $k(k=1, 2, 3)$가 되는 경우의 수는

(k 이상의 숫자 중 2개의 숫자를 뽑는 경우의 수)

$-$(k보다 큰 숫자 중 2개의 숫자를 뽑는 경우의 수)

와 같으므로

$$P(X=1)=\frac{{}_6C_2-{}_4C_2}{{}_6C_2}=\frac{9}{15}=\frac{3}{5}$$

$$P(X=2)=\frac{{}_4C_2-{}_2C_2}{{}_6C_2}=\frac{5}{15}=\frac{1}{3}$$

$$P(X=3)=\frac{{}_2C_2}{{}_6C_2}=\frac{1}{15}$$

따라서 확률변수 X의 평균은

$$1\times\frac{3}{5}+2\times\frac{1}{3}+3\times\frac{1}{15}=\mathbf{\frac{22}{15}}$$

답 $\frac{22}{15}$

03 $P(X=3)=k$ (k는 상수)라 하면

$P(X=2)=2k$, $P(X=4)=4k$

이고 $P(X^2-4X+3=0)=\frac{7}{10}$에서

$$\begin{aligned}P(X^2-4X+3=0)&=P((X-1)(X-3)=0)\\&=P(X=1 \text{ 또는 } X=3)\\&=P(X=1)+P(X=3)\\&=\frac{7}{10}\end{aligned}$$

이므로 $P(X=1)=\frac{7}{10}-k$

이때 확률의 총합은 1이므로

$\left(\frac{7}{10}-k\right)+2k+k+4k=1$ $\therefore k=\frac{1}{20}$

확률변수 X의 확률분포를 표로 나타내면 다음과 같다.

X	1	2	3	4	합계
$P(X=x)$	$\frac{13}{20}$	$\frac{1}{10}$	$\frac{1}{20}$	$\frac{1}{5}$	1

$$\begin{aligned}\therefore E(X)&=1\times\frac{13}{20}+2\times\frac{1}{10}+3\times\frac{1}{20}+4\times\frac{1}{5}\\&=\frac{36}{20}=\frac{9}{5}\end{aligned}$$

$$\begin{aligned}V(X)&=E(X^2)-\{E(X)\}^2\\&=1^2\times\frac{13}{20}+2^2\times\frac{1}{10}+3^2\times\frac{1}{20}+4^2\times\frac{1}{5}-\left(\frac{9}{5}\right)^2\\&=\frac{47}{10}-\frac{81}{25}=\frac{73}{50}\end{aligned}$$

EXERCISES

$\therefore a=\mathrm{E}(5X+3)=5\mathrm{E}(X)+3$

$=5\times\frac{9}{5}+3=12$

$b=\mathrm{V}(10X+1)=10^2\mathrm{V}(X)$

$=100\times\frac{73}{50}=146$

$\therefore a+b=12+146=\mathbf{158}$ 답 158

04 자료 A의 확률변수를 X라 하면 자료 B는 $X+20$, 자료 C는 $3X$로 놓을 수 있다.

따라서 자료 A의 표준편차를 $\sigma_a=\sigma(X)$라 하면

자료 B의 표준편차는

$\sigma_b=\sigma(X)$

자료 C의 표준편차는

$\sigma_c=|3|\sigma(X)=3\sigma(X)$

$\therefore \boldsymbol{\sigma_a=\sigma_b<\sigma_c}$ 답 ②

05 확률변수 X는 이항분포 $\mathrm{B}\left(4,\ \frac{4}{5}\right)$를 따르므로

X의 확률질량함수는

$\mathrm{P}(X=x)={}_4\mathrm{C}_x\left(\frac{4}{5}\right)^x\left(\frac{1}{5}\right)^{4-x}$ $(x=0,\ 1,\ 2,\ 3,\ 4)$

$\therefore \mathrm{P}(X\geq 3)=\mathrm{P}(X=3)+\mathrm{P}(X=4)$

$={}_4\mathrm{C}_3\left(\frac{4}{5}\right)^3\left(\frac{1}{5}\right)^1+{}_4\mathrm{C}_4\left(\frac{4}{5}\right)^4\left(\frac{1}{5}\right)^0$

$=\frac{256}{625}+\frac{256}{625}=\mathbf{\frac{512}{625}}$ 답 $\frac{512}{625}$

06 확률변수 X가 이항분포 $\mathrm{B}\left(n,\ \frac{1}{3}\right)$을 따르므로

$\mathrm{E}(X)=\frac{1}{3}n$

이때 $\mathrm{E}(2X+5)=2\mathrm{E}(X)+5=13$이므로

$2\times\frac{1}{3}n+5=13$

$\frac{2}{3}n=8$ $\therefore n=\mathbf{12}$ 답 ③

07 확률변수 X는 이항분포 $\mathrm{B}(8,\ p)$를 따르므로

$\mathrm{V}(X)=8p(1-p)$

확률변수 Y는 이항분포 $\mathrm{B}(8,\ 2p)$를 따르므로

$\mathrm{V}(Y)=8\times 2p(1-2p)=16p(1-2p)$

이때 $\mathrm{V}(X)=\mathrm{V}(Y)$이므로

$8p(1-p)=16p(1-2p)$

$1-p=2(1-2p)$ $(\because p\neq 0)$

$\therefore p=\frac{1}{3}$

따라서 두 확률변수 X, Y는 각각 이항분포 $\mathrm{B}\left(8,\ \frac{1}{3}\right)$, $\mathrm{B}\left(8,\ \frac{2}{3}\right)$를 따르므로 각각의 확률질량함수는

$\mathrm{P}(X=x)={}_8\mathrm{C}_x\left(\frac{1}{3}\right)^x\left(\frac{2}{3}\right)^{8-x}$ $(x=0,\ 1,\ 2,\ \cdots,\ 8)$

$\mathrm{P}(Y=y)={}_8\mathrm{C}_y\left(\frac{2}{3}\right)^y\left(\frac{1}{3}\right)^{8-y}$ $(y=0,\ 1,\ 2,\ \cdots,\ 8)$

$\therefore \frac{\mathrm{P}(Y=3)}{\mathrm{P}(X=3)}=\frac{{}_8\mathrm{C}_3\left(\frac{2}{3}\right)^3\left(\frac{1}{3}\right)^5}{{}_8\mathrm{C}_3\left(\frac{1}{3}\right)^3\left(\frac{2}{3}\right)^5}=\mathbf{\frac{1}{4}}$ 답 $\frac{1}{4}$

08 함수 $y=f(x)$의 그래프와 x축 사이의 넓이는 1이므로

$\frac{1}{2}\times 10\times b=1$ $\therefore b=\frac{1}{5}$ ······ ㉠ ······ ❶

또 주어진 조건에서

$\mathrm{P}(0\leq X\leq a)=\frac{1}{2}\times a\times b=\frac{2}{5}$이므로

$\frac{1}{2}\times a\times\frac{1}{5}=\frac{2}{5}$ $(\because$ ㉠$)$ $\therefore a=4$ ······ ❷

$\therefore a+b=4+\frac{1}{5}=\mathbf{\frac{21}{5}}$ ······ ❸

채점 기준	배점
❶ b의 값 구하기	40 %
❷ a의 값 구하기	40 %
❸ $a+b$의 값 구하기	20 %

답 $\frac{21}{5}$

09 확률변수 X는 $0 \le x \le 30$에 속하는 모든 값을 가질 수 있고, 각 값을 가질 확률이 같으므로 X의 확률밀도함수는

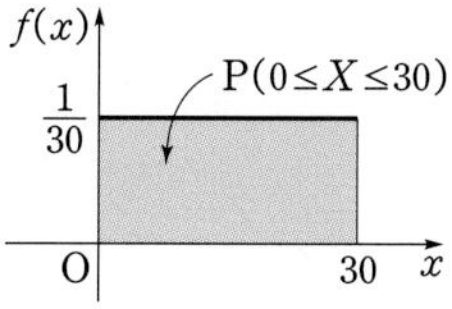

$$\boldsymbol{f(x)=\frac{1}{30}\ (0 \le x \le 30)}$$

따라서 버스를 타기 위해 20분 이상 기다릴 확률은

$$P(X \ge 20)=(30-20) \times \frac{1}{30}=\mathbf{\frac{1}{3}}$$

답 $f(x)=\frac{1}{30}\ (0 \le x \le 30)$, $\frac{1}{3}$

10

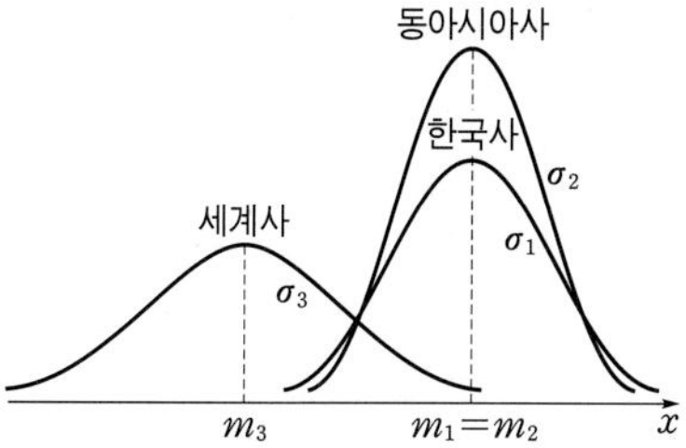

위의 그림으로부터 $m_1=m_2>m_3$이고, 곡선의 가운데 부분은 낮아지면서 양쪽으로 넓게 퍼진 순으로 세계사, 한국사, 동아시아사이므로 $\sigma_3>\sigma_1>\sigma_2$이다.
따라서 옳지 않은 것은 ⑤이다. 답 ⑤

11 휴대 전화를 수리하는 데 걸리는 시간을 확률변수 X라 하면 X는 정규분포 $N(30, 5^2)$을 따르므로 $Z=\frac{X-30}{5}$으로 놓으면 확률변수 Z는 표준정규분포 $N(0, 1)$을 따른다.

$$\begin{aligned}\therefore P(X \le 35)&=P\left(Z \le \frac{35-30}{5}\right)\\&=P(Z \le 1)\\&=0.5+P(0 \le Z \le 1)\\&=0.5+0.3413\\&=\mathbf{0.8413}\end{aligned}$$

답 0.8413

12 $F=0.5$이므로 $\frac{m-100}{5\sigma}=0.5$, 즉 $\frac{100-m}{\sigma}=-2.5$이다.
공장에서 생산하는 과자 한 봉지의 무게를 확률변수 X라 하면 X는 정규분포 $N(m, \sigma^2)$을 따르므로 $Z=\frac{X-m}{\sigma}$으로 놓으면 확률변수 Z는 표준정규분포 $N(0, 1)$을 따른다.

$$\begin{aligned}\therefore P(X \le 100)&=P\left(Z \le \frac{100-m}{\sigma}\right)\\&=P(Z \le -2.5)=P(Z \ge 2.5)\\&=0.5-P(0 \le Z \le 2.5)\\&=0.5-0.4938\\&=\mathbf{0.0062}\end{aligned}$$

답 0.0062

13 확률변수 X가 정규분포 $N(100, 10^2)$을 따르므로 $Z=\frac{X-100}{10}$으로 놓으면 확률변수 Z는 표준정규분포 $N(0, 1)$을 따른다.
$P(X \ge 115-k) \ge 0.9$이므로

$$P\left(Z \ge \frac{15-k}{10}\right) \ge 0.9$$

이때 주어진 확률로부터

$$\begin{aligned}P(Z \ge -1.28)&=P(Z \le 1.28)\\&=0.5+P(0 \le Z \le 1.28)\\&=0.5+0.4\\&=0.9\end{aligned}$$

이므로 $P\left(Z \ge \frac{15-k}{10}\right) \ge 0.9$이려면

$$\frac{15-k}{10} \le -1.28$$

이어야 한다. 즉,

$$15-k \le -12.8 \qquad \therefore k \ge 27.8$$

따라서 자연수 k의 최솟값은 **28**이다. 답 28

EXERCISES

14 동전 한 개를 n번 던졌을 때 뒷면이 나오는 횟수를 확률변수 X라 하면 X는 이항분포 $\mathrm{B}\left(n,\ \frac{1}{2}\right)$을 따른다.

(i) $n=64$일 때, X는 이항분포 $\mathrm{B}\left(64,\ \frac{1}{2}\right)$을 따르므로

$$\mathrm{E}(X)=64\times\frac{1}{2}=32$$

$$\sigma(X)=\sqrt{64\times\frac{1}{2}\times\frac{1}{2}}=4$$

이때 64는 충분히 큰 수이므로 X는 정규분포 $\mathrm{N}(32,\ 4^2)$을 따른다.

따라서 $Z=\frac{X-32}{4}$로 놓으면 확률변수 Z는 표준정규분포 $\mathrm{N}(0,\ 1)$을 따르므로

$$p_1=\mathrm{P}(X\geq 36)=\mathrm{P}\left(Z\geq\frac{36-32}{4}\right)$$
$$=\mathrm{P}(Z\geq 1)$$

(ii) $n=256$일 때, X는 이항분포 $\mathrm{B}\left(256,\ \frac{1}{2}\right)$을 따르므로

$$\mathrm{E}(X)=256\times\frac{1}{2}=128$$

$$\sigma(X)=\sqrt{256\times\frac{1}{2}\times\frac{1}{2}}=8$$

이때 256은 충분히 큰 수이므로 X는 정규분포 $\mathrm{N}(128,\ 8^2)$을 따른다.

따라서 $Z=\frac{X-128}{8}$로 놓으면 확률변수 Z는 표준정규분포 $\mathrm{N}(0,\ 1)$을 따르므로

$$p_2=\mathrm{P}(X\geq 152)=\mathrm{P}\left(Z\geq\frac{152-128}{8}\right)$$
$$=\mathrm{P}(Z\geq 3)$$

(iii) $n=324$일 때, X는 이항분포 $\mathrm{B}\left(324,\ \frac{1}{2}\right)$을 따르므로

$$\mathrm{E}(X)=324\times\frac{1}{2}=162$$

$$\sigma(X)=\sqrt{324\times\frac{1}{2}\times\frac{1}{2}}=9$$

이때 324는 충분히 큰 수이므로 X는 정규분포 $\mathrm{N}(162,\ 9^2)$을 따른다.

따라서 $Z=\frac{X-162}{9}$로 놓으면 확률변수 Z는 표준정규분포 $\mathrm{N}(0,\ 1)$을 따르므로

$$p_3=\mathrm{P}(X\geq 180)=\mathrm{P}\left(Z\geq\frac{180-162}{9}\right)$$
$$=\mathrm{P}(Z\geq 2)$$

(i), (ii), (iii)에 의하여 $p_1,\ p_2,\ p_3$의 대소 관계는

$\boldsymbol{p_1>p_3>p_2}$

답 ②

15 앞면이 나오는 동전의 개수를 확률변수 X라 하면 X는 이항분포 $\mathrm{B}\left(100,\ \frac{1}{2}\right)$을 따르므로

$$\mathrm{E}(X)=100\times\frac{1}{2}=50$$

$$\sigma(X)=\sqrt{100\times\frac{1}{2}\times\frac{1}{2}}=5$$

이때 100은 충분히 큰 수이므로 확률변수 X는 근사적으로 정규분포 $\mathrm{N}(50,\ 5^2)$을 따른다.

따라서 $Z=\frac{X-50}{5}$으로 놓으면 확률변수 Z는 표준정규분포 $\mathrm{N}(0,\ 1)$을 따르므로 주형이와 정안이가 가지는 금액의 차이가 1000원 이하일 확률은

$$\mathrm{P}(45\leq X\leq 55)$$
$$=\mathrm{P}\left(\frac{45-50}{5}\leq Z\leq\frac{55-50}{5}\right)$$
$$=\mathrm{P}(-1\leq Z\leq 1)=2\mathrm{P}(0\leq Z\leq 1)$$
$$=2\times 0.34=\mathbf{0.68}$$

답 0.68

EXERCISES B SUMMA CUM LAUDE 본문 211~213쪽

01 $\frac{1}{32}$ **02** 45 **03** 10 **04** $\frac{1}{16}$ **05** ③
06 ② **07** ⑤ **08** 159명 **09** 0.9282
10 ①

01 $P(2\le X\le 3)=P(X=2)+P(X=3)$

$$=b+\frac{1}{8}\ge\frac{1}{4}$$

이므로 $b\ge\frac{1}{8}$ …… ㉠

확률의 총합은 1이므로

$$\frac{1}{16a}+b+\frac{1}{8}+a+\frac{1}{4}=1$$

$$a+\frac{1}{16a}+b=\frac{5}{8} \quad \cdots\cdots ㉡$$

$$\therefore b=-\left(a+\frac{1}{16a}\right)+\frac{5}{8}$$

이때 $a>0$이므로 산술평균과 기하평균의 관계에 의하여

$$a+\frac{1}{16a}\ge 2\sqrt{a\times\frac{1}{16a}}=2\sqrt{\frac{1}{16}}=\frac{1}{2}$$

$\left(\text{단, 등호는 } a=\frac{1}{16a}\text{ 일 때 성립}\right)$

이므로 $b\le-\frac{1}{2}+\frac{5}{8}=\frac{1}{8}$ …… ㉢

㉠, ㉢에서 $b=\frac{1}{8}$

$b=\frac{1}{8}$을 ㉡에 대입하면

$$a+\frac{1}{16a}+\frac{1}{8}=\frac{5}{8},\ 16a^2-8a+1=0$$

$$(4a-1)^2=0 \qquad \therefore a=\frac{1}{4}$$

$$\therefore ab=\frac{1}{4}\times\frac{1}{8}=\mathbf{\frac{1}{32}}$$

답 $\frac{1}{32}$

02 주어진 식의 양변에 k 대신 1, 2, 3, 4, 5, 6을 차례로 대입한 후 변변 더하면 확률의 총합은 1이므로

(좌변)$=P(Y=1)+P(Y=2)+\cdots+P(Y=6)=1$

(우변)

$$=\frac{1}{2}P(X=1)+\frac{1}{a}+\frac{1}{2}P(X=2)+\frac{1}{a}+\cdots+\frac{1}{2}P(X=6)+\frac{1}{a}$$

$$=\frac{1}{2}\{P(X=1)+P(X=2)+\cdots+P(X=6)\}+\frac{6}{a}$$

$$=\frac{1}{2}\times1+\frac{6}{a}$$

(좌변)=(우변)이므로

$$1=\frac{1}{2}+\frac{6}{a} \qquad \therefore a=12$$

이때 $P(X=k)=p_k\ (k=1, 2, 3, 4, 5, 6)$라 하면 $E(X)=4$이므로

$$p_1+2p_2+3p_3+4p_4+5p_5+6p_6=4$$

$$\therefore E(Y)=\left(\frac{1}{2}p_1+\frac{1}{12}\right)+2\left(\frac{1}{2}p_2+\frac{1}{12}\right)+\cdots+6\left(\frac{1}{2}p_6+\frac{1}{12}\right)$$

$$=\frac{1}{2}(p_1+2p_2+\cdots+6p_6)+\frac{1}{12}(1+2+\cdots+6)$$

$$=\frac{1}{2}\times4+\frac{21}{12}=2+\frac{7}{4}=\frac{15}{4}$$

$$\therefore aE(Y)=12\times\frac{15}{4}=\mathbf{45}$$

답 45

03 주사위를 20번 던졌을 때 짝수가 나오는 횟수를 확률변수 Y라 하면 홀수가 나오는 횟수는 $20-Y$이므로 점 P의 좌표인 확률변수 X는

$$X=2\times Y+(-1)\times(20-Y)=3Y-20$$

한편 확률변수 Y는 이항분포 $B\left(20, \frac{1}{2}\right)$을 따르므로

$$E(Y)=20\times\frac{1}{2}=10$$

EXERCISES

$$\therefore \mathrm{E}(X)=\mathrm{E}(3Y-20)$$
$$=3\mathrm{E}(Y)-20$$
$$=3\times10-20=\mathbf{10}$$

답 10

04

주어진 식에 $x=1$을 대입하면

$$\mathrm{P}(1\le X\le 1)=a(1-b)=0$$

$$\therefore a=0 \text{ 또는 } b=1$$

주어진 식에 $x=5$를 대입하면

$$\mathrm{P}(1\le X\le 5)=a(5-b)=1 \quad \cdots\cdots ㉠$$

이때 $a=0$이면 ㉠의 식이 성립하지 않으므로 $b=1$이어야 한다.

㉠에 $b=1$을 대입하면 $a=\frac{1}{4}$

$$\therefore \mathrm{P}(1\le X\le a+b)=\mathrm{P}\left(1\le X\le \frac{1}{4}+1\right)$$
$$=\mathrm{P}\left(1\le X\le \frac{5}{4}\right)$$
$$=\frac{1}{4}\times\left(\frac{5}{4}-1\right)=\mathbf{\frac{1}{16}}$$

답 $\frac{1}{16}$

05

함수 $y=f(x)$의 그래프와 x축 및 두 직선 $x=0$, $x=1$로 둘러싸인 도형의 넓이가 1이므로

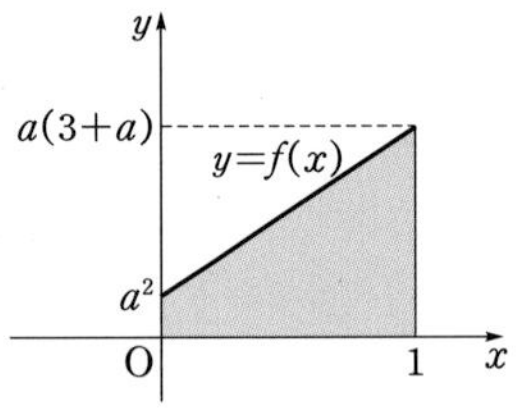

$$\frac{1}{2}\times\{a^2+a(3+a)\}\times1=1$$

$$2a^2+3a-2=0,\ (a+2)(2a-1)=0$$

$$\therefore a=\frac{1}{2}\ (\because a>0)$$

$$\therefore f(x)=\frac{3}{2}x+\frac{1}{4}$$

이차방정식 $t^2+4Xt+1=0$의 판별식을 D라 할 때 실근을 가지려면 $D\ge0$이어야 하므로

$$\frac{D}{4}=(2X)^2-1=4X^2-1$$
$$=(2X+1)(2X-1)\ge0$$

$$\therefore X\le-\frac{1}{2} \text{ 또는 } X\ge\frac{1}{2}$$

그런데 $0\le X\le1$이므로 $\frac{1}{2}\le X\le1$

따라서 구하는 확률은 다음 그림의 사다리꼴의 넓이와 같다.

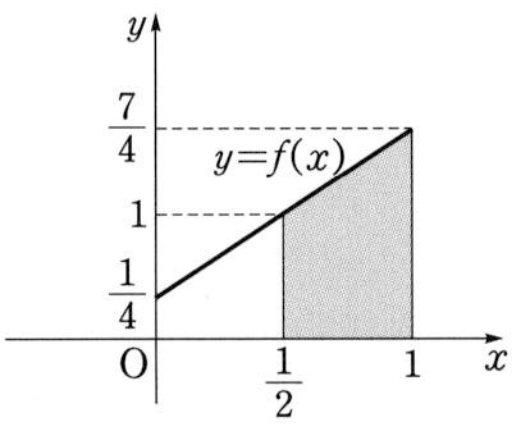

$$\therefore \mathrm{P}\left(\frac{1}{2}\le X\le1\right)=\frac{1}{2}\times\left(1+\frac{7}{4}\right)\times\left(1-\frac{1}{2}\right)$$
$$=\frac{1}{2}\times\frac{11}{4}\times\frac{1}{2}$$
$$=\mathbf{\frac{11}{16}}$$

답 ③

06

$$\mathrm{E}(Y)=\mathrm{E}(2X-16)=2\mathrm{E}(X)-16$$
$$=2\times20-16=24,$$
$$\sigma(Y)=\sigma(2X-16)=|2|\sigma(X)$$
$$=2\times2=4$$

이므로 확률변수 Y는 정규분포 $\mathrm{N}(24,\ 4^2)$을 따른다.

$Z_X=\frac{X-20}{2}$, $Z_Y=\frac{X-24}{4}$로 놓으면 확률변수 Z_X, Z_Y는 모두 표준정규분포 $\mathrm{N}(0,\ 1)$을 따른다.

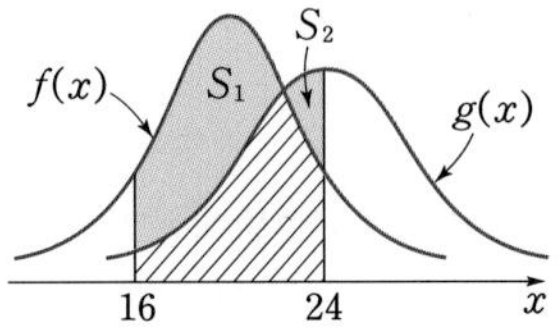

위의 그림에서 빗금친 부분의 넓이를 S라 하면

$$S_1-S_2=\{P(16\le X\le 24)-S\}-\{P(16\le Y\le 24)-S\}$$
$$=P(16\le X\le 24)-P(16\le Y\le 24)$$
$$=P\left(\frac{16-20}{2}\le Z_X\le \frac{24-20}{2}\right)-P\left(\frac{16-24}{4}\le Z_Y\le \frac{24-24}{4}\right)$$
$$=P(-2\le Z_X\le 2)-P(-2\le Z_Y\le 0)$$
$$=2P(0\le Z_X\le 2)-P(0\le Z_Y\le 2)$$
$$=2\times 0.4772-0.4772$$
$$=\mathbf{0.4772}$$

답 ②

07 확률변수 X가 정규분포 $N(m,\ \sigma^2)$을 따르므로 $Z=\frac{X-m}{\sigma}$ 으로 놓으면 확률변수 Z는 표준정규분포 $N(0,\ 1)$을 따른다.

$P(X\le 2)=0.4$이므로

$$P\left(Z\le \frac{2-m}{\sigma}\right)=0.4$$
$$P\left(Z\ge \frac{m-2}{\sigma}\right)=0.4$$
$$0.5-P\left(0\le Z\le \frac{m-2}{\sigma}\right)=0.4$$
$$\therefore P\left(0\le Z\le \frac{m-2}{\sigma}\right)=0.1$$

한편 $P(X\le 2)=0.4$에서 $P(2\le X\le m)=0.1$이고 $P(2\le X\le 111)=0.4$이므로

$$P(m\le X\le 111)=0.3$$
$$\therefore P\left(0\le Z\le \frac{111-m}{\sigma}\right)=0.3$$

주어진 조건에서 $P(0\le Z\le 0.25)=0.1$, $P(0\le Z\le 0.84)=0.3$이므로

$$\frac{m-2}{\sigma}=0.25,\ \frac{111-m}{\sigma}=0.84$$
$$m-2=0.25\sigma,\ 111-m=0.84\sigma$$

두 식을 연립하여 풀면 $m=27,\ \sigma=100$

$$\therefore m+\sigma=\mathbf{127}$$

답 ⑤

08 응시자의 점수를 확률변수 X라 하면 X는 정규분포 $N(300,\ 50^2)$을 따르므로 $Z_X=\frac{X-300}{50}$ 으로 놓으면 확률변수 Z_X는 표준정규분포 $N(0,\ 1)$을 따른다.

합격자의 최저 점수를 k점이라 하면 $P(X\ge k)=0.067$이어야 한다. 즉,

$$P\left(Z_X\ge \frac{k-300}{50}\right)=0.067$$
$$0.5-P\left(0\le Z_X\le \frac{k-300}{50}\right)=0.067$$
$$\therefore P\left(0\le Z_X\le \frac{k-300}{50}\right)=0.433$$

표준정규분포표에서 $P(0\le Z\le 1.5)=0.433$이므로

$$\frac{k-300}{50}=1.5 \qquad \therefore k=375$$

따라서 합격자의 최저 점수는 375점이다. …… ❶

한편 숨마쿰도시의 응시자의 점수를 확률변수 Y라 하면 Y는 정규분포 $N(345,\ 30^2)$을 따르므로 $Z_Y=\frac{Y-345}{30}$ 로 놓으면 확률변수 Z_Y는 표준정규분포 $N(0,\ 1)$을 따른다.

$$\therefore P(Y\ge 375)=P\left(Z_Y\ge \frac{375-345}{30}\right)$$
$$=P(Z_Y\ge 1)$$
$$=0.5-P(0\le Z_Y\le 1)$$
$$=0.5-0.341=0.159$$

…… ❷

따라서 숨마쿰도시의 응시자 1000명 중 합격자 수는

$1000\times 0.159=$**159(명)** …… ❸

채점 기준	배점
❶ 합격자의 최저 점수 구하기	40 %
❷ 숨마쿰도시에 거주하는 응시자가 시험에 합격할 확률 구하기	40 %
❸ 합격자 수 구하기	20 %

답 159명

EXERCISES

09 확률변수 X는 이항분포 $\mathrm{B}\left(720,\ \frac{1}{6}\right)$을 따르므로

$\mathrm{E}(X)=720\times\frac{1}{6}=120$

$\sigma(X)=\sqrt{720\times\frac{1}{6}\times\frac{5}{6}}=10$

이때 720은 충분히 큰 수이므로 확률변수 X는 근사적으로 정규분포 $\mathrm{N}(120,\ 10^2)$을 따른다.

따라서 $Z=\frac{X-120}{10}$으로 놓으면 확률변수 Z는 표준정규분포 $\mathrm{N}(0,\ 1)$을 따르므로

$\mathrm{P}\left(\left|\frac{X}{720}-\frac{1}{6}\right|\le 0.025\right)$

$=\mathrm{P}\left(\frac{|X-120|}{720}\le 0.025\right)=\mathrm{P}\left(\frac{|X-120|}{10}\le 1.8\right)$

$=\mathrm{P}(|Z|\le 1.8)=2\mathrm{P}(0\le Z\le 1.8)$

$=2\times 0.4641=\mathbf{0.9282}$ 답 0.9282

10 확률변수 X는 이항분포 $\mathrm{B}\left(36,\ \frac{1}{6}\right)$을 따른다.

ㄱ. $\mathrm{V}(X)=36\times\frac{1}{6}\times\frac{5}{6}=5$ (참)

ㄴ. $\mathrm{E}(X)=36\times\frac{1}{6}=6$, $\sigma(X)=\sqrt{\mathrm{V}(X)}=\sqrt{5}$이고

36은 충분히 큰 수이므로 확률변수 X는 근사적으로 정규분포 $\mathrm{N}(6,\ (\sqrt{5})^2)$을 따른다.

따라서 정규분포곡선은 직선 $x=6$에 대하여 대칭이므로 $x=6$일 때 $\mathrm{P}(X=x)$가 최대이다. (거짓)

ㄷ. 확률변수 X는 근사적으로 정규분포 $\mathrm{N}(6,\ (\sqrt{5})^2)$을 따르므로 $Z=\frac{X-6}{\sqrt{5}}$으로 놓으면 확률변수 Z는 표준정규분포 $\mathrm{N}(0,\ 1)$을 따른다.

$\therefore\ \mathrm{P}(1\le X\le 7)=\mathrm{P}\left(\frac{1-6}{\sqrt{5}}\le Z\le\frac{7-6}{\sqrt{5}}\right)$

$=\mathrm{P}\left(-\sqrt{5}\le Z\le\frac{\sqrt{5}}{5}\right)$ (거짓)

따라서 옳은 것은 ㄱ뿐이다. 답 ①

2. 통계적 추정

Review Quiz SUMMA CUM LAUDE 본문 233쪽

01 (1) 모집단 (2) 표본 (3) 전수조사 (4) 표본조사
(5) 모평균, 모분산, 모표준편차, 표본평균, 표본분산, 표본표준편차 (6) 추정

02 (1) 거짓 (2) 참 **03** 풀이 참조

01 답 (1) 모집단
(2) 표본
(3) 전수조사
(4) 표본조사
(5) 모평균, 모분산, 모표준편차, 표본평균, 표본분산, 표본표준편차
(6) 추정

02 (1) 모분산이 σ^2인 모집단에서 임의추출한 크기가 n인 표본의 표본평균을 $\overline{X}$라 하면 표본평균 $\overline{X}$의 분산은 $\mathrm{V}(\overline{X})=\frac{\sigma^2}{n}$이므로 표본의 크기 n이 작을수록 표본평균의 분산은 커진다. (거짓)

(2) 정규분포 $\mathrm{N}(m,\ \sigma^2)$을 따르는 모집단에서 크기가 n인 표본을 임의추출하여 신뢰도 $\alpha\,\%$로 추정한 모평균의 신뢰구간의 길이

$2\times k\frac{\sigma}{\sqrt{n}}$ $\left(\text{단, } \mathrm{P}(|Z|\le k)=\frac{\alpha}{100}\right)$에서 표본의 크기 n이 일정할 때, 신뢰도를 높이면 k의 값이 커지므로 $2\times k\frac{\sigma}{\sqrt{n}}$의 값은 커진다.

즉, 신뢰구간의 길이는 길어진다. (참)

답 (1) 거짓 (2) 참

03 (1) 표본조사의 목적은 모집단에서 추출한 표본에서 얻은 정보를 분석하여 모집단의 성질을 추측하는

데 있다. 따라서 모집단의 특징이 잘 반영되도록 표본을 추출해야 한다. 이를 위해서는 추출되는 표본이 모집단의 어느 한 부분에 편중되지 않고 모집단의 각 대상이 같은 확률로 추출되어야 한다.

(2) 표본평균 $\overline{X}$는 추출되는 표본에 따라 그 값이 달라지므로 각 경우마다 신뢰구간도 다르게 나타난다.
크기가 n인 표본을 여러 번 추출하여 구한 여러 개의 신뢰구간 중 모평균 m을 포함하고 있을 확률이 곧 신뢰도이다.

답 풀이 참조

EXERCISES A SUMMA CUM LAUDE 본문 234~236쪽

01 평균 : 3, 분산 : $\frac{1}{2}$ **02** 4 **03** 0.02
04 9.54 **05** ① **06** $43.84 \le m \le 54.16$
07 ② **08** 1119.6 **09** 16 **10** ㄱ, ㄷ

01

모집단의 평균 m과 분산 σ^2을 구하면

$$m=\frac{1+2+3+4+5}{5}=3$$

$$\sigma^2=\frac{(1-3)^2+(2-3)^2+(3-3)^2+(4-3)^2+(5-3)^2}{5}$$
$$=2$$

$$\therefore \mathbf{E(\overline{X})=3,\ V(\overline{X})}=\frac{2}{4}=\mathbf{\frac{1}{2}}$$

답 평균 : 3, 분산 : $\frac{1}{2}$

02

모평균 m을 구하면

$$m=10\times\frac{1}{2}+20\times a+30\times\left(\frac{1}{2}-a\right)=-10a+20$$

이때 $\mathrm{E}(\overline{X})=m$이므로

$$-10a+20=18 \qquad \therefore a=\frac{1}{5}$$

모분산 σ^2을 구하면

$$\sigma^2=\left(10^2\times\frac{1}{2}+20^2\times\frac{1}{5}+30^2\times\frac{3}{10}\right)-18^2=76$$

이때 $\mathrm{V}(\overline{X})=\frac{\sigma^2}{n}$이므로

$$\frac{76}{n}=19 \qquad \therefore n=\mathbf{4}$$

답 4

03

모집단이 정규분포 $\mathrm{N}(50,\ 3^2)$을 따르고 표본의 크기가 9이므로 표본평균 $\overline{X}$는 정규분포 $\mathrm{N}\left(50,\ \frac{3^2}{9}\right)$, 즉 $\mathrm{N}(50,\ 1^2)$을 따른다.

따라서 $Z=\frac{\overline{X}-50}{1}$으로 놓으면 확률변수 Z는 표준정규분포 N(0, 1)을 따르고, 응시자 수가 468명 이상일 확률은 표본평균 $\overline{X}$가 $\frac{468}{9}=52$(명) 이상일 확률과 같으므로

$$\begin{aligned}P(\overline{X}\geq 52)&=P\left(Z\geq\frac{52-50}{1}\right)\\&=P(Z\geq 2)\\&=0.5-P(0\leq Z\leq 2)\\&=0.5-0.48\\&=\mathbf{0.02}\end{aligned}$$

답 0.02

04 모집단이 정규분포 $N(9,\ 3^2)$을 따르고 표본의 크기가 81이므로 표본평균 $\overline{X}$는 정규분포 $N\left(9,\ \frac{3^2}{81}\right)$, 즉 $N\left(9, \left(\frac{1}{3}\right)^2\right)$을 따른다.

따라서 $Z=\frac{\overline{X}-9}{\frac{1}{3}}$로 놓으면 확률변수 Z는 표준정규분포 N(0, 1)을 따르므로

$P(\overline{X}\leq k)=0.95$에서

$$P\left(Z\leq\frac{k-9}{\frac{1}{3}}\right)=0.95$$

$$P(Z\leq 3(k-9))=0.95$$

$$0.5+P(0\leq Z\leq 3(k-9))=0.95$$

$$\therefore P(0\leq Z\leq 3(k-9))=0.45$$

이때 $P(0\leq Z\leq 1.62)=0.45$이므로

$$3(k-9)=1.62$$

$$\therefore k=\mathbf{9.54}$$

답 9.54

05 현재 우리나라 야구 선수들의 평균 타율을 m이라 하면 모집단이 정규분포 $N(m,\ 0.064^2)$을 따르고 표본의 크기가 16이므로 표본평균 $\overline{X}$는 정규분포 $N\left(m, \left(\frac{0.064}{4}\right)^2\right)$, 즉 $N(m,\ 0.016^2)$을 따른다.

따라서 $Z=\frac{\overline{X}-m}{0.016}$으로 놓으면 확률변수 Z는 표준정규분포 N(0, 1)을 따르므로

$P(\overline{X}\geq 0.3)=0.16$에서

$$P\left(Z\geq\frac{0.3-m}{0.016}\right)=0.16$$

$$0.5-P\left(0\leq Z\leq\frac{0.3-m}{0.016}\right)=0.16$$

$$\therefore P\left(0\leq Z\leq\frac{0.3-m}{0.016}\right)=0.34$$

이때 $P(0\leq Z\leq 1)=0.34$이므로

$$\frac{0.3-m}{0.016}=1 \qquad \therefore m=\mathbf{0.284}$$

답 ①

06 표본평균을 구하면

$$\frac{50+54+55+48+55+45+55+30+49}{9}=49$$

이고 모표준편차가 6, 표본의 크기가 9이므로 모평균 m을 신뢰도 99 %로 추정한 신뢰구간은

$$49-2.58\times\frac{6}{\sqrt{9}}\leq m\leq 49+2.58\times\frac{6}{\sqrt{9}}$$

$$\therefore \mathbf{43.84\leq m\leq 54.16}$$

답 $43.84\leq m\leq 54.16$

07 표본평균의 값을 $\overline{x}$라 하면 모표준편차가 1.4, 표본의 크기가 49이므로 모평균 m에 대한 신뢰도 95 %의 신뢰구간은

$$\overline{x}-1.96\times\frac{1.4}{\sqrt{49}}\leq m\leq\overline{x}+1.96\times\frac{1.4}{\sqrt{49}}$$

$$\therefore \overline{x}-0.392\leq m\leq\overline{x}+0.392$$

이때 위의 신뢰구간이 $a\leq m\leq 7.992$와 일치해야 하므로

$$\overline{x}+0.392=7.992 \qquad \therefore \overline{x}=7.6$$

$$\therefore a=\overline{x}-0.392=7.6-0.392=\mathbf{7.208}$$

답 ②

08 표본평균이 1050, 모표준편차가 σ, 표본의 크기

가 25이므로 모평균 m을 신뢰도 95 %로 추정한 신뢰구간은

$$1050-1.96\times\frac{\sigma}{\sqrt{25}}\le m\le 1050+1.96\times\frac{\sigma}{\sqrt{25}}$$

이때 $1050-1.96\times\frac{\sigma}{5}=1030.4$이므로

$1.96\times\frac{\sigma}{5}=19.6$ $\quad\therefore \sigma=50$

따라서 $a=1050+1.96\times\frac{50}{5}=1069.6$이므로

$a+\sigma=1069.6+50=\mathbf{1119.6}$ 답 1119.6

09 표본의 크기가 36일 때 신뢰도 99 %로 추정한 모평균에 대한 신뢰구간의 길이는

$2\times3\times\frac{12}{\sqrt{36}}=12$ …… ❶

표본의 크기가 n일 때 신뢰도 95 %로 추정한 모평균에 대한 신뢰구간의 길이는

$2\times2\times\frac{12}{\sqrt{n}}=\frac{48}{\sqrt{n}}$ …… ❷

두 신뢰구간의 길이가 같으므로

$\frac{48}{\sqrt{n}}=12$, $\sqrt{n}=4$

$\therefore n=\mathbf{16}$ …… ❸

채점 기준	배점
❶ 신뢰도 99 %로 추정한 모평균에 대한 신뢰구간의 길이 구하기	40 %
❷ 신뢰도 95 %로 추정한 모평균에 대한 신뢰구간의 길이를 n에 대한 식으로 나타내기	40 %
❸ n의 값 구하기	20 %

답 16

10 ㄱ. A도시 고등학교 학생들의 몸무게의 모표준편차가 B도시 고등학교 학생들의 몸무게의 모표준편차보다 작으므로 A도시의 분포가 B도시의 분포보다 더 고르다. (참)

ㄴ. A도시의 모평균을 신뢰도 95 %로 추정한 신뢰구간의 길이는 $2\times1.96\times\frac{3}{\sqrt{100}}=1.176$이고 B도시의 모평균을 신뢰도 99 %로 추정한 신뢰구간의 길이는 $2\times2.58\times\frac{4}{\sqrt{400}}=1.032$이므로 A도시의 모평균을 신뢰도 95 %로 추정한 신뢰구간의 길이가 B도시의 모평균을 신뢰도 99 %로 추정한 신뢰구간의 길이보다 길다. (거짓)

ㄷ. 모집단이 정규분포 $\mathrm{N}(m, \sigma^2)$을 따르고 $\mathrm{P}(|Z|\le k)=\frac{\alpha}{100}$라 할 때, 이 모집단에서 크기가 n인 표본을 임의추출하여 신뢰도 α %로 추정한 모평균의 신뢰구간의 길이는 $2k\frac{\sigma}{\sqrt{n}}$이다.

이때 신뢰도 α %가 일정하면 k의 값이 일정하므로 표본의 크기를 크게 하면 $2k\frac{\sigma}{\sqrt{n}}$의 값이 작아진다.

즉, 신뢰구간의 길이는 짧아진다. (참)

따라서 옳은 것은 ㄱ, ㄷ이다. 답 ㄱ, ㄷ

EXERCISES

EXERCISES B SUMMA CUM LAUDE 본문 237~239쪽

01 $\frac{1}{4}$ **02** $\frac{32}{25}$ **03** ③ **04** 0.5929
05 0.9878 **06** 0.07 **07** ⑤ **08** 0.957
09 ③ **10** 167

01 확률의 총합이 1이므로 $a+b=\frac{3}{4}$

$\therefore a=\frac{3}{4}-b$ ...... ㉠

크기가 2인 표본을 임의추출하여 $|\overline{X}|=1$, 즉 $\overline{X}=-1$ 또는 $\overline{X}=1$이 나오는 경우는

(i) $\overline{X}=-1$인 경우, 표본으로 -2와 0 또는 0과 -2를 추출한 것이므로 이때의 확률은 $2ab$이다.

(ii) $\overline{X}=1$인 경우, 표본으로 0과 2 또는 2와 0을 추출한 것이므로 이때의 확률은 $\frac{b}{2}$이다.

$P(|\overline{X}|=1)=\frac{3}{8}$이므로

$2ab+\frac{b}{2}=\frac{3}{8}$, $2b\left(\frac{3}{4}-b\right)+\frac{b}{2}=\frac{3}{8}$ ($\because$ ㉠)

$-2b^2+2b=\frac{3}{8}$, $16b^2-16b+3=0$

$(4b-1)(4b-3)=0$ $\therefore b=\frac{1}{4}$ 또는 $b=\frac{3}{4}$

그런데 a의 값은 양수이므로 $b\neq\frac{3}{4}$ ($\because$ ㉠)

따라서 $b=\frac{1}{4}$이고 이것을 ㉠에 대입하면

$a=\frac{1}{2}$

$\therefore a-b=\mathbf{\frac{1}{4}}$ 답 $\frac{1}{4}$

02 주머니 속에 1이 적힌 공 2개, 5가 적힌 공 n개가 들어 있으므로 주머니에서 1개의 공을 뽑아서 그 공에 쓰여 있는 숫자를 확률변수 X라 하면 X의 확률분포를 표로 나타내면 다음과 같다.

X	1	5	합계
$P(X=x)$	$\frac{2}{n+2}$	$\frac{n}{n+2}$	1

이때 모집단에서 임의추출한 크기가 2인 표본을 각각 X_1, X_2라 하고 모든 경우를 순서쌍 (X_1, X_2)로 나타내면 $(1, 1)$, $(1, 5)$, $(5, 1)$, $(5, 5)$이므로 표본평균 $\overline{X}=\frac{X_1+X_2}{2}$의 확률분포를 표로 나타내면 다음과 같다.

$\overline{X}$	1	3	5	합계
$P(\overline{X}=\overline{x})$	$\frac{4}{(n+2)^2}$	$\frac{4n}{(n+2)^2}$	$\frac{n^2}{(n+2)^2}$	1

$P(\overline{X}=1)=\frac{1}{25}$이므로

$\frac{4}{(n+2)^2}=\frac{1}{25}$, $(n+2)^2=100$

$n+2=\pm10$ $\therefore n=8$ ($\because n$은 자연수)

따라서 확률변수 X의 확률분포를 나타낸 표에서

$E(X)=1\times\frac{1}{5}+5\times\frac{4}{5}=\frac{21}{5}$

$V(X)=\left(1^2\times\frac{1}{5}+5^2\times\frac{4}{5}\right)-\left(\frac{21}{5}\right)^2=\frac{64}{25}$

이므로 $V(\overline{X})=\frac{\frac{64}{25}}{2}=\mathbf{\frac{32}{25}}$ 답 $\frac{32}{25}$

03 모집단이 정규분포 $N(m, 30^2)$을 따르고 표본의 크기가 9이므로 표본평균 $\overline{X}$는 정규분포 $N\left(m, \frac{30^2}{9}\right)$, 즉 $N(m, 10^2)$을 따른다.

따라서 $Z_G=\frac{X-m}{30}$, $Z_H=\frac{\overline{X}-m}{10}$으로 놓으면 확률변수 Z_G, Z_H는 모두 표준정규분포 $N(0, 1)$을 따른다.

$\therefore G(k)=P(X\leq m+30k)$

$=P\left(Z_G\leq\frac{m+30k-m}{30}\right)$

$=P(Z_G\leq k)$

$H(k)=\mathrm{P}(\overline{X}\ge m-30k)$

$=\mathrm{P}\left(Z_H\ge\dfrac{m-30k-m}{10}\right)$

$=\mathrm{P}(Z_H\ge -3k)$

ㄱ. $G(0)=\mathrm{P}(Z_G\le 0)=0.5$,

$H(0)=\mathrm{P}(Z_H\ge 0)=0.5$

$\therefore G(0)=H(0)$ (참)

ㄴ. $G(3)=\mathrm{P}(Z_G\le 3)$,

$H(1)=\mathrm{P}(Z_H\ge -3)=\mathrm{P}(Z_H\le 3)$

$\therefore G(3)=H(1)$ (참)

ㄷ. $G(1)=\mathrm{P}(Z_G\le 1)$, $H(-1)=\mathrm{P}(Z_H\ge 3)$이므로

$G(1)+H(-1)$

$=\mathrm{P}(Z_G\le 1)+\mathrm{P}(Z_H\ge 3)$

$=\{0.5+\mathrm{P}(0\le Z_G\le 1)\}+\{0.5-\mathrm{P}(0\le Z_H\le 3)\}$

$=1-\mathrm{P}(1\le Z_G\le 3)$

이때 $\mathrm{P}(1\le Z_G\le 3)>0$이므로

$G(1)+H(-1)<1$ (거짓)

따라서 옳은 것은 ㄱ, ㄴ이다. 답 ③

04 모집단이 정규분포 $\mathrm{N}(50,\ 4^2)$을 따르고 표본의 크기가 4이므로 표본평균 $\overline{X}$는 정규분포 $\mathrm{N}\left(50,\ \dfrac{4^2}{4}\right)$, 즉 $\mathrm{N}(50,\ 2^2)$을 따른다.

따라서 $Z=\dfrac{\overline{X}-50}{2}$으로 놓으면 확률변수 Z는 표준정규분포 $\mathrm{N}(0,\ 1)$을 따르고, 4조각의 무게가 192g 이상 212g 이하일 확률은 표본평균 $\overline{X}$가 $\dfrac{192}{4}=48(\mathrm{g})$ 이상 $\dfrac{212}{4}=53(\mathrm{g})$ 이하일 확률과 같으므로

$\mathrm{P}(48\le\overline{X}\le 53)=\mathrm{P}\left(\dfrac{48-50}{2}\le Z\le\dfrac{53-50}{2}\right)$

$=\mathrm{P}(-1\le Z\le 1.5)$

$=\mathrm{P}(0\le Z\le 1)+\mathrm{P}(0\le Z\le 1.5)$

$=0.34+0.43=0.77$

A, B 두 사람이 각각 독립적으로 떡 한 상자를 선택하므로 구하는 확률은

$0.77\times 0.77=\mathbf{0.5929}$ 답 0.5929

05 정규분포 $\mathrm{N}(50,\ 4^2)$을 따르는 모집단에서 표본의 크기가 16이므로 표본평균 $\overline{X}$는 정규분포 $\mathrm{N}\left(50,\ \dfrac{4^2}{16}\right)$, 즉 $\mathrm{N}(50,\ 1^2)$을 따른다.

또한 정규분포 $\mathrm{N}(70,\ \sigma^2)$을 따르는 모집단에서 표본의 크기가 36이므로 표본평균 $\overline{Y}$는 정규분포 $\mathrm{N}\left(70,\left(\dfrac{\sigma}{6}\right)^2\right)$을 따른다.

따라서 $Z_X=\dfrac{\overline{X}-50}{1}$, $Z_Y=\dfrac{\overline{Y}-70}{\frac{\sigma}{6}}$으로 놓으면 확률변수 Z_X, Z_Y는 모두 표준정규분포 $\mathrm{N}(0,\ 1)$을 따른다. …… ❶

$\mathrm{P}(\overline{X}\le 51.5)=\mathrm{P}\left(Z_X\le\dfrac{51.5-50}{1}\right)=\mathrm{P}(Z_X\le 1.5)$,

$\mathrm{P}(\overline{Y}\le 69)=\mathrm{P}\left(Z_Y\le\dfrac{69-70}{\frac{\sigma}{6}}\right)=\mathrm{P}\left(Z_Y\le-\dfrac{6}{\sigma}\right)$

이고 $\mathrm{P}(\overline{X}\le 51.5)+\mathrm{P}(\overline{Y}\le 69)=1$이므로

$\mathrm{P}(Z_X\le 1.5)+\mathrm{P}\left(Z_Y\le-\dfrac{6}{\sigma}\right)=1$

$\therefore \mathrm{P}(Z_X\le 1.5)+\mathrm{P}\left(Z_Y\ge\dfrac{6}{\sigma}\right)=1$

즉, $\dfrac{6}{\sigma}=1.5$이므로 $\sigma=4$ …… ❷

$\therefore \mathrm{P}(\overline{Y}\ge 68.5)=\mathrm{P}\left(Z_Y\ge\dfrac{68.5-70}{\frac{4}{6}}\right)$

$=\mathrm{P}(Z_Y\ge -2.25)$

$=0.5+\mathrm{P}(0\le Z_Y\le 2.25)$

$=0.5+0.4878=\mathbf{0.9878}$ …… ❸

채점 기준	배점
❶ 표본평균 $\overline{X}$, $\overline{Y}$를 각각 표준화하기	30 %
❷ σ의 값 구하기	40 %
❸ $\mathrm{P}(\overline{Y}\ge 68.5)$ 구하기	30 %

답 0.9878

EXERCISES

06 모집단이 정규분포 $\mathrm{N}(1,\ 0.1^2)$을 따르고, 표본의 크기가 9이므로 표본평균 $\overline{X_9}$는 정규분포 $\mathrm{N}\left(1,\ \frac{0.1^2}{9}\right)$, 즉 $\mathrm{N}\left(1, \left(\frac{1}{30}\right)^2\right)$을 따른다.

따라서 $Z_9=\dfrac{\overline{X_9}-1}{\frac{1}{30}}$로 놓으면 확률변수 Z_9는 표준정규분포 $\mathrm{N}(0,\ 1)$을 따른다.

한편 상금을 받으려면 100명 중 상위 16명 안에 들어야 한다. 즉, $\mathrm{P}(\overline{X_9}\ge k)=0.16$이어야 하므로

$$\mathrm{P}\left(Z_9\ge\frac{k-1}{\frac{1}{30}}\right)=0.16$$

$$0.5-\mathrm{P}\left(0\le Z_9\le\frac{k-1}{\frac{1}{30}}\right)=0.16$$

$$\therefore \mathrm{P}\left(0\le Z_9\le\frac{k-1}{\frac{1}{30}}\right)=0.34$$

이때 $\mathrm{P}(0\le Z\le 1)=0.34$이므로

$$\frac{k-1}{\frac{1}{30}}=1 \qquad \therefore k=\frac{31}{30}$$

따라서 한 마리에 $\frac{31}{30}$ kg 이상의 물고기를 잡아야 상금을 받을 수 있으므로 9마리의 물고기에 대하여

$\frac{31}{30}\times 9=9.3\,(\mathrm{kg})$ 이상을 잡아야 상금을 받을 수 있다.

참가자 A가 5마리의 물고기를 잡았을 때까지의 물고기의 무게의 합이 5kg이므로 상금을 받으려면 앞으로 잡는 4마리의 물고기의 무게의 합이 $9.3-5=4.3\,(\mathrm{kg})$ 이상이어야 한다. 즉, 한 마리의 무게가 $4.3\div4=1.075\,(\mathrm{kg})$ 이상이어야 한다.

표본의 크기가 4이므로 표본평균 $\overline{X_4}$는 정규분포 $\mathrm{N}\left(1,\ \frac{0.1^2}{4}\right)$, 즉 $\mathrm{N}\left(1, \left(\frac{1}{20}\right)^2\right)$을 따른다.

따라서 $Z_4=\dfrac{\overline{X_4}-1}{\frac{1}{20}}$로 놓으면 확률변수 Z_4는 표준정규분포 $\mathrm{N}(0, 1)$을 따르므로

$$\begin{aligned}\mathrm{P}(\overline{X_4}\ge1.075)&=\mathrm{P}\left(Z_4\ge\frac{1.075-1}{\frac{1}{20}}\right)\\&=\mathrm{P}(Z_4\ge1.5)\\&=0.5-\mathrm{P}(0\le Z_4\le1.5)\\&=0.5-0.43=0.07\end{aligned}$$

따라서 참가자 A가 상금을 받을 확률은 **0.07**이다.

답 0.07

07 표본평균의 값을 $\overline{x}$라 하면 모표준편차가 $\frac{1}{2}$, 표본의 크기가 25이므로 신뢰도 95%로 추정한 모평균 m에 대한 신뢰구간은

$$\overline{x}-c\times\frac{\frac{1}{2}}{\sqrt{25}}\le m\le\overline{x}+c\times\frac{\frac{1}{2}}{\sqrt{25}}$$

$$\overline{x}-c\times\frac{1}{10}\le m\le\overline{x}+c\times\frac{1}{10}$$

따라서 $a=\overline{x}-c\times\frac{1}{10}$, $b=\overline{x}+c\times\frac{1}{10}$이므로

$$b-a=c\times\frac{1}{5}$$

$$\therefore c=\mathbf{5(b-a)}$$

다른 풀이 $b-a$는 신뢰구간의 길이이므로

$$\begin{aligned}b-a&=2\times c\times\frac{\frac{1}{2}}{\sqrt{25}}\\&=\frac{c}{5}\end{aligned}$$

$$\therefore c=5(b-a)$$

답 ⑤

08 모표준편차를 σ라 하면 모집단이 정규분포 $\mathrm{N}(m,\ \sigma^2)$을 따르므로 $Z=\dfrac{X-m}{\sigma}$으로 놓으면 확률변수 Z는 표준정규분포 $\mathrm{N}(0,\ 1)$을 따른다.

한편 표본평균의 값이 $\overline{x}$, 모표준편차가 σ, 표본의 크기가 9이므로 모평균 m에 대하여 신뢰도 99%로 추정한 신뢰구간은

$$\overline{x}-2.58\times\frac{\sigma}{\sqrt{9}}\le m\le\overline{x}+2.58\times\frac{\sigma}{\sqrt{9}}$$

$$\therefore\ \overline{x}-0.86\sigma\le m\le\overline{x}+0.86\sigma$$

$$\therefore\ c=0.86\sigma$$

따라서 구하는 확률은

$$\begin{aligned}P(X\le m+2c)&=P\left(Z\le\frac{m+1.72\sigma-m}{\sigma}\right)\\&=P(Z\le 1.72)\\&=0.5+P(0\le Z\le 1.72)\\&=0.5+0.457=\mathbf{0.957}\end{aligned}$$

답 0.957

09 두 표본평균 $\overline{X_{36}}$, $\overline{X_{144}}$는 각각 정규분포 $N\left(m, \left(\frac{\sigma}{6}\right)^2\right)$, $N\left(m, \left(\frac{\sigma}{12}\right)^2\right)$을 따른다.

ㄱ. $\overline{X_{36}}$과 $\overline{X_{144}}$의 분산은 각각 $\left(\frac{\sigma}{6}\right)^2$, $\left(\frac{\sigma}{12}\right)^2$이므로

$$\left(\frac{\sigma}{6}\right)^2>\left(\frac{\sigma}{12}\right)^2 \text{ (참)}$$

ㄴ. $b-a=2\times1.96\times\frac{\sigma}{6}$,

$d-c=2\times1.96\times\frac{\sigma}{12}$이므로

$b-a>d-c$ (참)

ㄷ. $Z_{36}=\dfrac{\overline{X_{36}}-m}{\frac{\sigma}{6}}$, $Z_{144}=\dfrac{\overline{X_{144}}-m}{\frac{\sigma}{12}}$으로 놓으면 두 확률변수 Z_{36}, Z_{144}는 모두 표준정규분포 $N(0,\ 1)$을 따른다.

$$\begin{aligned}P(\overline{X_{36}}\le m+2k)&=P\left(Z_{36}\le\frac{m+2k-m}{\frac{\sigma}{6}}\right)\\&=P\left(Z_{36}\le\frac{12k}{\sigma}\right)\end{aligned}$$

$$\begin{aligned}P(\overline{X_{144}}\le m+k)&=P\left(Z_{144}\le\frac{m+k-m}{\frac{\sigma}{12}}\right)\\&=P\left(Z_{144}\le\frac{12k}{\sigma}\right)\end{aligned}$$

$\therefore\ P(\overline{X_{36}}\le m+2k)=P(\overline{X_{144}}\le m+k)$ (거짓)

따라서 옳은 것은 ㄱ, ㄴ이다.

답 ③

10 조건에서 표본의 크기가 충분히 크므로 모표준편차 대신 표본표준편차를 이용할 수 있다.

표본평균이 8, 표본표준편차가 1이고 표본의 크기를 n이라 하면 신뢰도 99%로 추정한 모평균 m에 대한 신뢰구간은

$$8-2.58\times\frac{1}{\sqrt{n}}\le m\le 8+2.58\times\frac{1}{\sqrt{n}}$$

$$-\frac{2.58}{\sqrt{n}}\le m-8\le\frac{2.58}{\sqrt{n}}$$

$$\therefore\ |m-8|\le\frac{2.58}{\sqrt{n}}$$

이때 모평균과 표본평균의 차 $|m-8|$이 12분, 즉 $\frac{1}{5}$시간 이하이려면

$$\frac{2.58}{\sqrt{n}}\le\frac{1}{5},\ \sqrt{n}\ge 12.9$$

$$\therefore\ n\ge 166.41$$

따라서 표본의 크기를 **167** 이상으로 해야 한다.

답 167

EXERCISES

Chapter Ⅲ Exercises SUMMA CUM LAUDE 본문 240~245쪽

01 ㄱ, ㄴ, ㄷ　02 평균 : $\frac{1}{40}$, 표준편차 : $\frac{\sqrt{2}}{120}$
03 ⑤　04 ⑤　05 33　06 16　07 18
08 8　09 0.2　10 0.266　11 62
12 $\frac{35}{16}$　13 ⑤　14 0.6131　15 2004
16 357.5　17 98　18 25　19 1600

01 **[전략] ㄱ. 주어진 조건과 확률의 총합이 1임을 이용하여 p_2의 값을 구한다.**
ㄴ, ㄷ. $0\le p_k\le 1$ $(k=1, 2, 3)$임을 이용하여 참, 거짓을 판단한다.

ㄱ. $2p_2=p_1+p_3$이고 확률의 총합이 1이므로

$p_1+p_2+p_3=3p_2=1$

$\therefore p_2=\frac{1}{3}$

$\therefore \mathrm{P}(X=2)=\frac{1}{3}$ (참)

ㄴ. $0\le p_1\le 1$, $0\le p_3\le 1$이고,

$p_1+p_3=1-\frac{1}{3}=\frac{2}{3}$이므로 p_3-p_1의 최댓값은

$p_3=\frac{2}{3}$, $p_1=0$일 때 $\frac{2}{3}$이다. (참)

ㄷ. $p_3=\frac{2}{3}-p_1$이므로

$$\mathrm{E}(X)=1\times p_1+2\times\frac{1}{3}+5\times\left(\frac{2}{3}-p_1\right)$$
$$=4-4p_1$$

이때 $0\le p_1\le 1$이므로 $\mathrm{E}(X)$의 최댓값은 $p_1=0$일 때 4이다. (참)

따라서 ㄱ, ㄴ, ㄷ 모두 옳다.　**답** ㄱ, ㄴ, ㄷ

02 **[전략] X가 가질 수 있는 값을 일반화하는 표현을 구하면 계산이 쉽다.**

임의로 1개를 골라서 지운 수를 $\frac{1}{x}$ $(x=1, 2, 3, 4, 5)$이라 할 때, 확률변수 X가 가질 수 있는 값은

$\frac{x}{5!}$

이고, 그 각각의 확률은 $\frac{1}{5}$이므로

$$\mathbf{E}(X)=\frac{1}{5}\times\left(\frac{1+2+3+4+5}{5!}\right)$$
$$=\frac{3}{5!}=\mathbf{\frac{1}{40}}$$
$$\mathrm{V}(X)=\frac{1}{5}\times\left\{\frac{1^2+2^2+3^2+4^2+5^2}{(5!)^2}\right\}-\left(\frac{3}{5!}\right)^2$$
$$=\frac{2}{(5!)^2}$$
$$\sigma(X)=\sqrt{\mathrm{V}(X)}$$
$$=\frac{\sqrt{2}}{5!}=\mathbf{\frac{\sqrt{2}}{120}}$$

답 평균 : $\frac{1}{40}$, 표준편차 : $\frac{\sqrt{2}}{120}$

03 **[전략] 확률변수 X, Y, Z가 가질 수 있는 값을 각각 구해 본다.**

확률변수 X가 가질 수 있는 값은

$1, 2, 3, \cdots, 99$

확률변수 Y, Z가 가질 수 있는 값은

$2, 4, 6, \cdots, 198$

한편 $1\le k\le 99$인 정수 k에 대하여

$\mathrm{P}(X=k)=\mathrm{P}(Y=2k)=\mathrm{P}(Z=2k)$이므로

$Y=Z=2X$

따라서 $\mathrm{V}(Y)=\mathrm{V}(2X)=4\mathrm{V}(X)$,

$\mathrm{V}(Z)=\mathrm{V}(2X)=4\mathrm{V}(X)$이므로

$\mathbf{V}(X)<\mathbf{V}(Y)=\mathbf{V}(Z)$　**답** ⑤

04 **[전략] 과정을 따라 빈칸에 알맞은 수를 구한다.**

주어진 X의 값이

$0.1+0.021$, $0.2+0.021$, $0.3+0.021$

이므로 $Y=10X-2.21$로 놓고 확률변수 Y의 확률분포를 표로 나타내면 다음과 같다.

X	0.121	0.221	0.321	합계
Y	-1	0	1	
$P(Y=y)$	a	b	$\frac{2}{3}$	1

확률의 총합은 1이므로 $a+b+\frac{2}{3}=1$

$\therefore a+b=\frac{1}{3}$ …… ㉠

또한

$$E(Y)=E(10X-2.21)$$
$$=10E(X)-2.21$$
$$=10\times0.271-2.21=0.5$$

이므로

$$E(Y)=(-1)\times a+0\times b+1\times\frac{2}{3}=0.5$$

$$-a+\frac{2}{3}=0.5 \quad \therefore a=\boxed{\frac{1}{6}}$$

$a=\frac{1}{6}$을 ㉠에 대입하면 $b=\boxed{\frac{1}{6}}$

$$E(Y^2)=(-1)^2\times\frac{1}{6}+0^2\times\frac{1}{6}+1^2\times\frac{2}{3}$$
$$=\frac{1}{6}+\frac{2}{3}=\frac{5}{6}$$

이므로

$$V(Y)=E(Y^2)-\{E(Y)\}^2$$
$$=\frac{5}{6}-0.5^2=\frac{7}{12}$$

한편 $Y=10X-2.21$이므로

$$V(Y)=V(10X-2.21)=\boxed{10^2}\times V(X)$$

$$\therefore V(X)=\frac{1}{10^2}V(Y)$$
$$=\frac{1}{100}\times\frac{7}{12}=\frac{7}{1200}$$

위의 과정에서 (가), (나), (다)에 알맞은 수는 각각 $\frac{1}{6}$, $\frac{1}{6}$, 10^2이므로

$$p=\frac{1}{6},\ q=\frac{1}{6},\ r=10^2$$

$$\therefore pqr=\mathbf{\frac{25}{9}}$$

답 ⑤

05 [전략] ❶ 확률의 총합이 1임을 이용하여 k의 값을 구한다.
❷ $E(aX+b)=aE(X)+b$

확률의 총합이 1이므로

$$\frac{1}{k}({}_4C_1+{}_4C_2+{}_4C_3+{}_4C_4)=1$$

$$\therefore k={}_4C_1+{}_4C_2+{}_4C_3+{}_4C_4$$
$$=2^4-1\ (\because \textbf{[참고]})$$
$$=15$$

$$\therefore E(X)=\frac{1}{15}(2\times{}_4C_1+2^2\times{}_4C_2+2^3\times{}_4C_3+2^4\times{}_4C_4)$$
$$=\frac{1}{15}\{(1+2)^4-1\}\ (\because \textbf{[참고]})$$
$$=\frac{1}{15}(3^4-1)$$
$$=\frac{1}{15}\times80$$
$$=\frac{16}{3}$$

$$\therefore E(6X+1)=6E(X)+1$$
$$=32+1=\mathbf{33}$$

[참고] 이항계수의 성질

$$(1+x)^n$$
$$={}_nC_0x^0+{}_nC_1x^1+{}_nC_2x^2+\cdots+{}_nC_nx^n \quad \cdots\cdots ㉠$$

① ㉠의 양변에 $x=1$을 대입하면

$$2^n={}_nC_0+{}_nC_1+{}_nC_2+\cdots+{}_nC_n$$

② ㉠의 양변에 $x=2$를 대입하면

$$3^n={}_nC_0+2\times{}_nC_1+2^2\times{}_nC_2+\cdots+2^n\times{}_nC_n$$

이 문제는 계산이 간단하므로 그냥 풀어도 되지만 해설과 같이 이항계수의 성질을 이용하는 방법도 익혀두도록 하자.

답 33

EXERCISES

06 [전략] 확률변수 X가 이항분포 $\mathrm{B}(n,\ p)$를 따를 때 $\mathrm{E}(X)=np$이다.

그래프에서 $f(1)>0$, $f(2)>0$, $f(3)>0$, $f(4)>0$, $f(5)=0$, $f(6)<0$이므로

$$\mathrm{P}(A)=\frac{4}{6}=\frac{2}{3}$$

따라서 확률변수 X가 이항분포 $\mathrm{B}\left(24,\ \frac{2}{3}\right)$를 따르므로

$$\mathrm{E}(X)=24\times\frac{2}{3}=\mathbf{16}$$

답 16

07 [전략] 확률변수 X가 이항분포 $\mathrm{B}(n,\ p)$를 따를 때 $\mathrm{E}(X)=np$, $\mathrm{V}(X)=np(1-p)$이다.

$\mathrm{E}(3X)=3\mathrm{E}(X)=18$이므로 $\quad \mathrm{E}(X)=6$

$\mathrm{E}(3X^2)=3\mathrm{E}(X^2)=120$이므로 $\quad \mathrm{E}(X^2)=40$

$\therefore\ \mathrm{V}(X)=\mathrm{E}(X^2)-\{\mathrm{E}(X)\}^2=40-6^2=4$

확률변수 X가 이항분포 $\mathrm{B}(n,\ p)$를 따르므로

$\mathrm{E}(X)=np=6$ ……㉠

$\mathrm{V}(X)=np(1-p)=4$ ……㉡

㉠을 ㉡에 대입하면 $\quad 6(1-p)=4$

$1-p=\frac{2}{3} \qquad \therefore\ p=\frac{1}{3}$

$p=\frac{1}{3}$을 ㉠에 대입하면 $\quad n\times\frac{1}{3}=6$

$\therefore\ n=\mathbf{18}$

답 18

08 [전략] 주사위를 9번 던졌을 때 2의 눈이 나오는 횟수를 확률변수 Y라 하고 X를 Y에 대한 식으로 나타낸다.

주사위를 한 번 던졌을 때, 2가 나올 확률은 $\frac{2}{3}$이고, 1이 나올 확률은 $\frac{1}{3}$이다.

주사위를 9번 던졌을 때 2가 나오는 횟수를 확률변수 Y라 하면

$X=3Y+(9-Y)$

$\quad=2Y+9\ (Y=0,\ 1,\ \cdots,\ 9)$

이므로

$\mathrm{V}(X)=\mathrm{V}(2Y+9)=4\mathrm{V}(Y)$

이때 확률변수 Y는 이항분포 $\mathrm{B}\left(9,\ \frac{2}{3}\right)$를 따르므로

$\mathrm{V}(Y)=9\times\frac{2}{3}\times\frac{1}{3}=2$

$\therefore\ \mathrm{V}(X)=4\mathrm{V}(Y)=4\times2=\mathbf{8}$

답 8

09 [전략] 범위를 적당히 나눈 후 각 범위에 해당하는 확률을 미지수로 놓고 조건에 맞게 방정식을 세운다.

$\mathrm{P}\left(0\le X\le\frac{3}{10}\right)=a$, $\mathrm{P}\left(\frac{3}{10}\le X\le\frac{7}{10}\right)=b$,

$\mathrm{P}\left(\frac{7}{10}\le X\le1\right)=c$라 하면 X의 확률밀도함수 $f(x)$가 $f(-x)=f(x)$를 만족시키므로 함수 $y=f(x)$의 그래프는 직선 $x=0$을 기준으로 대칭이다. 즉,

$\mathrm{P}(-1\le X\le0)=\mathrm{P}(0\le X\le1)=0.5$

이므로

$a+b+c=0.5$ ……㉠

$4\mathrm{P}\left(0\le X\le\frac{7}{10}\right)=3\mathrm{P}\left(\frac{3}{10}\le X\le1\right)$에서

$4(a+b)=3(b+c)$

$\therefore\ 4a+b-3c=0$ ……㉡

$2\mathrm{P}\left(0\le X\le\frac{3}{10}\right)=\mathrm{P}\left(\frac{7}{10}\le X\le1\right)$에서

$2a=c$ ……㉢

㉠, ㉡, ㉢을 연립하여 풀면

$a=0.1$, $b=0.2$, $c=0.2$

$\therefore\ \mathrm{P}\left(-\frac{7}{10}\le X\le-\frac{3}{10}\right)$

$\quad=\mathrm{P}\left(\frac{3}{10}\le X\le\frac{7}{10}\right)=b=\mathbf{0.2}$

답 0.2

10 [전략] 먼저 $\mathrm{P}(X\ge73)$과 $\mathrm{P}(X<73)$을 각각 구한다.

이 회사 직원들의 이 날의 출근 시간을 확률변수 X라 하면 X는 정규분포 $\mathrm{N}(66.4,\ 15^2)$을 따른다.

따라서 $Z=\frac{X-66.4}{15}$로 놓으면 확률변수 Z는 표준정규분포 N(0, 1)을 따르므로

$$\begin{aligned}P(X\ge 73)&=P\left(Z\ge \frac{73-66.4}{15}\right)\\&=P(Z\ge 0.44)\\&=0.5-P(0\le Z\le 0.44)\\&=0.5-0.17=0.33\end{aligned}$$

$\therefore P(X<73)=1-0.33=0.67$

따라서 구하는 확률은

$P(X\ge 73)\times 0.4+P(X<73)\times 0.2$
$=0.33\times 0.4+0.67\times 0.2=\mathbf{0.266}$ 답 0.266

11 **[전략] 이항분포 $B(n, p)$를 따르는 확률변수 X에 대하여 n이 충분히 크면 X는 근사적으로 정규분포 $N(np, npq)$를 따름을 이용한다. (단, $q=1-p$)**

하루에 팔리는 식빵 봉지 수를 확률변수 X라 하면 X는 이항분포 $B\left(100, \frac{1}{2}\right)$을 따르므로

$E(X)=100\times\frac{1}{2}=50$

$V(X)=100\times\frac{1}{2}\times\frac{1}{2}=25$

이때 100은 충분히 큰 수이므로 X는 근사적으로 정규분포 $N(50, 5^2)$을 따른다.

따라서 $Z=\frac{X-50}{5}$으로 놓으면 확률변수 Z는 표준정규분포 N(0, 1)을 따르고 조건에 맞게 준비해야 하는 식빵의 봉지 수를 a라 하면

$P(X\ge a)\le\frac{1}{100}$

$P\left(Z\ge\frac{a-50}{5}\right)\le 0.01$

$0.5-P\left(0\le Z\le\frac{a-50}{5}\right)\le 0.01$

$\therefore P\left(0\le Z\le\frac{a-50}{5}\right)\ge 0.49$

이때 $P(0\le Z\le 2.4)=0.49$이므로

$\frac{a-50}{5}\ge 2.4 \qquad \therefore a\ge 62$

따라서 식빵이 부족한 날이 100일 중 하루 이하가 되기 위해서는 최소한 **62**봉지의 식빵을 준비해야 한다.

답 62

12 **[전략] $V(X)=E(X^2)-\{E(X)\}^2$, $V(\overline{X})=\frac{V(X)}{n}$**

$E(X)=\frac{1}{6}\times(1+2+3+4+5+6)=\frac{7}{2}$

$E(X^2)=\frac{1}{6}\times(1^2+2^2+3^2+4^2+5^2+6^2)=\frac{91}{6}$

$$\begin{aligned}\therefore V(X)&=E(X^2)-\{E(X)\}^2\\&=\frac{91}{6}-\left(\frac{7}{2}\right)^2=\frac{35}{12}\end{aligned}$$

이때 표본의 크기가 4이므로

$V(\overline{X})=\frac{V(X)}{4}=\frac{\frac{35}{12}}{4}=\frac{35}{48}$

$$\begin{aligned}\therefore V(X)-V(\overline{X})&=\frac{35}{12}-\frac{35}{48}\\&=\mathbf{\frac{35}{16}}\end{aligned}$$

답 $\frac{35}{16}$

13 **[전략] $P(Z>c)$를 구한 후 ㄱ, ㄴ, ㄷ의 참, 거짓을 판단한다.**

$P(|Z|>c)=0.06$에서

$P(Z>c)+P(Z<-c)=0.06$

$2P(Z>c)=0.06$

$\therefore P(Z>c)=0.03$

ㄱ. $P(Z>a)=0.05$이므로

$P(Z>a)>P(Z>c)$

$\therefore c>a$ (참)

ㄴ. 모집단이 정규분포 $N(75, 5^2)$을 따르고 표본의 크기가 25이므로 표본평균 $\overline{X}$는 정규분포 $N\left(75, \frac{5^2}{25}\right)$, 즉 $N(75, 1^2)$을 따른다.

EXERCISES

따라서 $Z=\frac{\overline{X}-75}{1}$로 놓으면 확률변수 Z는 표준정규분포 $N(0, 1)$을 따르므로

$P(\overline{X}\le c+75)=P\left(Z\le\frac{c+75-75}{1}\right)$

$=P(Z\le c)$

$=1-P(Z\ge c)$

$=1-0.03=0.97$ (참)

ㄷ. $P(\overline{X}>b)=P\left(Z>\frac{b-75}{1}\right)=0.01$이므로

$P(Z>c)>P(Z>b-75)$

$\therefore c<b-75$ (참)

따라서 ㄱ, ㄴ, ㄷ 모두 옳다. **답** ⑤

14 **[전략] 직구와 변화구의 표본의 크기를 먼저 알아본 후 조건을 만족시키는 확률을 구한다.**

(직구) : (변화구)를 16 : 9의 비율로 100개의 공을 던지므로 이 중에서 64개는 직구, 36개는 변화구를 던진다.

직구의 속력은 모평균이 150, 모표준편차가 8, 표본의 크기가 64이므로 직구 64개의 속력의 평균을 $\overline{X}$라 하면 확률변수 $\overline{X}$는 정규분포 $N\left(150, \frac{8^2}{64}\right)$, 즉 $N(150, 1^2)$을 따른다.

따라서 $Z_{\overline{X}}=\frac{\overline{X}-150}{1}$으로 놓으면 확률변수 $Z_{\overline{X}}$는 표준정규분포 $N(0, 1)$을 따르므로

$P(148\le\overline{X}\le150)$

$=P\left(\frac{148-150}{1}\le Z_{\overline{X}}\le\frac{150-150}{1}\right)$

$=P(-2\le Z_{\overline{X}}\le0)$

$=P(0\le Z_{\overline{X}}\le2)$

$=0.4772$

한편 변화구의 속력은 모평균이 145, 모표준편차가 6, 표본의 크기가 36이므로 변화구 36개의 속력의 평균을 $\overline{Y}$라 하면 확률변수 $\overline{Y}$는 정규분포 $N\left(145, \frac{6^2}{36}\right)$, 즉 $N(145, 1^2)$을 따른다.

따라서 $Z_{\overline{Y}}=\frac{\overline{Y}-145}{1}$로 놓으면 확률변수 $Z_{\overline{Y}}$는 표준정규분포 $N(0, 1)$을 따르므로

$P(146\le\overline{Y}\le147)$

$=P\left(\frac{146-145}{1}\le Z_{\overline{Y}}\le\frac{147-145}{1}\right)$

$=P(1\le Z_{\overline{Y}}\le2)$

$=P(0\le Z_{\overline{Y}}\le2)-P(0\le Z_{\overline{Y}}\le1)$

$=0.4772-0.3413$

$=0.1359$

따라서 구하는 확률은

$0.4772+0.1359=$**0.6131** **답** 0.6131

15 **[전략] 표본평균 $\overline{X}$가 정규분포 $N\left(m, \frac{10^2}{25}\right)$을 따르므로 표준화하여 m의 값을 구한다.**

모집단이 정규분포 $N(m, 10^2)$을 따르고 표본의 크기가 25이므로 표본평균 $\overline{X}$는 정규분포 $N\left(m, \frac{10^2}{25}\right)$, 즉 $N(m, 2^2)$을 따른다.

따라서 $Z=\frac{\overline{X}-m}{2}$으로 놓으면 확률변수 Z는 표준정규분포 $N(0, 1)$을 따르므로

$P(\overline{X}\ge2000)=0.9772$에서

$P\left(Z\ge\frac{2000-m}{2}\right)=0.9772$

$P\left(\frac{2000-m}{2}\le Z\le0\right)+0.5=0.9772$

$P\left(0\le Z\le\frac{m-2000}{2}\right)+0.5=0.9772$

$\therefore P\left(0\le Z\le\frac{m-2000}{2}\right)=0.4772$

이때 $P(0\le Z\le2.0)=0.4772$이므로

$\frac{m-2000}{2}=2$, $m-2000=4$

$\therefore m=$**2004** **답** 2004

16 **[전략] 표본평균 $\overline{X}$가 정규분포 $\mathrm{N}\left(350,\ \frac{50^2}{100}\right)$을 따르므로 표준화하여 k의 값을 구한다.**

모집단이 정규분포 $\mathrm{N}(350,\ 50^2)$을 따르고 표본의 크기가 100이므로 표본평균 $\overline{X}$는 정규분포 $\mathrm{N}\left(350,\ \frac{50^2}{100}\right)$, 즉 $\mathrm{N}(350,\ 5^2)$을 따른다.

따라서 $Z=\frac{\overline{X}-350}{5}$으로 놓으면 확률변수 Z는 표준정규분포 $\mathrm{N}(0,\ 1)$을 따르므로

$\mathrm{P}(345\le\overline{X}\le k)=0.7745$에서

$$\mathrm{P}\left(\frac{345-350}{5}\le Z\le\frac{k-350}{5}\right)=0.7745$$

$$\mathrm{P}\left(-1\le Z\le\frac{k-350}{5}\right)=0.7745$$

$$\mathrm{P}(0\le Z\le 1)+\mathrm{P}\left(0\le Z\le\frac{k-350}{5}\right)=0.7745$$

$$0.3413+\mathrm{P}\left(0\le Z\le\frac{k-350}{5}\right)=0.7745$$

$$\therefore\ \mathrm{P}\left(0\le Z\le\frac{k-350}{5}\right)=0.4332$$

이때 $\mathrm{P}(0\le Z\le 1.5)=0.4332$이므로

$\frac{k-350}{5}=1.5$ $\quad\therefore\ k=\mathbf{357.5}$ 답 357.5

17 **[전략] 모평균 m에 대한 신뢰도 95%의 신뢰구간은 $\overline{x}-1.96\times\frac{500}{\sqrt{100}}\le m\le\overline{x}+1.96\times\frac{500}{\sqrt{100}}$**

표본평균의 값이 $\overline{x}$이고 표본의 크기 100이 충분히 크므로 모표준편차 대신 표본표준편차를 이용할 수 있다.

따라서 모평균 m에 대한 신뢰도 95%의 신뢰구간은

$$\overline{x}-1.96\times\frac{500}{\sqrt{100}}\le m\le\overline{x}+1.96\times\frac{500}{\sqrt{100}}$$

$\therefore\ \overline{x}-98\le m\le\overline{x}+98$

$\therefore\ c=\mathbf{98}$ 답 98

18 **[전략] 모평균 m에 대한 신뢰도 95%의 신뢰구간은 $\overline{x}-1.96\times\frac{\sigma}{\sqrt{49}}\le m\le\overline{x}+1.96\times\frac{\sigma}{\sqrt{49}}$**

표본평균의 값이 $\overline{x}$, 모표준편차가 σ, 표본의 크기가 49이므로 모평균 m에 대한 신뢰도 95%의 신뢰구간은

$$\overline{x}-1.96\times\frac{\sigma}{\sqrt{49}}\le m\le\overline{x}+1.96\times\frac{\sigma}{\sqrt{49}}$$

이때 $\overline{x}-1.96\times\frac{\sigma}{\sqrt{49}}=1.73$, $\overline{x}+1.96\times\frac{\sigma}{\sqrt{49}}=1.87$

이므로 두 식을 연립하여 풀면

$\overline{x}=1.8,\ \sigma=0.25$

$$\therefore\ 180k=180\times\frac{\sigma}{\overline{x}}$$

$$=180\times\frac{0.25}{1.8}=\mathbf{25}$$

답 25

19 **[전략] 신뢰구간을 나타낸 식에서 적당히 이항하면 $\overline{x}$와 m의 차를 식으로 나타낼 수 있다.**

조건에서 표본의 크기가 충분히 크다고 하였으므로 모표준편차 대신 표본표준편차를 이용할 수 있다.

표본평균의 값이 $\overline{x}$, 표본표준편차가 0.4, 표본의 크기가 n이므로 신뢰도 95%로 추정한 모평균 m에 대한 신뢰구간은

$$\overline{x}-1.96\times\frac{0.4}{\sqrt{n}}\le m\le\overline{x}+1.96\times\frac{0.4}{\sqrt{n}}$$

$$-1.96\times\frac{0.4}{\sqrt{n}}\le m-\overline{x}\le 1.96\times\frac{0.4}{\sqrt{n}}$$

$$\therefore\ |m-\overline{x}|\le 1.96\times\frac{0.4}{\sqrt{n}}$$

이때 모평균과 표본평균의 차 $|m-\overline{x}|$가 0.0196 이하이려면

$$1.96\times\frac{0.4}{\sqrt{n}}\le 0.0196$$

$\sqrt{n}\ge 40$ $\quad\therefore\ n\ge 1600$

따라서 표본의 크기 n의 최솟값은 **1600**이다. 답 1600

EXERCISES

Chapter Ⅲ Advanced Lecture

본문 246~251쪽

[APPLICATION] 01 75%

01 평균이 5.4분이고, 표준편차는 1.5분이므로 2.4분과 8.4분은 평균으로부터 표준편차의 2배만큼 차이가 난다. 따라서 체비세프의 부등식에 의하여 2.4분에서 8.4분 사이로 연착되는 비행기는 전체의 $1-\frac{1}{2^2}=\frac{3}{4}$, 즉 **75%**임을 추정할 수 있다. 답 75%

내신·모의고사 대비 TEST

자세한 해설은 www.erumenb.com ➡ 학습자료실 ➡ 교재자료실에서 다운받아 보실 수 있습니다.

01 여러 가지 순열 SUMMA CUM LAUDE 본문 258쪽

1. (1) 120 (2) 48 (3) 24 **2.** 20160 **3.** 32
4. ④ **5.** 840 **6.** 130 **7.** 144 **8.** ①
9. 160 **10.** 136 **11.** 34 **12.** 110

02 중복조합과 이항정리 SUMMA CUM LAUDE 본문 260쪽

1. (1) 286 (2) 84 **2.** (1) 36 (2) 15 **3.** 28
4. ③ **5.** 672 **6.** (1) 9 (2) 11 **7.** 210
8. 135 **9.** (1) 252 (2) 56 **10.** ② **11.** 22
12. 54 **13.** ③

03 확률의 뜻과 활용 SUMMA CUM LAUDE 본문 262쪽

1. $\frac{5}{216}$ **2.** 17 **3.** ② **4.** $\frac{7}{20}$ **5.** ④
6. ④ **7.** ② **8.** ③ **9.** $\frac{1}{2}$ **10.** 7
11. ① **12.** $\frac{9}{14}$

04 조건부확률 SUMMA CUM LAUDE 본문 264쪽

1. $\frac{2}{5}$ **2.** $\frac{13}{35}$ **3.** ⑤ **4.** $\frac{7}{11}$ **5.** $\frac{3}{4}$
6. ⑤ **7.** $\frac{13}{9}$ **8.** $\frac{1}{3}$ **9.** ③ **10.** $\frac{131}{240}$
11. $\frac{21}{128}$

05 이산확률변수의 확률분포 SUMMA CUM LAUDE 본문 266쪽

1. $\frac{1}{4}$ **2.** ⑤ **3.** ① **4.** 21 **5.** 920
6. ④ **7.** ② **8.** $\frac{1}{6}$ **9.** ④ **10.** $2\sqrt{11}$
11. ① **12.** 92

06 연속확률변수의 확률분포 SUMMA CUM LAUDE 본문 268쪽

1. $\frac{2}{3}$ **2.** $\frac{1}{4}$
3. (1) 0.6826 (2) 0.0606 (3) 0.0228 (4) 0.9938
4. 70 **5.** 0.7745 **6.** 0.2857 **7.** $\frac{5}{8}$
8. C, D **9.** ④ **10.** 0.159 **11.** 0.0062
12. 186

07 통계적 추정 SUMMA CUM LAUDE 본문 270쪽

1. 17 **2.** $\frac{11}{32}$ **3.** 102 **4.** 0.8185
5. $44.84 \le m \le 55.16$ **6.** 9.8 **7.** $\frac{1}{10}$
8. 0.0228 **9.** 25 **10.** 225 **11.** 85.58
12. 99.8

기출문제로 1등급 도전하기

Ⅰ. 경우의 수 SUMMA CUM LAUDE 본문 272쪽

1. ② **2.** ② **3.** ⑤ **4.** 33 **5.** ②
6. 17 **7.** ④ **8.** ② **9.** 51 **10.** 32
11. 525 **12.** 165 **13.** 455

Ⅱ. 확률 SUMMA CUM LAUDE 본문 276쪽

1. ③ **2.** ④ **3.** ④ **4.** ① **5.** 131
6. 12 **7.** 68 **8.** ② **9.** ⑤ **10.** ③
11. 43 **12.** ③ **13.** 8 **14.** ③ **15.** ③

Ⅲ. 통계 SUMMA CUM LAUDE 본문 280쪽

1. ② **2.** ④ **3.** 20 **4.** ⑤ **5.** ②
6. 20 **7.** 10 **8.** 35 **9.** 62 **10.** 155
11. 26 **12.** 16 **13.** ② **14.** ①
15. 249

M/E/M/O

T·H·I·N·K·M·O·R·E·A·B·O·U·T·Y·O·U·R·F·U·T·U·R·E

M/E/M/O

T·H·I·N·K·M·O·R·E·A·B·O·U·T·Y·O·U·R·F·U·T·U·R·E

M / E / M / O

T · H · I · N · K · M · O · R · E · A · B · O · U · T · Y · O · U · R · F · U · T · U · R · E

M/E/M/O

T·H·I·N·K·M·O·R·E·A·B·O·U·T·Y·O·U·R·F·U·T·U·R·E

M/E/M/O

T·H·I·N·K·M·O·R·E·A·B·O·U·T·Y·O·U·R·F·U·T·U·R·E

튼튼한 **개념!** 흔들리지 않는 **실력!**

숨마쿰라우데 확률과 통계

'제대로' 공부를 해야 공부가 더 쉬워집니다!

"공부하는 사람은 언제나 생각이 명징하고 흐트러짐이 없어야 한다. 그러자면 우선 눈앞에 펼쳐진 어지러운 자료를 하나로 묶어 종합하는 과정이 필요하다. 비슷한 것끼리 갈래로 묶고 교통정리를 하고 나면 정보간의 우열이 드러난다. 그래서 중요한 것을 가려내고 중요하지 않은 것을 추려내는데 이 과정이 바로 '종핵(綜核)'이다." 이는 다산 정약용이 주장한 공부법입니다. 제대로 공부하는 과정은 종핵처럼 복잡한 것을 단순하게 만드는 과정입니다. 공부를 쉽게 하는 방법은 복잡한 내용들 사이의 관계를 잘 이해하여 간단히 정리해 나가는 것입니다. 이를 위해서는 무엇보다도 먼저 내용을 제대로 알아야 합니다. 숨마쿰라우데는 전체를 보는 안목을 기르고, 부분을 명쾌하게 파악할 수 있도록 친절하게 설명하였습니다. 보다 쉽게 공부하는 길에 숨마쿰라우데가 여러분들과 함께 하겠습니다.

학습자 수준에 맞도록 공부하는 단계별 구성!

공부에 매진하는 학생들은 모두가 눈앞에 놓인 목표가 있습니다. 예를 들면, '과목의 개념 학습을 확실히 하여 기초를 다지고 싶다', '학교 내신 시험을 잘 보고 싶다', '대학별 논·구술 시험에 대비하고 싶다' 등등···!! 숨마쿰라우데는 이런 각각의 학생들이 원하는 학습 목표에 따른 선택적 학습이 가능합니다. 첫째, 개념 학습 단계에서는 그 어떤 교재보다도 확실하고 자세하게 개념을 설명하고 있습니다. 둘째, 문제 풀이 단계에서는 개념 확인 문제를 비롯하여 내신형과 수능형 문제, 서술형 문제를 실어 수준별 학습이 가능하도록 하였습니다. 셋째, 심화 학습 단계에서는 교과에 대한 보다 심층적인 내용과 대학별 논·구술 예상 문제를 실어 깊이 있는 사고가 가능하도록 하였습니다. 이러한 숨마쿰라우데의 단계별 구성으로 학생들은 자신의 학습 목표에 맞는 부분을 찾아 공부할 수 있습니다. 모든 학습의 기본은 개념의 확실한 이해입니다. 공부하기 쉬운 숨마쿰라우데로 흔들리지 않는 학습의 중심을 잡으세요.

미래로 수능기출총정리 HOW to 수능1등급

이룸이앤비 Education&Books
www.erumenb.com

"유형 ⇨ 고난도 ⇨ 실전으로 수능을 완벽 대비하자!"

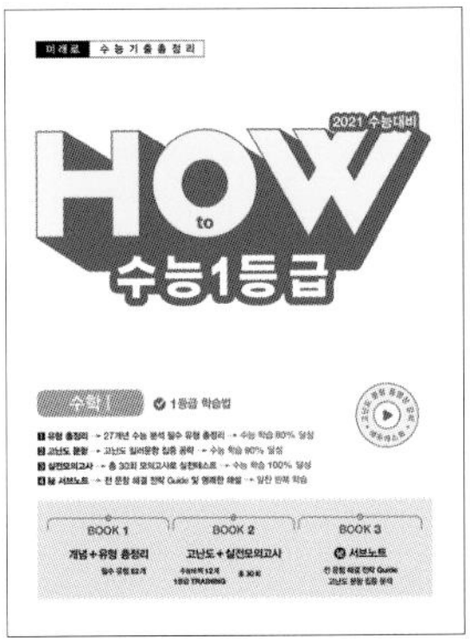

국어
국어 독서

영어
영어 듣기
영어 독해

수학
수학 I
수학 II
확률과 통계
미적분

수능의 절대강자 HOW to 수능1등급의 특장점

❶ 수능, 평가원, 교육청 및 사관학교, 경찰대 기출문제에서 출제율이 높은 문항들을 엄선하여 구성함으로써 수능을 완벽하게 대비할 수 있도록 하였습니다.

❷ 수능에 꼭 나오는 핵심 개념과 유형을 파악하는 1권 [개념+유형편] 학습과 1등급을 위한 2권 [고난도편]+[실전모의고사편] 학습으로 구성하여 단계별 학습, 선택적 학습이 가능하도록 하였습니다.

❸ [고난도편]에는 1등급에 도달하기 위해 반드시 풀어야 하는 킬러 유형만을 모아 놓아 1등급을 위한 집중학습이 가능하도록 하였습니다.

❹ [실전모의고사편]에는 문제를 제한 시간 안에 풀어 봄으로써 실전 감각을 기르고, 시간 안배와 등급을 확인할 수 있도록 하였습니다.

❺ 해설에는 모든 문항과 함께 문제에 대한 해결 가이드 및 첨삭이 제시되어 있어 문제를 완벽하게 이해할 수 있도록 하였습니다. 또한 다른 해설, 부가 설명 등을 통해 문제의 핵심을 제대로 파악할 수 있도록 하였습니다.

숨마쿰라우데 라이트 수학 문제유형 기본서

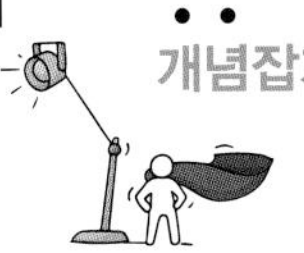

개념잡기–유형마스터–다양한 문제풀이로 완성하는
3단계 수학학습 시스템

「라이트 수학」 한 권으로 입맛에 맞는 공부를 해 보세요~!

1. **개념만 쭈욱 공부하고 싶을 때**
   핵심개념 PART만 모아서 공부해 보세요. 개념을 숙지하는 데 좋습니다!
2. **기출유형을 쭈욱 확인하고 싶을 때**
   대표유형 PART만 모아서 공부해 보세요. 유형을 파악하고 연습하는 데 좋습니다!
3. **학습 후 자기진단을 하고 싶을 때**
   REVIEW PART만 모아서 공부해 보세요. 내용을 이해하고 있는지 확인하는 데 좋습니다!
4. **시험대비와 함께 실력을 한 단계 높이고 싶을 때**
   연습문제 PART만 모아서 공부해 보세요. 실력도 다지고 시험대비 하기에 좋습니다!

숨마쿰라우데® S

SUMMA CUM LAUDE 「최우등 졸업」을 의미하는 라틴어